Con Aprecio
fraternal de la
CLASE 98. del
Programa Hispano de VERA

Atlanta, Julio 1998.

Asedios a lo Indecible

Asedios a lo Indecible
San Juan de la Cruz canta al éxtasis transformante

Luce López-Baralt

EDITORIAL TROTTA

DECANATO DE ESTUDIOS GRADUADOS E INVESTIGACIÓN
RECINTO DE RÍO PIEDRAS, UNIVERSIDAD DE PUERTO RICO

COLECCIÓN PARADIGMAS
Biblioteca de Ciencias de las Religiones

Diseño
Joaquín Gallego

ISBN: 84-8164-158-8
Depósito Legal: VA-25/98

Impresión
Simancas Ediciones, S.A.
Pol. Ind. San Cristóbal
C/ Estaño, parcela 152
47012 Valladolid

A Ernesto Cardenal, que encontró en el hondón de su alma al Otro, merced altísima en la que las verdades divinas no solamente se saben, mas juntamente se gustan.

A Eulogio Pacho, sanjuanista compañero de camino, por la alegría de crear juntos, y en homenaje a deudas impagables.

A Ana María Rizzuto, porque en su espacio celeste accedí al Birth of the Living God.

A José Hierro, porque la noche amorosa de su «Lope. La noche. Marta» me dio, inesperadamente, claves cruciales de la noche sanjuanística.

A Rosalén Rodríguez Orellana, porque su sagrada amistad infinita, lluvia de flores preciosas, me ha hecho darle la razón a Aristóteles: «Un amigo es otro yo».

A mi madre, porque estos Asedios a lo indecible tuvieron la fortuna de ser leídos por sus ojos adorados.

A Raimundo Lida, siempre.

«Vi a Dios tan de cerca
que perdí la fe.»

(Egidio de Asís, *ca.* 1174)

إذا تجلى حبيبي بأي عين أراه

بعينه لا بعيني فما يراه سواه

[Cuando aparece mi Amado, ¿con
qué ojo he de mirarle? —Con el suyo,
no con el mío, porque nadie
Lo ve sino Él mismo.]

(Ibn ʿArabí de Murcia, s. XIII)

CONTENIDO

PALABRAS INTRODUCTORIAS

Ningún místico ha podido asegurar al mundo más allá de toda duda que ha visto la Realidad última cara a cara, no importa cuán persuasivo sea el símbolo o la imagen literaria bajo la cual haya logrado objetivar su experiencia. Pero los informes que nos han ido ofreciendo los contemplativos extáticos a través de los siglos y de las culturas más diversas han sido dados, como recuerda Evelyn Underhill[1], con una extraña nota de certeza y de buena fe, y de alguna manera nos convencen que han alcanzado unos niveles de conciencia excepcionales, en los cuales han experimentado la transformación jubilosa en lo que los filósofos llaman el Absoluto y los espirituales Dios. Aun a pesar de que la experiencia es insondable para la razón humana y trascendente para las capacidades expresivas del lenguaje, los místicos nos aseguran gozosamente una y otra vez que han participado de manera directa del Amor abismal que articula el sentido trascendente del universo: el objeto último del anhelo del hombre, lo único que puede satisfacer su instinto por el Todo, su pasión por la Verdad. La certeza de la unidad armonizante que subyace a la multiplicidad de lo creado no es, sin embargo, susceptible de verificación científica o racional. Para colmo, el místico que logra establecer esta relación consciente con el Absoluto se encuentra ante otro escollo comunicativo insalvable: sabe que la Trascendencia lo sobrepasa y a la vez lo incluye, que el contemplador se convierte en lo Contemplado y participa, sorprendentemente, de su Esencia infinita. *Oh quanto è corto il dire*, gemía Dante en el canto XXXIII de su «Paraíso», aceptando que le era imposible decir algo de aquel Amor que movía el sol y las demás estrellas. Y opta por terminar apresuradamente su *Commedia*, para quedar a solas con la experiencia abismal. El súbito silencio en el que se ensimisma el poeta florentino es elocuente: la soledad del místico es, como decía, conmovida, María Zambrano, «una soledad sin compañía posible, una soledad sin poros, una soledad incomunicable, que hace que la vida le sepa a ceniza»[2].

11

ASEDIOS A LO INDECIBLE

Muchos extáticos auténticos han acometido, sin embargo, la empresa imposible de intentar darnos alguna noticia del trance inenarrable que les ha sobrevenido. Sometidos *ab initio* a la angustia de saber que no les será posible jamás dar cuenta de lo que de veras les ha acontecido, porque es de suyo ininteligible y por lo tanto incomunicable, entreveran su literatura de referencias enigmáticas como el Todo y la Nada, la inmensidad y el vacío, la oscuridad total o la luz increada; o acuden a imágenes paradójicas como el rayo de tiniebla, el mediodía oscuro o la música callada. Lo único que estos espirituales extáticos logran compartir con el lector es su propio sentido de aturdimiento y su asombro irremediable. Dejo la palabra a Evelyn Underhill, que ha escrito unas palabras inspiradas sobre los gemidos angustiosos de los místicos, «que antes parecen dislates que dichos puestos en razón»:

> A pesar de su incoherencia, estas descripciones poseen una extraña nota de certeza, una nota de pasión todavía más extraña, un misterioso realismo que les es propio y que significa, dondequiera que las encontramos, que su origen no es la tradición, sino la experiencia directa. Impulsados por necesidad a negar todo lo que sus mentes racionales han conocido —con un lenguaje que, llevado hasta sus últimas consecuencias, amenaza con venírseles abajo a cada momento— estos contemplativos todavía son capaces de comunicarnos un algo difuso, de darnos noticia de una Realidad específica y actual, de un Absoluto inmutable en el que han logrado una visión verdadera. Los místicos concurren de tal manera en los informes que nos dan acerca de esta Realidad, que resulta obvio que todos ellos han hollado el mismo espacio y han experimentado el mismo estado espiritual. Aún más: nuestras mentes interiores dan testimonio por ellos. Nos encontramos con ellos a mitad de camino. Sabemos instintiva e irrefutablemente que dicen la verdad; y suscitan en nosotros una nostalgia apasionada, un sentimiento amargo de exilio y de pérdida[3].

Pocos místicos, sin embargo, nos dejan tan nostálgicos como san Juan de la Cruz. Sus textos contemplativos relatan, como recuerda lapidariamente Octavio Paz, «la experiencia mística más profunda de nuestra lengua»[4]. A un poeta de la extraordinaria riqueza —y ambigüedad— literaria de san Juan se le puede leer —me apresuro a dejarlo dicho— desde una pluralidad de perspectivas que no tienen que circunscribirse a la estrictamente mística. Todas resultan legítimas mientras el texto dé pie a ellas, y hay que admitir que las liras ardientes del príncipe de los místicos han suscitado las más variadas interpretaciones, entre ellas la del amor humano. Ninguna es desdeñable: san Juan es el más alto espiritual de la lengua pero también el más apasionado poeta amoroso del Renacimiento español. Incluso, es el único poeta alegre que celebra, con el mismo ardor de Melibea en su huerto nocturno, la plenitud de la pasión lograda[5]. Pero este registro amplísimo del arte sanjuanístico no nos debe ofuscar. Es justo tener en cuenta que el poeta compartió con sus lectores —y lo hizo con insistencia febril— su desesperación artística al sentirse abrumado por la naturaleza inin-

12

teligible del trance que creía sinceramente haber atravesado y que intentó, haciendo acopio de valentía, comunicar literariamente. Sería con un sabio pero melancólico desengaño, como sugiere entre líneas Cristóbal Cuevas, que el Reformador encomendó «a un puñado de signos verbales la imposible misión de expresar algo que él mismo consideraba inefable»[6]. Sus quejas desgarradoras ante tan ingrata empresa no pueden ser silenciadas ni ignoradas, ya que constituyen el eje pivotal de toda su obra. Esta agonía expresiva nos persuade más que cualquier argumento teológico calculado: «[del éxtasis] yo no querría hablar, ni aún quiero; porque veo claro que no lo tengo de saber decir, y parecería que ello es menos si lo dijese» (Ll 4, 16)[7]. La insistencia de san Juan es verdaderamente obsesiva: «Nombre que justo cuadre a *aquello* que aquí dice el alma [...] no se halla» (CB 38, 9). No sólo Dios «no se puede decir», sino que ni siquiera se puede entender: «Dios, a quien va el entendimiento, excede al [mismo] entendimiento, y así es incomprensible e inaccesible al entendimiento; y por tanto, cuando el entendimiento va entendiendo, no se va llegando a Dios, sino antes apartando» (Ll 3, 48). Escribir sobre el trance extático es, por eso mismo, una tarea desleal que el escritor se siente tentado a abandonar una y otra vez: «los sentidos, no [...] perciben [el lenguaje de Dios], y así les es secreto y no lo saben ni pueden decir, ni tienen gana, porque no ven cómo» (N2, 17,4). Y es que el lenguaje del místico, como insistiría siglos más tarde Jorge Guillén, en una frase hoy célebre, es un lenguaje a todas luces insuficiente[8]. El mejor homenaje a la experiencia abismal —abisal la llamaba nuestro poeta— es pasarla en silencio: «no hay vocablos para aclarar cosas tan subidas de Dios como en estas almas pasan, de las cuales el propio lenguaje es entenderlo para sí, y sentirlo y gozarlo, y callarlo el que lo tiene» (LB 2, 21)[9]. Pero san Juan, por fortuna para las letras en lengua española, «no quiere dejar de decir algo de aquello» (CB 4, 2). José Ángel Valente, en unas palabras que son casi un poema en prosa, advierte la angustia del poeta que se debate «entre la imposibilidad de decir y la imposibilidad de no decir. Toca así ese límite extraño y extremo en que la palabra profiere el silencio, en que la imposibilidad de la palabra es su única posibilidad, en que la imposibilidad misma es la sola materia que hace posible el canto»[10].

«¿Cómo cantar en tierra extranjera los cánticos de Yahvé?». Sobrecoge admitir que san Juan de la Cruz no canta en una tierra del todo extranjera: habla con iniciados. Su único consuelo como escritor es que aquellos que hayan gustado experiencialmente el Amor último seguirán sus versos sin alarma y sin dejarse intimidar por su delirio poético, que no traduce otra cosa que la imposibilidad absoluta de comunicar racionalmente aquello que se ha experimentado por vía suprarracional. Los enterados habrán de seguirlo, porque, como asegura el poeta en el Prólogo a la *Subida del Monte Carmelo*, «sólo el que por ello pasa lo sabrá sentir, mas no decir». Sus interlocutores naturales son, por lo tanto, místicos como él. Místicos a quienes no se les ocultaba que la jubilosa experiencia se vivía «a puerto seguro del necio lenguaje

13

humano», por usurpar aquí un verso al apasionado Ŷalāluddīn Rūmī. Pensemos en el caso de la madre Ana de Jesús, la privilegiada destinataria del «Cántico espiritual». (A esta carmelita, que le llamaban «la Reina» por la célebre belleza que la caracterizaba en sus años mozos, y que luego jugó un papel decisivo en la Reforma, también le dedicó fray Luis de León la *Exposición del Libro de Job* y la edición de las obras de santa Teresa de Jesús.) El propio san Juan celebra los niveles espirituales altísimos que ha alcanzado su interlocutora en el Prólogo al poema que está en trance de dedicarle[11]. Le dice, en un coloquio íntimo cuyos susurros parecería que hubiéramos sorprendido en algún confesionario perdido del siglo XVI, que Dios la «ha llevado más adentro al seno de su amor divino» y que, aunque le falta el «ejercicio de la teología escolástica con que se entienden las verdades divinas, no le falta el de la mística, que se sabe por amor, en que no solamente se saben, mas juntamente se gustan». El poema singular que le dedica, en efecto, es más para ser «gustado» que «entendido».

El caso de Ana de Peñalosa guarda estrecho paralelo con el de Ana de Jesús. Para esta «noble y devota» señora san Juan escribe la «Llama de amor viva», nada menos que su poema más trascendido en cuestiones de experiencia teopática. Del diálogo entrañable que mantiene el poeta con su dirigida se desprende la camaradería espiritual que los debió haber unido a ambos en vida[12]. San Juan le dedica no sólo el poema sino los comentarios teológicos al mismo: «como [las canciones] se hicieron para Vuestra Merced, querrá Su Majestad que para Vuestra Merced se declaren». Curiosa afirmación, ya que en este poema comentado el Reformador advierte que habrá de hablar de cosas «tan subidas y sustanciales» para «las cuales comúnmente falta lenguaje». Pero sabe instintivamente que Ana de Peñalosa, como otrora la madre Ana, sabrá leer a su vez entre líneas. Lo podrá seguir sin asombro excesivo, no empece lo abstruso de la paradójica empresa que acomete su poeta: va a intentar decir algo de aquello acerca de lo cual admite que no puede decir nada. La naturalidad con la que el Reformador confía sus «dislates» y su agonía expresiva a estas mujeres enteradas es de veras elocuente[13]: allá en el hondón de su alma —e incluso en lo profundo de su conciencia artística— sabe que la recepción de su obra singularísima está en buenas manos. No cabe duda: hemos sido testigos de diálogos cómplices entre adeptos.

En la *Subida* el poeta místico vuelve a conversar con almas enteradas, que quiere esta vez poner a salvo de guías espirituales excesivamente tradicionales y dogmáticos, pues teme que las desvíen de la verdadera —y altísima— vida contemplativa que ya han iniciado y que comparten con el autor de los versos. San Juan no tiene reparos en insistir para quiénes escribe, y nos dice en su prólogo: «Ni aun mi principal intento es hablar con todos, sino con algunas personas de nuestra sagrada Religión de los primitivos del Monte Carmelo, así frailes como monjas, por habérmelo ellos pedido, a quien Dios hace merced de meter en la senda de este monte». San Juan establece con estos destinatarios anónimos una camaradería inmediata que es, una vez más, propia de enterados. Una de esas «enteradas» sería sin duda aquella hermana carmelita a quien el santo dedica, con ternura conmovedora, nada menos que el grabado de la *Subida del Monte Carmelo*. La antigua letra cursiva anuncia el regalo sin par: «Para mi hija Madalena». No es posible regalar un mapa que pauta grados y escalas místicas altísimas a quien no sepa algo y aún harto de lo que allí se esboza.

Estoy convencida de que estos primeros receptores[14] del arte enigmático de san Juan de la Cruz nos dicen mucho de la intención e incluso de la factura artística de esta poesía que aún hoy resulta insólita a los lectores modernos. El poeta, que nunca publicó en vida, concibe su obra dentro de un ambiente conventual que se mantuvo fundamentalmente ajeno a las poéticas al uso entre los letrados cultos que le fueron contemporáneos. El arriesgado poeta no dialoga ni con nobles cortesanos, como Garcilaso, ni con universitarios eruditos, como fray Luis[15]. Habla fundamentalmente con mujeres, y con mujeres místicas. Como más tarde haría Lope de Vega, san Juan cierra a Plauto y a Terencio (y aun a Virgilio y a Petrarca) bajo seis llaves y da la espalda a la escolaridad salmantina en la que se formara para compartir, con un público lector singular y escogido, unos versos y unas imágenes poéticas que, por confesión propia, «antes parecen dislates que dichos puestos en razón». Ni Garcilaso ni Herrera ni Tommaso Campanella (quien consideraba que el enigma era un *vizio grandissimo del poema*) hubieran aprobado de este arte poético que tantas rupturas artísticas implicaba. Pero sus lectoras cómplices sí: sospecho que su condición de contemplativas y de mujeres relativamente iletradas dio al poeta un sentido de libertad artística extraordinaria. Para ellas san Juan podía innovar su poesía sin escándalo, ya que no se lo habrían de tener a mal. Incluso cabe pensar que la camaradería emocional que el santo establece con sus lectoras es de una índole tan profunda que puede guardar relación con su decisión (de seguro inconsciente) de poner sus mejores liras en boca de protagonistas femeninas como la apasionada hembra del *Cantar de los cantares* salomónico. Con ello san Juan parecería haber dado rienda suelta a la dimensión femenina de su psique —cabe decir, a los rasgos más afectivos, enamorados, tiernos, sensuales e intuitivos— de su personalidad artística y humana. Limitó la máscara del teólogo severo para sus largos tratados en prosa. Y, con todo, también intuiría que estas destinatarias escogidas con tanto cariño serían a su vez las mejores lectoras de las disquisiciones teológicas prosísticas, que a menudo desbordan una pasión tal que sucumben a la ininteligibilidad verbal. Y lo digo porque los tratados doctrinales también están dedicados a ellas. Los carmelitas de los siglos XVI y XVII, que no entendieron demasiado bien a su santo padre, dejaron de lado las extrañas glosas de sus poemas y leyeron en su lugar la refactura mucho más «racional» de fray Agustín Antolínez. Presiento que Ana de Jesús y Ana Peñalosa se hubieran apenado de tal sustitución: los textos perfectamente razonados de Antolínez traicionaban la ambigüedad instintiva del discurso literario que san Juan, como místico experimentado, supo respetar.

Este libro propone cerrar filas con aquellos primeros destinatarios enterados del santo, que aceptaron las liras revolucionarias (que todavía nos asombran) en sus propios términos: como balbuceos espléndidos pero elocuentemente insuficientes en su intento de comunicar lo Indecible. San Juan, por confesión propia, escribe sus versos *desde la otra ladera*, por parafrasear aquí la tan citada frase de Dámaso Alonso. Y aquellos primeros lectores —lectoras casi todas o al menos las más importantes— lo leían *desde esa misma ladera* desde la cual escribía su amigo y maestro. La experiencia inenarrable que compartirían con él —y que es precisamente lo que se canta en estos poemas— les serviría a manera de clave literaria secreta (de *literary shorthand* o «taquigrafía literaria») para aceptar y descodificar las liras trascendidas que —como Marcelino Menéndez Pelayo intuyó con sobrada razón— rozaban lo sobrenatural. Y les temió, como les temió luego Dámaso Alonso y tantos otros lectores modernos y antiguos que han quedado, por confesión propia, estupefactos ante la poesía del Reformador. Echemos el miedo a un lado: los poemas de san Juan son para todos, aunque está claro que el poeta prevé que cada lector se aprovechará de ellos «según su modo y caudal de espíritu». En este estudio me propongo precisamente seguir lo más de cerca posible los pasos de san Juan cuando se lanza a la tarea imposible de traducir de alguna manera la experiencia espiritual desconcertante que confiesa haberle acontecido. Recordemos que es un artista genial quien accede al reto artístico despiadado de decir algo del éxtasis transformante. De ahí que resulte profundamente aleccionador enfrentarnos a los recursos poéticos, a las intuiciones deslumbrantes y aun a los silencios[16] a través de las cuales san Juan nos deja sugerido algo de la cima de su experiencia límite. No traiciona la experiencia teopática sino que la deja poderosamente sugerida. Es lo único que puede hacer. Lo supo él y lo supieron aquellas afortunadas destinatarias primeras: el místico auténtico establece una lucha sin cuartel con el lenguaje, que le resulta un instrumento a todas luces inadecuado. Y estas liras embriagadas de amor son, en su vaguedad misteriosa y sugerente, un verdadero triunfo sobre la afasia. Lo vio bien Pedro Salinas: «No hay poesía más misteriosa en nuestra lengua que la de san Juan; pero, al mismo tiempo, ninguna más reveladora, ninguna menos confusa e incierta»[17].

Este libro constituye, pues, un comentario de texto en el que iré atendiendo separadamente los grandes poemas de san Juan de la Cruz: el «Cántico espiritual», la «Noche oscura» y la «Llama de amor viva». En todos estos poemas san Juan lleva a cabo la exploración apasionada de su psique profunda en trance de transformación a niveles infinitos e inenarrables de vivencia amorosa. Recurriré a los comentarios en prosa lo menos posible, ya que prefiero que los versos exentos[18] hablen por sí mismos. Son la radiografía interior del alma del poeta, y los secretos que nos entregarán serán particularmente emocionantes, ya que la poesía siempre tiene la última palabra sobre la prosa analítica.

Éste no es, de otra parte, un estudio de fuentes o de filiaciones literarias. Ya he escrito otros libros en ese sentido. Sin embargo, para arrojar luz sobre algunas imágenes —a menudo sobre las más recalcitrantemente misteriosas— de nuestro poeta, me es forzoso explicar la contextualidad literaria que las avala. Ésta es a veces italiana, otras, clásica, otras, agustiniana, otras, bíblica. Sin el *Cantar de los cantares* salomónico sencillamente no podemos acercarnos responsablemente a la obra sanjuanística. Y esto es así hasta el punto que me he planteado más de una vez la posibilidad de que el poeta leyese su dilecto epitalamio en el hebreo original.

Pero la contextualidad literaria del Reformador muchas veces parece ser musulmana. No presento excusas por citar en más de una ocasión a los místicos sufíes que tantos paralelos parecen guardar con el arte del Reformador del Carmelo: los textos místicos de san Juan de la Cruz y los de sus antecesores musulmanes dialogan unos con otros y se enriquecen enormemente cuando se confrontan, aun cuando no se plantee la posibilidad de una influencia literaria de la espiritualidad sufí sobre la obra del Reformador. Algún día sabremos por qué los contextos literarios islámicos nos son tan útiles a la hora de descodificar los pasajes que más extraños (y «extranjeros») podrían parecernos en la obra sanjuanística. Investigar este problema no es una responsabilidad que nos ataña exclusivamente a Miguel Asín Palacios y a mí, sino que debería ser una interrogante de la que nos ocupáramos juntos todos los sanjuanistas[19]. Aunque aún no sepamos a ciencia cierta cómo ocurrieron estos contactos, consta que son demasiado hondos como para que los podamos explicar en términos del antiguo patrimonio cultural que les fue tronco común a las espiritualidades cristiana y musulmana. No es exagerado pensar que de la misma manera que es imposible documentar textualmente aquel primer «olé» que algún entusiasta anónimo tomó prestado del *wa-llāh* de sus coterráneos musulmanes, acaso tampoco sepamos jamás a partir de qué momento preciso unos espirituales ya decididamente españoles hicieron suyas las claves secretas de la literatura mística sufí. Pero lo cierto es que comenzaron a entender que la azucena es la flor emblemática de dejamiento; que la apertura y la anchura (el *qabḍ* y el *basṭ*) eran términos técnicos útiles para describir estados específicos de la contemplación; que la noche oscura pero luminosa del alma era la estación de la proximidad (*al-qurb*) a la vía unitiva; que el pájaro solitario no tenía determinado color porque representaba el espíritu perfecto totalmente desasido y vacío de toda atadura material; que el camino del alma extática hacia sí misma se describía con excepcional plasticidad usando la imagen de un castillo siete veces concéntrico[20]. No descuento, como Asín Palacios, que muchos elementos residuales de una cultura que ya no era dominante llegaran a san Juan de la manera más natural del mundo: ya convertidos en patrimonio cultural hispánico y por vía oral. Tampoco podemos, sin embargo, echar de lado la existencia de numerosos manuscritos —destruidos, desconocidos o aun inéditos— que aún nos es preciso estudiar a fondo para establecer cuál fue de verdad el ambiente cultural en el que se movió el poeta, nativo de un lugar que todavía hoy se llama La Moraña. El ambiente semítico de la España renacentista no se restringía a este silencioso, anónimo legado popular al que venimos aludiendo: hoy sabemos que la lengua árabe sí se enseñaba en Salamanca en época de san Juan de la Cruz, junto al hebreo y al caldeo. Si el entonces joven fraile Juan de Santo Matía sintió curiosidad por escuchar la explicación de su predilecto *Cantar de los cantares* en el hebreo original, pudo haber acudido fácilmente, dado su curriculum de estudios, a la prestigiosa cátedra trilingüe de Martín Martínez de Cantalapiedra. De haberse animado a ello, casi por fuerza se expondría también a los rudimentos de la lengua árabe como saldo adicional del curso[21], ya que las lenguas semíticas se enseñaban conjuntamente. No es de extrañar, pues, que san Juan, que elegía sentarse en el suelo a la morisca aún cuando visitaba casas principales[22], hubiese internalizado diversos elementos de la cultura islámica que tan prolongadamente constituyó parte del legado cultural de su patria española. Desde mi América mestiza, no me resulta asombroso pensar que ocho siglos de Islam dejaran algo más que arcos mudéjares y nombres toponímicos sobre el suelo peninsular.

En el transcurso de este prolongado comentario de texto he aprendido muchas cosas. San Juan me ha permitido atisbar de cerca su apasionante proceso creativo: he podido ver, en primer lugar, cómo el poeta batalla con un lenguaje poético que amenaza con venírsele abajo a cada momento por el esfuerzo comunicativo descomunal que le ha impuesto a los versos. De otra parte, he advertido también cómo la poesía nos entrega, oblicua pero convincentemente, las verdades teológicas que luego san Juan explicita, ya de manera más prosaica, en la prosa aclaratoria. Tampoco nos debe extrañar que los versos desdigan algunas veces los reclamos racionales limitantes de las glosas: ya dejé dicho que la poesía, por traducir de cerca la vida subconsciente que la inspira, nos comunica siempre los secretos más hondos y más auténticos de la psique del autor.

Salta a la vista, de otra parte, el diálogo intertextual asombroso que san Juan lleva a cabo consigo mismo a lo largo de estos tres poemas en los que intenta asediar su privilegiadísimo estado alterado de conciencia. En más de un sentido podemos decir que el «Cántico» anticipa «la noche sosegada» y la «llama que consume y no da pena». Parecería que estamos ante tres hitos de un mismo camino místico que se va delineando ante nuestros ojos de manera cada vez más trascendida. La protagonista poemática del «Cántico», fiel contrapartida, como dejé dicho, de la Esposa de los *Cantares*, sobrevuela paisajes misteriosos —fuertes, fronteras, prados esmaltados de flores— en su búsqueda desesperada del Amor perfecto, y ya en la «Noche» desciende por escalas furtivas al encuentro con ese mismo Amado en un espacio deleitable y orientalizado de cedros y de azucenas. En la «Llama» tanto el paisaje como la búsqueda han cesado —«ya por aquí no hay camino»— y la voz poética celebra la combustión final desde el centro más profundo de su alma incendiada. Ya no se narran aventuras sino que se sugieren emociones. Dentro de este espacio interior rarificado, el poeta estalla en un cántico final a la abstracción pura y la aniquilación del ser. Parecería que ha llegado a su meta. Pero se trata de una meta trascendida y supralingüística —ya lo sabemos— y san Juan vuelve a rozar el peligro de la afasia total. Ya tendremos ocasión de ver que la intenta vencer retomando el lenguaje apasionado del epitalamio bíblico y de los enamorados del Renacimiento español que le fueron contemporáneos. Es la manera que tiene el poeta —que Baudelaire considerara «perfecto alquimista y alma santa»— de advertirnos que no nos puede comunicar a ciencia cierta los niveles últimos del Amor que realmente ha alcanzado. No hay palabras capaces de expresar estas vivencias. Sus deliquios de enamorado —y san Juan es el más auténtico enamorado de la poesía española— son, una vez más, la manera que tiene el poeta de protegerse contra la angustia que atenaza a todo místico auténtico: la alternativa ominosa del silencio.

Universidad de Puerto Rico,   LUCE LÓPEZ-BARALT
marzo de 1992-enero de 1997

La autora desea agradecer el respaldo que hizo posible la preparación de este libro a varias instituciones puertorriqueñas: al Fondo Institucional para la Investigación (FIPI), al Decanato de Estudios Graduados e Investigación y al Decanato de Humanidades de la Universidad de Puerto Rico; así como al Instituto de Literatura Puertorriqueña. Va asimismo mi reconocimiento especial a mis ayudantes de investigación Anabel López García, Beatriz Cruz y Lourdes Simón, que me ayudaron en diferentes etapas de la preparación del libro.

Para facilitar la lectura del texto, he traducido del árabe, hebreo, latín, francés, italiano e inglés todas las citas literarias de las que me sirvo. Agradezco a los profesores Wade Eaton, del Seminario Evangélico de Puerto Rico, y Rubén Soto, de la Universidad de Puerto Rico, que tanto me guiaron en mi investigación del texto original hebreo del *Cantar de los cantares*. Va asimismo mi gratitud a mi antiguo profesor de latín, Segundo Cardona, que revisó algunas de mis traducciones de esta lengua que tanto amamos y en la que todavía conversamos con siempre renovado entusiasmo. *Gratias tibi ago usquequaque atque ubique, magistrorum optime.*

Me es difícil decir cuánto debo a la desprendida, amorosa ayuda de mi hermana Clara Eugenia López-Baralt, abogada que nunca ha dejado de lado su antigua pasión por las letras inglesas: eché sobre sus hombros la tarea de la traducción casi íntegra de las citas en esta lengua, viniendo en mi ayuda en unos momentos cruciales en los que me encontraba limitada por un accidente inesperado, mientras la imprenta esperaba con urgencia la entrega del libro.

Por último, mi entusiasta gratitud a mis alumnos puertorriqueños, instintivos sanjuanistas sin par, que desde nuestras ínsulas extrañas han sabido leer a san Juan de la Cruz con una libertad de miras verdaderamente encomiable, con la que me aleccionan continuamente.

NOTAS

1. *Mysticism*, E. Dutton & Co., Inc., New York, 1961, pp. 338 ss.

2. «San Juan de la Cruz. (De la noche oscura a la más clara mística)»: *Sur* LXIII (1939) p. 199.

3. *Ibid.*, p. 338.

4. «Poesía de soledad y poesía de comunión», en *Las peras del olmo*, UNAM, México, 1957, p. 103.

5. Entre las escasas excepciones al amor derrotado que cantaron una y otra vez los herederos españoles del *dolce stil nuovo*, es justo decir que se encuentra Juan Boscán, quien en su «Respuesta a Don Diego de Mendoza» elogia la «buena medianía» vital que ha logrado en su venturoso matrimonio. Su mujer, «principio y fin de su alma», le ha otorgado «victoria general de [su] tristura», y el poeta reflexiona gozoso acerca de los nuevos modos en los que puede holgarse con ella, «teniéndola en la cama o levantada». Una pena que esta alabanza marital, tan extraña como motivo temático en el contexto de la melancólica poesía renacentista, no haya sido cantada en un poema más logrado. Entre los felicísimos deliquios de san Juan de la Cruz y estos endecasílabos desmayados media un abismo estético insalvable.

6. «Estudio literario», en Salvador Ros *et al.*, *Introducción a la lectura de San Juan de la Cruz*, Junta de Castilla y León, Salamanca, 1991, p. 201.

7. A lo largo de este libro citaré siempre por la edición que preparé con Eulogio Pacho: *Obra completa*, 2 vols., Alianza, Madrid, 1992.

8. Cf. su ensayo «Lenguaje insuficiente. San Juan de la Cruz o lo inefable místico», en *Lenguaje y poesía*, Alianza, Madrid, 1969, pp. 73-111. En un ensayo extraordinariamente penetrante sobre las fecundas paradojas sanjuanistas, Elizabeth B. Davis, asombrada ante la abundancia discursiva del «Cántico espiritual», difiere de la actitud pesimista del «lenguaje insuficiente»: «San Juan tenía todo el derecho a quejarse de la insuficiencia del lenguaje. Pero para nosotros hacer lo mismo después de leer un texto como el "Cántico espiritual" sería como contemplar el mar y quejarse de que hay sequía» («The Power of Paradox in the "Cántico espiritual"»: *Revista de Estudios Hispánicos* XXVII [1993] p. 219). Claro que se nos puede antojar falta de generosidad por parte del lector el considerar que el océano literario que es el «Cántico» adolece de «lenguaje insuficiente». Y, con todo, el prodigioso poema no debe ser ni una sombra de la experiencia abismal que encierra de manera latente y que logra dejar sugerida. Tan distante se encuentra el poema de la experiencia como lo pintado de lo vivo: lo que excede al entendimiento, como martillea una y otra vez san Juan, no puede ser gozado por él. Todo poeta se queja de ese irremediable sabor a ceniza que le dejan sus propios poemas: la intuición artística que da génesis a los versos siempre sobrepasa a su traducción final. Esta queja la ha compartido conmigo José Hierro en repetidas ocasiones: el poema final, por logrado que resulte, es casi patético frente a las altísimas intuiciones que le dieron origen. Cuánto más sería así en el caso del Reformador, que intentaba traducir vivencias que ni siquiera compartía con el común de sus hermanos mortales.

9. Remito al lector al ensayo de Jaime Ferrás Bausán, «Testimonios de San Juan de la Cruz sobre la inefabilidad», en María Jesús Mancho Duque (ed.), *La espiritualidad española del siglo XVI. Aspectos literarios y lingüísticos*, Universidad de Salamanca, 1990, pp. 143-154, así como a la exploración que sobre el tema llevo a cabo en otros estudios anteriores: *San Juan de la Cruz y el Islam*, Colegio de México-Universidad de Puerto Rico, 1985/ Hiperión, Madrid, 1990, y en el prólogo a la citada edición de la *Obra completa* del poeta.

10. José Ángel Valente, *La piedra y el centro*, Taurus, Madrid, 1982, pp. 62-63. Cf. también su reciente edición, en colaboración con José Lara Garrido, de la colección de ensayos *Hermenéutica y mística: San Juan de la Cruz*, Tecnos, Madrid, 1995.

11. Lamentablemente, la madre Ana de Jesús (1582-1621), que se apellidaba Lobera en el siglo, no dejó nada escrito acerca de sus propias experiencias místicas, argumentando que la gloria de Dios no tenía necesidad de ellas. Quién sabe si también querría evitar suspicacias o posibles controversias en torno a la persona y a la obra de su director espiritual, san Juan de la Cruz, cuyo proceso de beatificación se había puesto en marcha todavía en vida de ella. Escuchemos a María Pilar Manero Sorolla: «[la Madre Ana] prefirió silenciar su vida espiritual y experiencias místicas cuando los maestros salmantinos Agustín Antolínez, Alonso Curiel, Antonio Pérez, Diego del Corral, que intuían su rara riqueza interior y admiraban su inteligencia y buen conocimiento de las Sagradas Escrituras, la invitaban a escribir sus memorias «para mayor gloria de Dios» (Manrique 1632, lib. V, 357); a lo que ella, declinando la proposición, contestaba siempre: «Harto buena estuviera la gloria de Dios, si llegara a necesitar de esas memorias» (Manrique, *ibid.*)» («Ana de Jesús, cronista de Granada»: *Homenaje a Marcos A. Moríñigo, Filología* XXVI [1993] pp. 122-123).

Desde el siglo XX, deploro la decisión de la madre Ana, que eligió volverse ágrafa en una materia tan importante para la historia de la espiritualidad española.

María Pilar Manero Sorolla ofreció las primicias de su ensayo pionero sobre la escritura de la sucesora de santa Teresa en el XI Congreso Internacional de Hispanistas celebrado en Irvine, California, en 1992. A este brillante trabajo inicial ha ido añadiendo luego otros: véase en especial su ensayo «Ana de Jesús y Juan de la Cruz: perfil de una relación a examen»: *Boletín de la Biblioteca de Menéndez Pelayo* LXX (1994), pp. 5-53. Es de desear que la profesora Manero Sorolla siga investigando la obra de esta insigne descalza, de la que aún existen algunas cartas inéditas en el Carmelo Real de Bruselas. (Sobre las cartas de la madre Ana, importa también dar noticia de la reciente edición de Concepción Torres: *Ana de Jesús: Cartas (1590-1621). Religiosidad y vida cotidiana en la clausura femenina del Siglo de Oro*, Universidad de Salamanca, 1995.

Las relaciones de Ana de Jesús con la futura santa Teresa de Jesús no estuvieron, por cierto, ajenas a diferencias de criterio bastante significativas.

12. La segoviana Ana del Mercado y Peñalosa había casado con don Juan de Guevara, destacado en la Chancillería de Granada hacia finales del siglo XVI. Queda viuda en plena juventud y luego atraviesa la desgracia adicional de la pérdida de su única hija, Mariana, muerta a la edad de doce años. No es difícil hacerse cargo del estado de postración psíquica en el cual la dama conoce al que habría de dirigir su alma. Su relación espiritual con san Juan de la Cruz debió ser muy intensa. Una de las monjas venidas a Granada testimonia que en una ocasión encontró a Ana de Peñalosa llorando como una Magdalena a los pies del Reformador: «Pudo ser esta escena el principio de una redención, o el camino ya de una perfección espiritual, o la escalada angosta al Monte Carmelo de las Nadas..., no se sabe, lo que sí es seguro es que doña Ana decidió dejarse guiar, con toda profundidad, por las manos maestras del que era ya y sería siempre un maestro espiritual consumado» (Ramón Molina Navarrete, «"Llama de amor viva": un poema ardiente e hiriente»: *San Juan de la Cruz* VIII [1991], pp. 121-213).

Ana de Peñalosa, como se sabe, refugió en su casa a Ana de Jesús y a sus monjas cuando falló la casa alquilada que tenían prevista para la fundación del Carmelo descalzo granadino. En estos momentos doña Ana era una viuda contemplativa que hacía años que no salía de su propio oratorio. Su tocaya Ana de Jesús nos ofrece un recuento vívido del instante de su llegada a casa de su protectora en su crónica de la *Fundación del Carmelo de Granada*: «Llegamos día de San Fabián y San Sebastián á las tres de la mañana (que por el secreto conuino venir a esta hora) hallamos a la Señora á la puerta de la calle: donde nos recibió con mucha deuoción y lágrimas. Nosotras las derramamos, cantando vn *Laudate Dominum*, con harta alegría, de ver la Iglesia y postura que tenía en el portal: aunque como no auía licencia del Arçobispo, yo pedí se cerrasse...» (*apud* Manero Sorolla, *op. cit.*, p. 142).

Emocionante sin duda el encuentro de las dos futuras destinatarias de la apasionada literatura mística del confesor de ambas, san Juan de la Cruz. Sin embargo, no todo son alabanzas por parte de la madre Ana a la protectora del incipiente Carmelo: las monjas fundadoras pasaron grandes estrecheces en estos primeros momentos de su accidentada fundación: «Porque aunque la Señora Ana nos hazia limosna, era con mucha limitación [..] no manifestauamos la necessidad que teníamos, antes procurábamos occultarla, en especial a esta santa Señora, por no cansarla: y ella como nos vía tan satisfechas y contentas, y nos tenia en figura de buenas y penitentes, no aduertía, auíamos menester mas de lo que nos daua. Passamos ansí lo mas del tiempo, que estuuimos en su casa que fueron siete meses» (*ibid.*, p. 143).

Otro dato muy significativo nos permite intuir, una vez más, la hondura de la cercanía vital existente entre el Reformador y su hija lega. Fue precisamente Ana de Peñalosa quien hizo trasladar secretamente los restos de san Juan de la Cruz de Úbeda a Segovia, donde todavía descansan. El tras-

21

lado nocturno del féretro fue tan oculto que muchos sospechan que Cervantes hizo referencia oblicua a él en uno de los episodios del *Quijote*.

13. Observa Rosa Rossi («Juan de la Cruz: una personalidad no patriarcal», *apud Hermenéutica y mística...*, p. 258) que las dedicatorias de san Juan a estas mujeres devotas «sitúa los dos libros en una importante tradición renacentista de dedicatorias a mujeres». La profesora Rossi lleva razón: ahí están las dedicatorias de Juan de Valdés a Giulia Gonzaga, de fray Luis a Ana de Jesús e incluso el *Audi filia* de Juan de Ávila. Creo que, con todo, el Reformador tomó más a pecho la lectura —cercana y decisiva— de sus destinatarias que estos otros autores: parecería que el texto se pliega, gozoso y libérrimo, a la lectura poco convencional y poco exigente en materia de códigos literarios heredados que estas mujeres habrían de hacerle. Fray Luis de León dedica cortésmente a la madre Ana sus textos, sí, pero no se doblega a complacerla desde adentro con un escrito de ruptura, como hace san Juan en la mayor parte de su obra literaria.

14. Sobre la teoría de la recepción, véase Wolfgang Iser, *The Act of Reading. A Theory of Aesthetic Response*, The Johns Hopkins University Press, Baltimore, 1978, y Hans Robert Jauss, *Toward an Aesthetic of Reception (Theory and History of Literature*, vol. 2, University of Minnesota Press, Minneapolis, 1982).

15. Como ha visto Rosa Rossi, san Juan dio claras muestras de su desinterés por la vida académica profesional. En primer lugar, a pesar de haber sido educado por los jesuitas, opta por entrar en el Carmelo, «orden bastante desprestigiada [...] que en cambio hacía hincapié en la contemplación» («Juan de la Cruz: una personalidad no patriarcal», en *Hermenéutica y mística...*, p. 255). También nos indica la estudiosa que cuando santa Teresa quiso que su «Senequita» hiciese de prefecto de los estudios en el colegio de los descalzos de Alcalá, san Juan insistió en privilegiar la vida espiritual de sus alumnos sobre su provecho académico. Aún más contundente fue la actuación del Reformador cuando es nombrado rector del colegio de los descalzos en Baeza, la Universidad que había fundado Juan de Ávila: se negó rotundamente a enseñar cursos en dicha universidad. En cambio, muchos profesores acudían de la facultad al convento a consultarle puntos de teología (*ibid.*, pp. 155-156).

16. Aurora Egido ha dedicado numerosos ensayos al tema del silencio literario. Cf., entre otros, «La poética del silencio en el Siglo de Oro», en *Fronteras de la poesía en el Barroco*, Crítica, Barcelona, 1990, pp. 93-120, y «El silencio místico de San Juan de la Cruz», en *Hermenéutica y mística...*, pp. 161-197.

17. *La realidad y el poeta*. Versión castellana y edición a cargo de Soledad Salinas de Marichal, Ariel, Barcelona, 1976, p. 150. El libro salió originalmente en inglés bajo el título de *Reality and the Poet in Spanish Poetry* (The Johns Hopkins University Press, Baltimore, 1940), y recogía las conferencias de la distinguida cátedra de poesía Turnbull que dictara Salinas para la Universidad de Johns Hopkins.

18. La frase es, una vez más, del citado ensayo de mi antiguo amigo Jorge Guillén.

19. Son tantas y tan estrechas estas afinidades entre la literatura sanjuanística y la sufí que muchos estudiosos no las niegan, pero, ante la comprensible dificultad de estudiarlas directamente, las echan a un lado para limitarse a trazar paralelos entre san Juan y obras de origen occidental, por serles más familiares. Lo significativo es que insisten en favorecer una filiación europea aun cuando las coincidencias entre san Juan y estas obras sean, en bastantes casos, mucho menores que las que guardan los textos del santo con la literatura mística islámica.

Tampoco se me oculta, de otra parte, la precaución instintiva (mejor, el sobresalto) que aún subyace en la crítica frente al tema oriental. Mucho más cuando éste se asocia a la obra ejemplar del santo reformador: parecería que sus analogías con los antiguos enemigos en la fe todavía tienden a «desprestigiar» para algunos la obra de san Juan de la Cruz. Mi condición de hispanoamericana ha aliviado significativamente esa sorpresa y ha contribuido a eliminar esa antipatía subconsciente que ha sido nuestro torturado patrimonio cultural hispánico. Desde nuestras «ínsulas extrañas» americanas, insisto, no puede parecernos demasiado raro el mestizaje cultural de ningún país. A ello me refiero por extenso en mi ensayo «Escribiendo desde las *ínsulas extrañas*: reflexiones de una hispanoarabista puertorriqueña»: *Historia y Fuente Oral* VII (1991) pp. 113-126; reproducido, en versión abreviada, en *La civilization d'al-Andalus dans les temps et dans l'espace*, Actes du Colloque International, Université Hassan II, Mohammedia, 1992, pp. 51-67.

También es justo decir que los estudios comparatistas que se ocupan del misticismo cristiano y sus posibles deudas con el sufismo que los precedió avanzan cada vez más, y cada vez con más desapasionada objetividad. No es un tema que debiera ser motivo de polémica sino de estudio entusiasta. Recientemente Michael Sells ha asociado la obra de Marguerite Porete con la de Ŷunayd y la de Saḥl al-Tuṣtārī. Aunque Sells está persuadido que esta «afinidad múltiple con el pensamiento sufí [...] difícilmente puede ser descartada como pura coincidencia», no considera que se trata de una influencia concretamente textual. Aun cuando Porete fue perseguida y terminó ejecutada en la hoguera en el París de 1310, la cultura espiritual oriental circulaba en Europa con más libertad de lo que hemos venido creyendo hasta ahora. Oigamos directamente a Sells: «No se reclama aquí ninguna influencia de un texto particular; estas ideas tienen que haber estado circulando libremente, probablemente más por vía de la tradición oral y de conversaciones íntimas que a través de la traducción de textos específicos» (*Mystical Languages of Unsaying*, University of Chicago Press, Chicago and London, 1994, p. 134). En esa misma línea, Cristóbal Cuevas recuerda que cuando san Juan de la Cruz estudiaba en el convento de San Andrés de Salamanca, pudo haber accedido a un conocimiento indirecto de Algazel y de Averroes a través de la obra del carmelita inglés John Baconthorp («Estudio literario», p. 142). En mi propio caso, acabo de terminar un estudio sobre la enseñanza del árabe en Salamanca en tiempos de san Juan de la Cruz: *La enseñanza de árabe en Salamanca en tiempos de san Juan de la Cruz o de cómo el maestro Cantalapiedra enseñaba el arávigo por un libro que se llama la Jurrumía* (en colaboración con Reem Iversen y en prensa en el Colegio de México). Investigué personalmente en la Biblioteca de esta Universidad varios de los volúmenes manuscritos de las *Visitas a cátedras* (Archivo Universitario Salmantino, 940-941 y 943, correspondientes a los años 1569-1571) y pude corroborar más allá de toda duda que, al contrario a lo que sostuvimos por años Marcel Bataillon, James T. Monroe y yo, el árabe sí se enseñaba en Salamanca cuando el futuro Reformador estudiaba allí su bachillerato. He cotejado el dato con Luis Enrique Rodríguez-San Pedro Bezares, por lo que salta a la vista que hay que revisar los estudios anteriores sobre la vigencia de la enseñanza de lenguas orientales en Salamanca (cf. su imprescindible estudio *La formación universitaria de San Juan de la Cruz*, Junta de Castilla y León, Valladolid, 1992).

20. Me detengo en el estudio comparado de estos símbolos sufíes y carmelitanos en mis ensayos «Simbología mística musulmana en san Juan de la Cruz y santa Teresa de Jesús»: *Nueva Revista de Filología Hispánica* XXX (1981), pp. 21-91 y «El *trobar clus* de los sufíes y la mística española: una simbología compartida», en prensa, en versión al urdu, en el *Iqbal Review* de la Iqbal Academy de Lahore, Pakistán.

Miguel Asín documentó en los anónimos *Nawadir* del siglo XVI el símil de los siete castillos concéntricos del alma, y de ello nos da fe en su libro póstumo *Šāḍilíes y alumbrados*. En mis citados estudios doy a mi vez noticia de que pude documentar el motivo literario en el tratado místico de las *Maqamat al-qulub*, o *Moradas de los corazones*, de Abu-l-Hasan al-Nuri de Bagdad. Acabo, sin embargo, de descubrir en la Biblioteca Suleymaniye Cami de Estambul un códice en el que otro místico sufí —esta vez Tirmiḏi al-Hakim— se sirve también del símbolo. Su tratado, que lleva el título de *Gawr al-umur*, o *Libro de la profundidad de las cosas*, es incluso anterior al de Nuri: debemos estar, pues, ante un verdadero lugar común del sufismo que santa Teresa reescribe y cristianiza, acaso sin tener noticia de su remoto origen islámico, en pleno siglo XVI.

21. Cf. mi citado ensayo *Acerca de la enseñanza del árabe en Salamanca...*

22. El testimonio es de un fraile que le fue contemporáneo, y en ello insiste Rosa Rossi en su reciente *Giovanni della Croce. Solitudine e creatività*, Editioni Reuniti, Roma, 1993, p. 7; versión española, *Juan de la Cruz. Silencio y creatividad*, Trotta, Madrid, 1996. Agradezco a Ernesto Cardenal el envío del libro.

I

EL «CÁNTICO ESPIRITUAL» DEL SIMURG
QUE DESCUBRE QUE ERA LO MISMO QUE CANTABA

> The lesson [of the mystical experience] is one
> of central safety: the Kingdom is within.
>
> [La lección (de la experiencia mística) implica
> una seguridad esencial: el Reino está dentro
> de uno mismo].
>
> Alfred Lord Tennyson

Todos los auténticos enamorados (y los místicos no son sino enamorados en grado superlativo) lo reconocen desde antiguo: el norte último del amor es la fusión total con el objeto amado. Esta ansia por borrar los límites que nos separan de nuestras esperanzas afectivas, importa decirlo, es tan universal que la comparten por igual los amantes del amor humano y del amor divino. Unos y otros nos han dejado testimonios elocuentes de sus delirios de fusión pasional en las culturas y en las épocas más diversas. Así, no nos debe asombrar que lo dejara dicho Petrarca mucho antes que san Juan de la Cruz: en la culminación última del amor «l'amante ne l'amato si trasform[a]»[1]. Justamente esta fusión perfecta a la que aspira toda alma enamorada fue lo que otro célebre neoplatónico, Pietro Bembo, consideró en sus *Asolani* como el milagro más grande del amor. Los poetas del *dolce stil novo* insistieron una y otra vez en esa psicología amorosa desesperadamente unitiva: «E, considerando veramente, Amore non è altro che una trasformazione dello amante nella cosa amata»[2], reflexiona Lorenzo de' Medici, y lo secundan Marsilio Ficino, Tommaso Campanella, G. B. Marino y toda la pléyade de los más altos poetas de amor del renacimiento italiano. Hasta tal punto privilegiaron la capacidad transformadora del amor, que nos recuerda Nicholas Perella[3] cómo Claudio Achillini tuvo que alzar su voz contra la «irreverencia» de estos poetas que tuvieron el arrojo de transferir a la poesía amorosa del vernáculo el lenguaje y los motivos del amor divino: todavía resonaba en sus oídos aquel *dictum* de san Pablo: *Vivo autem, jam non ego: vivit vero in me Christus* [Vivo, pero ya no soy yo quien vive: realmente es Cristo quien vive en mí].

Los grandes poetas del amor descubren, en efecto, que el amor unifica a los amantes porque el enamorado dota de su propia identidad al objeto de sus deseos, o, dicho con más exactitud, porque (sobre todo en el caso de los místicos) el enamorado descubre con júbilo que él es lo mismo que amaba con tanto anhelo. El milagro de esta sublime alquimia del amor no es patrimonio exclusivo ni de los *stilnovistas* ni de su mentor Platón, ni de san Pablo: es precisamente una de las nociones más importantes que comparte y reitera la literatura de amor de todas las épocas[4]. De ahí que los textos celebrativos de los distintos niveles del amor resulten tan profundamente afines pese a su contexto cultural diverso. Aristóteles, como Pitágoras, lo advirtió en la esfera de la amistad: «un amigo es otro yo» (*Ética a Nicómaco* IX, 9-10); Sir Philip Sidney en la esfera amorosa («Él ama mi corazón, porque alguna vez fue el suyo propio»[5]); mientras que Ronsard cantó al amor humano casi en términos paulinos «En toy je suis et tu es dedans moi, / En moi tu vis et je vis dedans toy...» [«Yo estoy en ti y tú estás dentro de mí. / Tú vives en mí y yo vivo dentro de ti»][6].

Pero Achillini tenía razón cuando sospechó que los poetas renacentistas que le eran contemporáneos habían usurpado el discurso literario de los místicos de manera peligrosa: nadie ha cantado al éxtasis transformante del amor como los contemplativos auténticos. Plotino es uno de los pioneros en Occidente, al declarar en sus *Enéadas* (VI, 7) que «el alma ve, de pronto, al Uno en sí mismo, pues nada hay que los separe, ni son ya dos, sino uno»[7]. El Oriente también hizo suya la noción de esta transmutación amorosa desde antiguo: en las *Upanišads* leemos que de la misma manera que los ríos se pierden en el mar, «así el conocedor, libre de nombre y forma, se pierde en la Persona Celestial»[8]. Lo secunda el japonés del siglo VIII Hui-neng: «Nuestra propia naturaleza es el rey (Buda de la iluminación, Buda en nosotros) que habita el dominio del espíritu. Hemos de esforzarnos por alcanzar la budeidad de nuestra propia naturaleza y no buscarla fuera de nosotros mismos»[9]. Estamos ante la versión oriental del sabio mandato agustiniano: «No salgas fuera, regresa a ti mismo. En el interior del hombre habita la verdad» (*Noli foras ire, in te ipsum redi. In interiore hominis habitat veritas*). Bien que supo el obispo de Hipona asumir que el reino de Dios está dentro de nosotros mismos. Entendida a un nivel profundo, no otra cosa es la espléndida enseñanza bíblica que se nos da en Génesis 1, 27: Dios hizo al hombre a su imagen y semejanza no porque Dios sea antropomórfico, sino porque de alguna manera el hombre comparte la Naturaleza divina. Está constituido también, allá en el hondón último de su ser, de Amor infinito a salvo de las coordenadas limitantes y trágicas de la razón, de los sentidos y del espacio-tiempo.

Entre los cristianos modernos, santa Teresa fue una de las que batalló valientemente con la inmemorial insuficiencia del lenguaje para expresar algo acerca de la metamorfosis inenarrable de la ipseidad. Nos explica en sus *Moradas* (VII, 2, 4-6) que el espíritu «queda hecho una cosa con Dios», en una manera de unión «como si cayendo agua del cielo en un río u fuente, adonde queda hecho todo agua, que no podrán ya dividir ni apartar cuál es el agua del río u lo que cayó del cielo». Ya en el siglo XX, Ernesto Cardenal, sin duda alguna el místico más importante de Hispanoamérica, reelabora con un particular sentido de dramatismo el descubrimiento súbito de esa nueva identidad que adquiere el místico en estado de unión auténtica: «No sabemos que en el centro de nuestro ser no somos nosotros sino Otro. Que nuestra identidad es Otro. Que cada uno de nosotros ontológicamente es *dos*. Que encontrarnos a nosotros mismos y concentrarnos en nosotros mismos es arrojarnos en los brazos de Otro»[10]. Cardenal no ha hecho otra cosa que llevar a sus límites el pensamiento de Teilhard de Chardin, quien, en su *Medio divino*, ya reflexionaba sobre «la aspiración esencial de todo místico: unirse (es decir, hacerse Otro) siendo uno mismo»[11]. De ahí que Cardenal insista en lo insoslayable de esa transformación en Uno: «[...] Meister Eckhart decía: / Se postran y hacen genuflexión sin saber a quién: / ¿para qué genuflexión si está dentro de uno? / Perseguido por la Inquisición, Gestapo de su tiempo»[12]. Lo repite en apretada síntesis Thomas Merton: cuando sobreviene el éxtasis «acabas de comenzar a existir»[13].

Y dejó dicho mucho más. El maestro de Gethsemani nos da cuenta de la experiencia mística que le aconteció el 25 de octubre de 1947 —y que, como Pascal, conmemora de acuerdo al calendario litúrgico, que ese día celebraba las fiestas de san Bernardo Calvo, san Crispín y san Crispiniano. Merton se congratula de la felidad sin límites que le produjo haber rendido su mismidad en Dios —de haber dejado de ser en Dios:

[...] después de la comunión, durante alrededor de 30 segundos, de repente supe a qué se referían realmente san Bernado y san Juan de la Cruz cuando hablaban del «Amor puro».

No tiene nada que ver con la paz de Dios que uno puede sentir que lleva en su interior. Uno no descansa porque sencillamente uno ya no es. No importa cuán absorto esté uno en esa paz, todas las funciones y modalidades del ser en las que uno advierte su propia existencia son laboriosas y monótonas y arduas y recuerdan y saben a la esclavitud de Egipto comparadas con ese vacío y esa libertad a través de cuya puerta entré por aquel medio minuto, que me basta ahora para toda una vida, porque implicó una vida completamente nueva. No hay nada con lo que pueda comparar esta experiencia. Podría referirme a ella como a la Nada, pero es que el carecer de todas las cosas y de uno mismo en el aire fresco de aquella felicidad que trasciende todas las modalidades de la existencia implica una libertad infinitamente prolífica.

¿Qué puedo decir acerca de ello? No quisiera construir más murallas en torno a la experiencia, no sea que me quede excluido y atrapado fuera de ella para siempre[14].

27

Como todos los místicos, Merton nos asegura que el regreso a la mismidad cotidiana es trágico, ya que la felicidad —y la libertad— última es perder el ser en Dios. Trasformar el ser en Dios. En unas palabras que nos persuaden de su agobio sincero, el contemplativo nos explica cómo fue para él volver a su limitada humanidad consciente después de haber saboreado el infinito:

> Enseguida después, volví a un estado en el cual mi propia existencia, mi puro acto de ser, me pareció burdo y laborioso y miserable y ordinario y vil en comparación con la pureza de aquel amor —toda dulzura y todo reposo es intolerable comparado con esta suprema actividad que trasciende todas las formas de la existencia.
>
> [...] Aquello sólo duró medio minuto. *Heu recidere in mea compellor!* [¡Qué lástima, tener que replegarme otra vez dentro de mí mismo!]. Sufrir la indignidad de pertenecer al género humano es para mí ahora, en efecto, una indignidad. Sin duda podría argumentar que es un privilegio, pero en estos momentos cualquier razonamiento lo que me produce es dolor de cabeza (*ibid.*).

Los místicos contemporáneos orientales, por su parte, no hacen otra cosa que insistir en la misma experiencia transformativa. Desde la India, Meher Baba parafrasea la lección milenaria:

> Cuando la unión se logra, el Amante sabe que todo el tiempo él era el Amado que tanto amaba y con quien deseaba unirse; y que todas las situaciones imposibles a las que se sobrepuso eran obstáculos que él mismo había puesto en su propio camino.
>
> ¡Lograr la unión es tan terriblemente difícil porque es imposible venir a ser lo que ya se es! La Unión no es otra cosa que el conocimiento de uno mismo en el seno de la Unidad sagrada [...]. El aspecto humorístico del juego de amor divino consiste en que aquel a quien se busca es, a su vez, el mismo que busca. ¡El Buscado es el que impulsa al buscador a preguntar: ¿Dónde puedo encontrar a aquel a quien busco? Cuando el que busca pregunta: ¿Dónde está Dios?, es en realidad Dios quien pregunta: ¿Dónde está el que busca?![15].

La literatura mística musulmana, de la que por cierto tendremos bastante más que decir en adelante, elabora ya desde los siglos medios el mismo *leit-motiv* unitivo: el místico siente ser Dios en el momento de la unión extática. Los sufíes fueron dando cuenta literaria de su secreto unitivo con una belleza plástica que, es justo admitir en toda objetividad, a menudo opaca a la de sus compañeros de camino en Occidente. El primer caso que viene a la mente es el del célebre símbolo del Simurg, que Borges, hechizado por su ingeniosa belleza, se adueña para su propia literatura, obsesionada por cierto con estos motivos recurrentes de la más alta espiritualidad[16]. Fue el poeta persa 'Aṭṭār quien acuñó en el siglo XII el símbolo de esta enigmática ave mística en su *Conferencia de los pájaros*. La leyenda nos cuenta cómo cientos de pájaros de brillante plumaje deciden ir en busca de su Simurg o Pájaro-

Rey. Atraviesan geografías escarpadas y mares traicioneros a lo largo de miles de años de vuelo penosísimo, hasta que quedan reducidos a treinta aves. Al fin los treinta pájaros maltrechos logran acceso a la antesala del palacio del Simurg. Y, en el instante mismo en que se va a producir por fin el encuentro prodigioso, descubren la maravilla: ellos mismos eran el Simurg que con tanta pasión habían buscado: en persa, Simurg significa «Pájaro-Rey», pero también «treinta pájaros»[17].

Los embriagados de amor del sufismo como Bisṭāmī y Al-Ḥallāŷ aludieron a la misma entrega jubilosa de la mismidad exclamando šaṭṭ o dichos emitidos bajo los efectos desconcertantes del trance amoroso[18] (san Juan los habría de llamar «dislates» en su propio caso[19]). Sintiendo, en su éxtasis, que se había transformado en aquello mismo que estaba en proceso de conocer[20], Bisṭāmī parecería reclamar para sí una auto-alabanza lindante en la herejía al exclamar, en lugar de *subḥan Allāh* (gloria a Dios), *subḥānī* —«gloria a mí»—. Pero no hacía otra cosa que apuntar al antiguo milagro de la metamorfosis amorosa, que llegó a celebrar en tantos versos ardientes como aquel que reza: «Fui de Dios a Dios, hasta que gritaron desde mí, dentro de mí: Oh Tú-Yo»[21]. Y decía aún más en su alegría sin límites: «Debajo de esta túnica está Dios y nada más que Dios»[22]. También su compañero de camino Ḥallāŷ osó celebrar la unión absoluta con su célebre frase *anā l'Ḥaqq*, que podemos traducir por «yo soy la Verdad (Dios)»[23]. Por sus extremos teológicos fue crucificado, pese a que hoy muchos teóricos suavizan los alcances verdaderos de lo que quiso expresar ese gran contemplativo que en el instante unitivo sintió que participaba momentáneamente de la Esencia divina[24]. Pero Bisṭāmī y Ḥallāŷ, con todo lo extremos que nos puedan parecer, no están solos en la historia de la literatura mística musulmana, que tantos ejemplos nos da de este irrestrañable regocijo unitivo. Ŷalāluddīn Rūmī enseña que no hay lugar en la morada del Amado para el amante hasta que éste haya aniquilado su propio yo, porque allí «no hay espacio para dos «yos»»[25]. Todas estas intuiciones unitivas se encuentran perfectamente respaldadas por la teología islámica más ortodoxa. Hay un *ḥadīz qudsī* o tradición profética sagrada que se atribuye al mismo Alá: «Yo [Dios] me convierto en el oído por el que [el extático] oye; la percepción por la que ve; la mano por la que toma; y los pies con los que camina»[26]. Incluso el Corán secunda esta lección transformante en una azora de una dramática plasticidad fisiológica: «[Dios está] más cerca [del hombre] que su vena yugular» (L, 15-16)[27].

Salta a la vista enseguida que san Juan de la Cruz está en buena compañía cuando canta gozoso en una lira de la «Noche oscura»: «¡Oh noche que guiaste!, / ¡oh noche amable más que el alborada!, / ¡oh noche que juntaste / Amado con amada, / amada en el Amado transformada!» (énfasis mío). La celebración poética no puede ser más clara ni más radical, y es de lamentar que el santo no llegase a comentar estos versos ni en la *Subida del Monte Carmelo* ni en la *Noche oscura*. Pero el Reformador dejó dicho bastante acerca de esta unión

29

inefable en su extensa obra, pese a que sabía muy bien que el trance transformante «por palabras no se puede explicar» (CB 12, 9)[28]. En el Libro 2 (cap. 5) de la *Subida* san Juan nos enseña que el alma, cuando queda desasida de toda atadura y su voluntad aunada perfectamente con la de Dios (hoy diríamos, liberada de la estrechez de su ego),

> luego queda esclarecida y transformada en Dios, y le comunica Dios su ser sobrenatural de tal manera, que parece el mismo Dios y tiene lo que tiene el mismo Dios. Y se hace tal unión cuando Dios hace al alma esta sobrenatural merced, que todas las cosas de Dios y el alma son unas en transformación participante. Y el alma más parece Dios que alma, y aún es Dios por participación... (*Subida* II, 5, 7).

«Y aún es Dios por participación»: los «apellidos teológicos» suavizantes eran de esperar en un místico cauteloso, decididamente ortodoxo, como fue nuestro santo, que para colmo escribía bajo la amenaza constante de la censura inquisitorial, que tantas veces se manifestó en los textos espirituales en una larvada, agónica y constante auto-censura literaria[29]. (No hay que olvidar que fueron precisamente estos textos místicos, tan peligrosamente cerca de posturas heterodoxas como la de los alumbrados y los quietistas, los que el Santo Oficio privilegió con su esmerada atención en aquellos «tiempos recios» que llamara, sin duda muy molesta, santa Teresa, la compañera de Reforma del poeta[30]). No nos extrañe, pues, que el santo continúe con sus cautelas teológicas: «Este beso es la unión de que vamos hablando, en la cual se iguala el alma con Dios *por amor*» (CA 14, 4) (énfasis mío). Bastante valiente fue, con todo, san Juan en sus lecciones magisteriales acerca de la unión transformante:

> [...] cuando hay unión de amor, [es] verdad decir que el Amado vive en el amante, y el amante en el Amado; y tal manera de semejanza hace el amor en la transformación de los amados, que se puede decir que cada uno es el otro y que entrambos son uno. La razón es porque en la unión y la transformación de amor el uno da posesión de sí al otro; y así, cada uno vive en el otro, y el uno es el otro y entrambos son uno por transformación de amor. Esto es lo que quiso dar a entender San Pablo (Gl 2, 20) cuando dijo: *Vivo autem, iam non ego; vivit vero in me Christus...* [Vivo, pero ya no soy yo quien vive: realmente es Cristo quien vive en mí...] (CB 12, 7).

Es tal el grado de metamorfosis de la ipseidad del místico en Dios, que san Juan concluye lapidariamente: «el centro del alma es Dios» (Ll 1, 12). Y pasa a celebrar esta unión trascendente empleando la imagen humana del «matrimonio espiritual», «que es el más alto estado a que se puede llegar en esta vida» (CB 12, 8). El proceso de aunarse la identidad del contemplativo con ese amor infinito del cual se siente partícipe directo se cumple hasta tal grado que el mismo santo propone otra imagen, esta vez más atrevida: el alma no sólo es «Dios por participación» sino que directamente se «deifica» o «endiosa» (Ll 1, 35)[31]. Y, con todo, las enseñanzas teológicas que nos da san Juan en su prosa quedan pálidas ante las certezas gozosas e indecibles que logra comunicarnos con una libertad absoluta en su poesía. La poesía, siempre más abierta y más cercana a la vida psíquica que la inspira que ningún tratado teológico razonado, es, por la misma riqueza de su plurivalencia, la mejor guía para indicarnos las más altas verdades del alma de cualquier poeta. A todos los estudiosos de literatura nos consta que los versos nos suelen entregar los secretos más hondos de la psique de su emisor, casi siempre a despecho del propio poeta que los escribe. Cuanto más si lo que intenta comunicar es de suyo ininteligible. La poesía —como nos recuerda elocuentemente Cristóbal Cuevas— es «una de las formas más bellas en que se manifiesta la docta ignorancia»[32]. El «Cántico espiritual» no es excepción en este sentido, y allí habremos de aprender muchísimo más acerca del júbilo sin ambages —y sin apellidos teológicos cautelosos— de la unión transformante de la que todo místico auténtico se siente partícipe[33]. Dejémonos guiar, pues, por el poema más inspirado del «príncipe de los místicos».

Antes de comenzar se impone un *caveat*. Vamos a sumergirnos en las aguas del poema no sólo más inspirado sino más misterioso de la literatura española, que causó «religioso terror» a Marcelino Menéndez Pelayo y «espanto» a Dámaso Alonso[34] por la radicalidad de sus enigmas literarios. He dedicado varios estudios de propósito[35] a intentar dilucidar algunos de estos misterios de esta *mis-en abîme* poética, que son, como apunta con sobrada razón Dámaso Alonso, «los más dificultosos de la literatura española»[36]. (Es justo admitir que Juan Ramón Jiménez asumió con más comodidad la inclasificable opacidad del arte poético sanjuanístico: «La poesía de San Juan es como la música, no necesita uno entenderla si no quiere. Basta con una aprehensión aquí y allá, y entregarse a lo demás, como en el amor. No conozco poesía que exija menos comprensión ni esfuerzo para ser gozada»[37].) Pero aquí sólo me importa recordar que san Juan de la Cruz es el primero en advertir el misterio de sus versos oníricos, que llega a asemejar con «dislates» (es decir, «disparates» o «contrasentidos») y que admite no podrán ser comprendidos cabalmente ni por él ni por sus lectores. Su enigma poético es, pues, consciente y volitivo —el poeta se lanza a la aventura de comunicar una experiencia espiritual literalmente inenarrable: su encuentro con el infinito—. Aún más: de lo que san Juan nos habla es de su transformación misma en ese amor infinito, que no contempla desde afuera sino en sí mismo. San Juan está cantando, pues, a su psique profunda transformada, a su nueva identidad gozosa y «deificada». El santo sabe muy bien que «lo que Dios comunica al alma [...] totalmente es indecible» (CB 26, 4). No sólo Dios no se puede decir, sino que ni siquiera se puede entender por vía racional. Importa insistir en esta enseñanza clave de san Juan de la Cruz: «Dios [...] excede al [...] entendimiento, [...] y, por tanto, cuando el entendimiento va entendiendo, no se va llegando a Dios, sino antes apartando» (Ll 3, 48). Y para acercarnos a esa experiencia en la cual el poeta, transformado en todo un Dios infinito, canta, san Juan intuye que no lo puede hacer por versos inteligibles porque eso sería alejarnos de su experiencia radicalmente unitiva, que se encuentra absolutamente al margen del lenguaje humano[38]. (Como decía Chuang Tzu: «Aquel que sabe, no dice; aquel que dice, no sabe»[39].) José Ángel Valente, por su parte, ha observado que la noción de inefabilidad se basa en la idea de que hay un mundo de realidad que el lenguaje no puede expresar: «pero esa realidad está sumergida en el lenguaje mismo, constituye su *ungrund*, su fondo soterrado, al que nos remite incesantemente la palabra poética»[40].

Y justamente para que su lenguaje literario venga ya preñado *ab initio* de trascendencia, el Reformador acude a un modelo literario inesperado —el *Cantar de los cantares*— con el que se siente respaldado en su «desesperación de escritor», por usar aquí la frase de Borges frente a la empresa imposible de describir su «Aleph». Todos sabemos que la hermosura enigmática del epitalamio bíblico ha preocupado a los lectores desde antiguo. Ya lo decía el exégeta Saadia en el siglo X: «el *Cantar* es un candado, cuya llave hemos perdido»[41]. Y aquí fue precisamente —y por admisión propia— donde san Juan aprendió su «estética del delirio»[42]. Imitó el misterio que rebosa el antiguo epitalamio, por entender que trataba precisamente de la unión inefable con Dios que se experimentaba más allá de todo lenguaje[43].

Y precisamente aureolada de este misterio onírico que tanto debe al *Cantar* es como escuchamos el grito inicial del «Cántico»[44]: *¿adónde te escondiste, Amado?*« (énfasis mío). Notemos que la voz femenina (que orientaliza de inmediato el poema porque evoca los deliquios eróticos de la Sulamita del *Cantar* y aun de las ardientes muchachas cantoras de las jarchas) comienza *ex nihilo* su desesperada búsqueda amorosa al pedir una información curiosamente espacial: quiere saber *dónde* está su Amado, ese Amado quintaesenciado cuyo nombre no se atreve ni siquiera a adjetivar, intuyendo, como vería siglos más tarde Dámaso Alonso, que así el sustantivo recalcaba con más fuerza sus propias valencias afectivas. El dejar en el misterio los rasgos físicos del objeto de los deseos que con tanto apremio se persigue es, de otra parte, una lección espiritual y poética incomparable por parte de san Juan[45], y Ernesto Cardenal la hace suya en el siglo XX: «él no está revestido de carne separadora, el verdadero amado»[46]. Del Amado, que es sólo oquedad y ausencia, sólo se nos dice algo vagamente incongruente: huye como ciervo, pese a haber herido a la protagonista poemática. Curioso, ya que suelen ser los ciervos los que resultan heridos por el cazador que los persigue. La voz femenina de esta curiosísima «cazadora» que se empeña tras el rastro de su ciervo elusivo tampoco tiene ni rostro, ni nombre, ni espacio fijo en el que moverse: parecería que se lanza al aire *ex nihilo* y que sólo advertimos lo elevado de su temperatura emocional, de su desesperación: ha quedado «con gemido». Este gemido visceral, cuasi animal, es completamente ajeno al pudor afectivo de Petrarca y a las civilizadas lágrimas de Garcilaso, que salían «sin duelo», y precede a otra queja destemplada, casi de plañidera (san Juan fue plañidero de niño): «salí tras ti clamando» —es decir, gritando—. Y ya el poeta comienza a insinuarnos la unión transformante que implica el amor trascendente logrado. La ausencia del Amado reduce a la Esposa a un hilo de voz gimiente que sólo es capaz de concentrar en la búsqueda que se inicia ya desde esta primera lira. La emisora de los versos se convierte o se metamorfosea en vuelo raudo, en ráfaga fugaz de aire lanzado en una dirección única: la el Amor. La misteriosa protagonista, cuyos rasgos físicos, como dejé dicho, se nos ocultan, sigue perdiendo corporeidad desde el inicio mismo del poema: se ha espiritualizado frente a nuestros ojos, ya que para buscar a su elusivo, incógnito Amor, ella también se ha tornado elusiva, incógnita, fugaz, intangible, etérea[47]. La incipiente transformación en uno, todavía desiderativa, se nos acaba, pues, de plantear de manera sutil pero elocuente. Para ir a Dios hay que transformarse en Dios; para transformarse en Dios hay que ser ya semejante a Dios. Si Me buscas es porque ya Me has encontrado. Pero la honda lección espiritual resulta más hermosa —y de seguro más persuasiva— cuando la dice el poeta en vez del teólogo.

Importa advertir que tanto el «Cántico» como la «Noche» comienzan con una salida. José Ángel Valente advierte el significado oculto de este camino que ahora se comienza a recorrer: «no otra cosa es el éxtasis que una salida, un salirse o sobresalirse el alma: "una salida fuera de sí mismo", en palabras de Tomás de Aquino»[48]. Pero Eulogio Pacho destaca, con sobrada razón, la cualidad antitética y paradojal de esta «salida»: «En un mismo texto [san Juan] nos dice que el salir, espiritualmente hablando, puede ser de dos maneras: de todas las cosas y de sí mismo (CB 1, 20). En el lenguaje sanjuanista, el «salir» significa exactamente «entrar dentro de sí»[49]. La docencia espiritual sanjuanística continúa, oblicua pero pertinaz: *Noli foras ire*. Estamos, pues, ante una salida que culminará, como todas las que emprende el poeta, en un sorprendente regreso a la propia ipseidad[50]. Pero el periplo místico deja siempre transformado al viajero, como observa con su acostumbrada perspicacia el islamólogo Henry Corbin:

> El lugar del retorno (*ma'âd*) del hombre espiritual es a la vez su lugar de origen (*mabda'*). Sin embargo, no se trata tan sólo de salir de sí mismo para volver a regresar una vez más a sí mismo. Entre la salida y la llegada un acontecimiento extraordinario ha terminado por cambiarlo todo. El yo que se encuentra allá abajo [...] es el Yo superior, el Yo en segunda persona...[51].

Advirtamos que el poeta no nos dice *adónde* sale la amada en su búsqueda frenética, ni tampoco *adónde* «huyó» ni dónde «es ido» su elusivo Amado borroso y quintaesenciado. Se trata justamente de una agónica búsqueda espacial[52]: nada más lejano del *locus amenus* pastoril, que era lo único que los atormentados pastores tenían como refugio seguro y como marco de sus quejas amorosas desde la antigüedad clásica. Aquí de súbito se ha esfumado el espacio: casi podríamos decir que el poema comienza incluso en un punto cero espacial donde la conciencia del emisor de los versos discurre su desesperación afectiva sin poner los pies en tierra. Pero es que tampoco parece que la voz femenina suplicante tiene pies, ni cuerpo: ahora pasa, siempre sin asidero espacial fijo, y como la Sulamita del epitalamio, a preguntar a unos enigmáticos personajes —en este caso, pastores[53]— por aquel «que [ella] más quiere». Notemos que no ofrece más señas de identidad que su propio amor; incluso, que la protagonista es la que dota a su misterioso objeto del deseo de indentidad: él queda definido tan sólo por el amor que ella le tiene. (Una vez más, los principios de la fusión de identidades que implica la unión transformante quedan sugeridos.)

El espacio, por otra parte, se nos insinúa con leves pinceladas abstractas, desrrealizadas: «Pastores, los que fuerdes / allá por las majadas al otero». La vaguedad del deíctico «allá» contribuye más a perdernos y a desorientarnos que a dirigirnos verdaderamente. Ahora la voz femenina nos anuncia su propio desplazamiento, pero una vez más será por lugares no especificados, reducidos a la mención pura, al mínimo rasgo identificador: «buscando mis amores / iré por esos montes y riberas / ni cogeré las flores / ni temeré las fieras, / y pasaré los fuertes y fronteras». Advirtamos que no sabemos por dónde camina la amada: «esos montes y riberas» pueden ser cualesquiera montes y riberas, ya que no hay rasgo ninguno que los defina como espacio bucólico reconocible. No nos podemos atener aquí ni al verdor del prado ni al fresco viento ni a las corrientes aguas tan particularizadoras del paisaje eglógico que Garcilaso pintara con tanto pormenor en sus versos. Comenzamos en cambio a discurrir, acompañados tan sólo por la voz de la protagonista poemática, por espacios indeterminados que cada vez se nos antojan más evanescentes y esfumados. Ella no se deja distraer en su camino sonámbulo ni por las flores (que no tienen determinado color) ni por las fieras (tampoco sabemos cuáles[54]): lleva una prisa y una direccionalidad extraordinarias, que respalda la acentuación única en sexta sílaba del endecasílabo, que, como nos ha recordado Dámaso Alonso, debe ser dicho con mucha velocidad hasta llegar al apoyo tonal. Sólo que seguimos sin saber *adónde* va. Pero la volveremos a ver en seguida, en medio de su búsqueda errática, efectuar un desplazamiento imposible: «pasaré los fuertes y fronteras». El paisaje del «Cántico» nos resulta cada vez más incongruente y menos pastoril: los «fuertes» y las «fronteras» nada tienen que ver con el espacio arcádico al que Teócrito y Virgilio nos tienen acostumbrados. Pero en un contexto literario místico, como supieron santa Teresa y mucho antes Tirmiḏī al-Ḥakīm y Abū-l-Ḥasan al-Nūrī de Bagdad, el castillo fortificado quedaba claramente identificado con la conciencia profunda. Tan socorrida fue la imagen que se popularizó en España ya desde los siglos medios, sobre todo en ambientes culturales semíticos. Cuentan que en la cárcel inquisitorial de Ávila se encontraban detenidos unos judíos aguardando su sentencia penal allá para el 1490. Uno de ellos canta,

34

buscando valor ante su destino en el reducto inviolable de su propia psique interior: «castillito y ténteme fuerte / y no temeré yo a la muerte»[55].

Pero volvamos a los fuertes del «Cántico», que tienen la extrañeza adicional de poder ser atravesados de súbito. Como advirtió Ángel Aguirre en un lúcido ensayo[56], un fuerte sólo se puede «pasar» desde arriba, sobrevolándolo. Para los sufíes iniciados la imagen de «sobrevolar» un castillo fortificado no era tan peregrina, ya que en su vasta literatura mística el castillo era, como dejé dicho, el reducto de la propia alma interior, y urgía «escalarlo» de un vuelo. Suhrawardī, en su *Risālat al-abrāŷ* o *Epístola de las altas torres*, lo alcanza precisamente desde el aire, como san Juan: «la ascensión al castillo fortificado del alma [...] es ardua: no se logra sino empleando el aire como escala»[57]. Advertimos de súbito que la voz protagónica del «Cántico» emite ahora los versos desde una perspectiva aérea que es curiosamente la misma desde la cual san Juan pintó al Cristo crucificado que percibió desde el plano elevado de una levitación[58]. (Dalí homenajeó ese grabado, tan humilde como revolucionario, en su «Cristo de san Juan de la Cruz»: si el Reformador se hubiese dedicado de lleno a la pintura, de seguro hubiera revolucionado el arte pictórico de la misma manera radical que revolucionó el arte verbal en lengua española.)

Ya el lector avisado advierte que san Juan nos va pasando de contrabando, como todo gran poeta, el hecho de que el poema está aludiendo desde el principio a un estado alterado de conciencia. Es que san Juan ha traspasado una importantísima «frontera»: la de su propia capacidad de percepción, que va a acceder a una expansión infinita, para la cual le será preciso quedar transformada[59]. Los espacios apenas dibujados por los versos se van esfumando vertiginosamente y no sirven de asidero a esta misteriosa buscadora de un espacio privilegiado —el incógnito «adónde» en el que reside su Amado perdido—. Ahora ella sobrevuela los espacios arcanos: la brújula orientadora parecería haber enloquecido y la espacialidad puede ser captada desde cualquier perspectiva o punto de mira. Pero he aquí que continúa el desplazamiento amoroso de sobretonos sonámbulos, y la lógica que adquiere el poema es la lógica del sueño: otros espacios —ahora, «los bosques y espesuras» y el «prado de verduras» esmaltado de flores[60]— convertidos mágicamente en personajes animados[61], adquieren la potestad del habla que nunca tuvieron en las églogas de Sannazaro ni de Garcilaso y le informan a la protagonista poemática que quedaron «vestidos de hermosura» al paso fugaz del Amado:

> ¡Oh bosques y espesuras,
> plantadas por la mano del Amado!
> ¡Oh prado de verduras, de flores esmaltado!
> Decid si por vosotros ha pasado.
>
> Mil gracias derramando
> pasó por estos sotos con presura,

e, yéndolos mirando,
con sola su figura
vestidos los dejó de hermosura.

Tan fugaz fue el paso que parecería que el Amado rielaba sobre el paisaje sin poner, como su buscadora, pies sobre tierra: «pasó por estos sotos con presura», informan, oníricamente, los mismos paisajes, en un verso de prodigiosa aliteración onomatopéyica. No entendemos a ciencia cierta cómo fue que quedaron «vestidos de belleza» estos espacios dotados del poder del habla: tan sólo podemos sospechar que una iridescencia sobrenatural[62] baña la espacialidad fugitiva que va advirtiendo de paso, y sin hollarla nunca, esta voz disparada en dirección ignota.

Nuestro único asidero es el misterio: advertimos que las flores que esmaltan el prado carecen una vez más de determinado color[63], y sólo vemos que brillan con resplandor plateado y astral ante unos ojos que las miran por unos instantes mientras continúan su desplazamiento vertiginoso desde una perspectiva aérea. El paisaje de san Juan, estremecedoramente interior e individualizado, no es el trillado *locus amoenus* de los clásicos, sino una poderosísima radiografía metafórica del alma, y de un alma o una psique en estado alterado de conciencia. (A más de un lector le parecería que estas liras alucinadas hubieran podido ser escritas bajo el influjo de drogas como el LSD: sólo que su nivel alterado de conciencia no es el de un paraíso artificial sino el de un místico auténtico.) Lo cierto es que, según avanza el poema, cada vez tiene menos que ver con el discurso literario de la tradición pastoril al que estamos acostumbrados como lectores del Siglo de Oro: no se trata aquí de un paisaje exterior de prados verdes y rosas coloradas sino de un paisaje interior, vagamente nocturno y cromatizado con una iridescencia misteriosa. Difícil no aceptar que estamos ante los versos más alucinados de la literatura española del Siglo de Oro. Lo ha advertido con extraordinaria lucidez Colin Peter Thompson: estos continuos cambios de lugar, de secuencia temporal, de imágenes, de protagonistas poéticos, y esta flagrante falta de lógica lineal en el conjunto del poema «está totalmente fuera de conformidad con las ideas clásicas y renacentistas que han predominado en la poesía»[64].

Pero es que hay más. Ya sabemos que la emisora de los versos se ha lanzado en busca de su Amado, y el primer impulso que tiene en su búsqueda frenética es exteriorizarse y preguntar a las cosas *adónde* ha ido a parar el que tanto quiere su alma. Los pastores han quedado encargados de avisarle su paradero, si es que llegan a averiguarlo. Ahora son los bosques y espesuras los que tienen la palabra, y no cabe duda que algo sí han logrado sugerirle: la intuición, todavía preliminar, pero extraordinariamente sobrecogedora, del Amado. Como sabemos, los místicos de las más distintas persuasiones religiosas han evocado la Belleza ultraterrenal en términos de la modesta belleza de este mundo, meditando frente a la naturaleza, como los místicos ingleses, o frente a un rostro hermoso, como los derviches sufíes. Nuestro poeta, en la línea de William Wordsworth, parecería inquirir de los paisajes arbolados la huella inmaterial del Creador de esos mismos paisajes. Y eso es precisamente lo que los bosques y espesuras le entregan a la enamorada en búsqueda: la imagen intuitiva de su indecible Creador, la sagrada pero aún incompleta *vestigia divinitatis*. Aunque la enamorada aún no logra su posesión total, los bosques esmaltados de flores le sirven, más allá de toda duda, como heraldos del éxtasis.

Aunque todavía percibimos con la emisora de los versos «desde desta ladera», la intuición se nos entrega a través de una imagen plástica prodigiosamente elocuente. Volvamos a tender por un momento nuestros ojos sobre el paisaje que ha pintado aquí nuestro poeta: lo que vemos es una alameda verdísima esmaltada de flores incoloras. Cierto que el verso debe mucho a Garcilaso —«preséntanos a colmo el prado flores / y esmalta en mil colores su verdura»—, pero el poeta toledano insiste en el arco iris cromático de las florecillas silvestres. El vaciamiento cromático de las flores constituye, en cambio, un extraordinario hallazgo poético por parte de san Juan, ya que nos permite advertir en nuestra imaginación tan sólo su brillo esmaltado. Parecería que sobrevolamos un inmenso manto resplandeciente de luces, a manera de cielo estrellado, aunque misteriosamente verde. No es difícil que este prado centelleante de luceros aromáticos nos evoque el cielo estrellado. Lo sabe el lector avisado y lo supo el propio san Juan, que en las glosas nos asegura que «El prado de verduras» «[es] la consideración del cielo, al cual llama prado de verduras, porque las cosas que hay en él criadas siempre están con verdura inmarcesible» (CB 4, 4)[65].

Curiosa esta noción de un cielo «verde». No les resulta exótica a los árabes, en cuyos códigos literarios místicos el verde simbolizaba siempre la más alta espiritualidad. Ello no es de extrañar, dada la sed secular de estos hijos del desierto, que dieron en imaginar un Paraíso verdísimo de sombra perenne y aguas corrientes en el que los bienaventurados incluso habrían de vestir túnicas verdes (Corán XVIII, 30/31). La raíz trilítera con la que la lengua árabe designa la noción de «verde» —*j-d-r* (خضر)— asocia el color al Paraíso (*al-juḍayrā'*) y al cielo (*al-jaḍrā'*). Muchos musulmanes llegan al extremo de «ver» el cielo de color verde, como aquí san Juan: «Los prados son tan verdes que semejan exactamente el cielo, y el cielo claro se diría que ahora es como los prados»[66]. Advierte Abdelwhab Bouhdiba en su penetrante ensayo «Les arabs et le couleur»: «Pero es realmente curioso constatar que la expresión [*al-khaḍhra* o «el verde»] denota también el cielo, el firmamento. El cielo es tan bello, tan puro, tan maravilloso que a los árabes les resulta prácticamente imposible percibirlo de otro color que no sea verde»[67]. Acaso la similitud de un prado esmaltado de flores con un cielo estrellado —*leit-motiv* por cierto de la lírica profana árabe[68]— se encontraba suficientemente popularizado como para que Ana de Jesús pudiese seguir aquí a su ilustre, exótico poeta. Cierto que no deja de ser curioso que san Juan comparta aquí la óptica de los musulmanes, que adjudicaban al verde, como dejé dicho, un valor espiritual que desde luego no tiene en Occidente. (Nuestra sensibiliad privilegia en cambio el azul, que los árabes consideran demoníaco y maléfico como color de ojos.) Hago mías las elocuentes palabras de Bouhdiba en este sentido: «Dime cómo percibes el azul o el verde y te diré quién eres...»[69].

Al margen del posible origen cultural de las nociones cromáticas de nuestro santo, lo que salta a la vista es que la imagen rinde su estremecedor fruto a plenitud sólo cuando la aceptamos en los términos que el poeta y sus contrapartidas islámicas sugieren: el prado de verduras esmaltado de flores *es* simultáneamente el cielo estrellado de la Trascendencia, o al menos nos remite indefectiblemente a su avasallante intuición. Es como si el poeta nos sugiriera que este plano terrenal contiene la huella o semilla del plano sobrenatural; que nuestro «abajo» tiene su consoladora contrapartida «arriba»; que nuestro humilde «microcosmos» corresponde al infinito «macrocosmos» de Dios. Como si mirásemos a través de un caleidoscopio, con una sutilísima vuelta que le diéramos transmutaríamos *in ictu oculi* el prado florido en cielo estrellado. Podemos, pues, dar el mensaje por recibido: el vertiginoso prado, celestialmente verde y argentado por una cascada de estrellas olorosas, ha despertado en la enamorada protagonista la intuición palpitante de su todavía elusivo Amado[70].

Y queda, justamente por lo honda que ha resultado su percepción intuitiva, completamente desesperada: «¡Ay, quién podrá sanarme! / Acaba de entregarte ya de vero; / no quieras enviarme / de hoy más ya mensajero, / que no saben decirme lo que quiero». En efecto: los prados «mensajeros», sobre los que la mirada transformante del Amado trascendido había derramado unas enigmáticas «mil gracias», le *sugieren* pero no *le dicen* ni *entregan* a la protagonista poemática la esencia divina que anda buscando. Evelyn Underhill resume elocuentemente el frustrante drama interno de la protagonista en su indispensable *Mysticism*: donde el artista intuye y el filósofo argumenta, el místico experimenta. Y la enamorada parece saberlo porque decide no quedarse con el regalo tantálico e incompleto de la intuición de Dios. Y prosigue presurosa su camino.

La búsqueda sin dirección fija continúa, pues, en las próximas liras, y la voz descorporeizada vuelve a encontrar personajes extrañísimos sin identidad reconocible: «Y todos cuantos vagan / de ti me van mil gracias refiriendo, / y todos más me llagan, / y déjame muriendo / un no sé qué que quedan balbuciendo». Estas criaturas errantes, que en vano intentaríamos asociar a Salicio o a Nemoroso o a Títiro, y que resultan más misteriosas aún que los pastores evanescentes del epitalamio bíblico en el que parcialmente se inspiran, deambulan sonámbulas y, una vez más, sin rumbo preciso. Enojan, por otra parte, a la emisora de los versos con su «balbucir»: le van refiriendo «mil gracias» del Amado (que es como no decirle nada, pues no hay contenido semántico ninguno en la información que le ofrecen y que el prado florecido de la intuición había anticipado). La protagonista poética ha quedado «muriendo» con el «no sé qué que quedan balbuciendo» de estos seres evanescentes como la materia creada inestable que los constituye. Elizabeth B. Davis advirtió la lucha agónica del poeta con los límites de un discurso que se le está viniendo abajo a cada paso: «Este elocuente tartamudeo es la expresión última del asombro místico: al otro lado de esta riqueza verbal comienza el vasto silencio de lo incomunicable»[71]. Protagonista poemática y personajes se nos presentan, pues, todos afásicos y sin dirección en sus desplazamientos vertiginosos. El «Cántico espiritual» nos va dando claves solapadas pero precisas de la experiencia mística unitiva.

Ya vimos que no hay espacialidad fija que nos sirva de apoyo en las liras que hemos ido explorando hasta el presente. La voz sin cuerpo se lanza a la búsqueda de un espacio añorado en el que se le han perdido «sus amores». Pero es que tampoco sabemos cuándo ha ocurrido la pérdida ni cuándo se ha iniciado la búsqueda. La temporalidad en el poema es tan indefinida como la espacialidad: los tiempos verbales oscilan sin orden entre un pasado —«salí tras ti»—, un presente —«buscando mis amores»— y un futuro —«pasaré los fuertes...»—. Así procede nuestro poeta a lo largo de todo el «Cántico». Con la cancelación de los espacios y de los tiempos san Juan nos va a entregar uno de los secretos fundamentales de su experiencia mística: el extático descubre en el punto privilegiado en el que se unifica perfectamente su identidad que se encuentra completamente al margen de las categorías espacio-temporales que circunscriben trágicamente su conciencia en el plano material de la existencia. Hoy los físicos coinciden con los místicos gracias al trabajo innovador de Einstein: el espacio y el tiempo son, como se sabe, categorías relativas[72]. Y san Juan canta veladamente al triunfo estremecedor que ha logrado sobre estas categorías restrictivas: su estado de conciencia alterada, en pleno trance de transformación en Dios, lo va a liberar completamente de estas tristes ataduras que sufrimos «desde esta ladera», por citar una vez más a mi antiguo amigo Dámaso Alonso. Ha comenzado la «deificación»: Dios en su infinitud está a salvo del tiempo y del espacio; y el místico «endiosado» también.

Importa recordar aquí una vez más que el santo aprendió su manejo aleatorio no sólo de la espacialidad sino de la temporalidad en su paradigma literario principal: el *Cantar de los cantares*. En las lenguas semíticas como el hebreo y el árabe, los tiempos verbales oscilan violentamente (para la percepción de un occidental, claro) entre un pasado, un presente y un futuro indeterminados. Traducidos literalmente a las lenguas indoeuropeas, estos verbos parecen caóticos por su fusión y confusión de las distintas categorías temporales. Esto lo podemos advertir claramente si leemos una traducción fiel del *Cantar*, como la castellana de fray Luis, que respeta la oscilación verbal del original hebreo. El sabio escriturario sabía que el epitalamio salomónico en más de una ocasión habría de sonar «vizcaíno» a los lectores occidentales. Y en efecto así suena[73].

Pero san Juan nos entregará muchos más secretos de su psique privilegiada si continuamos esta lectura a niveles profundos de su poema más inspirado. (Recordemos de pasada que el santo escribió sus liras con tanta intuición como trabajo: cuando la madre Magdalena del Espíritu Santo le preguntó cómo encontraba sus palabras, el poeta le contestó sincero: «Hija, algunas veces me las daba Dios, y otras, las buscaba yo».) Ahora el «Cántico», escrito sin duda desde la conciencia más profunda del poeta, se aproxima a sus momentos culminantes, que son de una hondura plurivalente casi insondable. Es que san Juan se apresta a decirnos algo del proceso transformante de su éxtasis, es decir, de su propio camino hacia la «deificación». Aunque se queje en su prosa explicativa que «de Dios no se puede decir nada que sea como Dios» —y no podemos estar más de acuerdo— la misericordia de estos versos magistrales que el santo piensa que «a veces le daba Dios» nos va a permitir atisbos inusitados en la experiencia amorosa unitiva del santo. Como siempre, si leemos bien sus versos, san Juan nos parecerá en ellos un teólogo más certero de lo que resulta en sus largos tratados en prosa.

La voz femenina sin identidad fija que nos dicta el poema se asombra ahora de «vivir no viviendo donde vive» —es decir, reconoce que lo más auténtico de su psique está viviendo en un nivel de existencia más elevado que el usual del plano físico—. Las noticias desasosegantes que recibe del elusivo Amado la colocan cerca de la muerte, como verificamos cuando leemos el resto de la lira, que hace gala de un conceptismo poco usual en san Juan: «y haciendo porque mueras / las flechas que recibes / de lo que del Amado en ti concibes». Observa atinadamente Elizabeth B. Davis que estos versos son muy significativos porque remiten al lector a la herida que la protagonista poemática había recibido del ciervo ya desde la lira inicial del «Cántico», que se torna, con esta reiteración, más intencional y más poderosa. Pero algo mucho más sobrecogedor aún queda sugerido en estos versos que saben a cancionero pero que encierran lecciones espirituales insospechadas: las flechas que la protagonista recibe

> son su propia hechura [y así] la figura femenina se ve, en cierta medida, como siendo su propia «cazadora». Como el texto también indica que ella «recibe» estas flechas, la idea de que ella misma las puede «hacer» sugiere la misma confusión entre sujeto y objeto señalado en las últimas líneas de la «Noche oscura» [...] la relación normal entre sujeto y objeto se ha anulado y los opuestos co-existen en la persona de la esposa [...] ella es, y a la vez no es, perseguida[74].

El lector avisado advierte con estupor que el sujeto que busca y el objeto buscado comienzan a ser ontológicamente indiferenciables. La esposa tenía todo el tiempo dentro de sí al ciervo en fuga, y éste le lanzaba las flechas de sus intuiciones, que cada vez deben ser más hondas, desde el fondo de sí misma. La «deificación» del alma, que es la meta comunicativa de estos versos, se sugiere desde las honduras de la poesía, y no tenemos que recurrir a la prosa teológica para que el santo nos reitere sus lecciones *abisales*. (Que a menudo escapaban, hay que admitirlo, a sus propias glosas aclaratorias.)

La enamorada continúa apostrofando a su Esposo ausente, como otrora Salicio a Galatea: «¿Por qué, pues has llagado / aqueste corazón, no le sanaste? / Y pues me le has robado, / ¿por qué así le dejaste, / y no tomas el robo que robaste?». Esta lira sigue cantando el abandono desgarrador de la esposa en clave cancioneril y conceptista, que nunca me ha parecido, por cierto, la voz poética más afortunada de san Juan de la Cruz. Nuestro poeta expresa mejor sus deliquios místicos cuando hace escuela con los «dislates» del epitalamio palestino y pone sordina a nuestra razón discursiva. Él mismo nos había enseñado que «cuando el entendimiento va entendiendo, antes se va alejando de Dios, no acercando». Justamente por ello, los mejores momentos del poema son los aureolados por la fecundísima opacidad del *Cantar*. Pero san Juan es hijo de su tiempo y no resiste la tentación de volver a cantar como poeta cortesano a través de su desesperada protagonista poética: «Apaga mis enojos, / pues que ninguno basta a deshacellos, / y véante mis ojos, / pues eres lumbre dellos, / y sólo para ti quiero tenellos». Pese a la relativa caída estética que esta voz literaria «a lo profano» implica, con sus «enojos» de amor, la lira logra comunicarnos una intuición importante del éxtasis unitivo que no tardaremos en lograr. La mirada —ya lo tenemos sabido por Petrarca y Marsilio Ficino— es algo muy serio entre los enamorados porque a través de ella se intercambian las almas. Y aquí la protagonista poemática suplica ver al Amado aún ausente. Pero ¿cómo ha de mirarlo? Justamente con la lumbre que los ojos de él le proporcionarán para que ella lo mire. El circuito redundante de miradas que los versos sugieren es elocuente, y la mejor glosa a la lira serían los versos del murciano Ibn 'Arabī: «Cuando aparece mi Amado, ¿con qué ojo he de mirarle? —Con el suyo, no con el mío, porque nadie lo ve sino Él mismo»[75]. Lo sabe bien la esposa enamorada.

Pero su apremiante búsqueda continúa. Ahora la «cazadora cazada»[76] suplica al elusivo amante que ya no le envíe «más mensajero» sino que se le entregue «de vero»: «Descubre tu presencia / y máteme tu vista y hermosura, / mira que la dolencia / de amor, que no se cura, / sino con la presencia y la figura»[77]. Salta a la vista en seguida que aquí la emisora de los versos roza la intuición universal del *eros* y el *tánatos*: la posesión amorosa es tan radical que permite la intuición de la pérdida del ser. Dicho de otro modo, el ego se apaga (o la identidad se rinde) cuando se transforma en el objeto amado[78]. Intuición universal, por cierto, esta de la unión instintiva del amor y la muerte, que ha cantado la literatura amorosa de todos los tiempos, desde aquel embriagado versículo del *Cantar de los cantares* «el amor es fuerte como la muerte», pasando por el rendido Petrarca y por el Vicente Aleixandre de *La destrucción o el amor*, hasta desembocar en la lucidez cuasi sobrenatural que sobrecoge a Amaranta Úrsula en *Cien años de soledad*, cuando siente, en el momento de la culminación misma del amor, «la ansiedad irresistible de descubrir qué eran los silbos anaranjados y los globos invisibles que la esperaban al otro lado de la muerte»[79]. Intuyendo a su vez la atemorizante rendición del ser que atenaza a todo enamorado auténtico, Pedro Salinas usurpa como lema de su *Voz a ti debida* las lapidarias palabras del *Epipsychidion* de Shelley: «Tú, Asombro, y tú, Belleza, y tú, Terror» («Thou Wonder, and thou Beauty, and thou Terror»).

Precisamente esta intuición del *eros* y el *tánatos*, de una hondura perturbadora, es la que prepara la lira siguiente:

> ¡Oh cristalina fuente!
> Si en esos tus semblantes plateados
> formases de repente
> los ojos deseados
> que tengo en mis entrañas dibujados!

La protagonista poética —es importante destacarlo— detiene súbitamente su vuelo. El poeta prepara los momentos culminantes de su itinerario místico, que nos requerirán, por su extraordinaria complejidad y confluencias intertextuales, un comentario por extenso. Por lo pronto la emisora de los versos parecería susurrar en nuestros oídos de lectores atónitos que de repente «cesó todo». La hembra viajera sosiega su nervioso deambular y ahora la vemos cómo se mira en la fuente translúcida, de semblantes plateados (de nuevo el cromatismo iridescente propio del estado alterado de conciencia). Pero se enfrenta con una sorpresa descomunal: ha perdido su identidad. Ya sospechábamos que había ido perdiendo corporeidad a medida que avanzaba el poema y que la veíamos desplazarse sin pisar los espacios que se desvanecían a su paso, pero de súbito nos enfrentamos con su gran verdad: la amada del poema no tiene rostro, ni identidad, ni bulto corpóreo, ya que no se refleja en las aguas del manantial. (Es fascinante advertir cómo san Juan nos va deslizando paulatinamente —una vez más— ciertos datos que nos permiten intuir que un poema cuyo primer nivel es de amor humano tiene implicaciones sobrenaturales constantes que no hay ni siquiera que ir a buscar en la prosa aclaratoria porque están en la poesía misma.)

En esta lira sobrecogedora san Juan subvierte el viejo mito de Narciso, que se mira en la fuente y se enamora de sí mismo: aquí la protagonista también se va a enamorar de sí misma —y con todo derecho— porque está en proceso de transformación con lo que más ama. Y con cuánta delicadeza san Juan va a ir aludiendo a este milagro —el más grande del amor— que cantara Pietro Bembo. Salta a la vista que mirarse en un espejo es preguntarse por la propia identidad[80]. Cuando la protagonista tiende su mirada sobre el manantial refulgente, lo que éste le devuelve no sólo es un rostro ajeno, sino algo mucho más extraño: unos ojos ajenos. Son los del Amado, que al fin va a recuperar de manera real y no intuitiva o desiderativa. Pero una sensación de vértigo atenaza al lector: estos ojos que le devuelve la fuente son simultáneamente de él y de ella, ya que donde están grabados es en las propias entrañas de la que se mira en el manantial, «grávida de una mirada», como dice con tanta intuición poética José Ángel Valente[81]. Aunque son ojos ajenos, es ella misma quien los proyecta sobre las aguas, ya que los lleva dentro, en su más profunda interioridad. Y la amada los está viendo por fin, instantes antes de recuperarlos para siempre, en la «cristalina fuente», que advertimos claramente es simultáneamente el espacio —el espejo— de su propia identidad. Lo que el espejo nos devuelve siempre —ya lo sabemos— es nuestra ipseidad. Inesperadamente, el ansioso «¿adónde?» que inaugura el poema se nos ha comenzado a contestar. «¿Adónde te escondiste, Amado?». La respuesta es sobrecogedora: «En mí misma». Ella es —pero de manera ominosamente literal— la «fuente sellada» o *fons signatus* que mereciera como requiebro especial la Sulamita del *Cantar de los cantares* (IV, 12). Pero en el caso de la amada el «Cántico» la cosa no queda en simple metáfora enaltecedora: en este preciso instante el espejo alecciona a nuestra viajera detenida acerca de los límites de su propia identidad, y le permite descubrir que ella misma era el Simurg que buscaba en fuga vertiginosa por espacios desleídos. Por decirlo con palabras de Alfred Lord Tennyson: «el Reino se encuentra dentro de uno mismo» («the Kingdom is within»). No es otra cosa por cierto era el antiguo *dictum* agustiniano: *in interiore hominis habitat veritas*. ¡Pero con cuánta belleza plástica acaba de ilustrar el «Senequita» de santa Teresa esa verdad mística y amorosa ancestral de la transformación de la amada en el Amado! No cabe duda: en momentos inspirados del poema como éste —y como los que nos aguardan en breve— parecería, como advierte Andrés Sánchez Robayna haciéndose eco de Roland Barthes, que el poeta no atraviesa el lenguaje «sino que es atravesado» por él[82].

Veamos más de cerca las implicaciones de este narcisismo jubiloso que ahora canta san Juan a través de su *alter-ego* poético. Lo primero que cabe destacar es la extraordinaria novedad literaria de que hace gala aquí el poeta. La universalidad del agua como metáfora espiritual es evidente, desde la Biblia (Juan 4, 14) hasta la terminología alquímica[83]. Incluso la fuente, «símbolo inmemorial de vida eterna», como la llama con sobrada razón María Rosa Lida en un erudito ensayo[84], tiene sobretonos simbólicos desde antiguo. Xabier Pikaza nos recuerda, asimismo, que «el pensamiento platónico, abierto de manera casi natural a la mística, ha desarrollado la imagen de la *fons divinitatis*»[85]. En su *Dictionary of Symbols*[86], J. E. Cirlot asocia a su vez esta fuente arquetípica con el centro místico del alma: estas honduras del Ser se deben explorar en secreto y en oscuridad[87]. «Fuente sellada» llama a la Sulamita, como sabemos, el Esposo de los *Cantares* (4, 12), y todavía en las canciones sefardíes medievales la fuente era símbolo de fecundidad y de boda. Pero el símbolo concreto de la fuente sanjuanística, que

43

el santo explora por cierto con tanta unción secretiva, ha sido objeto de numerosos estudios por parte de la crítica. Ha sido particularmente difícil trazar sus orígenes. No le parecen bíblicos a David Rubio:

> Ninguna de las 56 metáforas de «la fuente» de la Vulgata, ni ninguna de las numerosas metáforas del mismo objeto, de la mística occidental, puede en modo alguno relacionarse con el concepto de la «fuente» en san Juan de la Cruz[88].

(Ya veremos por qué vías la fuente del «Cántico» sí es asociable al *Cantar de los cantares* bíblico: lo que sucede es que hay que acudir al original hebreo para advertirlo.) Continuando con la elusiva filiación occidental de la lira, cabe sañalar que Ludwig Pfandl asocia la fuente del «Cántico» con la fuente «della pruova dei leali amanti»[89] del libro de caballerías *Platir*. Dámaso Alonso, en cambio, en su citado libro *La poesía de san Juan de la Cruz. Desde esta ladera,* rechaza, por razones principalmente bibliográficas, la posible influencia del *Caballero Platir* y favorece la de la Égloga II de Garcilaso por conducto de la divinización de Sebastián de Córdoba. (Allí Albanio dice a Salicio: «le dije que en aquella fuente clara / vería de aquella que yo tanto amaba / abiertamente la hermosa cara»[90].) María Rosa Lida, al reseñar el libro del maestro, resta importancia a Sebastián de Córdoba y subraya la cercanía de san Juan a la fuente del *Platir* (pese a lo problemático de la posible influencia) y a la de *Primaleón*. La erudita entiende como elemento esencial del símbolo el hecho de que la fuente de san Juan refleje un rostro ajeno, tal y como sucede en estas narraciones caballerescas, en la Égloga II de Garcilaso, en la *Arcadia* de Sannazaro y aun en un epigrama de Paulo el Silenciario. Más recientemente, Cristóbal Cuevas propone que «de la *Historia del Abencerraje,* en la versión de Villegas o en la de la Diana, pudo tomar [san Juan] el símil de la fuente como espejo de los ojos del Amado»[91]. Pero abrimos el relato, y nos volvemos a encontrar con una imagen equivalente a las ya citadas: la fuente refleja el rostro amado, pero no los ojos: «vila en las aguas de la fuente [nos dice Abindarráez de su amada Jarifa] tan al proprio como ella era, de suerte que a do quiera que bolvía la cabeça, hallava su imagen y trasunto, y la más verdadera, trasladada en mis entrañas»[92]. A pesar del aire de familiaridad sanjuanística que guarda la mención de las «entrañas», tampoco la *Historia del Abencerraje* nos alivia el enigma excesivo del manantial del «Cántico», que refleja unos ojos pero no un rostro. Cierto que todos los manantiales literarios de los antecedentes greco-latinos y europeos del símil, al reflejar el rostro adorado que sustituye al propio, proclaman calladamente la fusión de identidades de los enamorados —ese gran milagro del amor que tanto cantaron, como dejamos dicho, los *dolce stilnovistas*—. En esto coinciden con los anhelos de fusión amorosa de nuestro místico, pero el misterio de la elusiva imagen no queda aliviado ¿por qué la fuente sanjuanística refleja unos ojos y no una cara?

Se impone buscar las claves fuera de Occidente. El primer parámetro literario que se impone repensar, como dejé dicho, es el de la Biblia, pero atendiendo esta vez a la lengua hebrea original del epitalamio salomónico. Ya sabemos que la amada es «fuente sellada» y que tiene los ojos como los «estanques de Esebon» (VII, 4). Salta a la vista que el apasionado *carmen* salomónico ha ayudado a dirigir a nuestro poeta hacia una equivalencia simbólica de la emisora de los versos con la fuente prodigiosa ante la que ha detenido su camino. Cabe decir: se ha detenido cuando se ha comenzado a encontrar a sí misma. Pero es que hay razones adicionales que nos ayudan a esclarecer el obstinado misterio del por qué la alfaguara refleja tan sólo los ojos de los enamorados y no sus rostros. Como ha observado agudamente Rubén Soto Rivera, la fuente que refleja únicamente los «ojos» puede estar relacionada con «el vocablo hebreo *'ayin*, que significa tanto *ojo*, *fuente*, como *aspecto*»[93]. Acaso por eso mismo ninguno de los protagonistas ve reflejado su rostro o «aspecto» en la fuente: posiblemente ambos comparten no sólo los mismos ojos sino el mismo rostro, ya sin facciones separadoras, que se funde prodigiosamente en uno —y por eso se borra y se torna invisible— en los «semblantes plateados» de la alfaguara[94]. En efecto: el tener noticia de la plurivalencia inherente del término hebreo *'ayin*, daría una singular ventaja a un lector del «Cántico» que supiera hebreo, ya que de alguna manera podría asociar *ab initio* la fuente con los misteriosos «ojos» y aún con los «semblantes» o «aspectos» que se vislumbran entre las ondas refulgentes. ¿Lo sabría san Juan de la Cruz?

Mis investigaciones más recientes[95] me van llevando a considerar la posibilidad de que nuestro poeta conociera algo, aunque fuese de manera elemental, del original hebreo de su libro de cabecera. Importa que me detenga un momento en ello, ya que seguiré tomando en cuenta esta contextualidad hebrea —e incluso islámica— en mi comentario al «Cántico espiritual». Según pude ver a través de una lectura atenta de los *Libros de visitas de cátedra* del Archivo Universitario de la Universidad de Salamanca, el maestro Martín Martínez de Cantalapiedra enseñó el curso de hebreo, caldeo y árabe en el cuatrenio en el que san Juan cursaba allí sus estudios de bachiller artista y luego de teólogo. Su *curriculum* universitario, responsablemente reconstruido por Luis Enrique Rodríguez San-Pedro[96], permite suponer que san Juan pudo visitar, de oyente o como alumno matriculado, la cátedra de Cantalapiedra, que incluía el estudio específico del *Cantar de los cantares*. (Por cierto que si el joven alumno se animó a escuchar sus «margaritas preciosas» en la lengua original, de paso se haría con los primeros rudimentos del árabe, pues ya dejé dicho que acabo de descubrir además que, contrario a lo que estuvimos afirmando Marcel Bataillon y yo, durante años, Cantalapiedra también enseñaba esta lengua en el mismo curso trilingüe[97].) El ilustre biblista habría de terminar preso en las cárceles de la Inquisición, como fray Luis y Gaspar de Grajal —se trataba de cátedras peligrosísimas— y desde allí sigue defendiendo patéticamente la plurivalencia de la lengua hebrea, cuya ambigüedad había causado tantos trastornos a su labor de exégeta bíblico postridentino: «Que la lengua hebrea sea equívoca, yo no tengo la culpa; pídanlo a Dios que la hiço»[98]. Quién sabe si el entonces Juan de Santo Matía supo algo de esta polivalencia lingüística del hebreo y la puso en uso, con más o menos conciencia de ello, al redactar su embriagado «Cántico». Si lo hizo, tenía que haber sido cautamente, pues todos los maestros biblistas de su antigua *alma mater* fueron perseguidos precisamente por defender la lectura de las Escrituras en sus lenguas originales, lectura que más de una vez venía reñida con la versión latina de la Vulgata. No era cosa, pues, de exhibirse innecesariamente como alumno de estos catedráticos insignes pero desprestigiados, ni tampoco como conocedor de las lenguas semíticas, embriagadas de imágenes plurivalentes pero sumamente peligrosas.

Y ello nos lleva de inmediato a examinar el caso de la literatura mística islámica, que tantas claves nos ha proporcionado en otras ocasiones a la hora de decodificar la insondable obra sanjuanística. Una vez más, la sapientísima poesía extática musulmana nos ofrecerá pistas invaluables en torno a la «cristalina fuente» del «Cántico». Serán justamente estos contextos literarios musulmanes los que mejor nos ubiquen y los que den pleno sentido al enigmático símbolo de la fuente sanjuanística. (Aprovecho para dejar dicho una vez más que, como no estamos haciendo un estudio de fuentes, sino de interpretación de un texto poético, no nos interesa explorar aquí si estamos ante un caso de posibles filiaciones literarias directas del Islam sobre san Juan o ante un caso de contextos literarios paralelos que iluminen satisfactoriamente su obra. Poco importa que fuera de una manera o de la otra: lo que sí resulta dramático es el hecho de que, como de costumbre, la literatura mística musulmana suele ser particularmente útil a la hora de aclarar algunos de los misterios más recalcitrantes del arte poético del Reformador que la literatura espiritual de Occidente.) Como siempre en el caso de san Juan de la Cruz, esta intertextualidad literaria islámica se va a entrelazar de manera exquisitamente sinuosa con la reescritura de importantísimos pasajes bíblicos y aun de mitos clásicos como el de Narciso al que ya he hecho alusión. Estamos, no cabe duda, ante el poeta más original, más complejo y sobre todo más jubilosamente mestizo de las letras españolas.

Los místicos del Islam, importa recordarlo en seguida, buscaron ansiosos su reflejo en los manantiales de su propia espiritualidad, vertiendo desde muy temprano «a lo divino» el símil que en Occidente solemos ver restringido al plano del amor humano. Ya en el siglo XIII Ibn ʿArabī de Murcia nos habla en su *Futūḥāt* (II, 447) de la fuente como espejismo (*sarāb*) que el místico sediento cree ver, y, al advertir su error, descubre en cambio a Dios y a sí mismo. También Nūrī de Bagdad, cuyo *Maqamāt al-qūlūb* o *Moradas de los corazones* he traducido del árabe, afirma que el agua que fluye autónomamente en el corazón del místico implica el conocimiento (*ʿulūm*) de los secretos de Dios en esa misma alma. De los sufíes es, probablemente, de donde obtuvo el arabizadísimo Raimundo Lulio su símbolo del espejo cristalino que refleja el grado de contemplación que el alma tiene de Dios, y que la mística española posterior también terminaría por hacer suyo[99].

La imagen de la fuente mística del propio ser sencillamente no puede ser mas socorrida en el Islam. Los sofisticados sufíes persas, hijos por partida doble de Platón y de Zoroastro, escriben a su vez numerosos relatos visionarios y autobiográficos en torno al itinerario místico de sus almas en proceso de unión transformante, en los que la fuente es precisamente un hito central. Acaso uno de los tratadistas más significativos en este sentido sea el célebre Šihābuddīn Yahyā Suhrawardī (m. en 1191), llamado el Šeyj al-išraq o maestro de la iluminación por los numerosos tratados que escribe en árabe y en persa en torno a este viaje simbólico: cabe recordar su *Ḥikmāt al-išrāq (La filosofía e la iluminación)*, su *Hayākil al-nūr (Los altares de la luz)* y su *'Aql-e Sorkh (El Arcángel empurpurado)*. En estos y otros relatos, el camino del alma hacia sí misma lleva al contemplativo por riesgosas aventuras y por extraños espacios imaginales[100], hasta que llega precisamente a una fuente autónoma. Es la fuente de la certeza mística, que sufíes como el anónimo autor del *Libro de la certeza* llama «ojo de la certeza» (*'aynu'l-yaqīn*). Es curioso que san Juan, en su «Cantar del alma que se huelga de conocer a Dios por fe» también se refiera una y otra vez a esta certeza mística que descubre en la fuente: «Que bien *sé* yo la fonte que mana y corre, / aunque es de noche».

La fuente también se le va a antojar tenebrosa al gnóstico musulmán itinerante, ya que la descubre precisamente de noche. Pero, paradojalmente, también cae en cuenta que es lumínica, porque en ella comienza a contemplar la iluminación divina en lo hondo de su ser. En el citado relato del *Arcángel empurpurado,* Suhrawardī hace claro que la fuente de la vida (*Tcheshmeh-ye zendagī* en persa, *'Ayn al-hayyat* en árabe y *Fons vitae* en latín[101]) surge de noche en la senda mística: el viajero espiritual pregunta al sabio que representa su «más alto yo» o «el aspecto más elevado de su ser» (*higher self*): «Oh, maestro, esta fuente de la Vida ¿dónde se encuentra? El maestro: En las Tinieblas [...], en la Noche»[102]. La concepción de una fuente iniciática sumida en tinieblas es palmaria en el sufismo: como nos recuerda Sachiko Murata, «Es una expresión proverbial decir que el "agua de la vida se encuentra en medio de la oscuridad"»[103]. El visionario sufí acaba de acceder en su itinerario trascendente a la morada de la luz negra, y ya está cerca de su meta final unitiva: «La luz de la esencia es negra; la divina Ipseidad revela una luz que no se puede ver pero que sin embargo permite ver; se trata del color del *jalal*, la Majestad divina e insondable [...] [esta experiencia de] la Luz Negra [...] ha sido equiparada con la experiencia de la *fanā = fanā'* [aniquilación]»[104]. Este preciso estadio de la *peregrinatio* mística representado en una fuente simultáneamente nocturna y luminosa equivale para Semnānī (siglo XIV) al penúltimo de los siete centros simbólicos o *laṭā'if* cada vez más interiores que constituyen el camino del alma en estado transformante hacia sí misma. Cada uno de los siete centros sutiles espirituales se asocia a un color y a la tutela de un profeta en este diagrama concéntrico: la sexta morada que venimos describiendo corresponde a la luz negra (*aswād nurānī*) y se encuentra bajo la advocación de Jesús. Llegar a ella implica haber accedido al secreto más recóndito del alma (*jafī*). Su sentido místico es muy profundo, como nos recuerda Henry Corbin:

> [...] la luz de la Ipseidad divina es «luz negra» en tanto es luz reveladora, que hace ver [...] En este sentido precisamente la Luz de las luces (*nûr al-anwâr*) [...] es simultáneamente luz y tinieblas, es decir, visible porque *permite ver*, pero a la vez invisible [...] Esta mezcla surge de la similitud que tiene el acto con la potencialidad infinita que aspira a revelarse («Yo era un tesoro escondido, que quería ser conocido»), es decir, del acto epifánico a la noche del *Absconditum* [...] estas formas teofánicas siempre [...] se correlacionan con el estado del místico [...] que intenta encontrar su semejante[105].

Cuando el sufí, lo mismo que la protagonista del «Cántico», detiene su anhelante itinerar frente a la fuente nocturna y a la vez encendida, no hace sino situarse en el umbral de la unión transformante. Se asoma entonces a la alfaguara plateada y ¿qué ve? Nada menos que unos ojos que aparecen reflejados en el claroscuro del espejo fluido. Esos ojos que le devuelve la superficie reflejante del agua le indican automáticamente al contemplativo musulmán el comienzo de la fusión mística unitiva. Dejo la palabra a Naŷm ad-dīn al Kubrā (siglo XIII), a quien traduzco del árabe: «el doble círculo de los dos ojos [aparece] en la morada final de la peregrinación mística»[106]. Esos ojos pueden herir al contemplativo, próximo ya a la unión total. Así lo advierte Šabastarī: «El ojo no tiene poder para soportar la luz deslumbrante del sol. Solamente puede ver el sol cuando se refleja en el agua»[107]. Acaso por esa misma razón san Juan pide primero contemplar esos ojos alegóricos en su «cristalina fuente»: sólo así, y como sus colegas sufíes, los podrá resistir. Resulta imposible no evocar los pormenores del peregrinaje místico del «Cántico»: la búsqueda frenética de la Esposa, como dejé dicho, cesa precisamente ante la fuente simbólica de su propio ser, en cuyos semblantes plateados verá inmediatamente reflejados los ojos de quien más ama. El sobrecogedor espejo de la alfaguara del «Cántico», como la de los relatos místicos islámicos que venimos citando, es también un espejo nocturno —debe haber anochecido súbitamente en las liras sanjuanísticas porque la fuente sólo puede adquirir «semblantes plateados» cuando la iridescencia lunar o estelar la ilumina de noche—. La célebre noche oscura del alma se nos sugiere, pues, delicadamente en la «cristalina fuente» entreverada de misteriosos resplandores. (Recordemos que el poeta reclama en otro lugar que sabe bien acerca de «la fonte que mana y corre / aunque es *de noche*»: parece, pues, tener plena familiaridad con fuentes anochecidas.) San Juan entiende, por más, y como sus contrapartes musulmanes, que se encuen-

48

tra en una morada espiritual presidida por Cristo, ya que en sus glosas asocia la etimología de «cristalina» no sólo con el límpido azogue reflejante sino con «Cristo su Esposo» (C 12, 3). Ya dejé dicho que la morada del *aswād nurānī* o luz negra corresponde precisamente al «Jesús de tu propio ser» para los sufíes itinerantes en el camino hacia su propio yo[108]. La fuente es, pues, tanto para ellos como para san Juan, la morada del alma interior, presidida por Jesús, que se ilumina prodigiosamente entre las tinieblas nocturnas que opacan los sentidos y obliteran la razón. Y que reflejan curiosa, alucinadamente, tan sólo unos ojos.

Hay una razón poderosa que explica el símbolo recurrente de los ojos ajenos reflejados en el manantial que marcan para los sufíes el comienzo de la alquimia unitiva amorosa. La razón indudable por la que hemos dado en la literatura mística musulmana —y no en la europea— con numerosos ejemplos literarios en los que la fuente del conocimiento espiritual último refleja unos misteriosos ojos en el momento justo de la transformación mística es porque en árabe la palabra *'ayn* [عَيْن], como su contrapartida hebrea *'ayin*, significa simultáneamente «fuente» y «ojo». Pero la cosa no queda ahí, ya que la fuente/ojo también significa en árabe la «identidad» (o «substancia» o «individualidad») y «lo mismo»[109]. Este último sentido del *'ayn* es exclusivo al árabe, y no lo implica el *'ayin* hebreo, pero resulta crucial para entender la lira sanjuanística a niveles más profundos y más sofisticados desde un punto de vista místico. Los sufíes no parecen haber hecho otra cosa que llevar el contenido semántico de la raíz trilítera de su vocablo a una esperable traducción poética, hondísima en sus implicaciones espirituales y constante en su literatura contemplativa. Asombra de veras el hecho de que san Juan de la Cruz haya coincidido con los gnósticos del Islam tan de cerca. Y es que el paralelo literario del Reformador con sus colegas de Oriente es sencillamente perfecto. Aunque los *dolce stilnovistas* habían intuido que el intercambio amoroso de las almas enamoradas se llevaba a cabo por los ojos, que son las ventanas del alma, nunca habían hundido esos ojos en ninguna fuente de sobretonos místicos. La raíz árabe *'ayn* establece, como vimos, una equivalencia entre la fuente, los ojos y la identidad que resulta inescapable al conocedor de esta lengua semítica, pero sencillamente excéntrica para un occidental que desconozca los términos lingüísticos que la raíz emparenta[110]. Como si conociese los secretos de la lengua árabe y hubiese tenido un conocimiento directo de este campo semántico en armoniosa equivalencia (o como si hubiera coincidido «milagrosamente» con él) nuestro santo pide al lector que entienda que la fuente que le devuelve a la amante los ojos del Amado simboliza la transformación total del uno en el otro. Así, nos dirá san Juan en su comentario a la lira: «es verdad decir que el Amado vive en el amante, y el amante en el Amado; y de tal manera de semejanza hace el amor en la transformación de los amados, que se puede decir que cada uno es el otro y que entrambos son uno [...] cada uno se deja y trueca en el otro; y así, cada uno vive en el otro, y el uno vive en el otro, y el uno es el otro y entrambos son uno por transformación de amor» [CB 12, 7]). Para señalizar la absoluta unidad de la esencia transformada de estos amantes, nada mejor, parecería haber pensado san Juan, que hacer que la amada vea reflejados los *ojos* de su Amado, y no su rostro. Si san Juan entiende, como sus colegas sufíes, que los *ojos* equivalen semánticamente a la *fuente* en la que ella se mira, y que esta *fuente* y estos *ojos* a su vez equivalen a la *identidad*, no nos puede extrañar que elabore la imagen literaria dentro de estas líneas de apretada, misteriosa equivalencia transformante. Todo queda perfectamente igualado en esta alquimia verbal sanjuanística: los *ojos*, la *fuente*, la *ipseidad* de los amantes que se transforman uno en el otro en los semblantes plateados de las aguas del manantial autónomo que les sirve de espejo.

La Amada se ha transformado, pues, en el Amado gracias a la magia proteica de la fuente que encierra, como las alfaguaras sufíes, una mirada auto-contemplativa. Parecería que el manantial autónomo es el *ojo del alma*, que celebraron como órgano de percepción mística Platón y san Agustín[111]. También san Juan de la Cruz y su coterráneo Ibn 'Arabī de Murcia habían pedido los ojos a Dios para quedar capacitados para ver a Dios: «Cuando tú me mirabas, / su gracia en mí tus ojos imprimían; / [...] / y en eso merecían / los míos adorar lo que en ti vían», exclamará san Juan en una lira posterior de su «Cántico», cercano sin duda a su ya citado colega de Murcia: «Cuando aparece mi Amado ¿con qué ojo he de mirarle? Con el suyo, no con el mío, porque nadie le ve sino Él mismo»[112]. Las coincidencias son tan estrechas que podríamos concluir en el caso de san Juan lo que concluye Michael Sells en el de Ibn 'Arabī: el espejo en el que se reflejaba metafóricamente el alma del místico le devuelve ahora una nueva identidad, ya que intentaba contemplar en él a Dios y termina contemplándose a sí mismo en Dios: «Vision (the viewing by a subject of an outside object) has become self-vision [...] At that moment the perspective shift would occur: instead of the human contemplating the divine (a subject-object relation) the divine would reveal itself to itself within the heart of the mystic» [La visión (cuando un sujeto observa un objeto externo) se ha convertido en autovisión (...) En ese momento es cuando ocurre un cambio de perspectiva: en vez de tratarse de la contemplación humana de lo divino (una relación de sujeto-objeto) lo divino se revela a sí mismo dentro del corazón del místico][113]. Esta experiencia de la extinción del ego en la unión transformante, que san Juan llama «el salir de sí» e Ibn 'Arabī el *fanā'*, es, como dejamos dicho desde el principio, una experiencia «auto-contemplativa». La amada del «Cántico» contempla los ojos en la fuente, que están simultáneamente allí y en sus entrañas; ella los mira y ellos la miran desde las aguas y no es posible establecer diferencias entre ambas miradas que se auto-contemplan. Por eso gritaba Al-Bisṭāmī en un trance semejante: *subḥānī*: «¡gloria a mí!». Porque «glorificarse» en este preciso instante de unión total era glorificarse no a él, que ya no tenía «ego» o identidad, sino a Dios. Por eso también san Juan, al celebrar la fuente mística en otro de sus poemas, reflexiona gozoso: «Aquella eterna fuente está escondida, / que bien sé yo do tiene su manida, / aunque es de noche». Y el santo, más pudoroso que sus entusiastas colegas sufíes, se detiene justo unos instantes antes de atreverse a decírnoslo: la manida de esta fuente divinal —lo sabe con absoluta certeza[114]— está en él mismo. Un paso más y san Juan hubiera gritado, desde lo más hondo de su unión participante, *subḥānī* —«gloria a mí»— en piadoso, reverente arrebato místico.

Pero el poema nos sigue entregando secretos adicionales, ya que incluso la enigmática imagen de los «semblantes plateados» queda esclarecida dentro de estas coordenadas literarias islámicas que venimos explorando. Ya dejé dicho que la raíz hebrea *'ayin* incluía la noción de «aspecto», y que la lectura de la lira en cuestión quedaba enriquecida desde una lectura que tomara en cuenta esta polivalencia lingüística hebraica. Pero es que también los sufíes tomaron en cuenta estos curiosos «semblantes» o «rostros» —y los elaboraron literariamente de manera minuciosa en el contexto de su fuente claroscura—. Naŷm ad-dīn al-Kubrā vuelve en nuestra ayuda, ya que no sólo advierte en el manantial del umbral del éxtasis los ojos de la Divinidad (que eran los suyos mismos), sino que esa fuente de contornos lumínicos constituye a su vez el semblante o rostro de ambos a la vez, si bien resulta invisible en la fusión transformante. Volvemos a verter del árabe sus *Eclosiones de la Belleza*:

> Cuando el alma está ya pacificada, presenta al visionario una señal que permite identificarla: se muestra frente a ti en la forma del orbe de una gran fuente de la que emanan luces; tú la visualizas a nivel suprasensible como correspondiente al círculo de tu rostro, un orbe de luz, un disco límpido, a manera de un espejo perfectamente pulido[115].

Justamente por constituir una superficie pulida la fuente simbólica (que es el alma pacificada del místico) también podrá reflejar —o contener— el rostro simbólico de Dios. De ahí que, inesperado Narciso oriental, Al-Kubrā pase a celebrar tanto a Dios como a sí mismo. Observa Henry Corbin:

> [...] todos los círculos de luz del rostro se muestran a la vez: al místico le parece que lo que se le revela es realmente el Semblante sagrado, irradiado de círculos resplandecientes que lo circundan como himnos de gloria. Involuntariamente exclamará: «¡Gloria a mí! ¡Gloria a mí! ¡Cuán sublime es mi estado!», mientras se encuentre totalmente sumido en esta luz. Cuando no, desde el hondón último de sí mismo, articulará en la tercera persona: «¡Gloria a Él! ¡Gloria a Él! ¡Cuán sublime es Su estado!»[116].

Esta experiencia simbiótica del *unus-ambo* de la fuente prodigiosa la repite al pie de la letra el citado Semnānī —estamos, pues, ante un auténtico *leit-motiv* literario islámico:

Éste es el término final en que el convergen todas las vías mística; es la morada espiritual donde la mirada del que contempla la belleza del Testigo de la contemplación (*shâhid*) en el espejo del ojo interior, del ojo del corazón, no es otra cosa que la mirada misma de este Testigo: «Yo soy el espejo de tu rostro; es por tus ojos como yo contemplo tu rostro». El Contemplado es el Contemplador, y al revés[117].

Esta fuente unitiva del misticismo islámico implica no sólo el estado de quietud o de «alma pacificada» al que antes hicimos alusión, sino que constituye la *rūhānīyat* del místico, es decir, su más auténtica espiritualidad o identidad. Acabamos de saber que es infinita, ya que participa de la Divinidad:

> Sólo en esta reciprocidad pueden ser entrevistos, fugazmente, los rasgos del Rostro augusto: un rostro de luz que es tu propio rostro, porque tú mismo eres una parcela de su Luz[118].

Ante estas coordenadas literarias islámicas tan pormenorizadas que venimos examinando, resulta, pues, menos casual que san Juan de la Cruz haga alusión especial a los «semblantes plateados» de su fuente, que, tomados aisladamente, resultaban algo enigmáticos. Ahora podemos comprender mejor que el plural «semblantes» apunta a la fusión de la dualidad —son dos rostros que a la vez son uno—. La condición plateada iridescente apunta a su vez a la condición nocturna y simultáneamente lumínica de la alfaguara inimaginable del éxtasis. Su condición translúcida y claroscura permite, como dejé dicho, borrar —es decir, fundir— los «semblantes», que ya no pueden ofrecer rasgos distintivos que los separen. Y queda, pues, sola la mirada transformante flotando encendida sobre las aguas. Parecería que el círculo del manantial dibuja el óvalo de un rostro con dos ojos: sólo la mirada brilla en las aguas —la mirada autorreferencial que es de los dos a la vez— mientras el rostro queda translúcido y desleído porque es a su vez el rostro de ambos, y ya no puede estar constituido de facciones distintas: de carne separadora. La amada de san Juan, como los sufíes, parecería haber encontrado, pues, su *rūhānīyat* o ipseidad última en la «cristalina fuente» de «semblantes plateados». Y era una ipseidad gozosamente compartida.

Recapitulemos lo explorado hasta el momento en torno a esta lira tan compleja del «Cántico». Habíamos advertido que la protagonista poética detenía su vuelo frente a una fuente extrañamente iniciática que le devolvía un rostro borrado y una mirada inquietante que ondulaba en las aguas iridescentes. Cuando la ansiosa enamorada se miraba en el manantial, los ojos del Amado eran los que le devolvían la mirada a esas pupilas que buscaban en el espejo de la fuente la verificación de su identidad. Y la amada, en esta escena del más elevado narcisismo, no descubre en los semblantes tornasolados del manantial otra cosa sino a ella misma. Pero amarse a sí ya no es mortal sino obligado, porque se ha comenzado a transformar en el objeto de su amor. Al amarse a sí ama al Otro, a ese Otro que acaba de descubrir llevaba en su interior todo el tiempo. La emisora de los versos ha llevado su *ipseidad* hasta sus últimas consecuencias. En este contexto de la lira de la fuente, no sabemos de cierto dónde termina la *fuente,* dónde los *ojos* y los *semblantes* y dónde la *amada* y el *Amado* que se reflejan simultáneamente en ese espejo simbólico, que de alguna manera milagrosa los retrata a ambos a la vez. Dentro de las coordenadas lingüísticas de una lengua que equivale semánticamente los *ojos,* la *fuente* y la *identidad* es lógico elaborar la escena literaria dentro de estas líneas de equivalencias, como hemos visto que han hecho los espirituales sufíes en sus propios textos literarios a lo largo de muchos siglos[119]. Lo sobrecogedor es que la lira de san Juan, el poeta más enigmático de España, deja de ser excéntrica o innecesariamente misteriosa cuando la leemos teniendo presente los secretos de la raíz trilítera árabe y de la larga y prestigiosa literatura mística que se hace eco de ella. Me asombra admitir que un sufí entendería mejor este extrañísimo narcisismo místico de la fuente del «Cántico» que un espiritual cristiano de Occidente. Aunque los paralelos de san Juan con el misticismo islámico resultan más estrechos en este caso que los que guarda con el *Cantar de los cantares,* debemos añadir que también un biblista versado en los secretos del idioma hebreo (como el plurivalente '*ayin*) accede mejor a muchos de los secretos de esta alucinante lira el «Cántico», que tan sobrecogedoramente ha sabido celebrar la unión transformante.

El concepto de una fuente está, por último, también asociado con el origen o nacimiento de algo: en este caso, salta a la vista que la protagonista poemática del «Cántico» —así como sus contrapartidas sufíes— ha «nacido» a su ser más auténtico al mirarse en las aguas, mientras que el Amado a su vez acaba de encontrar su infinita imagen reflejada o «nacida» de súbito en las profundas cavernas acuosas de la identidad última de su rendida enamorada. Ha comenzado, pues, la vida compartida y el desposorio (aquí, espiritual), que los antiguos sefarditas asociaban precisamente a una fuente.

Y ello nos lleva a la próxima lira. El hallazgo de esos ojos en las aguas ha sido tan dramático, que la amante tiene que rogar a su Amado: «apártalos, Amado, / que voy de vuelo». (La súplica ardiente se hace eco sin duda del *Cantar* 6, 4; «Vuelve los ojos tuyos, que me hacen fuerza» o *Avertere oculos tuos a me, quia ipsi me avolare fecerunt.*) Ella lleva los ojos en sus entrañas, pero a la vez él los posee con perfecta independencia —no se sabe ya quién es quién—, y parecería que se «salen» de la fuente, cobrando vida propia. La línea divisoria que separa al alma de Dios es sutilísima —como todo místico auténtico sabe— y acaba de romperse. Ahora estos ojos de la «Divinidad» (CB 13, 6) y la «sustancia» de Dios hieren a la amada y la hacen «salir de sí» con su fuerza ominosa. (La indefectible unión del *eros* y el *tánatos* había quedado anunciada, como dejamos dicho, en un verso anterior del «Cántico» —«mátame tu vista y hermosura»—, pero es en estos precisos momentos cuando la extinción del ser o del ego se va a cumplir cabalmente.) Nos dice el santo a propósito de esta súplica de la amada en su comentario a la canción XIII: «descubrióle el Amado algunos rayos de su grandeza y divinidad, según ella deseaba: los cuales fueron con tanta alteza y con tanta fuerza comunicados, que la hizo salir de sí por arrobamiento y éxtasis» (CB 13, 2). En esta altísima contemplación la amada siente de alguna manera perder su propia identidad para adquirir, como sugería Ernesto Cardenal, otra. Glosa san Juan: «no lo puede recibir [a Dios] sin que le cueste la vida» (CB 13, 3). Exactamente igual que nuestro santo, Ibn 'Arabī se había tenido que proteger de estos ojos divinos en los cuales sentía fundir su ser[120]. Cuando leemos los comentarios en prosa que el sufí de Murcia hace a los versículos embriagados del *Tarŷumān al-Ašwāq*, encontramos allí, en primer lugar, que, exactamente como san Juan, el contemplativo andalusí equivale los ojos deseados —'ayn— a la «sustancia divina»[121]. Y se siente morir en ellos: cuando la amada Niẓām (que es su Beatrice, simbólica de la más alta espiritualidad) lo «mata con sus miradas», el poeta místico nos explicará que la imagen hace referencia a «la morada de pasar de sí mismo en la contemplación» (المقام في المشاهدة)[122]. Tan perfectamente estructurada estaba la equivalencia de mirar unos ojos y pasar de sí mismo, que nuestro sufí murciano habrá de repetir su imagen numerosas veces a lo largo del *Tarŷumān*[123]. Y todo ello, un siglo antes de que *Madonna* Laura matara de amor humano con sus ojos azules a su rendido Petrarca. La insoportable agonía del éxtasis prefigurada en unos ojos divinos cuya mirada apenas se resiste hace coincidir, pues, una vez más al santo con sus correligionarios de Oriente.

La larvada auto-glorificación resultante de una misma esencia divinal compartida se sigue desprendiendo de las honduras de las liras del «Cántico» que siguen a continuación. La amada anuncia que «va de vuelo», adquiriendo esta súbita capacidad aérea que ya habíamos adivinado en ella en estrofas anteriores. Pero ¿cómo va a volar hacia esos ojos, si los ve hundidos en una fuente profunda? Estamos ante una súbita simultaneidad de direcciones: la amada vuela pero no hace otra cosa que hundirse en la fuente de sí misma. Allí encontrará, como Narciso, la muerte, pero la muerte será para ella no la extinción sino la transmutación del ser. El espacio, la dirección y las perspectivas se anulan: la amada no traza realmente camino. De súbito da igual el ir o el venir hacia lo alto —el aire— o hacia lo hondo —el agua—. Es que, sencillamente, ir al Amado es ya ir hacia ella misma.

El mandato del Esposo, que ahora habla por vez primera en el poema, parecería asimismo un sin sentido: «vuélvete, paloma, / que el ciervo vulnerado / por el otero asoma / al aire de tu vuelo, / y fresco toma». «Volverse» puede significar, semánticamente, tanto «ir» como «venir», y, para nuestra rotunda sorpresa de lectores, el poeta, rompiendo la más elemental lógica aristotélica —qué le va a importar esta lógica a un místico— nos enseña que la orden del Amado debe entenderse de las dos maneras a la vez:

atajóle el Esposo el paso, diciendo: «Vuélvete, paloma» [...]
vuélvete de este vuelo alto en el que pretendes llegar a
poseerme de veras, que aún no es llegado ese tiempo
de tan alto conocimiento [...]
[...] Y así, es como si dijera: «Vuélvete, Esposa mía, a mí, que,
si llagada vas de amor de mí, yo también, como el ciervo,
vengo en esta tu llaga tan llagado a ti...» (CB 14-15, 9).

La amada, que no sabía si iba o si venía hacia el Amado, recibe ahora de éste una orden para que se retire y a la vez para que acuda a él: el desplazamiento tampoco puede ocurrir porque sencillamente ya no hay distancia ni camino que recorrer entre ambos[124]. Los dos describen caminos anulados. *Et pour cause,* ya que comparten el mismo espacio sagrado y la misma substancia esencial, la misma identidad. San Agustín, ya lo he recordado, nos enseñó desde antiguo que no hay nada que buscar fuera de uno mismo, donde se halla la *veritas* (*ḥaqq* la llamaba Hallāŷ) de la razón última del universo. Nuestro poeta podría decir a propósito de esta lira lo que dijo en su dibujo de la Subida del Monte: «ya por aquí no hay camino»[125]. Y dejó dicho más: «nada, nada, nada, nada, nada, nada». Es que este «doctor de las nadas», que a veces nos va sonando más a un maestro Zen que a uno estrechamente cristiano[126], lo sabía bien: «para venir a lo que no eres, / has de ir por donde no eres» (*Subida* L. I, C. 11, énfasis nuestro). La Amada ha perdido su yo y ha hallado al fin en el hondón de su alma al Otro.

Importa insistir en ello: para encontrar al Otro la amante tiene que haber rendido su propio ser, que se le acaba de volatilizar a niveles infinitos. Y es que el mandato «vuélvete», aun cuando el santo no lo indique en sus glosas, tiene una posible implicación adicional semántica, esta vez en el orden ontológico. «Vuélvete» puede entenderse también como «transfórmate»: la orden del Amado equivale legítimamente, pues, a un «conviértete», o a un «transfigura tu identidad (en la mía)»[127]. Seguimos participando del instante indecible de la transformación en uno, cuyo inquietante umbral san Juan había dejado sugerido en la lira anterior.

Una vez más, el poeta sin par reescribe el *Cantar de los cantares.* Precisamente aclimata aquí uno de los versos que más dificultosos han resultado para los escriturarios de interpretar: aquel en el que alguien (no sabemos a ciencia cierta quién) pide a la Sulamita que se «vuelva» o se «torne» (tampoco queda claro hacia dónde o hacia quién). Si seguimos la edición Vulgata, estamos en el versículo VI, 12, que lee *Revertere, revertere, Sulamitis, revertere, revertere, ut intueamur te.* Fray Luis de León lo interpreta como: «Torna, torna, Solimitana, torna, torna, y verte hemos»[128], e insiste, oponiéndose a otros exégetas, que no son ahora las dueñas de Jerusalén «las que dicen agora estas palabras, sino que hase de entender que le dijeron antes esto, cuando vieron que se les partía así apresuradamente, y que la Esposa las refiere agora al Esposo, contándole esto y todo lo demás que con ellas pasó»[129].

Numerosos traductores optan por esta versión, ya que el verbo hebreo *šub* (שׁוּב) significa literalmente «volverse» o «regresar»[130]. Intérpretes modernos del *Cantar* como los escrituristas franceses A. Robert, R. Tournay y A. Feuillet, optan por una versión semejante «Reviens, reviens, Sulamite, / Reviens, reviens, que nous te regardions!»[131]. Otros comentaristas interpretan, sin embargo, el mandato en el contexto de una danza que imaginan ejecuta aquí la Sulamita, y para ellos, el verbo hebreo redoblado *šubi, šubi* (שׁוּבִי שׁוּבִי הַשּׁוּלַמִּית) debe entenderse como una petición coreada a que la joven baile (literalmente, «salte»). Ariel y Chana Bloch, en su reciente edición comentada del *Cantar* —traducida en un inglés muy hermoso, por cierto— interpretan que se trata de una escena de baile —«Baila otra vez, oh Sulamita, / baila otra vez, / para que podamos observarte bailar»—. Los autores revisan a su vez las versiones encontradas de que han sido objeto los versos y concluyen que «el urgentemente repetido *šubi, šubi*, dirigido a la Sulamita danzante por los espectadores, solamente se puede entender como una petición en el sentido de "¡Prosigue, baila todavía más" o "¡Que se repita, que se repita!"»[132]. Descartan la posibilidad de que el mandato pueda implicar el sentido de «girar», de «dar una vuelta» y aún de «regresar». Les parece insostenible este último significado a la luz de la ambigüedad en la que quedaría sumida la orden: «La dificultad que enfrentan los comentaristas que interpretan el imperativo *šub* como «¡Regresa!» es que tienen que explicar por qué a la Sulamita se le pide que regrese y de dónde regresa»[133].

Marvin Pope se hace cargo de la variada diversidad de interpretaciones a las que el versículo ha dado pie. Pope lo vierte al inglés como «Leap, leap, o Shulamita! / leap, leap, and let us gaze on you» [¡Salta, salta, oh Sulamita / salta, salta, y deja que te miremos!][134], y aclara que los distintos sentidos que se le da dado al verbo en cuestión, y aún las enmiendas de vocalización que ha sufrido, han dependido en buena medida de las distintas teorías de interpretación de cada escriturista. Así, los exégetas favorecedores de una versión dramatizada como F. Delitzsch han optado por entender que la Sulamita va camino del palacio del Rey y es requerida por las hijas de Jerusalén a que regrese a ellas, mientras que C. D. Ginsburg sospecha que la doncella regresa a su amado pastor, haciendo caso omiso al Rey que le suplica que retorne a él. K. Budde, en atención a la alusión posterior que los versos hacen al baile, «asumió que el imperativo se refiere a los giros, vueltas, maniobras o evoluciones de la danza y propuso la enmienda de *sûbî*, "regresa", a *sobbî*, "girar", i.e., "danzar"». La interpretación de *sûbî* como «regresa» o «vuélvete» —y seguimos citando a Pope— «es más compatible para aquellos que interpretan la totalidad de los *Cantares* como una serie de alusiones al retorno de Israel del exilio [...] La reintegración completa [de Israel] no puede ser operante a no ser que sus corazones regresen a Dios. Las dos ideas de reintegración y conversión están estrechamente relacionadas, como demuestra el juego de palabras de Jer 31, 18 (cf. 15, 19). Según Robert, en la presente repetición cuádruple de *sûbî* se exhorta a la nación a sacudir sus ataduras, y esto depende solamente de ella, toda vez que su liberación será el resultado de su conversión»[135]. En este mismo sentido interpreta P. Joüon, basándose en exégetas hebreos como Rasi. Evocando a Oseas y Jeremías y en particular a Isaías, entiende que el epitalamio simboliza el retorno de Israel a Yahvé, desde la salida de Egipto hasta la era mesiánica. Así, la orden «vuélvete» debe entenderse como un mandato para que Israel se «convierta»[136]. Pero no en el sentido místico, sino en el sentido de que se «arrepienta», lo que le permitirá volver a su prístina inocencia[137].

Recordemos que ya Isaías (30, 15) también había interpretado en estos términos el verbo *šub*: «Porque así dice el Señor, Yahvé, el Santo de Israel: en la *conversión* y la quietud está vuestra salvación» (subrayado mío[138]). En ello parecen insistir también las antiguas exégesis o *targums* de Teodosio y de Aquila (también conocido como Onquelos), que trasladan el mandato *šub* al griego como *'epistrephe* (*convertere* en latín[139]). Y aunque Orígenes en sus *Scholia in Cantica canticorum* traduce *šub* por *revertere*, se puede desprender de su comentario alegórico que hay implícita una orden por parte del Esposo a la Iglesia-Esposa a que se «convierta» a un modo de vida más alto: «Atqui sponsa est verbi anima, Christi Ecclesia [...] Sive sit Sulamitis, sive spoliata secundum Symmachum dicit ei sponsus: O spoliata, factaque sub ditione illius qui te captivam duxit, revertere in pristinam dignitatem...» [De otra parte, la esposa es el alma del Verbo, la Iglesia de Cristo [...] o bien puede ser la Sulamita, o bien la despojada a quien, según Símaco, le dice su esposo: ¡Oh, tú, que has sido despojada y puesta bajo el dominio de quien te desposó cautiva, regresa a tu dignidad primera!][140].

Como si conociera toda la posible gama interpretativa a que da pie el versículo salomónico y todos los posibles sentidos simultáneos lícitos del versátil *šub* del texto original de las Escrituras, san Juan de la Cruz los hace plenamente operantes en el fecundísimo mandato «vuélvete» que el Esposo recién recuperado dirige a su enamorada. Las primeras palabras que el Amado enuncia, pues, en el poema son, en primer término, y como ya sabemos, una orden a la amada a que regrese a él y a la vez que se aleje de él. El oxímoron parecería más tolerable si tomamos en cuenta la ambigüedad de estas diferentes exégesis escriturarias que he ido apuntando y que forman parte del caudal de cultura teológica que era el legado legítimo del Reformador. No sabemos, pues, de cierto *adónde* se dirige la Sulamita.

La rica intertextualidad bíblica justifica además otra de las interpretaciones que parecerían desprenderse lícitamente del mandato sanjuanístico «vuélvete»: incrustado en el contexto de un discurso literario místico, la orden puede significar también «conviértete». Es que sólo si ya la Amada se ha «transformado» en Dios da igual que «vaya» o que «venga» hacia él. Tan sólo si ya son uno en unión transformante puede quedar anulado el camino entre ambos.

Por curioso que pueda parecer, todo lo dicho queda confirmado —e incluso en más detalle y desde un punto de vista estrictamente místico— si tomamos en cuenta también la intertextualidad literaria islámica. Es el propio san Juan de la Cruz —ignoro con cuánta conciencia de ello— quien nos encamina en este sentido al hacernos claro que la fuente donde comienza a celebrarse la unión es «el corazón, [que] significa aquí el alma» (CB 12, 8). Precisamente el «corazón» o *qalb* es el *locus* de la manifestación mística en la larga tradición contemplativa sufí, y la coincidencia carecería de importancia si el «corazón/alma» de nuestro poeta no viniera a coincidir tan de cerca con el receptáculo acuoso, cambiante e infinito de los musulmanes que lo precedieron por siglos. Es que el término *qalb* (قلب), proveniente de la raíz *q-l-b*, es, una vez más, un concepto preñado de sentidos múltiples en árabe. Además de su sentido primario de «corazón», emparenta los significados simultáneos de «centro», «alma», «espíritu», «cambio perpetuo», «volverse», «cambiar», «alterarse», «transformarse», «convertirse», «transmutarse», «invertirse», «revertirse», y «ser reversible», entre otros sentidos[141]. Como era de esperar, los teóricos islámicos aprovecharon la extrema ductilidad de la voz *q-l-b* para expresar con ella las distintas modalidades del proceso de la experiencia mística unitiva. Habré de volver a insistir en ello, pero por ahora me interesa destacar algunos de los usos simbólicos que el *qalb* ha recibido en manos de los sufíes que tan de cerca parecerían haber anticipado a san Juan.

Rašīd al-Dīn Maybudī nos recuerda que el *qalb*/corazón cambiante es, por su propia condición inherentemente proteica, capaz de ser transmutado y purificado por la mirada de Dios. (Recordemos los ojos del «ciervo», que hieren a la amada en el momento de su transformación teopática.) Y esta mirada, nos asegura Maybudī, transmuta al alma justamente en una fuente simbólica: «Dios torna su mirada [al corazón del amante] de forma tal que éste pueda quedar limpio de las manchas de este mundo y de cualquier rasgo moral censurable [...] [entonces] él abre el manantial del conocimiento y de la sabiduría en su corazón»[142]. La fuente simbólica del *qalb* se convierte entonces a su vez en el ojo con el cual el gnóstico contempla al Amado. Este ojo es, sorprendentemente, el Amado mismo (recordemos que la voz árabe *'ayn* significaba por igual «ojo» y «fuente»). Vuelvo a dejar la palabra a Maybudī, que sigue celebrando su *qalb* en proceso transformante: «Tengo un ojo repleto de la forma del Amigo. / Estoy feliz con mi ojo cuando mi Amigo lo habita. / No es bueno separar el ojo del Amigo. / Él se aposenta en el lugar del ojo o, mejor, él es el ojo», por lo que el poeta extático puede concluir: «Ahora no me atrevo a decir "Yo soy yo", como tampoco oso decir "Él"»[143].

Todo esto nos devuelve al enigmático «vuélvete» del «Cántico», que significaba para la protagonista poemática «ir» hacia el Amado y *a la vez* «alejarse» de él. Si entendemos que san Juan —a través de su *alter-ego* femenino— nos habla aquí desde su *qalb* o corazón «islamizante» en proceso de metamorfosis espiritual, el enigma del mandato imposible nos asombrará menos. Es que estos desplazamientos en direcciones contrarias también los habían preludiado los sufíes, atendiendo, una vez más, a las distintas desinencias de su término «corazón». Sachiko Murata insiste precisamente en el hecho de que el mandato de «ir y venir» en direcciones opuestas se encuentra implícito en el sentido semántico del riquísimo término que venimos explorando: «El origen del sentido de la palabra [*qalb*] es volcar, retornar, regresar, ir y venir, cambiar, fluctuar, transformarse»[144]. Precisamente por eso 'Izz al-Dīn Maḥmūd Kašānī (m. 735/1334-35) pone en juego los dos desplazamientos invertidos que implica la raíz *q-l-b* en su *Miṣbāḥ al-hidāya* o *Lámpara de la guía [espiritual]*, en la que insiste una y otra vez sobre la imposibilidad de definir con exactitud qué cosa sea el alma, sobre todo el alma en estado de unión teopática. De ahí la particular utilidad que para él tiene la dúctil raíz trilítera *q-l-b*, de la que se sirve para aludir, en primer lugar, a la creación del Intelecto, cualidad voluble del ser humano: «Lo primero que Dios creó fue el intelecto. Le dijo: "Vuélvete en esta dirección" y así, se volvió hacia Dios. Entonces le dijo: "Vuélvete en aquella dirección [hacia acá]", y se volvió hacia allá, alejándose de Dios»[145]. Los mismos movimientos excluyentes vuelven a quedar dramatizados cuando el citado 'Izz al-Dīn Kašānī alude al «corazón pacificado» o «en quietud»[146] del místico en proceso transformante, que vislumbra a Dios como estando a la vez cerca y lejos de él; es decir, emanente e inmanente. Ya estamos mucho más cerca sin duda del «vuélvete» de san Juan de la Cruz, que no era tan excéntrico como parecía, sino que era capaz de implicar importantes modalidades adicionales de la fusión teopática. La citada estudiosa Sachiko Murata concluye que para el sufí persa el mandato «invertido» tiene implicaciones teológico-místicas muy hondas:

> El poder y la majestad son claramente el lado *yang* de la Realidad divina, mientras que la belleza y la sabiduría son el lado *yin*. Si las primeras se observan en Dios, es debido a su incomparabilidad y distancia. Por el contrario, el mundo creado manifiesta la belleza y la sabiduría toda vez que refleja a Dios y muestra su cercanía y similaridad[147].

La majestad infinita de Dios se nos antoja lejana (emanente), pero a la vez percibimos que está tan cerca que compartimos Su esencia divina (inmanente). Esta capacidad del alma en quietud de aunar el *yin* y *yan*, «de la receptividad y la ductilidad»[148], se desprende, como dejé dicho, de manera natural de la voz *qalb*, que, en su variante *taqallub*, alude a la condición de un espejo que refleja las cosas invertidas, perfectamente al revés. (Frente a un espejo es difícil distinguir el «ir» del «venir».) De ahí que las direcciones en las que se «mueve» el corazón de estos sufíes contemplativos sean, como acabamos pues de ver, necesariamente hacia Dios y *a la vez* lejos de Dios.

Los sufíes, como dejé dicho, repiten una y otra vez en su literatura extática estos enigmáticos movimientos invertidos en relación con la Divinidad: es evidente que san Juan de la Cruz no está solo en su delirante mandato místico. Valga insistir en un solo ejemplo más entre los muchos que podríamos espigar en la literatura mística islámica. En *Las contemplaciones de los misterios,* obra que redacta Ibn al-'Arabī en 1194 d.C. en tierra andalusí, según nos informan los traductores, Suad Hakim y Pablo Beneito[149], observamos los mismos desplazamientos autoexcluyentes en el momento del éxtasis:

> Dios me hizo contemplar la perplejidad *(ḥayra)* y me dijo: «Vuelve». Pero no encontré adónde. Me dijo: «Acércate». Pero no encontré adónde. Me dijo: «Detente». Pero no encontré adónde. Me dijo: «No te retires». Y me dejó perplejo.
> Díjome luego, una tras otra, estas sentencias:
> —«Tú eres tú y Yo soy Yo».
> —«Tú eres Yo y Yo soy Tú».
> —«Tú no eres Yo y Yo no soy Tú».
> —«Yo no soy tú y tú eres Yo».
> —«Tú no eres tú, ni eres otro que tú». *(op. cit.,* pp. 97-98).

En este complejísimo pasaje, Ibn 'Arabī nos sugiere que los movimientos invertidos del *qalb* en el trance teopático lo aleccionan en cuanto a la *fanā'* o aniquililación de su ego en la unión participante. El ego desaparece y queda sólo el Yo divino, o, dicho de otro modo, sólo existe un solo Yo con dos modalidades. El lenguaje falla al intentar expresar tanto la pérdida del propio ser, fundido de manera participante en la esencia divina, como la noción de que Dios simultáneamente nos resulta inmanente y trascendente. De ahí los versos que el poeta de Murcia nos regala a continuación: «Quien no se ha detenido en la perplejidad, no Me ha conocido». / «Quien Me ha conocido, no ha sabido lo que es la perplejidad». San Juan de la Cruz podría suscribir lo dicho por su antecesor murciano, él que tan bien supo cantar a su propia perplejidad de místico auténtico: «Me quedé no sabiendo / toda ciencia trascendiendo».

Dios está, pues, cerca y a la vez lejos, justamente como explica san Juan en las glosas aclaratorias al verso «vuélvete, paloma» que venimos comentando. La glosa que los místicos del Islam hacen a su vez de este movimiento invertido en el orden de la teología mística es, como vimos, altamente sofisticada y, sobre todo, plena de sentido espiritual. El enigma de estos desplazamientos de ida y vuelta es sólo aparencial, y la curiosa, voluble imagen invertidora queda plenamente justificada por el hecho de que en árabe el término para «corazón» también significa «inversión» y «cambio perpetuo». Por eso 'Izz al-Dīn Kašānī e Ibn 'Arabī nos anuncian, como acabamos de ver, que han comenzado a percibir a Dios como simultáneamente inmanente y trascendente en el clímax de la *teopoiesis.*

Acaso algo tengan que ver los desplazamientos delirantes de la Esposa del «Cántico» con este calibrado instrumento de percepción mística capaz de invertir las perspectivas que es el *qalb.* San Juan la había asociado, como también vimos, con una fuente de semblantes cambiantes y con su propio «corazón» simbólico, que parece interpretar como un órgano extraordinariamente dúctil y movedizo. Al acceder por fin a su estado transformante, la Esposa anuncia que va a buscar los ojos de su Amado en el aire («voy e vuelo»), pero a la vez sabemos que los tiene que buscar abajo, en lo hondo de sus entrañas y de la fuente de su ipseidad. Para colmo, el Esposo le repite a su amada la orden imposible: «vuélvete» *hacia* mí y *lejos* de mí. Sólo en el contexto de un *qalb* proteico y con capacidad de movimientos invertidos se nos suaviza el desconcierto de estos desplazamientos contradictorios que tan bien supieron explotar los sufíes en su propio caso.

Y es en este preciso contexto en el que adquiere pleno sentido otro de los significados fundamentales de la raíz trilítera *qalb* que los sufíes venían asumiendo en todo momento: el sentido adicional de «convertirse» o «transformarse». De eso precisamente se trata: de la metamorfosis última del alma en la Divinidad que tanto los contemplativos del Islam como el Reformador carmelita celebran en estos «dislates» tan embriagados de amor místico.

Difícil saber cuán familiarizado estaría san Juan con estos misterios lingüísticos y literarios que tan cómodamente parecerían desprenderse de su lira alucinada. Acaso buena parte de los símiles que derivan de manera natural de la raíz *q-l-b* estarían de alguna manera lexicalizados en castellano y circularían, pues, como moneda común del vocabulario técnico místico conventual. No hay que olvidar que otras desinencias de la raíz *q-l-b* parecerían haber sido aprovechadas por los reformadores del Carmelo. En su «Llama de amor viva» (3, 7) san Juan traza una imagen extraña: su alma es un pozo de aguas vivas en el que se unen milagrosamente el agua y el fuego, en un milagro que duplica el de la transformación de la amada y el Amado. Extraño, sin duda, pero más extraño aún es que la imagen la hubiese acuñado ya el citado Naŷm al-dīn al-Kubrā: su alma puede ser cómodamente un «pozo» porque una de las variantes de la raíz *q-l-b* es precisamente *qalīb* o «cisterna». Por si fuera poco, también en el pozo del alma del persa las llamas se confunden con el agua en prodigiosa metamorfosis de amor unitivo[150]. Acaso lo que alcanzara a san Juan por vía oral fuese tan sólo la imagen de un proteico, alucinante pozo místico de aguas encendidas en fuego y nada más. Lo mismo pudo haber ocurrido con el célebre «palmito» de santa Teresa, que compara con el centro último del alma porque «para llegar a lo que es de comer tiene muchas coberturas» (*Moradas* I, 2, 8). De seguro se sorprendería la santa madre de saber que el símil había sido islámico antes que suyo propio por la sencilla razón de que el «palmito» es otra de las variantes de la raíz *q-l-b*: *qulb* (e incluso *qalb* o *qilb*) significa precisamente la médula de la palmera[151].

Recapitulemos lo dicho una vez más. El *šub/revertere/convertere* de la Sulamita de los *Cantares*, que adquiere desplazamientos de «ida» y «vuelta» en la reescritura sanjuanística, es todavía más pertinente desde un punto de vista espiritual si atendemos al contexto islámico de un *qalb/taqallub* en constante inversión de movimientos. Ahora estamos listos para advertir que el primer movimiento invertido, curiosamente, había sido el de la esposa, que suplicaba al Esposo que apartara los ojos que la hacían salir de sí. En el capítulo 4, 4 del *Cantar de los cantares* que reescribe aquí san Juan, era el esposo el que pedía misericordia a su amada, supicándole que retirase su mirada aniquilante. Nuestro poeta invirtió las miradas de los amantes, acaso intuyendo que ya era una sola mirada unificada.

La Esposa del epitalamio, por su parte, que había quedado instada a «regresar» a un lugar no determinado según la interpretación de algunos escrituristas, pudo haber sido animada a «volverse» a las doncellas de Jerusalén o aun al Rey. No lo sabemos de cierto. Pero por ambiguo que haya sido el mandato, no podemos decir que implicaba una orden a «ir» y «venir» *a la vez* a ningún lugar. Parecería que los sufíes nos han dado en este sentido una clave interpretativa particularmente útil para la lira sanjuanística. Clave que, en todo caso, confluye en una lección primordial: el poeta carmelita, como los gnósticos del Islam que lo precedieron, habla en última instancia de un mandato transformante. Y he aquí la mayor de las maravillas: san Juan de la Cruz ni siquiera necesita de estas contextualidades hebreas y musulmanas para que sus «dislates», que cantan a la inenarrable fusión mística, hagan «efecto de amor y afición en el alma», ya que buena parte de lo dicho se podría desprender de sus propios versos, extraordinariamente maleables y visionarios. No cabe duda, con todo, que en ciertos momentos particularmente afortunados y densos del «Cántico» san Juan parecería manejar su castellano como si se tratara de las mucho más dúctiles lenguas hebrea o árabe, cuyas raíces arborizan automáticamente todo un complejo sistema expresivo. Sistema de significados simultáneos que por cierto le viene como anillo al dedo al poeta para explicitar los secretos más hondos de su unión teopática. Sea como fuese, tener en cuenta estos discursos literarios semíticos no sólo enriquece la lectura de las liras de estas «Canciones entre el alma y el Esposo», sino que las aclara y, sobre todo, lleva a sus últimas consecuencias su riquísimo sentido místico y poético.

Salta a la vista que la unión transformante se va celebrando desde lo profundo de la poesía, y que san Juan nos dice desde ella cosas indudablemente más hondas y más radicales que desde su prosa explicativa. Pero prosigamos, ya que todavía hay muchísimo más que decir acerca de estos versos unitivos, tan extraordinariamente complejos.

San Juan nos sigue prodigando generosamente claves alusivas a su proceso de transformación. La protagonista que canta el poema, que imaginábamos ser una mujer enamorada en posible representación de una altísima espiritualidad, transmuta de súbito su identidad por la de una paloma para ejemplificar mejor su capacidad de vuelo místico. El Amado, a su vez, se transubstancia en esa misma lira en un «ciervo». Estas identidades camaleónicas, en total estado de disponibilidad, son extraordinariamente interesantes y merecen un estudio de propósito. San Juan va estructurando en el «Cántico» todo un «manual de zoología fantástica» que se encuentra más cerca de las «animalias» veloces del *Cantar de los cantares* que de los bestiarios medievales o que la *Historia natural* de Plinio. Lo curioso es que esta densa animalización de los personajes del poema no contribuye a hacerlo pesado ni telúrico, sino todo lo contrario: contribuye a espiritualizarlo. Y aún a erotizarlo, ya que no se nos debe ocultar que en el epitalamio salomónico que san Juan sigue tan de cerca los esposos se intercambian los epítetos de «paloma» (I, 14; VI, 8, etc.) y de «ciervo» (II, 16) justamente como requiebros admirativos de su respectiva hermosura física. Es evidente que nuestro poeta no tiene reparos en hacer suyos estos piropos orientalizados. María Jesús Mancho Duque[152] observa, por su parte, que los animales del «Cántico» casi siempre se caracterizan por su rapidez, desde las aves hasta las raposas y el ciervo. Y en el «Cántico» es evidente que el ciervo se distingue justamente por su velocidad, lo mismo que la paloma, que ya es tan rápida que hace morada en el aire. El ciervo también fue veloz en la primera lira, y como dato curioso apunto que el concepto de un «ciervo veloz» en árabe queda emparentado precisamente con un ave en vuelo: ةرايطلا يرٔ الٔا (o *al-ayyal al-ṭayyaraton*) traduciría como «ciervo volante como pájaro»). No eran tan desemejantes, pues, la paloma y el ciervo, cuya velocidad compartida podíamos advertir, evidentemente, de manera intuitiva. El ciervo volatilizado y aéreo acerca misericordiosamente, pues, su esencia a la de su amada paloma. Una vez más se equivalen estos amantes, hermanados por su capacidad de desplazamiento fugaz, que se encaminarán ahora, como era de esperar, en dirección mutua para el encuentro y fusión finales del uno en el Otro.

San Juan, haciendo gala una vez más de una delicadísima *ars combinatoria* literaria, tiene nuevas lecciones místicas disimuladas en lo hondo de sus nuevas elaboraciones simbólicas, que no son tan casuales como podrían parecer a primera vista.

Volvamos, en primer lugar, al caso de la paloma. El símbolo del ave para representar el alma en vuelo extático es, como nos enseñan Carl G. Jung y Mircea Eliade, universal[153]. La paloma en particular está relacionada también con el amor humano desde antiguo y la vemos acompañar a Afrodita en la *Teogonía* de Hesíodo (188-200). Marvin Pope, por su parte, insiste en la asociación de la paloma con el amor erótico: «La notoria propensión erótica de la paloma la convirtió en una poderosa medicina en la magia amorosa»[154]. Y esto ha sido así, en efecto, desde la época mesopotámica hasta la era moderna. En la Edad Media se aconsejaba a los enamorados que una lengua de paloma oculta en la boca haría el beso de amor más eficaz, mientras que el corazón de esta ave particular resultaba útil en los filtros mágicos destinados a obtener la reciprocidad amorosa.

Pero la paloma, relacionada con la mansedumbre y la lealtad afectiva en tantas tradiciones literarias, es un ave mística particularmente interesante en el Islam. Basta recordar la primera palabra del «Cántico» —«¿adónde?»— para advertir enseguida los curiosos matices orientalizantes de que hace gala la paloma extática sanjuanística. El

ASEDIOS A LO INDECIBLE

poeta, como ya tenemos sabido, acaba de contestarnos por fin a estas alturas del poema el ansioso «¿adónde?» con el que la Esposa había inaugurado los versos. El sagrado *adónde* era —lo acabamos de saber— la «fuente» de ella misma, que constituía el *locus* de la manifestación de su inefable Amado. Si regresamos a las claves literarias sufíes, veremos que van a respaldar todo lo dicho por nuestro santo poeta. El alma en vuelo místico es representada por una paloma en innumerables textos extáticos musulmanes —basta evocar la paloma celestial de la «Oda al alma humana» de Avicena—. Pero lo más conmovedor es que lo que pregunta ansiosa el ave islámica constituye justamente un anhelante «¿adónde?, ¿adónde?» que dirige a su Amado perdido. Abrimos el *Diván del Sol de Tabriz* del persa Ŷalāludīn Rūmī y escuchamos en seguida el onomatopéyico «¿*kū kū*?» de la paloma mística, que no quiere decir en farsi otra cosa que «¿adónde?, ¿adónde?»: «¿Por cuánto tiempo cantaremos, como una paloma que busca el camino, "*Kū kū* (¿Adónde, adónde?)"? El Testigo, como si fuese una flor de plata, está rompiendo el mundo en pedazos»[155]. Y bien que se sabe Rūmī la contestación: la búsqueda espiritual culmina en su propia alma iluminada. La pregunta de la paloma por el *locus* místico es un verdadero lugar común en el discurso literario sufí en lengua persa, debido sin duda a la conveniente onomatopeya de la pregunta y del canto del ave. Tan conocido es el *leit-motiv* que a las alturas del siglo XX la islamóloga Annemarie Schimmel lo hace suyo en su propia poesía mística, tan comprensiblemente orientalizada[156].

Pero aún hay más que decir sobre nuestra ardiente ave volandera. El término árabe para la «paloma» es *hamām* (حمام), que, en su variante *hammām* (حمّام) significa «baño», «piscina», «receptáculo de agua», «lugar donde se recoge el agua para beber»[157]. La paloma mística se vuelve a asociar, pues, con la fuente iniciática, tal como san Juan ha hecho en su «Cántico», en el que la Amada «sale» de la fuente «convertida» de súbito en «paloma». Y suplica a su Amado que aparte los ojos, que la hacen salir de sí, es decir, que la hacen perder el ser. Que la hacen «transformarse» o «convertirse» en el innombrable Objeto de sus deseos.

Estas conversiones proteicas nos llevan una vez más a la posible intertextualidad hebrea de nuestro poeta, tan enamorado de los *Cantares* salomónicos. Imposible no recordar que la Sulamita tenía los ojos justamente como las piscinas de Hesebón, y que ésta celebra los ojos de su amado como palomas junto a las acequias o piscinas (5, 12). Por más, el enamorado equivalía los hermosos ojos de la pastora a «palomas»: «tus ojos *son* palomas» (1, 15). Así lee, sin más, el original hebreo —עֵינַיִךְ יוֹנִים, *'eynayik yonim*— como nos recuerdan Ariel y Chana Bloch[158] y sobre todo Marvin Pope. Este último traduce directamente «tus ojos son palomas» («your eyes are doves»), haciendo hincapié en lo rotundo de la equivalencia *ojos* = *palomas*: «los ojos se equiparan, más bien que se comparan, con palomas» («the eyes are equated with, rather than compared to, doves»)[159]. Hay comentaristas

bíblicos que asocian estos ojos con palomas, haciendo suya la antigua
metáfora de la poesía egipcia, que celebraba la forma alargada de paloma que tenían los ojos rasgados de las mujeres. Todavía podemos observar en las pinturas murales a estas féminas de perfil con su inmenso
ojo ribeteado de negro y grácil como paloma en reposo. Fray Luis de
León, por su parte, había traducido «tus ojos *de* paloma», justificando
el piropo por la belleza de los ojos de las palomas tripolinas, «llenos de
resplandor y de un movimiento bellísimo y de un color extraño que parece fuego vivo»[160]. Cabe preguntarse si en la memoria de san Juan repercutiría el recuerdo del texto hebreo original, antes que la reescritura
castellana de fray Luis o aun que la versión latina de la Vulgata, que
traduce igualmente en genitivo *oculi tui columbarum*, es decir, «tus
ojos *de* palomas». Porque lo cierto es que conviene más al sentido místico profundo del «Cántico» esta lectura directa del hebreo original,
que equivale ontológicamente a la paloma-Esposa con los ojos, antes
que las otras versiones que meramente la «comparan» con ellos. (¿Habría aprendido san Juan algo de todo esto en la cátedra trilingüe del
maestro Cantalapiedra?)

Sea como fuere, lo cierto es que la contextualidad literaria semítica
vuelve en nuestra ayuda y parece respaldar la súbita transformación a
la que san Juan somete a su protagonista enamorada, que ahora es
«paloma» mística. Al *ser paloma*, la emisora de los versos reitera, en
primer lugar, su condición de proteiforme *fuente* mística: ya sabemos
que la raíz árabe relaciona a la paloma con la fuente o acequia de
agua, y que los ojos del amado de los *Cantares* eran palomas junto a la
fuentes. Allí precisamente acaba de encontrar los *ojos* deseados, que
representan al fugitivo y recién encontrado Esposo. «¡Apártalos, Amado, / que voy de vuelo!», exclama la «paloma», y no hace otra cosa
que hablar de sí misma, ya que ella, justamente por haberse transmutado en *paloma, es* también los *ojos* que la hacen salir de sí: «tus ojos
son palomas». Insistamos una vez más, ahora con el original hebreo de
los *Cantares* a la mano: no es que la paloma se «parezca» a estos ojos,
es que *es* estos ojos que mira y que la miran, aniquilándole jubilosamente el ser en unión transformante. (Estamos por cierto ante una
inesperada reescritura espiritualizante de la mirada unitiva de los neoplatónicos Petrarca y Marsilio Ficino.) La elección del ave simbólica no
parece, pues, tan casual por parte del autor del «Cántico». Su paloma
—ya lo tenemos sabido— se eleva hacia esa mirada avasallante y a la
vez se hunde en ella. Se aleja y se acerca, pues, hacia los «ojos deseados» de su propia ipseidad, y es obvio que no puede describir camino
hacia ellos, porque va hacia ella misma. También ya lo habíamos advertido antes desde otras perspectivas, sólo que ahora las contextualidades semíticas nos lo vuelven a corroborar con particular fuerza.

Y ya estamos mejor dispuestos a asumir las consecuencias últimas
del ominoso mandato del Amado/ciervo: «vuélvete, paloma». Si seguimos haciendo referencia al citado versículo del *Cantar*, la orden traduce por «transfórmate» en paloma, es decir, «conviértete» en los ojos

deseados que tenías en tus entrañas dibujados. Conviértete en Mí. Acércate y aléjate a la vez de Mí, que estoy infinitamente cerca (inmanente) y a la vez infinitamente lejos (trascendente) de ti. Como somos Uno en unión participante, da igual que «vayas» o que «vengas» hacia Mí en esta imagen especular del no-desplazamiento en el que estamos sumidos ambos. (Recordemos que el canje milagroso de identidades está ocurriendo precisamente en el *locus* del *qalb* invertidor, que era la fuente de la ipseidad transformante de la Esposa.) No sin vértigo advertimos que ambos amantes, la paloma y el ciervo, que tan disímiles parecían, se han dado exactamente la misma orden, se han dicho lo mismo. El uno y el otro (*unus/ambo*) han emitido a sí mismos una orden de llevar a cabo desplazamientos invertidos —nulos— hacia unos *ojos* que a su vez *son palomas*. La Amada (*paloma*) *es* los ojos (el *Amado*), y van y vienen a la vez el uno hacia el otro porque no recorren realmente distancia entre ambos, unidos indefectiblemente en amor participante. Ahora entendemos mejor por qué el ciervo hace su primera, dramática aparición justamente por el «otero»: parecería que el poeta alude solapadamente a la idea de un lugar desde donde se «otea» o «mira»; es decir, «mirador»[161]. Y es que en efecto de eso se trate: de la mirada tranformante que el Amado ha lanzado, con enormes consecuencias, a su paloma.

Las identidades y los espacios se han borrado en la fuente transmutadora que refleja (o que *es* a la vez) los ojos/palomas. *Neutra el agua duda a cuál fe preste...* El observador y lo observado han devenido lo mismo. A la protagonista poética se le ha extinguido de súbito la posibilidad de decir «tú». Porque al decir «tú» no dice otra cosa que «yo». «¡Oh tú que eres yo!», gemía en trance semejante Mansūr al-Hallāŷ. Aquella paloma que, víctima de la separación, lanzaba al aire su desgarrador «¿adónde?» en el primer verso, ha aprendido una vez más la contestación a su reclamo espacial: el *locus* ansiado es ella misma, pero sólo porque *se ha convertido* ya en Él mismo. El *adónde*, súbitamente sagrado, lo constituyen, pues, *los dos a la vez*. Advertimos, no sin vértigo, que estamos en medio mismo de la unión mística y que la amada se ha transformado en el Amado frente a nuestros ojos atónitos. San Juan se sabía bien que si regía sus «dislates» por el modelo literario ejemplar de los *Cantares* algo y aun harto podría decirnos del proceso indecible de la «deificación» de su alma.

Si traemos a colación una vez más el *Cantar de los cantares* que casi siempre subyace las liras sanjuanísticas, ratificaremos lo dicho aun desde otros ángulos. La Sulamita, como nos consta, había sido celebrada por su consorte en atención a sus prodigiosos ojos de paloma. Pero es que también, como dejé dicho, ella había alabado a su vez los ojos de su amado en términos precisamente de «palomas» (5, 12). Acaso lo tuviera presente de alguna manera san Juan al urdir sus versos, tan henchidos de sabiduría mística y de lecciones unitivas. El ciervo del «Cántico» «asoma» ahora sus ojos por el otero para ver el rapto del vuelo extático de su paloma, pero sus *ojos* —ya lo sabemos gracias al epitalamio— no son otra cosa que ¡«*palomas*»! Por cierto que la alquimia transformante que veníamos explorando nos permitía la afirmación de este oxímoron místico en el fondo tan consolador. Sólo que lo dicho queda ahora subrayado a la luz del nuevo versículo epitalámico. Ambos protagonistas *son*, pues, y una vez más, *palomas/ojos*. Ella también era, como recordaremos, «fuente». Pero es que las «palomas» de los ojos del Amado, nos explica gozosa la Sulamita del *Cantar*, también son palomas que se bañan junto a los arroyos. «Chapoteando en rocío lácteo, asentados en estanques rebosantes», traduce Pope[162], en una de las versiones más felices del misterioso versículo. El requiebro del *Cantar* palpita de manera reconocible en lo hondo de la lira del «Cántico», ya que el ciervo asoma para contemplar con las *palomas* de sus *ojos* transformadores a la *fuente* o *piscina* o *estanque de agua* de su *Esposa/paloma/ojo*. Se miran ambos con los mismos ojos húmedos y acuosos —y capaces de vuelo— que vimos reflejados precisamente en las aguas oscilantes de la fuente claroscura.

Y hay más: el ciervo, que padece sed cuando está en celo amoroso según nos afirman innumerables tradiciones, desde Plinio hasta los Bestiarios, sacia precisamente en esa fuente sagrada e iniciática su sed de amor, buscando «refrigerio en las aguas frías» (CB 13, 9). Vale también recordar la cierva herida de la *Eneida* (IV, 67) que lleva en su flanco clavado el arpón letal del cazador, y que calma su sed en la fuente fría[163]. El ciervo y la paloma se vuelven a identificar en lo elevado de su pulsión erótica, de la que por cierto san Juan tiene plena conciencia[164]. Pero más significativo aún es advertir que el ciervo, al aparecer por lo alto del otero («tangencia de cielo y tierra donde se cumplen todas las epifanías»[165]) a beber las aguas frías, no hace otra cosa que consumir a su amada transformada. La hace parte de su propio ser, la transforma en sí precisamente por ser él un ciervo y ella una paloma/fuente. También lo sabe san Juan, que ahora reclama la ayuda de los Salmos en su angustia de místico afásico: la sed «[del alma es] semejante a aquella [que] tenía David cuando dijo: Como el ciervo desea la fuente de las aguas, así mi alma desea a ti, Dios. Estuvo mi alma sedienta de Dios, fuente viva... (Ps 41, 2-3)» (CB 12, 9). Pero parecería que el corazón/*qalb* del poeta le invierte una vez más la imagen —ahora la citada imagen de los salmos y aún la de la cierva de Virgilio— ya que el ciervo sediento de los versos del «Cántico» no es el alma, sino Dios mismo. Digo mal: el ciervo es ambos a la vez, como ambos a la vez —ya lo vimos— son los ojos, la paloma y la prodigiosa fuente unitiva. San Juan de la Cruz nada tiene que envidiar a las *Metamorfosis* de Ovidio.

Pero cumple que hablemos aún más de este ciervo con el que el Amado se nos identifica tan de cerca. Observemos ante todo que el interlocutor, que tan elusivo había sido —«como el ciervo huiste»—, surge como personaje del poema no como el hermoso galán de los *Cantares*, sino directamente como *ciervo*. Ya no es que «parezca» ciervo por su huida veloz, sino que directamente *es* un ciervo. Y nuestro ciervo detiene su fuga ante la fuente de su amada paloma, de la misma manera que la Amada había detenido su búsqueda ante la fuente de sí misma. (Ambos frenan su velocidad frente a sí mismos: el camino confluye en ambos y se anula cuando la amada conoce las honduras de su propio ser, que es encontrarlo a él.)

La polivalencia simbólica del ciervo es, sin duda, riquísima. No sólo nos trae a la memoria a Dido, la «cierva vulnerada» de la *Eneida* de Virgilio[166] a la que ya aludí, al ciervo huidizo de las *Odas* de Horacio (I, 23)[167], al animal lujurioso de la *Historia natural* de Plinio y al travieso seductor del *Libro de buen amor*[168], sino que, sobre todo, nos remite al tópico de la hermosura masculina que han hecho suyo tanto la poesía hebrea como la árabe[169]. De ahí, naturalmente, toman el *leitmotiv* el *Cantar de los cantares* y las jarchas orientalizantes[170]. Y san Juan no hace sino seguir una vez más el epitalamio, que fue, como consta, su libro de cabecera. Pero en este contexto poético del «Cántico» importa advertir que aquel ciervo que huía en la primera lira, habiendo herido a la protagonista, va ahora hacia ella mostrándole su propia herida de amor. La herida inicial del ciervo, en efecto, se ha canjeado de contrabando y resulta sorprendentemente transferible. Elizabeth B. Davis advierte, con su acostumbrada sensibilidad literaria, las importantísimas pistas secretas que san Juan nos está dando acerca de la unión transformante en estos extraños versos: «El amado retorna, pero la esposa huye. O, para decirlo de otro modo, el objeto se reapropia pero el sujeto "se pierde", porque la distinción entre ambos han sido aniquilada»[171]. También Henry Corbin sabe decodificar los hondísimos secretos teológicos que nos regalan los textos embriagados y eminentemente paradójicos del murciano Ibn 'Arabī:

> El ser que suspira de nostalgia (*al-moshtâq*) es a la vez el mismo ser hacia quien su nostalgia suspira (*al-moshtâq ilayhi*) [...] No se trata de dos seres heterogéneos, sino de un ser que se encuentra consigo mismo (y que es a la vez uno y dos, una bi-unidad) [...] De esta manera el Amor existe eternamente como un intercambio, una permutación entre Dios y la criatura: el deseo ardiente, la nostalgia apasionada y el reencuentro existen eternamente y delimitan el círculo del ser[172].

Otro tanto sugiere san Juan con el cerrado círculo ontológico de su ciervo vulnerado y a la vez vulnerador y su paloma herida por Dios y por sí misma. Da igual quién padece la herida porque ambos son Uno mismo en unión transformante: «porque en los enamorados la herida es de entrambos», garantiza san Juan en las liras aclaratorias. Pero los versos lo dejaron sugerido antes, y con mucha más fuerza emocional.

Como si fuera poco, el ciervo asoma «al aire del vuelo» extático de su paloma, ahora tan fugaz como había sido él otrora. Ella queda identificada con el aire, pero el aire —*pneuma* o *prana* creador— es justamente símil inmemorial de la noticia de Dios en las más variadas tradiciones místicas[173]. San Juan habrá de hacer suya repetidamente la enseñanza milenaria —Dios es aire o esencia pura y desnuda» (2 Sub. 16, 9)— y adjudicará por lo general este símil etéreo a Dios, no a la amada. No es difícil recordar los versos «aspiras por mi huerto» y «el aspirar del aire» del «Cántico»; el «aire del almena» de la «Noche» y aun en el «aspirar sabroso» del Amado de la «Llama», recién despertado en lo hondo del corazón de la esposa. Pero por lo pronto el ciervo acude al vuelo aéreo de su enamorada, que comparte su etérea, innombrable esencia divinal. El vuelo, ahora prodigiosa danza de Siva, es, una vez más, de ambos, que cortan el aire en dirección mutua en un camino reiteradamente inexistente. Imposible que nos asombre, ante todo esto, que al final del «Cántico» los protagonistas se volatilicen en vuelo arrebatado hacia las cavernas de la piedra, es decir, hacia los acantilados donde anidan las palomas, de clara estirpe epitalámica[174]. Ambos son *palomas* y el *aire* que *vuelan* es su elemento en común.

San Juan sigue logrando, pues, extrañas victorias sobre el lenguaje. Al dejarnos sugerida de manera incontestable la insólita *coincidentia oppositorum* de la transformación teopática, hace gala de un dominio sobre la técnica de la apófasis o paradoja que pocas veces ha sido utilizada en Occidente con tanta fortuna. Ni con tanta intuición poética. Es de conocimiento común que los místicos de todas las persuasiones religiosas, desde Dionisio Areopagita y Nicolás de Cusa hasta Ibn al-'Arabī de Murcia, se han servido una y otra vez de este lenguaje paradojal en su intento por traducir algo de sus experiencias intransferibles. Y es que, como nos recuerda Elizabeth B. Davis, «la paradoja, como su nombre griego sugiere (*para doxon*, «más allá de la creencia»), es una idea que parecería increíble en primera instancia, pero cuya verdad última sobrecoge la mente [...] Más que un deslumbrante adorno poético, la paradoja es revelación»[175]. Tan fecundamente reveladora es, en efecto, la paradoja literaria de los místicos, que gracias a ella logran conllevarnos dimensiones específicas (y teológicamente cruciales) de su trance extático. Como buen místico cristiano occidental, san Juan de la Cruz nos anuncia en sus versos que se transforma en Dios, sí, pero manteniendo intacta su propia identidad, al margen del panteísmo que caracteriza la obra de algunos contemplativos orientales:

> En estas figuras paradójicas, san Juan de la Cruz ha logrado un constructo verbal en el que tanto el sujeto como el objeto unas veces se desplazan y otras permanecen inmóviles; y se funden a la misma vez que se mantienen separados uno del otro. El uso de este tipo de paradoja en un texto místico es significativo, ya que en la tradición cristiana se insiste en que las dos identidades (Dios y el alma) mantienen su separación, a la vez que se funden en amorosa transformación. Justamente porque los opuestos co-existen pero no se cancelan uno al otro es por lo que este recurso resulta útil para traducir de manera eficaz la condición elusiva de la experiencia unitiva[176].

De todo lo dicho va surgiendo que san Juan de la Cruz somete su lenguaje poético a una tarea tan inusitada como fecunda. Como no puede comunicarnos su trance indecible con la precisión que él quisiera, re-crea en cambio en nuestro proceso paradójico de lectura algunas de las inefables violaciones a la lógica aristotélica que implicó su fusión en la Divinidad. Esto lo observa atinadamente Michael Sells en el caso de los textos místicos de Plotino, Meister Eckhart, Marguerite Porete, Ibn 'Arabī y Juan Escoto Eriúgena. Vale la pena citar por extenso sus palabras en torno a esta «teología negativa» o apófasis, cuya etimología griega original sugiere no sólo el acto de *negar*, sino el más matizado de *des-decirse*. No estamos lejos de la experiencia de lectura a la que nos obligan las repetidas paradojas del «Cántico»:

> [En el lenguaje apofático (*apophatic language*)] esta [fusión de la] identidad no sólo se afirma, sino que en efecto se lleva a cabo [...] El evento de significado [*meaning event*] es el equivalente semántico de la unión mística. No describe la experiencia mística ni se refiere a ella, pero lleva a cabo una unión semántica que re-crea o imita la unión mística [...] Más bien que señalar hacia un objeto, el lenguaje apofático trata de evocar en el lector un suceso que es —en su movimiento más allá de las estructuras del yo y del otro, del sujeto y del objeto— estructuralmente análogo al suceso de la unión mística [...] La apofasis [*apophasis*] es un discurso en el que se reconoce que cualquier proposición falsifica, reinventa. Se trata de un discurso de proposiciones dobles, en el cual el sentido se genera a través de la tensión entre el decir y el no decir[177].

San Juan es, en efecto, un maestro del «des-decirse»: se trata de una de sus más eficaces técnicas literarias para abordar lo Innombrable[178]. Acaso fue un recurso más intuido que buscado por el originalísimo poeta. Poco importa si *se lo dio Dios o lo buscó él*; lo que sí salta a la vista es que sus versos afortunadísimos nos han dejado profundamente aleccionados. Todas estas antítesis que vamos percibiendo a medida que los versos avanzan —la herida canjeable, el camino circular, las direcciones abolidas, las identidades fundidas— nos permiten saber que lo que los apasionados sufíes llamaban «la herejía de la separación» entre Dios y el alma comienza a abolirse. Y es que el alma no puede mirar a Dios desde afuera, como un objeto externo, sin participar ya de su propia Naturaleza divina. En el éxtasis el observador y el Observado se funden, y este proceso de bienaventurada transmutación total es una paradoja insoluble tan sólo para nuestra razón oscurecida: «Tan pronto como los atributos son conocidos (percibidos como objetos por un sujeto que no son ellos) se solidifican como ídolos. Solamente se puede percibir mediante la unión y la auto-manifestación»[179]. Concluyo haciendo mías las palabras de Joaquín García Palacios: «Las frecuentes paradojas de la obra de san Juan no son sino antítesis parciales dirigidas a la consecución del todo unitario [...] se trata de tensiones entre extremos destinadas a reconciliarse»[180]. Y bien que los ha sabido reconciliar el Reformador en su «Cántico», que no dudo en considerar uno de los poemas más auténticamente sabios de las letras españolas.

Pero volvamos a los versos, que siguen ganando intensidad espiritual. En estos momentos la protagonista pasa a celebrar el hallazgo del Amor Indecible y la fusión gozosa que le es intrínseca en unas liras que posiblemente sean los más altos versos de amor de nuestra lengua:

> Mi Amado, las montañas,
> los valles solitarios nemorosos,
> las ínsulas extrañas,
> los ríos sonorosos,
> el silbo de los aires amorosos;
>
> la noche sosegada
> en par de los levantes del aurora,
> la música callada,
> la soledad sonora,
> la cena que recrea y enamora.

Estamos en el momento culminante del «Cántico» y en el momento culminante de la poesía mística de san Juan de la Cruz. Una vez más, los versos, de una hondura abismal, nos entregarán secretos portentosos de la vivencia infinita de su autor, tan difícil de explicitar porque se encuentra completamente al margen de la lengua y de la razón humana. Para encaminarnos de alguna manera a la tesitura sobrenatural de esta experiencia, lo primero que hace el agudísimo poeta con este conjunto de liras desconcertantes es poner sordina a nuestras capacidades racionales. Los versos, fundamentalmente misteriosos para nuestra intelección estrictamente intelectual por su ausencia de verbo y su anhelante torrente de imágenes inconexas, están dotados, en cambio, de un marcado ritmo incantatorio. Y es que este «encantador a lo divino», cuyas palabras salían «centelleando» según el testimonio de algunos de sus contemporáneos[181], intuiría que había llegado el momento de trabajar sus liras[182] a modo de ensalmo. Y ello porque las palabras opacas pero cadenciosas de un sortilegio logran adormecer la inteligencia crítica consciente de manera que pueda operar libremente la intuición. También en el caso de estos versos tan alucinantes como musicalizados el mensaje profundo que conllevan puede ser transmitido sin intervención del pensamiento consciente, o con muy poca intervención[183]. Casi podríamos decir que este conjunto de liras produce el efecto de una melodía, de un mantra, de un conjuro o de un embrujo incantatorio: san Juan, como muchos siglos más tarde Rimbaud, logra conjurar al lector con el ritmo hipnótico de su magia acústica[184]. Más significativo aún, ha logrado aleccionarlo en teología mística gracias precisamente a esta instintiva musicalización de sus afortunadas estrofas[185]: como a Dios, no es menester que las entendamos «distintamente» para que hagan «efecto y afición en el alma»[186]. Dios no entra al alma por vía de la razón, y así lo mejor es que la razón no intente dar cuenta de él. Y por eso el docto poeta le pone sordina a nuestro raciocinio con la dulzura musicalizada de estas sus sapientísimas liras extáticas.

Pero las enseñanzas místicas se suceden aquí con el mismo ímpetu tempestuoso que llevaban los apremiantes versos unitivos que ya he comentado. Advirtamos que la protagonista, que había buscado a su Amado en los paisajes que apenas hollaba con su planta fugaz, descubre de repente que él no está en esos paisajes sino que *es* o que *incorpora* los paisajes mismos donde su buscadora lo intentaba encontrar: montañas, valles, ríos, aires. La intuición es de mi antigua alumna Laura Robledo, que lo advierte en el citado ensayo inédito sobre la espacialidad en el «Cántico espiritual» que esperamos vea pronto la luz. Inesperadamente, la angustiosa pregunta del *¿adónde?* inicial se nos vuelve a contestar, como ha visto a su vez Colin Peter Thompson, con esta miríada de espacios en gloriosa sucesión caleidoscópica. Insistamos en el prodigio, que parecería más afín a la poesía surrealista del siglo XX que a la del Siglo de Oro: el Amado no tiene rostro, como tendrían las amadas tradicionales de Petrarca y de Ronsard, sino que se concibe en los términos metafóricos de una cascada vertiginosa de espacios e incluso de tiempos y de situaciones inesperadas —noche, música, soledad, cena— que dejan sugeridas la anulación de los contrarios: la elevación y la hondura, el sonido y el silencio, lo sólido y lo etéreo. Las imágenes alucinadas apuntan, curiosamente, a algo más: todos los registros sensoriales de melodías, de caricias táctiles y de deleites gustativos que el monje asceta tanto se negó en vida los reencuentra en Dios[187].

Veamos con qué consecuencias san Juan nos sigue contestando su apremiante «¿adónde?» inicial. En la unión extática todo parece confundirse: «Mi Amado las montañas / los valles solitarios nemorosos / las ínsulas extrañas...». La metaforización mediante la cual el Amado ha quedado asociado o, mejor, equivalido a estos espacios es completamente desconocida en el Siglo de Oro. Tan extraña resulta esta manera de establecer la imagen, que Carlos Bousoño, en un ensayo afortunadísimo[188], la denomina como «visionaria» o «contemporánea». Lo que se asocia en la metáfora son las sensaciones que producen los elementos emparentados: en la percepción de la Esposa —nos dice san Juan en las glosas al «Cántico»— el Amado es como las montañas, porque la impresión que le producen éstas (altura, majestuosidad, buen olor) son semejantes a la que le produce el Amado: «Las montañas tienen altura, son abundantes, anchas y hermosas, floridas y olorosas. Estas montañas es mi Amado para mí (CB 14-15, 7). (Como es habitual, la literatura mística sufí nos corrobora por otras vías esta particular intuición sanjuanística: en el instante unitivo, Rūmī, entre tantos otros, hace volar el ave mística de su Simurg hacia la montaña el Cāf, que representa la Esencia ultima de Dios y, por lo tanto, el fin de la ardua peregrinación espiritual[189].)

Pero regresemos a las glosas al «Cántico». Como las montañas, los valles también van a quedar asociados con sensaciones, esta vez con la intuición de deleite, refrigerio y descanso; las ínsulas extrañas, con la noción de misterio; los ríos sonorosos, con la sensación de anegarse en ellos y escuchar aquella sonoridad abismal que apaga todo ruido exterior; y así sucesivamente a lo largo de las estrofas celebrativas[190]. Estas asociaciones se logran, pues, a través de sensaciones a-racionales, y no a través de elementos paralelos reconocibles por vía lógica. Lo que el santo está llevando a cabo —siglos antes que poetas como Rimbaud, Ezra Pound, García Lorca— es el establecimiento de la metáfora a base de las asociaciones irracionales (mejor, a-racionales) que nos producen los elementos que la constituyen. Por eso Bousoño llama a san Juan «poeta contemporáneo». Y yo le diría a mi antiguo y admirado maestro que san Juan pudo ser un poeta «contemporáneo» *avant la lettre* porque lo que era realmente era un poeta «oriental» en pleno Siglo de Oro. Lo que parecería incongruente en un poeta del siglo XVI, no lo era en absoluto en el contexto de poemas semíticos como el *Cantar de los cantares* (y tampoco, hay que decirlo, en los textos sufíes embriagados de amor como el *Tarŷumān al-ašwāq* de Ibn 'Arabī o el *Jamriyya* de Ibn al-Fāriḍ). El epitalamio bíblico abunda en imágenes de este tipo: «el tu semblante, como el del Líbano» (V, 16); «ungüento derramado tu nombre» (I, 2)[191], entre tantas otras. Fray Luis de León, gran hebraísta, parece comprender muy desde adentro, en su *Exposición al «Cantar»*, esta manera, al parecer muy semítica, de metaforizar a base de establecer paralelos entre las sensaciones que nos producen los elementos emparentados. Oigámoslo declarar la difícil imagen:

> *El su semblante como el del Líbano.*
> En lo cual muestra con harta significación la majestad, hermosura y gentil compostura del cuerpo y de las facciones de su Esposo; como lo es cosa bellísima y de grande demostración de majestad un monte alto cual es el Líbano, lleno de espesos y deleitosos árboles, al parecer de los que lo miran de lejos[192].

Parecería, pues, que estamos ante el mismo procedimiento metafórico que usó san Juan al equiparar a su Amado con las montañas[193]. Estas asociaciones de los elementos que constituyen la imagen se logran, pues, por vía de sensaciones a-racionales, y san Juan parecería intuir que nada sería más adecuado para describir de alguna manera a Dios que poner sordina a nuestras capacidades racionales o lógicas, ya que no es por ahí por donde lo conocemos. Repitamos una vez más la altísima lección: «Dios [...] excede al entendimiento, y así es incomprensible y inaccesible al entendimiento, y por tanto, cuando el entendimiento va entendiendo, no se va llegando a Dios, sino antes apartando» (Ll III, 48). San Juan castiga nuestro entendimiento y prefiere dejar a Dios sugerido antes que explicitado. Gran sabiduría espiritual la suya.

Pero es que hay más. Las asociaciones metafóricas no se logran por vía de sensaciones a-racionales, sino que, para más extrañeza, se establecen mediante frases nominales, omitiendo el verbo «ser». No dice el poeta «Mi Amado *es* las montañas», sino «Mi Amado las montañas». En estas dos liras, y en la que le sigue en el «Cántico A» y que comienza «nuestro lecho florido», tampoco se indica el verbo: «Nuestro lecho florido / de cuevas de leones enlazado / en púrpura tendido / de paz edificado / de mil escudos de oro coronado». El castellano, no cabe duda, nunca se manejó así en la Edad Áurea. Pero ya no nos debe extrañar que el Reformador se encuentre bebiendo una vez más en las aguas del libro de toda su vida: es justamente en el *Cantar* donde encontraremos el fenómeno de la insistente omisión del verbo *ser*, característica usual de las lenguas semíticas hebrea y árabe. Resulta curioso que san Juan, que tan poco adepto fue en su propia poesía a la extranjerización sintáctica del hipérbaton neolatino, sucumbiera sin embargo gozoso a otra extranjerización —esta vez, orientalización— aun más dramática: la ausencia del verbo *ser*. Al traducir los embriagados versículos del epitalamio, fray Luis se ve precisado a suplir el verbo: «¡Ay, cuán hermoso, Amigo mío [eres tú], y cuán gracioso! Nuestro lecho [está] florido (I, 15)»[194]. Algo semejante encontramos en la Vulgata, que oscila entre suplir el verbo y omitirlo: «Ecce tu pulcher es, dilecte mi, et decorus! / Lectulus noster floridus» (I, 15). Pero la traducción de fray Luis es muy exacta, ya que el texto hebreo original casi invariablemente omite el verbo ser, como en este caso concreto que estamos citando:

הִנְּךָ יָפֶה דוֹדִי אַף נָעִים
אַף־עַרְשֵׂנוּ רַעֲנָנָה [195]

Y nos preguntamos una vez más cómo es que san Juan vino a saber tanto acerca de los secretos lingüísticos de estas lenguas semíticas que parece ir aclimatando en su célebre poema. ¿Sería en los duros banquillos del curso del maestro Cantalapiedra? Acaso algún día lo sabremos, pero lo cierto es que el sentido de este aparente desliz gramatical dio mucho quehacer a aquellos primeros copistas del poema, que corrigieron, con alarmada saña occidentalizante, «*Mira* Amado las montañas»; «Mi Amado *en* las montañas»[196].

El significado místico de la anulación del verbo *ser*, que es lo que aquí nos interesa, resulta, como siempre, particularmente emocionante en el «Cántico». San Juan nunca imita sin provecho. Es que el verbo *ser* no se necesita en estas liras de la unión porque la identidad de Dios ya no se encuentra separada en absoluto de la del alma: los enamorados *son* lo mismo que aman y ya no podemos distinguir entre ambas esencias unidas. Insistir aquí en el verbo *ser* —«mi Amado es...»— sería insistir en la separación de identidades, y ya son Uno en unión transformante. Se trata de un misterio que todos los místicos y los estudiosos del misticismo proclaman: «conocer la Realidad es convertirse a ella»[197], afirma Meher Baba desde la India, y lo secunda desde España María Zambrano con otra frase contundente: «el conocer es ser»[198]. Es significativo que san Juan, en su propio caso, sólo omita el verbo *ser* precisamente en estas tres estrofas unitivas del «Cántico»: estamos ante una intuición literaria muy importante por su parte, ya que es como si nos dijera que sólo en estas liras transformantes es que necesita imitar gramaticalmente al epitalamio bíblico para señalizar la identificación de identidades entre Dios y el alma[199].

Pero nuestro poeta visionario nos entrega aún más claves místicas. La amada se preguntaba al principio del poema por el espacio donde se le había perdido el Amado. Ahora acaba de descubrir que él *es* aquellos espacios mismos que ella buscaba, y que esta identidad inesperada de su Amado se completa —verdadero prodigio de amor y soberbia intuición literaria— en la apreciación de ella en ella: «Estas montañas *es* mi Amado *para mí*». Insiste el poeta-comentarista: «todas estas cosas [montañas, ríos, valles] es su Amado *en sí* y lo es *para ella*» (CB 14-15, 5; énfasis mío). La intuición es prodigiosa: en el intercambio altísimo de amor, Dios la ha transformado en sí, pero también ella es quien le otorga al Amado una nueva identidad al servirle de metafórico espejo: él es toda esta miríada de maravillosos espacios y músicas y noches y tiempos porque lo es en la apreciación de ella, que le completa en sí misma su gozosa, libérrima identidad cambiante. Los tiempos y los espacios no sólo se anulan, como en todo trance extático a salvo de ellos, sino que convergen en la identidad unificada de ambos. La amada perpleja reitera la indecible lección de Amor: «¿Adónde te escondiste, Amado?». La respuesta se repite una vez más, ominosa en su sencillez purísima: «En mí»[200]. Y la buscadora agónica del «Cántico» se da cuenta de que ella, como el Simurg que buscaban afanosos los treinta pájaros de 'Aṭṭār, era el Simurg mismo que perseguía por las majadas, por el otero y por los bosques y espesuras parlantes. Allí no podía encontrar a su Amado porque lo buscaba por donde no debía: fuera de sí misma.

Claro que Dios es o contiene en sí mismo todos estos elementos con los que su amada lo identifica —montañas, valles, ríos metafóricos—. El alma entiende en este estado transformante la concatenación secreta de las causas que articulan la armonía del universo, que es ir mucho más allá del simple panteísmo, en el cual por cierto nunca cae san Juan de la Cruz. Lo sabía san Francisco —a quien cita aquí san Juan como autoridad— cuando exclamó en éxtasis: «¡Dios mío y todas las cosas!». San Juan añade por su cuenta: «estas grandezas que se dicen *es* Dios, y todas ellas juntas *son* Dios» (CB 14-15, 5); «porque Dios [es] todas las cosas al alma, siente [el alma] ser todas las cosas Dios en un simple ser» (*ibid.*). Esta prodigiosa unificación del Ser en ambos es lo que san Juan llama el «desposorio espiritual». Dios transforma al alma en sus virtudes y atributos: él es —o manifiesta— sus atributos en ella, que le sirve de espejo. Como advertimos una vez más y no sin cierta zozobra instintiva, el espejo en el que nos vemos no hace otra cosa que devolvernos nuestra propia mirada. San Juan eleva esta inevitable circularidad narcisista a lo divino: si bien la protagonista poética vio a su Amado reflejado en la fuente o espejo de sí misma, ahora el Amado se refleja en la fuente o espejo del alma, que también es él mismo: ambos son el espejo del otro, y se devuelven su ipseidad en una sucesión interminable de espejos que se auto-reflejan sin fin como si se encontraran el uno frente al otro[201]. Soberbia reflexión sobre el encuentro con el infinito. O, dicho de otro modo: Dios se observa a sí mismo en su amada, mientras que ella lo contempla en sí misma porque *es* o porque refleja perfectamente todas esas transformaciones simultáneas de atributos indecibles que se van cumpliendo en su propia substancia. El alma se ha convertido, como decía en otro lugar san Juan, en «Dios por participación». Y canta no sólo a Dios sino a sí misma, en su nuevo y privilegiadísimo instante de «endiosada». También la frase es del santo. No es casualidad, ante lo que venimos apuntando, que la unión del «Cántico» hubiera comenzado a celebrarse en un espejo metafórico —el del agua de la *fuente* que ya he explorado por extenso—. Dios se va a reflejar en el espejo pulido del alma como en aguas transparentísimas que en este punto de identificación suprema lo pueden reflejar adecuadamente.

Ya el espejo se ha pulido: san Juan y santa Teresa hacen suyo un antiguo *leit-motiv* que los sufíes del Medievo habían elaborado durante siglos. El alma desasida y entregada por completo a Dios es, metafóricamente, un espejo libre de toda mácula que puede, por ello mismo, reflejar la Divinidad. Parecería que la amada del «Cántico», sublime Narciso, no ha hecho sino continuar observando los «semblantes plateados» de la fuente de su propio yo. Los ojos que allí se reflejaban, y que aludían a su propio ser hecho fuente o reflejado en la fuente (el 'ayin y el 'ayn genialmente plurivalente de los hebreos y de los árabes) se metamorfosean ahora en todos estos atributos de Dios en manifestación continua sobre el espejo del alma. Lo vio Henry Corbin en el caso de Ibn 'Arabī, que sintió que conocía a Dios en la proporción exacta en la que los Nombres y los atributos divinos hacían su epifanía en él: «Dios se describe a nosotros mismos a través de nosotros mismos; a través de esta *sympatheia* se actualiza la aspiración recíproca fundada en la comunidad de su esencia»[202]. El alma, cuyas potencias se llenan sólo con infinito, se convierte —ya lo advertimos— en espejo pulido, en aguas transparentes, para poder reflejar en sí todo estos atributos divinos en refulgente caleidoscopio. La rápida sucesión de atributos en este espejo purísimo del alma es sólo aparente, ya que en Dios, a salvo del tiempo y del espacio, es manifestación instantánea y simultánea.

Recordemos que san Juan nos había dejado establecido que esta fuente donde comienza a celebrarse la unión es «el corazón, [que] significa aquí el alma» (CB 12, 8). Curiosa esta idea un corazón entendido como aguas cristalinas que reflejan las imágenes cambiantes y alucinadas de las manifestaciones divinas en el alma. Pero habrán de ser una vez más los sufíes quienes vengan en nuestra ayuda para que podamos entender mejor los símbolos sublimes pero aparentemente enigmáticos del Reformador del Carmelo. Ibn 'Arabī —entre tantos otros contemplativos del Islam— hubiese apoyado y comprendido muy desde dentro lo que quiso decir aquí san Juan. El sufí de Murcia sabía mucho acerca de ese corazón interior que debía ser espejo de imágenes cambiantes: en árabe —ya lo tenemos sabido— la palabra *qalb* (قلب) significa simultáneamente «corazón» y «cambio perpetuo». También nos consta que los místicos musulmanes aprovecharon al máximo esta ductilidad de las raíces plurivalentes de su lengua en su poesía mística. Así, nos dirá Ibn 'Arabī en los versos más famosos —y más complejos— de su *Tarŷumān al-ašwāq*:

> Mi corazón es capaz de cualquier forma: es un pasto para gacelas y un convento para monjes cristianos,
> Y un templo para ídolos y la Kaba del peregrino y las tablas de la Tora y el libro del Corán.
> Yo sigo la religión del amor: dondequiera que vayan los camellos del amor, esa es mi religión y mi fe[203].

Es ahora Michael Sells quien ha visto, con extraordinaria agudeza, que los versos embriagados de Ibn 'Arabī no sólo hacen referencia, como han entendido numerosos arabistas, a la tolerancia religiosa para con todas las revelaciones[204] —Dios se encuentra por igual en todas ellas— sino a algo mucho más hondo: a la morada altísima del corazón extático que es receptivo de cualquier forma. O, dicho de otro modo, de cualquier manifestación divina en él. Oigamos directamente al estudioso:

> El corazón que es receptivo de cualquier forma está en un estado de perpetua transformación (el término *taqallub* juega con los dos significados de la raíz q-l-b, «corazón» y «cambio»). El corazón se amolda a, recibe y se convierte en cada una de las formas perpetuamente cambiantes en las cuales la Verdad se revela a sí misma [...] para lograr un corazón receptivo de toda forma es necesario someterse a un proceso continuo de obliteración del yo individual en el [yo] universal[205].

Ibn 'Arabī se encuentra muy consciente de estas verdades, ya que en el árabe original de su poema, el verso «mi corazón es capaz [o se ha convertido en receptáculo de] cualquier forma» el poeta juega con las posibilidades de la raíz q-l-b: «لقد صار قلبي قابلا كل صورة»: Su corazón —vale decir, el espejo de su alma— se encuentra en estado de perpetua transformación al ir reflejando las manifestaciones de Dios: «Para Ibn 'Arabī, *al-ḥaqq* (la Verdad) se manifiesta a sí misma a través de cada forma o imagen, pero no se limita a ninguna. Las formas de la manifestación están constantemente cambiando»[206]. Exactamente lo mismo nos indicará san Juan al explicitar las liras caleidoscópicas, que no en balde nos recuerdan al «Aleph» de Borges, «Mi Amado, las montañas»: se trata de la manifestación continua de Dios en el espejo del alma. (Parecería que Thomas Merton se hace eco de la tradición mística sufí y sanjuanística, que tan de cerca conocía, cuando argumenta que «Todo me indica que no debiera desear nada sino este Tu puro amor, que no es otra cosa que Tú amándote a Ti mismo, no sólo en mi alma, sino en todas mis facultades, hasta que quedan limpias y perdidas y concluidas y rendidas, y nada queda de ellas sino la libertad»[207]. Este corazón-espejo debe ser, obviamente, capaz de reflejar cualquier forma divinal, sin atenerse a ninguna fija, ya que —y dejamos la palabra a san Juan— «ni los ángles le pueden acabar de ver ni le acabarán...». Siempre «les hace novedad y siempre se maravillan más»; «Sólo para sí no es extraño [Dios], ni tampoco para sí es nuevo» (CB 14-15, 8). Por eso el alma del contemplativo auténtico, como apunta una vez más Sells, «no es tanto una entidad u objeto como un evento, un proceso de cambio de perspectiva, de *fanā'*, un pulir el espejo divino»[208]. No hay, pues, por qué atarse a ninguno de estos estados o manifestaciones, ni siquiera a las más altas, porque sólo Dios las puede terminar de conocer de veras e infinitamente, como nos acaba de advertir san Juan. Creo que por esta razón el poeta derrochó el caleidoscopio de su *aleph* poético con tanta alegría indeterminada: Dios es los espacios, los tiempos, la música, la soledad sonora, y no es sólo una de esas cosas, sino todas y aún infinitas más, porque de la febril celebración enumerativa parecería desprenderse que el júbilo de la recepción de estos atributos nunca acaba. De ahí también la sensación afásica de quien no puede acabar de manifestar el prodigio: algo de esta afasia admirativa usurpó por cierto Pablo Neruda en los versos celebrativos a «Machu Picchu». Dejemos la palabra una vez más a Michael Sells: «Desde la perspectiva divina la manifestación eterna siempre ha ocurrido y siempre está ocurriendo. Desde la perspectiva humana la manifestación es eterna pero también es un momento en el tiempo, un momento eterno que no se puede retener sino que tiene que ser re-presentado continuamente»[209]. Parecería que con estas palabras Sells explica las liras de unión transformante del «Cántico» y no las del *Tarŷumān*. Poco importa. Ambos místicos tienen un corazón —un *qalb*— incoloro y purísimo como el agua[210] y dotado, por eso mismo, de una capacidad proteica que lo capacita para reflejar como espejo incesante, en sus «semblantes plateados», las continuas manifestaciones que la Divinidad hace de su propia Esencia a sí misma en el alma afortunada que es capaz de asumir cualquier forma.

Ya sabemos que Ibn 'Arabī no es el único sufí que viene a coincidir tan de cerca con el Reformador. La noción de este corazón/*qalb* que por su condición cambiante y especular sirve de espejo a los atributos de Dios es, como tuvimos ocasión de ver, palmaria en el Islam, y su obsesiva reiteración nos ayuda a comprender mejor la posible contextualidad en la que san Juan parecería encajar con tanta comodidad y que ilumina magistralmente, por lo tanto, el sentido de sus propios procedimientos poético-místicos. En su *Mašrab al-arwāḥ*, Rūzbihān Baqlī (m. 606/1209) insiste una vez más en en este *qalb* fluctuante que manifiesta a Dios en su infinita revelación al gnóstico: «Este corazón se llama «corazón» [*qalb*] porque fluctúa cuando atestigua los atributos»[211]. 'Abd al-Razzāq al-Kāšānī lo secunda: «la auto-revelación de los atributos [divinos] ocurre en la morada del corazón [*qalb*]»[212]. De esta eclosión de los atributos de Dios en el *qalb* cambiante del gnóstico es que tratan precisamente las *Maqamāt al-qūlūb* o *Moradas de los corazones* de Abū-l-Ḥasan al-Nūrī de Bagdad (siglo XIX), cuya traducción del árabe acabo de concluir. Nūrī nos va prodigando un alucinante caleidoscopio de imágenes delirantes que constituyen las distintas moradas o atributos simbólicos que la Divinidad va refractando en el espejo de aguas cambiantes de su *qalb* en proceso de transformación.

Uno de los teóricos que más insistieron en la condición cambiante de este sutilísimo *qalb* fue el ya citado Naŷm al-dīn al-Kubrā, para quien el órgano místico de percepción no tiene determinado color —como el pájaro solitario de san Juan y de los persas[213]— justamente porque asume cualquier color o forma que se refleje en él. Gracias a esta ductilidad puede refractar la manifestación simultánea de los infinitos atributos de la Divinidad. Traducimos una vez más del árabe a Kubrā, que aprovecha como pocos las variantes de la raíz *q-l-b* en su descripción teórica del *qalb*:

> Has de saber que la sutileza del corazón [*qalb*] se debe a la ductilidad con la que fluctúa de estado en estado. Como el agua, adquiere el color del receptáculo que la contiene, o como el cielo, queda coloreado por el color las montañas —[sobre todo] de la montaña del Caf[214]—. Por eso se llama corazón [*qalb*], [precisamente] por su capacidad de fluctuación. Y también se llama corazón [*qalb*] porque es el centro [*qalb*] de la existencia y del sentido de todas las cosas. El corazón [*qalb*] es sutil y acepta el reflejo de las cosas y de los sentidos que lo rodean. Así, el color de aquello que se acerca a esta realidad sutil [que es el corazón] toma su misma forma, de la misma manera que las formas se reflejan en un espejo de aguas claras. Y por eso se llama corazón [*qalb*], porque es la luz del centro [*qalb*] del pozo de la existencia [cambiante] [*qalib*[215]], como la luz [que encontró] José en el pozo (sobre él sea la paz)[216].

Como vemos, Kubrā va pulsando muchas de las sutiles cuerdas que constituyen las distintas desinencias que su raíz *q-l-b* emparenta, incluyendo la de *qalīb* o «pozo»: de ahí su alusión final al relato coránico de la cisterna de José o Yusūf (XII, 4-101). Otros sufíes la esgrimieron en su propio caso, respaldados por esta variante particular de la voz *qalb*. Ya he señalado que el «corazón» de san Juan, tan «sutil» como el de Kubrā, se metamorfosea a su vez en un «pozo» (Ll 3,7), que nuestro santo asocia en su propio caso al de Jeremías, cristianizando al parecer el lugar común islámico.

Los sufíes parecerían haber anticipado otras ideas que se desprenden a su vez de este desbordado «espejo» del corazón de la Esposa del «Cántico» que refleja los atributos cambiantes de la Divinidad. Para poder servir de espejo a su Dios, la protagonista poemática ha tenido que «pulir» su azogue, es decir, ha tenido que aniquilar su modesto y limitado «yo» para dar paso a la ilimitada manifestación de la Trascendencia en ella. Recordemos que, como los sufíes, ella parecería haber accedido también a la liberación última que implica no estar sujeta a ninguna manifestación aislada de Dios. Las ha subsumido generosa y simultáneamente en el hondón proteiforme de su ser, que no tiene límite fijo. Lo supieron a su vez los místicos musulmanes: la aniquilación del ser o *fanā'* es lo que permite al gnóstico sumiso identificarse con los infinitos atributos de su Señor. Kāšānī nos alecciona una vez más: «[...] *tu Señor tendrá misericordia de ti* después que te destruya y aniquile en la auto-revelación de sus atributos»[217]. Pero aniquilarse es conocerse al fin en Dios, es saberse infinito y eterno. «Aquel que conoce a su Señor se conoce a sí mismo», reza un conocido *hadīẓ* o tradición profética que se apropia Kāšānī para su magisterio místico. Como san Juan, había advenido al gozoso descubrimiento ontológico de que tanto Dios como el alma son insondables: «[Dios] no puede ser conocido en todos sus atributos. Ninguna criatura puede alcanzar la profundidad última del conocimiento del alma, de la misma manera que no puede alcanzar la profundidad última del conocimiento de Dios»[218]. La lección está dada: somos el incognoscible Simurg que en vano buscábamos fuera de nosotros mismos. Importa insistir en que cuando san Juan identifica sin más, como ya hemos anticipado, la fuente con el corazón u alma (CB XII, 7) se instala una vez más dentro de coordenadas literarias estrictamente sufíes. Es que los contemplativos del Islam establecieron desde antiguo —y de la misma manera directa que nuestro poeta castellano— la curiosa equivalencia: «El corazón del gnóstico es el "ojo", el órgano a través del cual Dios se conoce a sí mismo, se revela a sí mismo en sus epifanías»[219]. En árabe la identidad simbólica es menos extraña que en castellano, ya que el término *'ayn*, como sabemos, implica no sólo «ojo», sino «identidad última» y aun «fuente». Las aguas cambiantes de una alfaguara multiplican indefinidamente, por su movimiento continuo, la imagen especular que en ella se refleja, y por ello bien pueden emparentarse con el *qalb* o corazón incoloro que a su vez implica «cambio perpetuo». Es fuerza concluir que para san Juan la *scintilla*, *apex* o «interior íntimo» del alma se expresa a través de una simbología sinuosa y misteriosamente plurivalente, que parecería entenderse con comodidad no sólo desde la imaginería mística islámica sino —lo que ya es más extraño— desde la lengua árabe. Nadie imagina lo que daría yo por saber cómo un conocimiento literario y sobre todo gramatical tan preciso —y tan sofisticado— llegó al enigmático poeta que fue el Reformador del Carmelo.

El torrente de imágenes que constituye estas liras transformantes culmina con un verso harto extraño: «la cena, que recrea y enamora». El misterio de esta imagen que nos remite inesperadamente al sentido gustativo[220] se acrecienta cuando advertimos que san Juan en ningún momento nos dice que se trata de la cena eucarística en sus glosas aclaratorias. Al eludir el referente sacramental parecería que san Juan le quita al lector cristiano occidental la alfombra de debajo de los pies: posiblemente es el primer sentido doctrinal que le hubiera venido a la mente[221]. Pero no: en el primer «Cántico» de Sanlúcar de Barrameda el Reformador anuncia sin más que «este nombre *cena* se entiende aquí por la visión divina» (CA 13-14, 28). En la versión de Jaén, apoyándose en un enigmático pasaje bíblico del Apocalipsis (3, 10), san Juan insiste en la idea de una cena simbólica compartida por ambos amantes (Dios y el alma). De la misma manera que comparten la cena, ambos se com-penetran y com-parten la misma Esencia divina en la unión transformante. (No hay que olvidar tampoco que la noción de *comer* tiene inuendos de unión sexual o nupcial en las culturas más diversas —sólo que aquí se trata de una cena «a lo divino»—):

> [...] para que se entienda mejor cómo sea esta cena para el alma (la cual cena, como habemos dicho, es su Amado) conviene aquí notar lo que el mismo amado Esposo dice en el Apocalipsis (3, 20), es a saber: *Yo estoy a la puerta, y llamo; si alguno me abriere, entraré yo, cenaré con él, y él conmigo.* En lo cual da a entender que él trae la cena consigo, lo cual no es otra cosa sino su mismo sabor y deleites de que él mismo goza: los cuales, uniéndose él con el alma, se los comunica y goza ella también; que eso quiere decir yo cenaré con él, y él conmigo. Y así, en estas palabras se da a entender el efecto de la divina unión del alma con Dios, en la cual los mismos bienes propios de Dios se hacen comunes también al alma Esposa (CB 14-15, 29).

Curioso sin duda el *excursus* teológico del poeta, que pretende que un lector avisado decodifique directamente del poema la imagen simbólica de una cena *à deux* como una interpenetración de esencias sustanciales compartidas: Dios dota al alma de su Divinidad y ambos se gozan de la identidad unificada y trascendida resultante de la transformación en uno. Pero es que la idea de Dios como alimento espiritual o como pan del alma se encuentra muy generalizada en las más diversas tradiciones espirituales. Este *Panis angelicus* de los ángeles —quienes, incapaces de alimentarse de otra cosa, se nutren de Dios— traduce en árabe por *Jobz al-Malā'ika* y en persa por *Nān-é fereshtegān*, y equivale equivale a la *Sakīna* de los antiguos rabinos hebreos[222]. Terence O'Reilly advierte cómo los expositores del *Cantar de los cantares* se hacen eco a su vez del lugar común espiritual al comentar el enigmático *qui pascitur inter lilia* (2, 16). Desde la *Expositio in Canticum canticorum* de san Beda (¿673?-735) hasta los *Sermones in Canticum* de san Bernardo (1090-1153), el versículo se interpreta en términos del alma que sirve de alimento a Dios. Dejemos la palabra a Dionisio el Cartujano: «*Qui pascitur inter lilia*, id est, in cordibus continentium ac pure viventium et in splendore virtutum delectatur, quiescit, et quasi nutriti se protestatur» [*Que pace entre los lirios*, esto es (como) en los corazones de los castos y los que llevan una vida pura, éste se deleita en el esplendor de las virtudes; y también reposa y afirma que es (o está) como el que se encuentra nutrido][223].

Un musulmán culto en materia de misticismo hubiese podido entender a su vez la imagen sanjuanística de «la cena que recrea y enamora» en este mismo sentido de un convivio espiritualizante, y acaso con más pormenor en el orden de la interpretación estrictamente mística. Es que ya no se trata de un extraño «pacer entre lirios» (por cierto que san Juan reescribirá más adelante en su poema este versículo epitalámico) sino precisa, específicamente de una *cena* mística. Fueron muchos los sufíes que celebraron literariamente la curiosa alimentación nocturna de sobretonos extáticos. Henry Corbin dedica un estudio de propósito al símbolo de esta *cène mystique*, del que se sirvió en especial Ibn al-'Arabī de Murcia. Escuchémoslo directamente: «la cena mística [se convierte en] la imagen más perfecta de la *devotio sympathetica* [...] Dios se alimenta de sus criaturas, y las criaturas se alimentan de Dios. Y es que cuando Dios se alimenta de nuestro ser, realmente se alimenta de *su* ser, ese ser del que precisamente nos ha investido»[224]. De ahí que la cena com-partida signifique simbólicamente «la co-ligación del Creador y de la criatura»; «la simpatía de un amor fundado en la *com-pasión*»; «la idea de interpenetración»[225]. No otra cosa quiso sugerir san Juan de la Cruz en el caso de su propia comida vespertina, que también era, a todas luces, mística y no sacramental, interpenetrante y no alimento celestial a secas. Intuyo —y no sé si lo intuyó a su vez el poeta— que la cena simbólica no sólo *recrea* al alma sino que la *re-crea* porque la inviste de su nueva, infinita esencia divina. Justamente por ello el extraño símil sirvió a san Juan de broche de oro para su caleidoscopio de imágenes unitivas. Estamos, pues, ante una imagen preñada de sentido trascendente y no ante un enigma poético aislado o inútil. El enigma que nos queda es otro: a pesar de la universalidad de la imagen de la Trascendencia como alimento del alma, el santo parecería más cerca de la elaboración literaria islámica de la *cena* mística que del *Panis angelicus* cristiano[226].

No es de extrañar que, en la inspiración espontánea y magistralmente intuitiva con la que san Juan concibió el primer «Cántico», decida ahora adjuntar a continuación la lira nupcial, que parecería un cuadro surrealista digno del pincel de Dalí: «Nuestro lecho florido, / de cuevas de leones enlazado / en púrpura tendido / de paz edificado / de mil escudos de oro coronado». No nos detendremos demasiado en la estrofa que san Juan cambia de lugar en el «Cántico B» para propósitos más teológicos que artísticos: salta a la vista el carácter unitivo de estos versos que cuadran más adecuadamente después de las liras que hemos estado explorando que desarticulado de ellas. Veremos en seguida que, en el caso particular de estas liras unitivas, el «Cántico» de Sanlúcar es más sabio, poética y teológicamente hablando, que el de Jaén. El poeta, como ya dejé dicho, omite una vez más aquí el verbo *ser*, que se le antojaría sin duda separativo de la identidad transformada que ya ha quedado lograda. Aquella cena mística com-partida e inter-penetrante lleva ahora a los esposos de manera natural al lecho de su desposorio. La intención celebrativa de una unión transformante no puede ser más clara: el santo se apropia de un versículo del *Cantar de los cantares* en el que la Sulamita emite su canto gozoso: «Nuestro lecho florido». San Juan usurpa completa la sencilla, ardiente frase nominal, con la que se afirma la existencia de ese tálamo matrimonial:

lectulus noster floridus. El lecho debe ser precisamente «florido» por su condición nupcial: antiguamente llenaban de flores y de pétalos la cama matrimonial en la que los recién casados iniciaban su vida en común. «Desde este lecho afortunado la Sulamita observa, regocijada, su entorno: "las vigas de nuestra casa son de cedro, y el techo de ciprés"». (Curiosamente, el punto de vista óptico de la emisora de los versos se ha invertido, y ahora mira desde abajo hacia arriba porque está acostada). O acaso estén los enamorados pastores sobre las flores de un verde prado, mirando los cedros y cipreses que le sirven de «techo» cobijante a su unión conyugal. De otra parte, ya sabemos lo que suelen significar las flores en un contexto místico: el momento indescriptible de la transformación teopática.

Este matrimonio espiritual en el que acaba de culminar la unión transformante se le antoja a san Juan estar protegido por demás contra todo daño exterior: «de cuevas de leones enlazado». Curiosa la imagen, evocadora sin duda del versículo 4, 9 del *Cantar*, que alude a las cuevas de los leones y los montes de las onzas, y también de los versículos 3, 7-11, del que nuestro poeta extrae otros detalles como los soldados que guardan el lecho del Rey, hecho de cedros del Líbano y decorado con oro y púrpura. Sólo que aquí se trata de un cerco de cuevas de leones que protege la unión conyugal rodeando el lecho. Pero hay más: un dosel abovedado de escudos (que evocan los que cuelgan de la torre de David en los *Cantares* 14, 4), resguardan desde lo alto el lecho, que queda entonces encapsulado de amparo no sólo por todos sus lados sino también por arriba[227]. En los *Cantares* salomónicos, unas veces es el Rey quien recibe la corona (3, 11) y otras la esposa la que quedaría «coronada» en la cumbre de Amaná (4, 8). En el caso del «Cántico», es el lecho mismo, sin mención alguna de sus ilustres participantes, el que queda «coronado». Los amantes se han fundido en uno y com-parten la corona.

También es dable interpretar los «escudos» como monedas de oro, con lo que estamos una vez más ante el círculo simbólico e infinito de la perfección mística. Pero el vocablo se nos desdobla en otro sentido semántico automático, que, una vez más, hace pleno sentido en el contexto de la lira que venimos explorando. Es que el «escudo» también significa el «blasón» o «identidad». De esta manera, la protección de los «escudos» sobre el lecho también implica la ostentación gozosa de la estirpe de los recién casados. Es una estirpe o linaje nada menos que divinal: imposible, pues, que su unión supraterrenal no quede protegida contra todo asalto exterior. Por último, tampoco podemos desdeñar la hermosísima imagen que acude a nuestra mente si consideramos que los desposados duermen al aire libre en un lecho de flores: acaso los «escudos de oro» que contemplen no sean otra cosa que las estrellas del firmamento sobre sus cabezas. Se trataría, en este caso, de un escudo o dosel —y de un linaje— *literalmente* celestial.

Protección refulgente la del lecho sanjuanístico, no cabe duda: los colores iridescentes y plateados de antaño han dado paso a un halo de resplandor dorado que emiten tanto los escudos como los leones encuevados. Si bien en la fuente los «semblantes» eran «plateados» —la plata se asocia a la tradición pía eclesial con la fe— aquí ya estamos ante el oro rutilante del conocimiento místico auténtico. (Esta conversión en el simbólico «oro» de la certeza mística quedaría avalada por cierto por la alquimia espiritual sufí: el *šeyj* o maestro espiritual ayudaba al novicio a transmutar su alma en oro puro trabajando precisamente con la misteriosa materia transformante del sulfuro rojo o purpúreo (*kibrīt aḥmar*)[228].

Esta cama nupcial rodeada de protección como en círculo perfecto y herméticamente cerrado no deja de ser misteriosamente fecunda como imagen. En primer lugar, recordaremos que el círculo es símbolo universal de la eternidad, de la perfección y del éxtasis y que en él confluyen perfectamente el *alpha* y el *omega* de una experiencia infinita que se experimenta más allá del espacio-tiempo. Y es precisamente en un lecho circular en el que se llevan a cabo las nupcias trascendidas del poeta (bajo el eufemismo literario de la «amada») con su Hacedor. Pero este desconcertante lecho anular sanjuanístico que inscribe en sí mismo la circularidad perfecta del éxtasis parecería poder decodificarse una vez más desde coordenadas literarias sufíes. En árabe a los casados se les llama *muḥaṣṣan* (مُحَصَّن), justamente porque se encuentran protegidos por un cerco de seguridad alrededor de ellos contra toda tentación exterior. El vocablo *muḥaṣan* viene de la raíz *ḥiṣn*, de la cual nace también la hermosa bendición *muḥaṣana*, que podemos traducir como: «que el castillo [o la fortaleza] de Dios alrededor tuyo te proteja». Pero el paralelo entre ambas espiritualidades es aún más cercano, ya que los contemplativos del Islam concibieron su alma en unión transformante como fortalezas fortificadas por cercos inexpugnables (*ḥuṣūn*) en los que el demonio enemigo del alma ya no podía penetrar. Siete castillos concéntricos con sus muros y cercos alrededor fue los que entendió Abū-l-Ḥasan al-Nūrī que protegían su perfecta unión extática, y concibió la imagen siete siglos antes que santa Teresa de Jesús hiciera lo propio en sus *Moradas*. Su *Maqamāt-al-qūlūb*, que, como dejé dicho, tuve la fortuna de descubrir, es del siglo IX, pero se encuentra precedido por el *gawr al-umur* de Tirmiḏī al-Ḥakīm, quien concibe su psique profunda en unión transformante como una estructura siete veces concéntrica constituida por medinas (o ciudadelas fortificadas) de luz diamantina. Son los primeros ejemplos que tenemos documentados de la existencia del símbolo de los siete castillos concéntricos en el Islam, ya que el tratado de los *Nawādir*, del que nos dio noticia Miguel Asín Palacios en un ensayo póstumo de 1946, pertenece al siglo XVI[229]. Esta imagen plástica del matrimonio espiritual cercado por un círculo o muro de protección es un verdadero *leit-motiv* sufí, que nace del concepto mismo de la raíz *ḥiṣn*, que incluye los conceptos emparentados de «fortaleza», «cerco», «protección» y «condición de casado». No nos extrañe, pues, que el Reformador proteja su lecho unitivo simbólico con ese cerco surrealista de «cuevas de leones»: justamente por esta extraña guarda defensiva es que el matrimonio en trance de consumación está «de paz edificado». San Juan habrá de insistir aún más en la curiosa imagen islamizante, ya que al final del «Cántico» nos dirá que en el momento en que se alcanza la paz perfecta en el matrimonio espiritual, «Aminadab» o el demonio enemigo del alma ya no «parece», y el cerco «sosiega»[230]. Y este «cerco» (o asedio a lo largo de murallas circulares) significa para él las pasiones y apetitos del alma, que se apaciguan en el momento en que tienen lugar estas altísimas nupcias trascendentes. Una vez más, un círculo de paz y de protección circunda a los desposados espirituales. Volveremos a encontrarnos con estas fortificaciones protectoras de la unión espiritual en la «almena» de la «Noche oscura»: nuestro poeta da muestras de haber internalizado literariamente el enigmático símil.

San Juan nos dirá, de otra parte, que este lecho metafórico se encuentra «en púrpura tendido»: el Reformador alude ahora al color de la realeza, ya que la unión es con la Majestad divina. El espíritu se une con algo más alto que él mismo; o, dicho de otra manera, se identifica y se transforma en lo más alto de su propio ser, donde ha encontrado el amor infinito y el sentido último del universo. Recordemos que el color púrpura representa para los contemplativos el grado más alto de espiritualidad del aura del alma[231]. Para los espirituales del Islam, como ya dije, el color del sulfuro rojizo o purpúreo es el precisamente el elemento con el que se transmuta el alma en oro. Es decir, el color simbólico precipitante del éxtasis unitivo.

Nos hemos detenido en las tres liras cruciales del «Cántico espiritual», que, en el caso del «Cántico A», determinan el núcleo de intensidad artística y mística del poema: es justamente en estas estrofas donde san Juan celebra el éxtasis transformante. El poeta continúa aludiendo, sin embargo, a esta unión indefectible y gozosa en las liras subsiguientes y finales del poema: «Allí nos entraremos»; «Allí me mostrarías / aquello que mi alma pretendía / y luego me darías / allí tú, vida mía, / aquello que me diste el otro día». El deíctico *allí* vuelve a indicarnos una noción de espacio, sólo que ahora lo hace retrospectivamente[232]. Fue *allí*[233], en ese indeterminado e innombrable *allí* de la propia identidad de la protagonista poemática donde se logró el milagro de la unión transformante. Al final del poema, una misteriosa caballería «a vista de las aguas descendía». Y podría el lector preguntar *¿adónde?*, ya que la caballería desciende no en las aguas, sino «a vista de ellas». Pero ya el poeta no nos contesta. No es necesario para un lector avisado. San Juan lo ha dejado dicho todo: el «adónde» de las aguas iniciáticas y divinales es la Esposa en unión transformante. Y el poema describe un círculo perfecto en su cuestionamiento espacial, que ya a estas alturas no necesita insistir en la respuesta, porque «ya por aquí no hay camino».

Insistamos, sin embargo, en el hecho de que el poeta nos deja sugerido el circuito de su itinerario místico simbólico desde la estructura misma del poema. Ésta no es característica de la poesía occidental, que suele tener su desarrollo y su desenlace claramente definidos. El «Cántico A», en cambio, resulta circular o, mejor, anular: es en el centro del texto donde se dice lo más importante del poema, y a él aluden y hacia él desembocan el principio y el final del mismo. Esta curiosa estructura, que James T. Monroe llama «anular» o «de anillo», es típica, una vez más, de la poesía árabe, donde el centro o tensión del poema suele residir en las estrofas del medio. Como en los poemas orientales, y en clara violación a las estructuras poéticas occidentales, las liras centrales del «Cántico» son las más importantes semánticamente hablando del poema. Tanto las liras iniciales como las finales funcionan a manera de anillo, que no hace otra cosa que engastar la piedra preciosa —las *margaritas preciosas*— de las liras unitivas.

Pero no olvidemos lo que más nos interesa aquí: el mensaje místico que el poeta quiso comunicar a aquellos primeros lectores contemplativos. Para conllevar este mensaje trascendido a san Juan le ha sido particularmente útil «orientalizar» estructuralmente su poesía. (Una vez más, sería interesante saber cómo el santo aprendió a gustar de esta manera alterna de organizar sus versos, ya que el *Cantar de los cantares*, al igual que en el «Cántico B», los versículos o estrofas aparecen desorganizados y dispersos, sin «centro» de gravedad a mitad del poema. La técnica estructural abierta de estos poemas cuyas estrofas hay que disfrutar aisladamente es también, por cierto, semítica, y se conoce con el nombre técnico de «estructura molecular».) El «Cántico A», en cambio, por su condición circular de anillo, no sólo describe *ad aeternum* un camino constantemente repetido y, por lo tanto, anulado, sino que representa, una vez más, la esfera de la perfección infinita sin *alpha* ni *omega* posibles. En el fondo, si consideramos la estructura de ambos «Cánticos» simultáneamente —uno de estructura «anular» y otro de estructura «molecular»— parecería que con ellos san Juan nos propone un poema unitario «cuyo centro está en todas partes y su circunferencia en ninguna», como la impensable esfera de Pascal que tan apasionadamente Borges asedió en un ensayo del mismo nombre. Tampoco es desdeñable aquí la enigmática lección poético-mística de san Juan: Dios está en el hondón del alma pero también subyace todas las cosas.

La estructura orbicular del «Cántico A» que hemos venido explorando celebra, pues, en su circularidad simbólica el Absoluto que «toca de un fin a otro fin». Advirtiendo que ya hemos dejado atrás el centro de gravedad del poema, importa sin embargo que sigamos acompañando a la Esposa en su incesante peregrinar. Se trata ahora de un peregrinar imposible, porque la emisora de los versos orbita dentro de ella misma un camino inexistente que no hace otra cosa que remitirnos una y otra vez al punto crucial de su unión extática. Los versos que siguen a continuación no constituyen escenas concatenadas en el tiempo y dispuestas en un orden secuencial en el que unas nos lleven a otras por necesidad lógica. No debemos considerarlas sucesivamente, ya que no fluyen en el tiempo normal que percibimos desde «esta ladera», sino que debemos hacer un esfuerzo por asumirlas simultáneamente. Acabamos de entrar de la mano sabia de san Juan en el *locus* a-espacial y a-temporal del alma en estado unitivo, y es un *locus amoenus* sagrado. El itinerario ha devenido mandala y las liras ya no cantan al alma en búsqueda, como al principio, sino al alma transformada. No estamos ante una alegoría superficial sino ante un evento visionario, ante un «proceso» que sin embargo «sucede» fuera del espacio-tiempo. Hemos arribado «al espacio del *yo* místico», por hacer mías las palabras de José Jiménez. Y se trata, como insiste el estudioso, de «un yo inestable, en proceso, *metamórfico*, porque el alma se pierde en sí misma para convertirse en parte, o en partícipe, de la dimensión divina»[234]. Pocos críticos han visto este proceso con la lucidez de Colin Peter Thompson, que acepta el hecho de que este torrente incontenible de imágenes, que implica un mundo poético radicalmente distinto al del Siglo de Oro, no tiene manera de ser aprehendido por vía lógica:

> Algunas imágenes que le resultan familiares a los lectores del Siglo de Oro quedan yuxtapuestas junto a otras imágenes que les resultan en cambio extrañas. Hay ninfas, pero son de Judea; hay un lecho, pero está rodeado de cuevas de leones, de púrpura y de escudos de oro; hay rosas, espesuras y fuentes, pero también hay granadas y ámbar. San Juan parece no hacer distinción entre todas estas imágenes que toma de la tradición bíblica oriental. Todas sirven a su propósito. El origen de la imagen no rige su selección; más bien, el poeta bombardea la imaginación del lector con una imagen tras otra, no importa que éstas provengan de universos poéticos distintos, y lo hace con un lenguaje tan rico que parecería imposible saborear una imagen porque ya la próxima imagen le pisa los talones [...] Al lector le resulta imposible reflexionar detenidamente sobre todas [estas imágenes]. Más bien, a la manera de los colores brillantes de un martín pescador, estas visiones dejan la impresión de que algo sobrecogedoramente hermoso ha volado frente a nosotros, sólo que con demasiada rapidez como para que podamos distinguir cada uno de sus colores y disfrutarlos con calma[235].

Canta, pues, el alma endiosada su canto retrospectivo desde la zona sagrada de su psique transformada. No nos debe extrañar que los espacios se derritan ante nuestros ojos tan pronto los hollemos con la jubilosa protagonista poemática: así de evanescentes son los *loci* inestables del *Cantar de los cantares*, y san Juan nos ha advertido ya en el prólogo a su poema que sus «dislates» se inspiran justamente en los delirios salomónicos. Uno de los fuertes del epitalamio es justamente la técnica de la difuminación y dislocación de los espacios, que tan extranjera resulta a la sensibilidad occidental. Pero hay más, ya que la espacialidad caleidoscópica del «Cántico», que no es otra cosa que el retrato de la psique profunda unida con Dios en proceso proteiforme, parecería obedecer también a la concepción de un corazón o *qalb* en proceso de cambio perpetuo. Los sufíes —ya lo sabemos— fueron expertos en este continuo derroche de imágenes espaciales cambiantes, de cuyo desbordamiento inestable debería desprenderse que el reflejo especular de los atributos simbólicos e indecibles de Dios en el alma no termina nunca. Precisamente *Maqamāt al-qūlūb* o *Moradas de los corazones* llamó Nūrī de Bagdad la cascada de viñetas constituidas por imágenes cambiantes con las que quiso celebrar el espejo pulido de su dúctil *qalb*. Es imperativo leer también en este sentido el *Tarŷumān al-ašwāq* o *Intérprete de los deseos* de Ibn 'Arabī, cuyas escenas inconexas y libres de la servidumbre de la concatenación lógica tanto asombran a lectores ajenos a esta sensibilidad oriental, siempre proclive a la imaginación desatada y libérrima. Y proclive, sobre todo, a la teoría mística de un corazón que se convierte en espejo rutilante de imágenes gozosamente alternadas porque se encuentra en perpetuo estado de disponibilidad para reflejar los atributos infinitos de Dios. (Ya tendremos ocasión de advertir también que este *qalb* sanjuanístico volverá a asumir las inversiones y reversiones clásicas de los *qulūb* o corazones sufíes, expertos en ofrecer una imagen invertida de lo que van reflejando.)

Parecería que esta concepción de un *locus* de la revelación mística entendido como imágenes fulgurantes en perpetuo proceso de cambio es privativo de san Juan de la Cruz justamente por su radical extrañeza en el contexto europeo. Pero el lector atento de la obra de santa Teresa de Jesús podrá advertir que la Madre Reformadora también hizo gala de poseer «un corazón capaz de asumir cualquier forma», justamente como el de Ibn 'Arabī. Algunos críticos ya han señalado la alucinante concatenación de imágenes inconexas que constituyen las *Moradas del castillo interior*: el alma proteiforme de la santa se transmuta inesperadamente de castillo de diamante con muchas moradas en perla oriental, en árbol que crece en las aguas del espíritu, en castillo siete veces concéntrico, en castillo concéntrico como palmito, en manantial de contemplación infusa, en gusano de seda, en bodega de vino, en palomica, en mariposica, de nuevo en gusano, en mariposa y de vuelta en castillo, y así sucesivamente. No sé cuánto sabría la santa de la hondísima pertinencia que su caleidoscopio místico tenía en el contexto de la mística musulmana; lo que sí me consta es que ha dejado atónitos a los pocos estudiosos que han abordado el fenómeno de sus imágenes en perpetuo proceso de cambio.

Para Catherine Swietlicki esta cascada de imágenes en cambio tiene un misterioso aire cabalístico —«un país de las maravillas zohárico» (*zoharic-like wonderland*)[236]—, mientras que para Fidèle de Ros el misterio, que parecería ofender de alguna manera su espíritu occidental, no tiene solución clara. De ahí el título del ensayo en el que explora el fenómeno del mostradero de imágenes móviles teresiano: «La «palomica» des *Moradas* —papillon ou colombe?»[237]. Pero la alternancia perpetua de imágenes de ambos Reformadores —tan ajena a las imágenes estáticas de un san Ignacio o una santa Hildegarda— parecen guardar una larvada lección espiritual: no hay que atarse a ninguna imagen, ya que no debemos circunscribir o limitar a Dios a ninguna de sus manifestaciones infinitas. Parecería que, al quedar desatados de estas imágenes que giran sin orden ni concierto, san Juan y santa Teresa alcanzaron «la morada de la no-morada» (*the station of no station*): la morada que para Michael Sells definía el arabesco verbal de Ibn ʿArabī. Acaso por eso mismo tanto santa Teresa como Nūrī llamen a sus respectivos tratados místicos «Moradas» y no «Morada».

San Juan, curiosamente, parecería hacer escuela con estos discursos poéticos semíticos (tanto hebreos como árabes), y destruye de un plumazo —plumazo rebelde y apasionado, sin duda— el *tableau* fijo del espacio arcádico en el que se movían los apacibles pastores de Sannazaro y de Garcilaso. Su *locus amoenus* se transforma, pues, en *loci amoeni*, pero estos *loci* giratorios e inestables nos reservan la sorpresa adicional de que deben ser entendidos como *un solo* espacio unificado: el del alma convertida en Dios.

Tampoco nos debe extrañar, de otra parte, que en el «Cántico espiritual» no sólo los espacios sino que incluso los tiempos giren en redondo: veremos que, una vez más, el presente se alterna con el futuro y el pasado porque da igual «cuándo» ocurran estas escenas, nacidas en el tiempo sagrado —el el no-tiempo— eterno de la Trascendencia. Este espacio-tiempo imposible en el que estamos a punto de volver a adentrarnos nos tendrá deparados nuevos misterios. Y no lo tengamos a mal, porque ni siquiera nuestro poeta afásico nos los podrá resolver del todo. Por eso nos dejó advertido en otro lugar: «Entréme donde no supe / y me quedé no sabiendo / toda ciencia trascendiendo».

Retomemos, pues, nuestro camino indecible, al que alude a continuación la voz narrativa. El sendero vuelve a ceder al delirio: «A zaga de tu huella / las jóvenes discurren al camino, / al toque de centella, / al adobado vino, emisiones de bálsamo divino». Las enigmáticas jóvenes, descendientes directas de las «doncellas» del primer versículo del epitalamio palestino, parecen flotar subsumidas hacia la leve huella del Amado, y en ese indeterminado «allí» se gozan con el vino y el bálsamo aromático que ya habían celebrado en las *cellaria* del Rey de los *Cantares*. También hace eclosión un misterioso *toque de centella*, es decir, el tenue roce de una chispa de luz, que ya es no es salomónica sino hija de la propia minerva sanjuanística. Advirtamos que los versos se cantan con particular fruición sensual: la hembra que en su anterior desesperación amorosa rechazaba las flores y los paisajes incitantes ahora, colmada de gozo, da rienda suelta a la delectación de los sentidos. Su regocijado deleite físico es, una vez más, metáfora del júbilo espiritual que siente se le desborda en su nuevo estado transformado. San Juan ha quedado sin palabras e intenta traducir la Belleza del otro mundo en términos de la belleza de éste. Aunque en sus glosas no lo admita, el poeta termina cantando a la vez a la belleza de ambos mundos y nos da (quién sabe si *malgré lui*) una emocionante, inesperada lección oblicua que habrá de repetir en su «Noche oscura»: el amor es sagrado en todos sus registros y en todas sus manifestaciones.

No cabe duda de que el Reformador aprendió a expresar poéticamente el placer de los sentidos en su dilecto epitalamio, y lo aprendió

89

de tal manera que no dudo en afirmar que la extrema fidelidad con la que imitó su modelo literario lo dejó convertido en el poeta más sensual del Siglo de Oro. Su constante oda a los sentidos, que tan inquieto dejó por cierto a Paul Valéry[238], poco tiene que ver con la casta celebración visual de la belleza de que hicieron gala los poetas cerradamente neoplatónicos del Renacimiento. Pensemos en la cautela física de Petrarca, de Sannazaro, de Lorenzo de Medici, incluso, de Ronsard. No hay que olvidar que el teórico Marsilio Ficino había privilegiado en su *De amore* el sentido de la vista por sobre todos los demás, considerando secundario incluso el del oído:

> [...] la belleza es un resplandor que atrae a sí el espíritu humano [...] pero esta luz del cuerpo no la perciben ni las orejas, ni el olfato, ni el gusto, ni el tacto, sino el ojo [...]. Y como el amor no es otra cosa que deseo de disfrutar la belleza, y ésta es aprehendida sólo por los ojos, el que ama el cuerpo se contenta sólo con la vista. El deseo de tocar no es parte del amor ni un afecto del amante, sino una especie de petulancia, y una perturbación propia de un esclavo[239].

San Juan de la Cruz fue, sin duda, un humanista desobediente, que habrá de acariciar el registro completo de nuestros sentidos en sus versos, sobre todos en los que siguen a continuación. Importa destacar en este sentido que la luz de la «centella» de la lira que nos ocupa no se «ve», sino que su roce sobre la piel se «siente» de manera táctil. Ardemos, pues, con la amada. El vino, por su parte, resulta más delicioso al gusto que el antiguo zumo de la vid de los versículos salomónicos. Es que san Juan escancia un vino «adobado», es decir, aromatizado con especias como el clavo y la canela, y de seguro caliente al paladar, como el que suele templar el alma en los días de invierno. El perfume balsámico que se derrama embriaga de tal manera con su olor que sólo se puede describir como divino. (El bálsamo, por más, es curativo, y no podemos olvidar que ambos están llagados por amor.) Por cierto que, en medio de tanto regalo de los sentidos, no sabemos a ciencia cierta a quién pertenece la piel que se siente tocada por la centella, ni quién degusta el vino ni cuál olfato se regala con el aroma: la senda onírica a la que las innombradas jóvenes discurren es un espacio desleído de protagonistas incógnitos. Aunque ya tenemos muy bien sabido que el *locus* de la unión es indeterminado e indescriptible, parecería que el poeta irradia ahora en el vacío sus riquísimas percepciones sensoriales.

Et pour cause. Porque la lira, al margen de su fecundo delirio, tiene un posible nivel de intelección adicional. Los «dislates» que desgrana el poeta, misteriosos como un aerolito, como observó hace años Dámaso Alonso, son, simultáneamente, símbolos místicos codificados que acaso pudieran reconocer lectores «iniciados» en diálogos de alta espiritualidad como la madre Ana de Jesús, destinataria del embriagado «Cántico».

En cualquier caso, puedo afirmar sin lugar a dudas que esta lira hace gala de un código místico estricto que la mayor parte de las veces es, por más, reconociblemente sufí. Algunos espirituales medievales parecen hacerse eco de un cierto número de estas alegorías fijas, avaladas por una tradición literaria centenaria, pero lo cierto es que san Juan parecería conocerlas más de cerca que ningún otro contemplativo cristiano. Como he dedicado tantos estudios de propósito al tema[240], me limitaré aquí a recordar la defensa que hace Lāhiŷī de este lenguaje secreto —*trobar clus avant la lettre*— de cuya clave participaban, según críticos como Louis Massignon y Émile Dermenghem, exclusivamente los iniciados sufíes:

> Los místicos, dice Lāhiŷī, el comentador del *Goulchán-i Rāz, Roseraie du Savoir*, de Chabīstarī [...] han acordado expresar sus descubrimientos [místicos] y sus estados espirituales a través de metáforas; si sus imágenes a menudo resultan sorprendentes, la intención [de estos contemplativos] no es por ello menos buena. Los místicos han articulado un lenguaje que no comprenden aquellos que no han tenido acceso a su misma experiencia espiritual, de suerte que cuando dan cuenta de sus estados [...] ellos son los [únicos que] comprenden el sentido de sus propios términos, pero, en cambio, aquellos que no participan [de este lenguaje en clave] no comprenden sus alusiones [secretas] [...] Algunos iniciados han expresado distintos grados de la contemplación mística a través de los símbolos de los vestidos, los rizos del cabello, las mejillas, los lunares, el vino, la llama, etc. El rizo del cabello simboliza la multiplicidad de cosas que ocultan el rostro del Amado [...] el vino significa el amor, el deseo ardiente y la embriaguez espiritual, la llama significa la irradiación de la luz divina en el corazón del que sigue la vía mística...[241].

Son muchos los sufíes —pensemos en 'Aṭṭār, en Ibn 'Aṭa' Allāh, entre tantos otros— que defienden la codificación teórica de este lenguaje hermético *a lo divino*. Numerosos poetas musulmanes los habrían de elaborar en su literatura *à clef* a lo largo de muchos siglos. San Juan les usurpa esta «llave» surrepticiamente: la *centella* de su lira es, en el contexto de este código místico islámico, una súbita revelación de Dios —precisamente el repentino «toque» del Amado que reclama el Reformador en sus glosas (CB 25, 5)—. La Esposa del «Cántico» no hace, pues, otra cosa que celebrar el estado de iluminación que, como sabemos, ya le ha acontecido en las liras centrales del poema. El vino, por otra parte, equivale siempre al éxtasis místico en la codificación «secreta» islámica que embriaga y hace proferir «dislates» o *šaṭṭ* al jubiloso contemplativo, saturado además por el aroma simbólico e innombrable del Amado. (Esta *ebrietas* simbólica la elaboraron también algunos contemplativos medievales como san Bernardo de Claraval y san Buenaventura, que parecen haber sido las posibles fuentes intermedias entre san Juan y el Islam en el caso de este particular símil[242].)

La regocijada fiesta espiritual de la Esposa continúa: «En la interior bodega / de mi Amado bebí, y cuando salía / por toda aquesta vega, / ya cosa no sabía; / y el ganado perdí que antes seguía». Hemos pasado de manera súbita de un tiempo presente (las jóvenes *discurren*) a un tiempo pasado perfecto (*bebí, perdí*) e imperfecto (*salía, sabía*), en el que la emisora de los versos celebra retrospectivamente su dicha. Arribamos también a un nuevo espacio, esta vez más interior, donde la Esposa-pastora nos da cuenta de su estado de embriaguez. Ya sabemos que se trata de una codificada «borrachera» mística, muy al estilo sufí. Es tal el énfasis que nuestro poeta pone en el estado de ebriedad sagrada de su protagonista que transmuta las *cellaria* del *Cantar* (que significan literalmente «retretes» o «cuartos interiores») en una «interior bodega». Y ya cuando la Esposa vuelve a salir al espacio abierto de la vega ha perdido la razón —un místico siempre la pierde al vivir su estado alterado de conciencia suprarracional—. La protagonista pierde además su *ganado*. Ahora san Juan reescribe libremente la trama nebulosa del *Cantar* (1, 5) en que la Sulamita se queja de que sus hermanos porfiaron contra ella por no guardar las viñas. Curiosa esta nueva transmutación por parte del poeta de la viña en «ganado». Pero la entendería bien un lector versado en el *trobar clus* sufí, donde el «ganado» es uno de los animales «impuros» que representan el *nafs* o alma sensitiva que todavía tiene que ser mortificada. Lo asume san Juan en sus comentarios «aclaratorios»: la Esposa ya ha purificado el espejo bruñido de su alma, y canta su estado «deificado» ya desasida de todo —de la razón y de los apetitos «animalizantes».

Notemos, por más, que nuestra protagonista bebe en la bodega de su Amado, invirtiendo el momento en el que ella misma fue bebida —fuente de aguas refrigerantes— por el ciervo. Una vez más, el corazón/*qalb* en cuyo interior todas estas escenas transcurren simultáneamente invierte los aconteceres, y ello no nos debe extrañar, pues los protagonistas son Uno en unión transformante.

En la lira siguiente el espacio queda aludido en un simbólico *allí* que resulta harto elocuente. Ya señalé que el *locus* de la transformación mística es inefable y queda mejor sugerido por este deíctico anulador de espacios específicos que nos devuelve en su pertinaz martilleo no sólo a la bodega vinaria y a la vega sino —y sobre todo— a la fuente de la ipseidad de la enamorada. Precisamente *allí* había dejado reflejada la miríada de espacios/atributos de su Amado, y no nos debe extrañar que lo siga celebrando: «*Allí* me dio su pecho / *allí* me enseñó ciencia muy sabrosa; y yo le di de hecho / a mí sin dejar cosa / *allí* le prometí de ser su Esposa». Advirtamos que san Juan sigue invirtiendo sutilmente los eventos que protagonizan los esposos. Lo primero que nos llama la atención es que se nos han trastornado genéricamente, ya que el varón, súbitamente femenino y maternal, es quien aquí da el pecho a la hembra. El mismo pecho por cierto que la Sulamita le ofreciera a su Rey en el *Cantar* 7, 12: *ibi dabo tibi ubera mea* [te daré mis pechos]. También salta a la vista ahora que el deíctico *allí* de nuestra lira era de estirpe epitalámica —*ibi*—, sólo que en los *Cantares* designaba las viñas por donde correteaban los enamorados. San Juan, en cambio, lo hace referirse a la bodega del Amado, que es, a su vez, y como dejé dicho, la fuente invertida de la amada. Si bien antes ambos habían servido de alimento o cena mística el uno al otro, ahora se vuelven a consumir como líquido embriagante.

Ya sabemos, de otra parte, que la entrega de esta hembra que empeñó su palabra de Esposa ha sido total: «sin dejar cosa». Por eso nos asegura a continuación que «Mi alma se ha empleado, / y todo mi caudal en su servicio; / ya no guardo ganado, / ni ya tengo otro oficio, / que ya sólo en amar es mi ejercicio». No puede guardar el «ganado» de los apegos sensitivos —de nuevo la codificación sufí— si ya se ha entregado por entero al más alto Amor. Como consecuencia, desatiende sus ocupaciones cotidianas de pastora. Y de pastora de estirpe bíblica antes que clásica, ya que es mujer y protagonista principal de un ardiente canto de amor. Mujer, por más, gozosamente afirmativa, como las hembras de la poesía oriental: «Pues ya si en el ejido / de hoy más no fuere vista ni hallada, / diréis que me he perdido; / que andando enamorada, / me hice perdidiza, y fui ganada». Como la Sulamita de los *Cantares*, la Esposa del «Cántico» se auto-celebra con innegables dejos de coquetería. Ya dejé dicho que tiene derecho a su narcisismo sublime, pues la vimos quedar transformada en el Amado cuyos ojos com-partidos oscilaban rutilantes sobre las aguas de la alfaguara nocturna. Ahora vuelve a celebrar su transformación óntica, pues parecería que, al haber perdido su *ganado*, se ha convertido en *ganada*.

El ejido, por su parte, se nos deslíe sin previo aviso en prado o jardín sobrenatural que ya no obedece ni siquiera a las directrices literarias pastorales del epitalamio bíblico. De súbito los amantes vuelven a estar juntos, anunciando actividades para un tiempo futuro que ya sin duda han vivido o que siguen viviendo en su eterno presente. Sabemos que ya han llevado a cabo las actividades que ahora se anuncian porque aluden —si bien, como veremos, en clave sufí— al estado unitivo desde el cual se celebran. Estamos ante una de las liras más misteriosas —y más fecundas desde el punto de vista místico— del «Cántico»: «De flores y esmeraldas, / en las frescas mañanas escogidas, / haremos las guirnaldas / en tu amor florecidas / y en un cabello mío entretejidas».

El hallazgo es muy extraño, no cabe duda, ya que los Esposos parecerían haber encontrado las esmeraldas junto a las flores, como si ambas se hubieran abierto a la vida o «florecido» en el alba de un jardín que parecería sacado de un sueño. Ya sabemos que el poeta holla con su pluma privilegiada el huerto íntimo de su conciencia profunda. Ya tendremos ocasión de detenernos en este huerto simbólico que celebran tanto los *Cantares* salomónicos como los escriturarios bíblicos y los poetas místicos del Islam. Pero por el momento centremos nuestra atención en la actividad sonámbula a la que se entregan los protagonistas: con estas flores y estas esmeraldas, cuidadosamente escogidas, entretejerán una guirnalda, que habrán de hilar en un cabello de la amada. (¿Palpitará bajo esta urdimbre onírica el recuerdo del poeta de los tejidos de burato de su mísera niñez?[243].) Lo cierto es que san Juan ha pintado su escena surrealista sirviéndose, como tantas otras veces, de retazos del *Cantar*, que reescribe, con insólita originalidad, desde una óptica literaria que a menudo parecería más afín a la de un sufí medieval que a la de un monje renacentista. ¿Qué significan estas esmeraldas escogidas por el *alter-ego* poético de san Juan de la Cruz al rayar el alba de su éxtasis transformante? Algo debe explicarnos la incongruencia del hermosísimo, perturbador hallazgo.

Vayamos primero al caso de las flores. Acaso la madre Ana, destinataria de los versos, pudiera hacerse cargo de que las flores se asocian una y otra vez con el alma y su proceso de crecimiento espiritual: «Debido a su forma, la flor es una imagen del «Centro» y, por lo tanto, una imagen arquetípica del alma»[244]. La equivalencia simbólica, a la que ya he aludido antes, es, sin duda, universal, y se registra en los discursos contemplativos más diversos: ahí están las flores paradisíacas de los elegidos y las flores abrientes que simbolizan la manifestación de una espiritualidad en pleno proceso de culminación. Recordemos la «Rosa mística» de Occidente y sobre todo el loto que los gnósticos de Oriente relacionan con el Buda iluminado. Esta asociación simbólica particular es muy socorrida también en la mística islámica, y los sufíes la privilegiaron de manera especial. Es que la lengua misma árabe, como ya tenemos sabido, hermana la flor con el proceso iluminativo: la raíz *z-h-r*, dependiendo de los puntos diacríticos con los que se vocalice, significa tanto «flor» como «iluminación».

Todo parece indicar que san Juan se hace eco de esta asociación simbólica tan generalizada, ya que decodifica las flores en términos de «las virtudes» (CB 30, 3) que adornan el alma precisamente *cuando* ha alcanzado el proceso de iluminación. Pero el poeta-exégeta nos lanza un nuevo reto: también debemos entender las misteriosas esmeraldas como los heraldos del éxtasis transformante, ya que las gemas significan los inconcebibles «dones que [el alma] tiene de Dios» (*ibid.*) en este privilegiadísimo instante de la transformación teopática. El contexto mismo de los versos subraya, por demás, la asociación de las esmeraldas con la celebración de la experiencia deificante, parentesco que resulta nulo en el epitalamio palestino, donde no se menciona la gema, e insólito en la espiritualidad cristiana posterior. La equivalencia de esta piedra preciosa (que constituye una hermosa variedad del berilo o aguamarina) con la gnosis mística es, sin embargo, palmaria en el Islam, y contribuye a aclararnos la imagen sanjuanística, que es lo que aquí nos interesa.

El sapientísimo islamólogo Henry Corbin es una vez más quien nos recuerda que los sufíes llevaron a cabo un auténtico *itinerarium ad visionem smaragdinam*, y que este viaje hacia la visión esmeraldina no hacía otra cosa que conducirlos al centro mismo de su alma iluminada[245]. He dedicado un estudio de propósito al tema[246], por lo que aquí me limitaré tan sólo a los rasgos esenciales del símbolo. Ya antes he hecho alusión al peregrinaje místico que los sufíes emprendían al centro de su propia psique, uno de cuyos hitos principales era la fuente claroscura de su propia ipseidad. En esta alfaguara de luz negra del *Deus absconditum* los peregrinantes hallaban reflejados los ojos del Amado, que eran a la vez los suyos propios, dado el estado de unión transformante del alma con la Trascendencia que comenzaban a experimentar en esos precisos momentos. Una vez superada esta morada particular, el peregrinante sufí —pienso sobre todo en el caso paradigmático de Šihābuddīn Yahyā Suhrawardī— se encuentra listo para culminar la ascensión a la montaña del Cāf. Recordaremos que después del hallazgo de la fuente plateada era también que la paloma sanjuanística sobrevolaba a su vez las montañas del Amado, que descubre están en ella misma. La montaña de la accesis mística del Cāf (también llamada por los sufíes el «Sinaí místico») es una montaña esmeraldina, y en ella el agotado itinerante musulmán da por terminado su «exilio occidental». Entiende que al fin ha quedado «orientado» hacia la *visio smaragdina* de la unión final con Dios, simbolizada en las bellísimas esmeraldas trascendidas que emiten luz propia. Esta visión teofánica esmeraldina deja, pues, convertidos a los contemplativos del Islam en «orientales», porque al fin han logrado el «conocimiento oriental» o *'ilm išrāqī*.

Curiosa sin duda esta geografía visionaria de los sufíes, cuyo exotismo delirante parecería alejarlos de la lira esmeraldina de san Juan de la Cruz. Pero no. El sufí iluminado no hace otra cosa que «orientarse» hacia la *iluminatio matutina*, «el esplendor de la aurora que surge del Oriente, origen del alma [...] la *aurora consurgens* que se levanta en el peñón de esmeralda [...] la *aurora boreal* del cielo del alma»[247]. ¿Cómo no recordar los «levantes del aurora», que el santo asocia precisamente con la «luz matutinal del conocimiento sobrenatural de Dios» (CB 25, 23)? Pero en el caso de los versos que venimos comentando lo más sorprendente es que el poeta nos indica que «escoge» las esmeraldas de su alma *precisamente* «en las frescas mañanas». El acto de encontrar las esmeraldas está misteriosamente sincronizado con el momento de la aurora: este dato crucial permite sospechar que en efecto el Reformador, de una manera u otra, se ha hecho cargo de la simbología del *trobar clus* islámico que tanto contribuye a explicitar sus versos. Salta a la vista que la lira que venimos explicando cede parte de su misterio, irreductible sólo desde coordenadas culturales exclusivamente occidentales.

Ya sabemos que la protagonista poética tiene que recoger el esmeraldino tesoro escondido de su corazón al rayar el alba de un día bendecido en el que ha culminado su matrimonio espiritual con Dios. San Juan, experto en madrugadas místicas, parecería digno destinatario del epíteto que Corbin reserva a Suhrawardī: *Doctor cognitio matutinae*. Bajo esta docta experiencia en materia de albas trascendentes yace implícita la idea de que san Juan —o su *alter-ego* femenino— es un *iluminado*. Lo mismo los gnósticos del Islam, que después de alcanzar el tesoro esmaragdino de su psique profunda se convertían en *išrāqīyun* u «orientales». Y al hacerlo, se transformaban automáticamente en «iluminados», ya que en árabe *išrāq* significa tanto «Oriente» como «iluminación». Imposible no recordar aquí a los martirizados alumbrados del Renacimiento español, entre cuyos libros de cabecera los oficiales de la Inquisición incautaron más de una vez las obras de san Juan de la Cruz.

El frágil cabello que enhebró la perturbadora guirnalda de flores y de gemas vuela ahora, en gozosa libertad, en el cuello de la amada, que ha dejado, a todas luces, de ser paloma, para convertirse en hembra de belleza incitante. Con su cabello al aire ha cautivado para siempre al Esposo, que también se nos ha venido presentando en las últimas liras como varón sólidamente corporeizado: «En solo aquel cabello / que en mi cuello volar consideraste, / mirástele en mi cuello, / y en él preso quedaste, / y en uno de mis ojos te llagaste». Lleva razón Francisco García Lorca[248] cuando advierte que aquí el poeta parece imitar la versión Vulgata del *Cantar* («Vulnerasti cor meum in uno oculorum tuorum et in uno crine colli tui» [4, 9]) en vez de la traducción de fray Luis («robaste mi corazón con uno de los tus ojos, y con un sartal de tu cuello»). Ya he explorado en otro lugar[249] los posibles antecedentes clásicos de esta imagen de un amante «atrapado» afectivamente por los rizos de la amada: Teócrito (*Idilio* V, v. 90) se adelanta a Petrarca, preso sin remedio en el crespo y rubio lazo de los rizos de Laura (sonetos 197 y 198). Tampoco Garcilaso quedó libre de la red dorada que le tendiera Isabel de Freire (si es que fue precisamente ella quien tanto lo atormentara de amores): «De los cabellos de oro fue tejida / la red que fabricó mi sentimiento...».

Pero es que ya los sufíes —y con siglos de antelación a estos últimos poetas citados— habían vertido «a lo divino» el motivo poético del rizo de cabello que enamora y que europeos como Petrarca y Garcilaso sólo elaboraron a nivel profano. Se trata de otra «equivalencia secreta» literaria del código hermético sufí, que esta vez registra el *zulf* o «rizo de cabello» como el «gancho» con el que tantos gnósticos —Ibn 'Arabī, Šabastarī— atraparon a la Divinidad[250]. Tan codificada estaba la equivalencia, que con sólo aludir al *lām* (ل: la letra «l», que tiene forma de rizo de cabello) quedaba clara para los sufíes la alusión simbólico-mística.

Si uno es el cabello hechizante uno también es el ojo que «llaga» la Divinidad. De nuevo las inversiones del voluble corazón/*qalb*, ya que cuando la protagonista poemática buscaba aún a su ciervo huidizo lo increpaba: «¿por qué, pues, has llagado / aqueste corazón, no le sanaste?». La amada, que ya hace tiempo ha «sanado», accede jubilosa a la noticia de que la «llaga» —herida abierta y sin curar— había sido todo el tiempo de ambos. Como otrora la herida del ciervo, que terminó por ser de los dos, ambos padecen la «llaga» y se la canjean porque son Uno en unión teopática.

Insistamos en la unicidad de este ojo de la amada que quema para siempre al Amado. San Juan no ha hecho otra cosa que trasladar literalmente el original hebreo, que insiste a su vez en un solo «ojo»:

לִבַּבְתִּנִי אֲחֹתִי כַלָּה לִבַּבְתִּנִי בְּאַחַת מֵעֵינָיִךְ

בְּאַחַת עֲנָק מִצַּוְּרֹנָיִךְ [251]

¿Por qué la Sulamita conquista con sólo uno de sus ojos? Fray Luis trata de suavizar la extrañeza del verso entendiéndolo como «mirada»: «Oh Esposa mía, oh hermosa mía, robado has, herido has mi corazón, herido y despedazado lo has con un solo ojo tuyo...», como si dijera, «con una sola vista, de una vez que me miraste»[252]. Christian Gins- gurg, por su parte, opta por otra explicación que no deja de ser sensa- ta: «Las mujeres orientales acostumbran descubrir uno de sus ojos al conversar, en cuyo caso algunos de los adornos de su cuello también quedan "al descubierto"»[253]. El versículo es de tal opacidad que ha suscitado numerosas polémicas, y no deja de ser curioso cómo san Juan se deleita en el enigma del epitalamio, que crece al quedar inscrito en sus liras españolas, ya ajenas a las circunstancias históricas que po- drían aclararnos en algo el sentido del versículo hebreo. Pero no pode- mos olvidar que estamos en un contexto estrictamente místico. Acaso san Juan no se animó, como fray Luis, a suavizar el único «ojo» en tér- minos de una «mirada» porque quería aludir solapadamente al *locus* de la conversión mística: al ojo de agua —único, sigularísimo— que era la cristalina fuente de la amada donde se dio por iniciado el matri- monio espiritual. (Recordemos también que ya Platón y san Agustín llamaban «ojo del alma» al órgano de percepción mística.) Conviene que fuese, pues, un solo «ojo» el que la amada exhibiera en esta lira: el *'ayn* proteico de la transformación en uno. Imposible que no enamora- ra con él a su Esposo.

Pero el «ojo» de ella es también, y para siempre, el «ojo» de él. Y he aquí que la hembra enamorada vuelve a celebrar la mirada transfor- mante: «Cuando tú me mirabas / su gracia en mí tus ojos imprimían; / por eso me adamabas, / y en eso merecían / los míos adorar lo que en ti vían». Él la ha mirado, imprimiéndole Su gracia —Su ultramundana belleza transformante— y sólo entonces es que ella puede mirarlo a su vez. Ibn 'Arabī parecería comentar este verso con su ya tan citado dís- tico «Cuando aparece Mi Amado, ¿con qué ojo he de mirarle? —Con el suyo, no con el mío, porque nadie lo ve sino él mismo». Y es tal el ímpetu de este Amor metamorfoseante que nuestro poeta, rebosante de experiencia amorosa, recurre al apasionado verbo *adamar*: «*Adamar* es amar mucho; es más que amar simplemente; es como amar duplica- damente» (CB 32, 5).

Nuestra hembra *adamada* se sabe distinta gracias a esta mirada que ha recibido de lo alto. La mirada proteica del Esposo la excusa de la morenez (la misma que tanto había oscurecido la piel de la Sulami- ta-pastora, que reclamaba *nigra sum sed formosa*) y dialoga ahora en tiempo presente con su Amado: «No quieras despreciarme, / que, si co- lor moreno en mí hallaste, / ya bien puedes mirarme / después que me miraste, / que gracia y hermosura en mí dejaste». Resulta curioso advertir la extrema corporeidad que la protagonista poemática adquiere en las liras que venimos explorando. Por primera vez hemos atisbado algo concreto de su cuerpo físico, que tanto se escondía: era una morena más afín a las tierras de Palestina que una rubia al uso renacentista. San Juan, siempre rebelde al canon. Pero la corporeidad de la emisora de los versos, por sugerente que nos parezca, pertenece al pasado: la mirada divinal hace rato volatilizó a la Esposa morena en blanquísima paloma. No nos debe extrañar que la amada oscile entre no tener cuerpo, ser paloma, retomar un cuerpo humano y volver a ser paloma e incluso ente descorporeizado: estamos en un poema que canta vividuras al margen del tiempo y del espacio, y sobre todo, al margen del pesado lastre de la materia física.

Nuestro poeta no resiste la tentación de seguir cantando en clave epitalámica: ya sabemos que se encuentra afásico cuando describe la Belleza Indecible en términos reconocibles humanos. La protagonista sigue dialogando en tiempo presente, ahora con un auditorio indeterminado que tiene, una vez más, claros ecos salomónicos: «Cogednos las raposas, / que ya está florecida nuestra viña, / en tanto que de rosas / hacemos una piña, / y no parezca nadie en la montiña». Hemos accedido de súbito al espacio campesino de la pastoril bíblica, ya que el mandato de la emisora de los versos se hace eco de aquel en el que la Sulamita pide —tampoco queda claro a quién— que le cacen las raposas que destruyen sus viñas en flor (2, 15). San Juan entiende que las molestas zorrillas del *Cantar* son «los apetitos y movimientos sensitivos» (CB 16, 4), que se revuelven y quieren hacer guerra al alma ya purificada, a la que acechan traicioneramente desde sus simbólicos escondrijos. Nuestro poeta reescribe una vez más el epitalamio en clave sufí. Para contemplativos musulmanes como Moḥammed ibn ʿUlyān las raposillas o vulpejas pequeñas son su *nafs* (es decir, el alma sensitiva de apetitos carnales) que debe igualmente reprimir durante su camino espiritual. Se trata de otro *leit-motiv* islámico tan trillado que acaso Ana de Jesús hubiese podido reconocer su versión popularizada. Escuchemos la de Ibn ʿUlyān:

> En mi noviciado, cuando fui consciente de la corrupción del alma inferior y me familiaricé con sus lugares de emboscada, sentí un odio violento por ella en mi corazón. Un día algo similar a una raposilla salió de mi garganta, y Dios me hizo entender que era mi alma inferior[254].

Una vez las raposas del alma sensitiva quedan neutralizadas, los enamorados vuelven a recoger flores prodigiosas en el jardín interior de su *locus* unitivo. Recordemos que la enamorada nos anunciaba en las primeras liras que no cogería las flores, representativas de las distracciones que la vida ponía a su paso furtivo en busca del Amado. Luego las había visto brillar iridiscentes en el prado esmaltado, y les había suplicado el acceso a la unión final que le anunciaban intuitivamente pero que no le acababan de entregar *de vero*. En el momento de la unión amorosa, que constituyó, como vimos, el centro de gravedad del poema, la Esposa logró al fin rodearse de las flores miríficas, que pasaron entonces a adornar su *lecho florido* nupcial, cúspide de su matrimonio sobrehumano. En esta lira ya las flores encendidas —o las luces florecientes— de la intuición de Dios han rendido su secreto transformante, y tan accesibles resultan que los enamorados hacen con ellas una simbólica, gozosísima piña. Curiosos sin duda los juegos florales del «Cántico», y curiosas también estas flores de la iluminación que el poeta siempre percibe incoloras, de seguro para que ningún tinte compita con su simbólico brillo sobrenatural. La guirnalda de esmeraldas y flores se nos ha transmutado de súbito, con una vuelta de caleidoscopio, en una piña de rosas. De nuevo el trenzado del amor, que ambos enamorados vuelven a tejer juntos. En el «Cántico» no hay lugar para la solitaria hilandera Penélope: san Juan es el poeta más feliz de la literatura europea.

La apretada «piña de rosas», con todo, resulta todavía más *à propos* si la leemos desde coordenadas literarias islámicas. San Juan nos explica en sus glosas que entiende sus rosas simbólicas como las «extrañas noticias de Dios» (CB 24, 6). Lo hubiera podido decodificar un lector sufí sin necesidad de comento, ya que la rosa es precisamente en su hermético lenguaje secreto la flor simbólica de la Trascendencia a la que se accede en éxtasis. Es el ruiseñor enamorado el que suele libar el néctar Indecible de la rosa, y ya tendremos ocasión de ver que nuestro poeta también lo sabe. Sólo que habrá de desplazar a su «Filomena» —muy islamizada por cierto— a las liras finales del «Cántico».

La protagonista poemática, por último, más cariñosa aún que la mismísima Sulamita con la que tanto parecido literario guarda, pide a su misterioso auditorio que «no parezca nadie en la montiña». Debajo del delirio de la orden se esconde otra sublime lección mística. Como recordaremos, la emisora de los versos había celebrado al Amado recién encontrado precisamente en términos simbólicos de unas inaccesibles, majestuosas montañas: «Mi Amado las montañas». Y he aquí que el poeta nos tiene deparada una tierna sorpresa: de repente la «montaña» se ha convertido en «montiña». La *montiña* es ahora de ambos simultáneamente, y justamente por estar compartida ha perdido su anterior solemnidad y se la alude con un cariñoso diminutivo. La emisora de los versos no tiene reparos en hablar con la intimidad cómplice y azucarada de la «conversación de almohada» (*pillow talk*) de los recién casados. Es que ya a estas alturas del poema el matrimonio espiritual ha quedado consumado.

En la próxima lira seguimos hollando el huerto simbólico de la psique profunda e iluminada del *alter-ego* literario de nuestro poeta, que ahora se llena de vientos balsámicos: «Detente, cierzo muerto; / ven austro, que recuerdas los amores, / aspira por mi huerto, / y corran sus olores, / y pacerá el Amado entre las flores». El jardín interior sanjuanístico, delicadamente aromatizado y apasionadamente sensual, es más afín a los jardines persas y a los huertos salomónicos que a los jardines *amoeni* de los europeos Virgilio, Horacio, Dante, Ariosto, Camoens, Spenser o Milton, a quienes parece echar de lado con particular rebeldía artística[255]. En esta lira, como salta a la vista, san Juan reescribe varios versículos salomónicos en los que se celebran los olores del huerto, que se nos antoja tan paradisíaco como la mismísima palabra persa *pardes*, de venerable antigüedad, de donde deriva nuestra noción de jardines celestiales. Los huertos salomónicos huelen a «nardo y azafrán, canela y cinamono, con los demás árboles el incienso; mirra, áloe, con todos los principales olores» (4, 14) y el Esposo ruega —y seguimos citando por la traducción de fray Luis— que el jardín perfumado quede oreado por vientos benéficos: «¡Sus!, vuela, cierzo, y ven tú, ábrego y orea el mi huerto; espárzanse sus olores» (4, 16).

San Juan ha aclimatado a su verso castellano unos jardines orientales que poco tienen que ver con los de su árida tierra natal: nunca he olvidado —y perdóneseme la anécdota personal— cómo los persas de Isfahan y de Shiraz cultivaban sus jardines frente a las casas, dejando la puerta principal abierta para que el viento oreara el perfume intensísimo de las rosas y lo introdujera al interior de la casa[256]. La vividura del jardín es para san Juan, no cabe duda, más literaria que personal, y la tiene aprendida en el *Cantar de los cantares*. También allí aprendería que el jardín no sólo tiene connotaciones sensuales sino incluso eróticas, ya que se asocia una y otra vez a la hermosura incitante del cuerpo humano. En los versículos salomónicos este huerto amenísimo al que acude presuroso el enamorado es precisamente la Sulamita misma. Está cercado al uso de los antiguos jardines orientales —lo que quedaba al margen de los muros del jardín era el desierto ardiente— pero resulta obvio que el *hortus conclusus* representa simultáneamente la sexualidad de la doncella enamorada. Así lo aseguran, entre tantos otros escriturarios, Ariel y Chana Bloch:

> A lo largo del *Cantar* el jardín es un símbolo de la Sulamita y de su sexualidad: ella es el «huerto cerrado» (4, 12) inaccesible a todos menos a su amante; solamente él es invitado a este huerto (4, 16), y solamente él entra allí (5, 1). El esposo la describe como el «manantial del huerto» (4, 15) y se dirige a ella como «aquella que vive en los huertos» (8, 13) [...] Por todas estas razones, hace mejor sentido interpretar que es el protagonista masculino el que «desciende» al huerto en 6, 11. El verso es paralelo a 6, 12, donde el amante «ha bajado a su huerto»[257].

También el *Cantar* salomónico nos deja saber que el amado pace entre las flores de este jardín erotizado: «El mi Amado descendió al su huerto, a las eras de los aromates, a apacentar entre los huertos y coger las flores. / Yo al mi Amado, y el mi Amado a mí, que apasta entre las azucenas» (6, 1-2). Aunque nos servimos una vez más de la versión de fray Luis, casi todas las traducciones se hacen eco de la misteriosa escena en la que se le adjudican al enamorado cualidades más bien propias de un animal: el pacer (aunque sean «flores»). La Vulgata trae «Dilectus meus mihi, et ego illi, / qui pascitur inter lilia» (6, 2), y el original hebreo es muy literal a su vez en su sentido de «pastar» entre estas flores, que a veces quedan traducidas por lirios, por azucenas o por violetas.

Versículo delicado de comentar, sin duda. Fray Luis se declara vencido ante su opacidad: «Dice que apacienta entre las azucenas no porque sea este pasto conveniente, sino porque es propio de los enamorados el hablar de esta manera, dando estos vocablos de rosas y flores a todo lo que toca a sus amados [...] Algunas palabras de éstas no carecen de oscuridad»[258]. Siempre he sospechado que el brillante escriturario, que se le escapa llamar «violetas» a las azucenas en sus comentarios al epitalamio, sabía más de lo que explicaba. Cuando algún pasaje del *Cantar* le resulta excesivamente erótico, fray Luis lo pasa discretamente por alto, trivializando su «declaración», y el zigzagueo al que lo fuerza su comprensible modestia (de todos modos habría de terminar en la cárcel de Valladolid por culpa de su traducción castellana) merecería sin duda un estudio de propósito.

Marvin Pope, por su parte, acepta las dificultades del versículo, que ha dado pie a exégesis sumamente castas pero también a otras encendidamente eróticas. Pero igualmente legítimas, al parecer, dada la vaguedad incongruente del original. He aquí la versión de Paul Haupt:

> *My dearest is mine, and his I am, who feeds on the (dark purple) lilies / Till the breeze (of the morning) arises, and away the shadows are fleeing.* [Mi amado es mío, y yo de él, que se alimenta de los lirios (de color morado oscuro) / hasta que la brisa (de la mañana) sube, y hace huir las sombras.]

«Alimentarse de los lirios de color morado oscuro (esto es, el vello del *mons Veneris*, de acuerdo a Haupt» —explica Pope— «es sinónimo de "descubrir su desnudez" (LEV 18, 6 ss.), el *zōnēn lusin* de Homero (*Odisea* XI, 245) y el "romper su nudo virginal" de Shakespeare (*La tempestad* IV, 1, 7)»[259]. Ariel y Chana Bloch concuerdan con esta interpretación erotizante, que, no cabe duda, aclara mucho la ambigüedad incongruente del versículo y hace pleno sentido en el contexto de un poema epitalámico donde los enamorados se solazan en el jardín de su propia mismidad incitante[260]. Estamos, pues, en un simbólico jardín erotizado.

San Juan de la Cruz ha elegido aclimatar a su «Cántico» uno de los versículos más intrincados y delirantes de un poema semítico que varios miles de años de exégesis no han podido desentrañar del todo. Ignoro si el poeta, que tan proclive a la sensualidad se muestra en sus versos, era consciente del posible sobretono erótico del pasaje en cuestión en el que la Esposa se ha convertido, como apunta Xabier Pikaza, en «hortelana de sí misma»[261].

Fuera el poeta consciente o no de las posibles implicaciones sexuales del verso, éste habla por sí solo con independencia de la intención de su autor, que admite no era otra que sugerir que «lo que pace [el Esposo] es la misma alma transformándola en sí» (CB 17, 10). El doble plano erótico-místico se registra simultáneamente en la enigmática lira, y es difícil descartar ninguno de los dos sentidos. Recordemos que el poeta quiere hablar de su trance teopático, que se encuentra más allá de toda lengua, y, al no tener instrumento adecuado, recurre al apasionado discurso del amor humano. Por algo admite que ha venido imitando el *Cantar* todo el tiempo, y su poema de cabecera no es otra cosa que un poema de bodas.

Si seguimos decodificando la lira en su sentido trascendente, vemos cómo las flores ultramundanas vuelven a reaparecer en un contexto claramente unitivo, al que apuntan con independencia de los otros posibles sentidos del verso. Una vez más, también, no es difícil intuir que estamos ante una «cena» transformante, «que recrea y enamora», y que ya había sido celebrada liras atrás. La conversión en uno se vuelve, pues, a cantar en términos de la consumición alimenticia, y no es de extrañar, ya que todas las culturas, como dejé dicho, asocian el «comer» con el «hacer el amor». Acaso sin pretenderlo, san Juan legitima aquí el doble nivel de amor profano y divino que se desprende de su lira, tan arriesgada poéticamente hablando. Ignoro qué se haría de ella la madre Ana, que no pudo no haber entendido el mucho más literal «gocémonos».

Pero es que hay más. Cuando nuestro poeta asimila a la Esposa con este huerto incitante que es a la vez su propia alma en estado transformante entronca no sólo con los comentarios medievales del *Cantar* —pensemos en los *Sermones* de san Bernardo de Claraval— sino con uno de los *leit-motiv* más socorridos de la espiritualidad sufí. Este *Jardín cercado de la Verdad* de Ḥakīm Abū' l-Maŷd Maŷdūd Sanā'ī y huerto místico de la «morada de la unión» (مقام الجمع) del *Tarŷumān al-ašwāq* de Ibn 'Arabī, los explora y codifica como pocos el pionero Nūrī de Bagdad, que dedica varios capítulos de sus citadas *Maqamāt al-qūlūb* a describir sus maravillas: flores, lluvias, olores y vientos. Los vientos que orean el espíritu extático de la protagonista poética, heredados de las versiones españolas del *Cantar de los cantares* —el cierzo y el ábrego— adquieren en las glosas del Reformador un nivel místico que a menudo empalma con el islámico. Su *austro*, que ayuda a abrir las flores y a derramar su olor, «es el Espíritu Santo [...] que, cuando este divino aire embiste en el alma, de tal manera la inflama toda [...] y aviva y recuerda la voluntad y levanta los apetitos que antes estaban caídos y dormidos al amor de Dios» (CB 17, 4). Estamos muy cerca del viento que se esparce por el alma de Sa'adī: «Las plantas reviven de manera natural cuando sopla la brisa matutina, mientras que los minerales y cuerpos muertos no son susceptibles a la influencia del Zéfiro. Esto significa que solamente aquellos corazones que están alertas al sentido del amor espiritual pueden ser despertados por el soplo de la inspiración divina»[262]. Parecería que Sa'adī glosa la lira de san Juan. Para el poeta-comentarista, los olores que estos vientos divinales avivan son Dios y el alma en unión transformante (*ibid.*). Tras establecer la misma equivalencia, Nūrī celebra el olor indescriptible del jardín o alma en unión mística: «Dios —ensalzado sea— tiene jardines sobre la faz de la tierra. Aquel que aspira el perfume de estos jardines ya no tiene deseos del Paraíso. Y estos jardines son los corazones de los místicos»[263].

San Juan se hermana, no cabe duda, con la interpretación trascendente de estos huertos oreados y cercados del alma en éxtasis de sus compañeros de Oriente, y los hace confluir con el huerto de la Sulamita que ha tomado prestado de los *Cantares*. Entre tantas confluencias literarias, una cosa sí queda clara: seguimos celebrando la unión transformante ocurrida en el centro del poema, y continuamos adentrándonos en el inenarrable *allí* que responde al *¿adónde?* con el que se inauguran los versos. Hollamos, no cabe duda, prados celestiales que somos incapaces de ubicar en ningún espacio preciso.

Y para seguir cantando el éxtasis deificante, el poeta nos introduce más profundamente en su huerto sobrehumano: «Entrado se ha la Esposa / en el ameno huerto deseado, / y a su sabor reposa, / el cuello reclinado / sobre los dulces brazos del Amado». Si es el Esposo quien habla, vuelve a aludir a sí mismo en tercera persona, como había hecho liras atrás. O acaso estemos escuchando a un interlocutor no identificado. Poco importa en el fondo quién nos dirija la palabra en este poema tan lleno de «dislates». Lo que sí salta a la vista es que continuamos en el mismo *locus* paradisíaco, donde seremos testigos ahora de una escena de amor. Pero hay otra novedad importante: la que entra ahora al ameno *pardes* es la Esposa. Una vez más se han invertido los papeles de los protagonistas, y ello no es de extrañar, ya que nos encontramos en el *locus* de la manifestación divina, en el corazón/*qalb* proteico e invertidor. La curiosa reversión de las actividades no se le escapa por cierto a Xabier Pikaza:

> En CB 17 aparecía *la esposa como huerto* de colores y olores deleitosos que atraían el deseo del amado. Ahora, en CB 22, es el amado el que aparece *como huerto de la esposa*. Así, cuando se dice que ella *ha penetrado* en ese huerto, se indica que recibe ya y comparte en plena transparencia la vida de su amado[264].

El amor recíproco es, en efecto, sorprendentemente democrático. Nuestro poeta, tan *risqué* como intuitivo, nos propone que ambos *son* el *locus* del huerto Indecible, y que ambos se penetran—o, mejor, se com-penetran —porque ambos son Uno en unión participante. La felicidad que rebosa la lira resulta patente, y se vuelve a expresar a través de imágenes de la más encendida sensualidad: ella reposa «a su sabor», y reclina su cuello sobre los brazos del Amado. Registramos la escena, para horror del neoplatónico Marsilio Ficino, a través de la sensación del gusto —*sabor*— y del tacto, ya que casi nos parece sentir la sensación termal de tibieza que emanan los cuerpos que se juntan. Nuestro poeta aprendió a abrazar en el *Cantar de los cantares* (2, 6), y hay que decir que los protagonistas ya no son, ciertamente, ni ciervo ni paloma, sino una pareja humana y harto enamorada. Las metamorfosis de san Juan son más súbitas y más sorprendentes que las de Ovidio para un lector occidental, ya que no hay tradición clásica que las avale.

La próxima lira ajusta más el foco del *locus* cambiante de este jardín ultraterrenal del alma en proceso proteico, y nos permite sorprender a la pareja amartelada debajo de un manzano. Es ahora el Amado quien celebra el espacio de la unión: «Debajo del manzano, / allí conmigo fuiste desposada, allí te di la mano, / y fuiste reparada / donde tu madre fuera violada». La lira evoca, sin duda, el versículo 8, 5 del *Cantar*. San Juan parece seguir más de cerca en esta ocasión la versión de la Vulgata («sub arbore malo suscitavi te, ibi corrupta est mater tua, ibi violata est genitrix tua») que el original hebreo, que alude más bien al parto de la madre debajo del árbol. El Esposo martillea insistentemente el *allí* indicador de lugar, y parecería que su deíctico contesta el apremiante *¿adónde?* inicial de su amada. Todo vuelve a referirnos, pues, al espacio de la manifestación divina, simbolizada ahora con esta nueva imagen de un árbol regenerador.

La escena, plena de misterio, parece hacer alusión, lo mismo que el epitalamio, a fragmentos de una historia nebulosa en torno a una madre que de alguna manera ha sido humillada bajo el árbol, pero no tenemos noticia precisa del agravio. Poco importa, ya que ni el *Cantar* ni el «Cántico» se ciñen a la concatenación lógica y secuencial tan al gusto de la poesía de Occidente. San Juan, con todo, intenta explicar desde las glosas que su enigmática lira constituye una alegoría de la caída de la naturaleza humana (la madre) bajo el árbol de la ciencia el bien y del mal, y de la redención subsiguiente de Cristo en el árbol de la cruz, que le «da la mano» salvadora (CB 23, 2-5).

La «explicación» del poeta-comentarista, forzada aunque ingeniosa, tiende a sacar de foco el poema, que ha ido celebrando desde lo profundo de los versos la fusión en uno con el Amor infinito. Por ello importa insistir también en el significado esotérico que tiene el árbol en los más distintos discursos literarios. Se trata de un árbol redentor, en efecto, pero «redime» porque simboliza la realización más profunda del ser, es decir, el trance iniciático de la transformación mística. Este símbolo del árbol cósmico lo comparten las culturas más diversas, desde el *Bagavad-Gītā*, las *Upanišads*, el Apocalipsis 22, 2, hasta la mitología escandinava y germánica. La imagen, que para Mircea Eliade es de origen mesopotámico[265], se interioriza en manos de los alquimistas, para quienes el árbol cósmico representa sus propias experiencias espirituales: «la comprensión externa y visible del yo», según Carl G. Jung[266]. Alquimistas como el árabe Abū'l Qasim al-Iraqī (siglo XIII), y sufíes como el anónimo autor del *Libro de la certeza*, el persa Šabastarī y el tantas veces citado Abū-l-Ḥasan Al-Nūrī entienden que el árbol microcósmico de su propio ser crece en las aguas espirituales del hondón del alma, y representa el espíritu mismo en trance de transformación espiritual[267]. Creo que esta interpretación contemplativa conviene más al misterioso árbol sanjuanístico, y su cercanía a la interpretación interiorizante sufí no nos debe extrañar, ya que santa Teresa también la hace suya en las *Moradas* V, 2, donde nos habla del árbol de su psique profunda:

> este árbol de vida que está plantado en las mesmas aguas vivas de la vida, que es Dios [...] esta fuente de vida [la gracia de Dios] adonde el alma está como un árbol plantado en ella, que la frescura y fruto no tuviera si no le procediere de allí, que esto le sustenta y hace no secarse y que dé buen fruto...

Si la imagen microcósmica del árbol místico e iniciático alcanzó a Teresa, esto bien podría significar que se había popularizado en los ambientes contemplativos conventuales. De ahí que no sea demasiado arriesgado sospechar que la madre Ana hubiese podido entender que el misterioso manzano que su poeta hereda del *Cantar*, además de su eco cristianizante, pudiera tener, simultáneamente, sobretonos místicos reconocibles para ella.

Pasemos a las próximas liras. Tan sagrado es este *locus* del huerto en el que crece el árbol iniciático del alma en trance de unión que el Esposo conjura a las criaturas —es decir, a toda posible distracción espiritual— para que no perturben a la Esposa. Como recordaremos, la habíamos dejado dormida sobre los dulces brazos del Amado: aunque el tiempo del «Cántico» da vueltas en redondo, deben estar de vuelta, con toda probabilidad, en el *lecho florido*, que acaso se encuentre bajo el manzano iniciático. Es difícil «organizar» los *loci* cambiantes del «Cántico» ni asegurar nada de fijo en torno a ellos. Pero acaso los esposos se encuentren bajo la «cascada de estrellas olorosas» del manzano que evocara Neruda en su hermosísimo poema «La rama robada». No es de extrañar que en la alquimia transformante de san Juan las estrellas metafóricas de los «escudos de oro» se hayan transmutado ahora en las flores blancas del manzano primaveral. En todo caso, la amada duerme y el Esposo vela:

> *A las aves ligeras,*
> *leones, ciervos, gamos saltadores,*
> *montes, valles, riberas,*
> *aguas, aires, ardores,*
> *y miedos de las noches veladores.*

> *Por las amenas liras*
> *y canto de serenas os conjuro*
> *que cesen vuestras iras,*
> *y no toquéis al muro,*
> *porque la Esposa duerma más seguro.*

105

San Juan, maestro de reversiones, invierte el conjuro que toma prestado del Cantar (2, 7): «conjúroos, hijas de Jerusalén, por las cabras y por los ciervos monteses del campo, si despertáredes o velar hiciéredes a la amada hasta que quiera». (Nos servimos de la versión de fray Luis, a sabiendas de que hay variantes significativas en otras traducciones[268].) Multiplicando los animales que toma prestados del epitalamio, san Juan pinta una sugerente escena que se nos antoja una delicadísima miniatura persa, en la que vemos saltar los leones, los gamos y los ciervos y volar las aves en heterogéneo conjunto. Los animales del verso dan paso a la naturaleza inanimada, que se va volatilizando en orden descendente —«montes, valles, riberas, / aguas, aires»— hasta que estos puntos geográficos se nos deslíen a su vez en emociones puras —«ardores y miedos de las noches veladores»—. (El «miedo» es, una vez más, herencia del Cantar, y alude a las espadas que tenían sobre su muslo los guerreros israelitas *propter timores nocturnos* [3, 8]).

El Esposo lanza un conjuro para que toda esta desordenada caterva de animales, de espacios y de emociones queden al otro lado del muro —ella ha pasado los «fuertes y fronteras» separadores e iniciáticos y se ha internado en el *hortus conclusus* de sí misma. En su protegido castillo interior. Nada ni nadie debe tener acceso ni debe alterar estos estados rarificados de su conciencia en trance de deificación. Y aquí, también, en trance de sueño, que también es un simbólico estado alterado de conciencia: recordemos que ella duerme sobre los brazos del Amado. Y es precisamente en el sueño donde surgen amenazantes las criaturas visionarias de nuestros miedos, nuestras ansiedades y nuestras iras inconfesadas.

Se impone conjurar, pues, esta convulsa vida interior que distrae del éxtasis unitivo e impide al espíritu su estado de quietud. El amor constituye precisamente la mejor «terapia» del alma, como intuye Xabier Pikaza: «Terapeuta de amor es el amante; sólo su palabra y su presencia pueden liberarnos de molestas e insidiosas compañas interiores que perturban nuestro sueño»[269]. En efecto, la escena onírica parece una radiografía de la psique interior, que necesita quemar sus apetitos, sus miedos y su furia: todo lo que podría impedir el estado del alma pacificada.

Nuestro Amado, sin duda, resulta un curioso Orfeo. Su apasionado exorcismo (san Juan fue exorcista mayor) cede al delirio si lo consideramos de cerca, ya que resulta oximorónico conjurar la «ira» de los «miedos». Ya sabemos que a nuestro poeta la lógica aristotélica lo tiene sin cuidado, pero aquí la incongruencia lógica de la escena contribuye a subrayar su aire vagamente pesadillesco. El verso «y miedos de la noches veladores» es elocuente en este sentido: el poeta parece hacer hincapié en el mundo tumultuoso e incontrolable de las fantasías del sueño nocturno. (Se dice que al santo lo molestaban de noche los «demonios», y la experiencia puede ser «leída», sin duda, con particular provecho a la luz del psicoanálisis moderno.)

Pero regresemos a nuestra lira onírica. Para mayor extrañeza, el conjuro a este mundo fantasmagórico se lanza no por «las cabras y ciervos monteses» del *Cantar*, sino a nombre de las «amenas liras» y «canto de serenas». A nombre, pues, de entidades claramente asociadas al mundo clásico, ese mundo al que tan refractario ha sido siempre san Juan en sus versos. Casi nunca ha homenajeado la escayola grecorromana que llegó a gravitar con exceso de peso muerto sobre los versos de algunos de sus contemporáneos. Su más alta poesía, como vamos viendo, resulta indefectiblemente orientalizada —sobre todo el «Cántico» y la «Noche»—. Y, por ello mismo, no deja de guardar cierta afinidad con este mundo tumultuoso, apasionado y en evidente desorden que aquí se conjura en nombre de «orden» occidental y clásico. (¿Nos confiesa solapadamente san Juan su miedo instintivo al mundo oriental caótico pero inmensamente sugerente de su dilecto *Cantar*, afín a su vida onírica, cabe decir, a su vida poética y emocional más profunda? ¿Se sentiría vagamente culpable o incómodo de estar creando poemas tan al gusto oriental, dándole la espalda a los motivos clásicos que regían el gusto literario de sus compatriotas? Todo puede ser, pero salta a la vista que el poeta «mitiga» y «domestica» este mundo convulso y atemorizante «protegiéndose» con las «liras» y las «serenas» de la tradición grecolatina.)

Pero la «protección» occidentalizante que el poeta elige para neutralizar el tumulto interior de su *alter-ego* literario tampoco resulta tan sin problemas. Si bien las liras pueden ser «amenas» (ningunas más amenas por cierto que las liras de siete y once sílabas de este «Cántico» que tanto nos va hechizando) ya no lo es tanto la canción de las sirenas, que enloquecían a los antiguos marinos de Ulises. Acaso el poeta suavizó el cántico enloquecedor privilegiando la sensación de «serenidad» que nos produce el vocablo «serena», como observó también Xabier Pikaza[270]. Pero, una vez más, el lector queda sumido en la perplejidad: si bien es difícil conjurar la «ira» de un «miedo», igualmente complicado resulta conjurar el desorden enloquecido de estos apetitos con el canto enloquecedor de las antiguas sirenas clásicas. Pero nunca hay que leer el «Cántico» de acuerdo a la lógica estricta, ya que sus mensajes más profundos suelen palpitar precisamente bajo estos «dislates», «disparatados» sólo en apariencia.

Algo sí podemos sacar en claro de la misteriosa lira: el mundo de la turbulencia interior —maravillosamente sugerido por las animalias saltarinas y las emociones en desorden— debe quedar y de hecho queda al margen de la unión teopática. Es imperativo recordar que los sufíes también lanzaron conjuros eficaces a su conciencia interior, representada precisamente por animales impuros y en confuso desorden. El arma conjuradora era el ritmo acompasado de la oración profunda del *dikr*, que no era otra cosa que una mantra repetida (usualmente el nombre de Alá o la frase *lā illāha ilā Allāh*, es decir, «no hay dios sino Dios»). Al repetir la plegaria encantatoria, el contemplativo bajaba a un nivel de conciencia en el cual podía advertir lúcidamente el estado de su psique profunda. Dejo la palabra al Naŷm-dīn al-Kubrā, a quien vuelvo a verter del árabe, para que nos diga lo que alcanzó a ver en el hondón de su alma:

> El *ḏikr* es como una lámpara encendida en una casa oscura [...] ante ella [el alma] comprende que su casa está llena de impurezas, [y que tiene] la impureza de un perro, de una pantera, de un leopardo, de un asno, de un toro, de un elefante, y de toda criatura objetable de la existencia...[271].

Es preciso, pues, conjurar nuestras fieras interiores, bien sea por el ritmo acompasado del *ḏikr* o por el «canto de serenas». Alguna utilidad profunda tenía, pues, su hechizo «enloquecedor», que no hacía otra cosa que obnubilarnos la razón para que pudiéramos descender al fondo de nuestro propio yo. El alma pacificada no tiene lugar, como vemos, para el desorden emocional. Por ello suplica ahora la Esposa, que debe haber despertado de su inquieto sueño: «¡Oh ninfas de Judea! / en tanto que en las flores y rosales / el ámbar perfumea, / morá en los arabales, / y no queráis tocar nuestros umbrales». Una vez más, el oxímoron: san Juan transmuta las «hijas de Jerusalén» del *Cantar* en unas imposibles del todo «ninfas de Judea» que pertenecen por igual al discurso clásico y al discurso epitalámico. Como observa con tanta gracia Colin P. Thompson: «Tal yuxtaposición de imágenes de fuentes distantes no parecen causarle a san Juan desconcierto alguno»[272]. El verso es por cierto la punta del témpano del mestizaje cultural de nuestro poeta, que se debate entre su alma oriental y su condición occidental. Es la primera vez, por cierto, que san Juan, que tantos espacios ha barajado en sus liras, nos ubica en un espacio concreto, y éste no podía ser otro que la tierra prometida de Judea. (Para «exorcizar» la mención, comprometedora en un país obsedido por el antisemitismo, san Juan tiene palabras muy duras en las glosas para con los judíos.) En todo caso, es obvio que estas ninfas inimaginables distraen el espacio privilegiado del huerto extático, y se les pide enérgicamente que permanezcan extramuros: en los arrabales que constituían antiguamente el cinturón de la ciudad. Los umbrales delimitan una vez más el espacio de la psique profunda, donde viene ocurriendo el poema: recordemos una vez más que la Esposa ya ha pasado los «fuertes y fronteras» que la habían instalado en lo hondo de sí misma. Nadie puede tocar el «muro» de protección que la rodea, su fortaleza o *ḥiṣn* aislador. (Recordemos que la noción árabe del *ḥiṣn* o «castillo» significa simultáneamente fortaleza amurallada y matrimonio, y precisamente de matrimonio espiritual es que tratan los versos.)

Lo que queda intramuros es, ni más ni menos, el jardín aromático del alma en estado unitivo. De nuevo las flores de la iluminación y las rosas emblemáticas de la unión transformante esparcen su perfume trascendental, que es de tal intensidad que se nos transmuta en ámbar. La poesía de san Juan se encuentra aromatizada de tal manera por perfumes orientales que no me extrañan, una vez más, las protestas del comedido Paul Valéry, saciado por los olores excesivos del «Cántico».

Todo indica, pues, que la Esposa ha quedado a salvo de las distracciones y de las angustias que amenazaban su refugio psíquico íntimo, y parecería que vuelve a invitar a su Amado a que se regocije *allí* con ella: «Escóndete, Carillo, / y mira con tu haz a las montañas, / y no quieras decillo, / más mira las campañas / de la que va por ínsulas extrañas». La conversación vuelve a adquirir el tono íntimo de un diálogo amartelado, y la Esposa apostrofa ahora al Esposo —aquel mismo al que antes se refería solemnemente como «Amado»— con el requiebro de *Carillo*. Es decir, «queridito». Estas dulzuras sólo se dicen desde la confianza de una relación sólida, entrañable y cómplice: estamos ante un diálogo entre iguales. Es decir, entre esposos, y entre esposos convertidos no ya en una sola carne sino, lo que es más dramático, en un solo espíritu. El resto de la liras así nos lo confirma. La esposa pide a su cónyuge ultraterreno que vuelva su rostro hacia ella —aquel mismo rostro o *figura* que había vestido de hermosura a «*los bosques y espesuras*»; aquel mismo «*semblante*» que la fuente reflejaba sin facciones separadoras. Y ¿qué ve ahora la mirada prodigiosa del Amado cuando la fija en su Esposa? Nada menos que las *montañas*. En el instante unitivo, ella había visto o reflejado al Amado en sí misma bajo sus simbólicos atributos de «montañas» —«Mi Amado las montañas»—, pero ahora es Él quien pudiera exclamar «Mi amad*a* las montañas». En este instante bendecido ella se auto-celebra —felicísimo šimurg— convertida ya en esas mismas montañas que a él le toca observar ahora en ella: «y mira con tu haz a las montañas». Una vez más el *qalb/taqallub* del corazón como *locus* místico en continuo proceso de transformación invierte las acciones que refleja. *Et pour cause.* Los amados son uno en unión participante, y se intercambian una vez más sus atributos simbólicos. De ahí que sea ella quien ahora vaya por las mismísimas *ínsulas extrañas* con las que antes representaba los atributos esenciales del Esposo. Claro que la emisora de los versos está llena de *compañas* —de la multitud de virtudes y dones y perfecciones que él ha puesto en ella como arras y prendas y joyas de desposada (CB 19, 6) (san Juan trae «campañas» en el poema, pero luego, como podemos ver, explica el vocablo en términos de «compañías»)—. Pero no es necesario recurrir a las glosas —nunca lo es realmente en el poema, que suele leer mejor como poema «exento»— para advertir la tácita celebración del éxtasis transformante que una vez más ha llevado a cabo san Juan. Insisto en que se trata de una celebración tácita y secreta, como lo ha sido el mensaje unitivo solapado de la lira: «y no quieras decillo», le susurra por lo bajo la enamorada, y hace bien, ya que los secretos del amor son inviolables. Cuánto más lo serán en el caso de este Amor intransferible.

Tan intensa ha sido la escena de amor unitivo que de súbito la Esposa vuelve a perder su cuerpo físico y se volatiliza en paloma. Ello no nos debe extrañar, ya que la nueva metamorfosis ontológica quedaba preludiada en la lira anterior: «la que va por ínsulas extrañas» parecería haber vuelto a adquirir la capacidad de vuelo. Y el Esposo la canta en su nuevo estado transformado: «La blanca palomica / al arca con el ramo se ha tornado; / y ya la tortolica / al socio deseado / en las riberas verdes ha hallado». La alusión bíblica al Génesis 8, 9-12 es palmaria: la paloma aludida es la que Noé libera para ver si las aguas del diluvio al fin han bajado —son las mismas aguas que descenderán, curiosamente, en la última lira del «Cántico». La primera paloma vuelve al arca sin nada en su pico, la segunda ya trae la rama esperanzadora de olivo, y ya la última no regresa más porque anida en tierra firme. Nuestro poeta convierte al arca de Noé en inesperado *locus* místico, y hace que su paloma regrese *allí*. (Digo mal: su «palomica»: el «Carillo» le devuelve el tiernísimo diminutivo.) San Juan ha interrumpido súbitamente la secuencia de su apretada imitación del *Cantar de los cantares* con este nueva imagen que ya no pertenece al epitalamio sino al Génesis. Curiosamente, el arca de Noé fue socorrido *leit-motiv* místico entre los musulmanes: los sufíes —sobre todos los persas— viajaban en esa misma arca salvadora del diluvio a lo largo de sus itinerarios místicos, convirtiéndola en espacio simbólico de la vía unitiva. Acaso también esta lectura mística del antiguo motivo bíblico-coránica estuviese lexicalizada y fuese reconocible por los lectores conventuales de la época.

Pero volvamos al «Cántico». No es difícil inferir que el Esposo aguarda a su compañera en esta nueva espacialidad com-partida, ya que el ave regresa triunfal al arca con el ramo verde de la victoria. En el fondo regresa a sí misma, a su alma convertida en Dios por participación. Importa advertir que nuestra paloma tampoco ha descrito camino esta vez. *Revertere, revertere, Sulamitis, revertere, revertere, ut intueamur te*: nunca mejor entonada la enigmática orden que en este contexto en el que «tornarse» equivale una vez más a «volverse» o a «convertirse» en el Amado. Por eso precisamente es que él la llama ahora «palomica», con el cariño cómplice de un «socio deseado» que tiene con ella gozosa familiaridad. San Juan de la Cruz nos ha repetido su magistral lección unitiva por nuevos y sorprendentes caminos.

Y nos la martillea una vez más, adquiriendo de repente un dejo cancioneril en su voz poética. La paloma deviene «tortolica» (aunque también hubo tórtolas en el *Cantar)* y encuentra al «socio» o compañero en las riberas verdes. La insistencia en el verde por parte de este poeta que tan parco suele ser con su paleta cromática nos vuelve a sugerir el color viridiscente de la vida celestial, trascendida y eterna, que los musulmanes celebraron tan insistentemente en sus tratados extáticos.

La transformación en uno ocurre en el hondón más íntimo del alma, como sugiere la oda a la soledad amorosa que sigue a continuación: «En soledad vivía, / y en soledad ha puesto ya su nido, / y en soledad la guía / a solas su querido, / también en soledad de amor herido». Un lector avisado vuelve a registrar el prodigio: la paloma/tórtola «ha

110

puesto ya su nido», pero hacia este nuevo espacio del amor trascendido la guía precisamente «su querido». ¿Y cómo la va a guiar hacia un nido si no se hubiese convertido Él mismo en un ave capaz de vuelo? Una vez más, estamos ante el milagro más grande del amor que cantaran Petrarca y Pierto Bembo «desde esta ladera»: la transformación del amado en la amada. Advertimos estupefactos que el Esposo, que fue ciervo herido, es ahora palomo herido, como su pareja. No será la última vez que lo veamos sobrevolar el éter «al aire del vuelo» de su rendida paloma.

Ésta le lanza ahora la petición más osada de todo el «Cántico espiritual»: «Gocémonos, Amado, / y vámonos a ver en tu hermosura / al monte y al collado / do mana el agua pura; / entremos más adentro en la espesura». La paloma (¿hembra de repente por unos instantes?) invita al Amado a *gozarse* mutuamente. Pero es que «gozar» no era en el Siglo de Oro otra cosa que «hacer el amor». No nos extrañe la valentía literaria de un poeta que tiene sobre su mesa y sobre su corazón el epitalamio palestino, acaso el poema más refinadamente erótico de la historia de la humanidad. Advirtamos también que la emisora de los versos no dice «gózame», sino un mucho más democrático «gocémonos». Ya se ha consumado el matrimonio espiritual, en el que ambos participan. No deja de ser emocionante ver cómo san Juan redime el espinoso verbo «gozar», que Lope, Tirso y Calderón solían poner en los labios quejumbrosos de sus doncellas violadas. «Gozóme», solían gemir acusando al caballero ruin que les había arrebatado la honra. Estamos a siglos luz de estas tristes hembras del teatro español: la protagonista del «Cántico» celebra ella misma su propio gozo compartido, y no hay en ella asomo de culpabilidad sino desbordamiento de dicha. Y de dicha candorosamente erótica: san Juan siempre conjuga felizmente todos los registros del amor.

La emisora de los versos pide ver ahora *en* su Amado —«en tu hermosura»— los paisajes que antes despreció para buscarlo. Recordemos que el Esposo había vestido «de hermosura» los bosques y las espesuras, que representaban las primeras intuiciones místicas profundas. Pero ya hemos pasado de la intuición a la certeza: como bien explicó Evelyn Underhill, donde el filósofo argumenta y el artista intuye, el místico experimenta[273]. Todo lo que la esposa buscaba (montes, collados, la fuente misma) lo ha encontrado, misericordiosamente trascendido, en él. O en ella misma, que es lo mismo. «Vision has become self-vision» [«la visión se ha convertido en auto-visión»], como explicaba magistralmente Michael Sells poniendo al día el agustiniano *Noli foras ire*. Pero importa adentrarnos aún más en este espacio inenarrable que contiene todos los espacios: «entremos más adentro en la espesura». No creo necesario insistir en los sobretonos eróticos que el verso unitivo registra simultáneamente, tan afín al ambiente nupcial del *Cantar* salomónico.

La celebración de las nupcias continúa, difusa no sólo en el espacio —huerto, manzano, arca, montañas, ínsulas, nido— sino en el tiempo, que nuestro genial poeta abole una y otra vez. Seguimos dando vueltas en redondo dentro del *aleph* sin *alpha* ni *omega* temporales que es el «Cántico», mientras nos vemos obligados a pasar, perplejos, del imperativo implicador de presente («morá», «escóndete», «gocémonos»), a distintos puntos del pasado («ha hallado», «vivía») al futuro («nos iremos», «gustaremos»). Pero lo importante es que el gozo interior que produce esta unión al margen del espacio-tiempo va en aumento: «Y luego a las subidas / cavernas de la piedra nos iremos, / que están bien escondidas, / y allí nos entraremos, / y el mosto de granadas gustaremos». Al aludir a las enigmáticas «cavernas de la piedra» san Juan se apropia del versículo epitalámico 2, 14): «Paloma mía, puesta en las quiebras de la piedra, en las vueltas del caracol, descubre tu vista, hazme oír la tu voz, que la tu voz dulce y la tu bella vista amable». Casi todos los escriturarios, entre ellos fray Luis, a quien estamos citando, hacen claro en sus versiones del venerable poema que se trata de los orificios de los acantilados o montañas pétreas donde anidan las palomas. La intención parece ser que la amada, coqueta y juguetona, se muestra evasiva a su enamorado cual paloma en su escondrijo pétreo, y éste la insta a que se le descubra de una vez. (El resto del versículo es más opaco, pero no es éste el lugar de detenernos en las distintas versiones a las que ha dado pie.)

Como vemos, fray Luis traduce la morada de las palomas como «quiebras *de* la piedra», usando, como san Juan, el genitivo, que hace particularmente extraño el verso en su versión castellana. Ambos coinciden de cerca con el texto hebreo y aun con la Vulgata, que trae a su vez *foraminibus petrae*. Pero nuestro poeta ahonda y agranda estos orificios rocosos, y los transmuta en cavernas. La caverna, como se sabe, se asocia al útero materno, a las entrañas de la tierra y a todo proceso iniciático de descenso a lo hondo de la psique profunda —recordemos la caverna de Platón, la cueva de Ulises y aun la cueva de Montesinos, por no decir las cuevas de leones que custodiaban el lecho nupcial florido—. Estas cavernas tienen que ser, como su nombre mismo indica, profundas y, por lo tanto, las imaginaríamos mejor en lo hondo de la tierra que en lo alto de la montaña. Pero sin embargo el poema nos indica que son *subidas*. De nuevo san Juan anula las perspectivas, unificando la elevación (lo subido) con la profundidad (lo hondo). De más está decir que si ambos pueden ir a anidar su amor en lo alto de los hondísimos orificios de los acantilados, es porque ambos son aves. Siguen transmutados, pues, en palomas en sus generosas nupcias transformantes.

Y en lo escondido de este nido secreto —«escóndete, Carillo», le había suplicado antes la esposa— se adentrarán los dos: «y allí nos entraremos». Huelga, una vez más, insistir en las connotaciones eróticas tan obvias de los versos, que parecen remedar la penetración de la virginal esposa y el vaivén del coito. Nos volvemos a encontrar una vez más con el deíctico *allí*, que ya tiene connotaciones sagradas en el poema. El deíctico ha señalado muchos espacios, pero todos constituyen el

112

locus unificado de la unión mística, y siempre nos devuelve a la fuente iniciática donde había comenzado a registrarse. Ahora los esposos van a degustar con particular fruición una libación celebrativa, que no deja de ser curiosa: «el mosto de granadas gustaremos». Las bodegas de san Juan, ya lo dejé dicho, son más exquisitas y más variadas que las de Salomón. Ya sabemos que en la literatura *à clef* sufí el vino simboliza la embriaguez extática, pero es que el mosto de la granada les es particularmente significativo a los contemplativos del Islam. San Juan advierte cómo bajo la aparente multiplicidad de los granos de la fruta subyace la absoluta e indiscutible unidad de Dios, representada por la bebida embriagante:

> Porque, así como de muchos granos de las granadas un solo mosto sale cuando se comen, así de todas estas maravillas [...] de Dios en el alma infundidas redundan en ella una fruición y deleite de amor, que es bebida del Espíritu Santo [...] bebida divina... (CB 37, 8).

Es precisamente esta fruta —la granada— la que marca la llegada del sufí a la cuarta etapa del camino místico y simboliza, según Laleh Bakhtiar, «la integración de la multiplicidad en la unidad, en la morada de la unión»[274]. El anónimo *Libro de la certeza*, atribuido a Ibn 'Arabī o a Qāšānī, insiste en la granada como fruta emblemática de la esencia y unidad última de Dios: «La granada [...] es la fruta del Paraíso de la Esencia [...] en la morada de la Unión [...] es la conciencia directa de la Esencia (*ash-shuhûd adh-dhâtî*)...»[275]. Acaso la madre Ana sabía algo de estos mostos divinales de la Unidad de Dios exprimidos de los rubíes de la granada mística. Acaso. Lo que no se presta a duda es que san Juan sí lo supo.

Echando a un lado la riquísima contextualidad literaria del santo, advirtamos que, si bien en las primicias del éxtasis Él bebía en las aguas refrigerantes de su simbólica amada como ciervo sediento, para luego ella degustar de los vinos de la interior bodega del Esposo, ahora ambos liban juntos y *a la vez* el licor embriagante del éxtasis, que no debe ser otra cosa que su propia Esencia com-partida. Ambos *son* el sagrado zumo fermentado de la vid. Todo ello nos permite entender que, sin bien la esposa había quedado identificada desde temprano con las aguas plateadas de la *fons sellata*, también su Amado asumía desde liras atrás propiedades misteriosamente líquidas: se asociaba con las «emisiones de bálsamo divino» y pasaba por los bosques «mil gracias *derramando*». La inimaginable unión del *unus-ambo* se representa, pues, en bebida unificante que ambos consumen, y en la que ambos se con-sumen.

La celebración nupcial sigue desenvolviéndose en lo más escondido de las cavernas de la piedra, perfectamente a salvo, importa recordarlo, de testigos o festejantes que no sean los esposos mismos. La esposa pasa a celebrar en estos momentos los detalles de su ultramundana noche de bodas, y lo hace en términos de la hondísima sabiduría que ha hecho suya en su proceso transformante. Ya sabemos que el trance místico es una experiencia eminentemente cognoscitiva. Pero como se trata de un conocimiento trascendente, sabemos que nos enfrentamos con un regalo inimaginable e intransferible:

> *Allí me mostrarías*
> *aquello que mi alma pretendía,*
> *y luego me darías*
> *allí, tú, vida mía,*
> *aquello que me diste el otro día:*

> *El aspirar del aire,*
> *el canto de la dulce filomena,*
> *el soto y su donaire,*
> *en la noche serena,*
> *con llama que consume y no da pena.*

La emisora de los versos continúa empleando su habla azucarada de recién casada, y delata la intimidad con la que se comunica con su otrora solemne Esposo al apostrofarlo como «vida mía». La frase tiene estirpe garcilasiana: resulta inolvidable aquel «Elisa, vida mía», con el que el poeta toledano rompía su discurso literario, tamizado por los eufemismos de Virgilio y de Petrarca. De súbito parecería hablar con su amada fuera del convencionalismo del arte. En el caso de san Juan la ruptura no es tan formidable, ya que nos ha venido dando muestras de que es el poeta más cariñoso del Renacimiento español. Hemos oído a la emisora de los versos aludir a su pareja como «Carillo» y «mis amores». Pero en estos momentos de las nupcias místicas, el lenguaje se amartela cada vez más y nos deja saber más allá de toda duda que el matrimonio espiritual ya ha sido felizmente consumado.

Salta a la vista, de otra parte, que el deíctico indicador del *locus* de la manifestación se vuelve a reiterar, ahora duplicado con especial ansiedad —*allí, allí*— lanzándonos a las «cavernas de la piedra», pero también a la remota *fuente* de la unión, que de alguna manera unifica simultáneamente todos los espacios del poema, símbolos concatenados de un único pero fecundísimo *locus* de la manifestación divina. Es imposible explicar en qué consiste el estremecedor don celestial recibido en este impreciso *locus/loci*, que queda velado bajo el afásico pero elocuente *aquello*, *aquello*, duplicado una vez más con desesperación emocional. El concepto del tiempo se nubla más que nunca en esta lira, y con ello el poeta nos indica, una vez más, que nos encontramos al margen de su tiranía sucesiva. Y todo ello pese al *luego* (es decir, «inmediatamente») que inaugura los versos y que parecería darnos una noción de tiempo específico. Como observa Xabier Pikaza:

> *Luego* asume todo el proceso anterior para culminarlo en forma de tiempo
> ya definitivo. De esa forma, el futuro perpetúa lo que fue el pasado, conser-

vándolo ya plenificado. Por eso dice la amante: y *luego* me darías aquello que me diste *el otro día*. El pasado de amor se vuelve principio desencadenante de futuro: la experiencia ya vivida es fuente de esperanza, garantía de experiencia nueva[276].

A esta confluencia misteriosa de tiempos contribuye el ambiguo tiempo del pretérito imperfecto «pretendía», que alarga indefinidamente la acción pasada y que se obliga a convivir con el futuro condicional «darías». El don es de tal magnitud que no hay manera de decirlo, y nuestra hembra enamorada recurre, en su afasia, a una eclosión simbólica de frases nominales sin aparente concatenación secuencial lógica. Las imágenes hiladas carecen también de verbo, y por ello mismo nos evocan la anhelante cascada verbal con la que la protagonista poética dio la bienvenida sobrecogida a su Amado: «Mi Amado las montañas, / los valles solitarios nemorosos...». Se trata de «dislates» místicos, *ma non tanto*. Algo logran susurrarnos del misterio insondable de la unión lograda, máxime si leemos la lira desde la óptica literaria de los contemplativos musulmanes, desde donde comprenderemos mejor algunos de sus misterios.

Veamos los «dones» sobrenaturales de la amada con más detenimiento. Los versos parecerían volatilizarse, con su mención pura de aires, cantos, donaires, noches y llamas: la acertadísima nota desmaterializante salta a la vista en seguida, y es muy importante, ya que el poeta vuelve a colocarnos al margen del cuerpo y del espacio-tiempo. El primer regalo inefable, «el aspirar del aire», no ofrece mucho problema, desde cualquier tradición espiritual que quisiéramos comprenderlo. Ya sabemos que la «aspiración» —el *pneuma* de los griegos y la *prana* de los hindúes— está relacionada tanto con el aliento creador del *Génesis*, como con el Espíritu Santo («the very osculant of the Triune God» [el verdadero osculante del Dios Trino], según Nicholas Perella[277]), y aun con el intercambio de alientos —el beso— con el que los miembros de la pareja se truecan sus almas en las tradiciones neoplatonizantes más diversas. En nuestro último capítulo nos detendremos más en esta riquísima contextualidad literaria y espiritual de aire, ya que en la «Llama» nuestro poeta volverá a hacer referencia al «aspirar sabroso» de Dios, que «recuerda» o despierta en el centro del alma.

Pero el sentido concretamente místico con el que san Juan maneja el concepto del aire es palmario. Ya vimos cómo el viento de la noticia de Dios se esparcía por el huerto de la psique profunda y hacía correr el aroma de las flores de las virtudes o dones inimaginables propios del estado teopático. Ahora volvemos a entrar en un jardín sobrenatural —el del alma en éxtasis— oreado por el aire vivificador de una primavera simbólica. Sabemos que ha llegado la estación florida porque a renglón seguido escuchamos el jubiloso «canto de la dulce Filomena», es decir, del ruiseñor, que el propio poeta asocia a la llegada de «la primavera, pasados ya los fríos, lluvias y variedades del invierno» (CB 39, 8-9). El esplendente «cántico» de la Filomena sanjuanística resulta, sin embargo, algo enigmático para un frecuentador de las páginas de Virgilio, de Horacio, de Ovidio, de Marcial, incluso de los más modernos Garcilaso, Boscán y Camoens, hasta desembocar casi en nuestros días con casos como el de Keats y Heine. Es que todos estos poetas, medulares en la tradición literaria occidental, suelen asociar al ruiseñor con el llanto desconsolado de la pena humana, y no con la alegría desbordante (aunque intransferible) del éxtasis unitivo.

El antiguo mito que reelaboran los citados poetas europeos, muy conocido por cierto, tiene como protagonista a la ateniense Filomena, que llora perpetuamente su desgracia metamorfoseada en ruiseñor. Su cuñado, el rey Tereo de Tracia, la había violado y le había cortado la lengua para que no informara lo sucedido a su hermana Procne. Filomena se las arregla para bordar en una tela el mensaje del suceso, y trama junto a Procne una atroz venganza. Dan muerte al niño Itis, hijo de Tereo y de Procne, le cortan la cabeza, cocinan sus miembros y se los dan como manjar a Teseo. Una vez el Rey consume el escalofriante banquete, le muestran la cabeza de la criatura. Al darse cuenta de que se ha comido a su propio vástago, Tereo persigue a las hermanas hasta Daulia, en la Fócide, pero ambas ruegan a los dioses que las conviertan en aves: Procne es metamorfoseada entonces en ruiseñor, Filomena en golondrina y Tereo en abubilla. Ésta es la versión de la leyenda en las fuentes griegas más antiguas. No es hasta que el mito cae en manos latinas que se produce la inversión de las dos primeras metamorfosis, y Filomena pasa a ser el célebre ruiseñor que Europa habría de heredar como legado literario consistentemente asociado al llanto y a la queja[278].

En sus *Geórgicas* (IV, 511-515), Virgilio ofrece una variante poética al mito y contribuye a forjar la figura del ruiseñor «como figuración de la madre desventurada»[279]. Sus famosísimos versos *Qualis populea maerens Philomela sub umbris...* [Como bajo la sombra del álamo lamenta la afligida Filomena...] cristalizan el motivo temático de la afligida Filomena-ruiseñor que lamenta ahora el robo de sus hijos implumes, que el duro labrador le hurtó del nido. Posada sobre una rama, da rienda suelta a su canto —*miserabile carmen*— inundando de dolor los espacios circundantes. Bien lo supo Garcilaso, que usurpa la melancólica ave a Virgilio en su Égloga I, y que en su segunda Égloga la vuelve a hacer llorar: «Filomena sospira en dulce canto / y en amoroso llanto s'amanzilla». ¿Qué tiene que ver san Juan de la Cruz con toda esta venerable tradición, si su simbólico nido de amor en lo alto de las cavernas de la piedra no sólo no está vacío, sino que constituye sublime tálamo de amor? Parecería que el santo poeta se burla de Virgilio y de sus imitadores al convertir su *miserabile carmen* en alborozado cántico extático.

Ni siquiera la reescritura pía del ruiseñor que llevan a cabo los contemplativos españoles nos alivia aquí el aparente «desmán» literario del Reformador. Malón de Chaide, entre otros, se hace eco de lamento virgiliano en su *Conversión de la Magdalena*, entreverándolo de ecos

116

garcilacianos: «y el dulce ruiseñor del nido amado / al aire con quere-
llas le rompiere...»[280]. A pesar del nuevo contexto literario sagrado, Filomena sigue llorando en los endecasílabos de este poeta que torna «a
lo divino» sus fuentes clásicas. ¿De dónde la impertérrita alegría de la
Filomena sanjuanística?

Lo supo bien Jorge Luis Borges, a cuya altísima sabiduría literaria
no escapó el hecho de que más de una tradición ha nutrido al ruiseñor
literario que tanto ha acompañado a la humanidad con su dulce canto.
Los versos de su oda «Al ruiseñor», de *La rosa profunda* (1975), nos
aleccionan aquí mejor que los ensayos eruditos de ningún estudioso:

> ¿En qué noche secreta de Inglaterra
> O del constante Rhin incalculable
> Perdida entre las noches de mis noches,
> A mi ignorante oído habrá llegado
> Tu voz cargada de mitologías,
> Ruiseñor de Virgilio y de los persas?

El maestro argentino, que sabía más de literatura mística musulmana de lo que habíamos venido creyendo hasta el presente[281], lleva harta
razón en evocar al ruiseñor de Occidente y de Oriente como ave dico-
tómica. Se trata, en efecto, de dos aves diametralmente opuestas en su
dimensión de símbolo literario. *Ruiseñor de Virgilio y de los persas...*:
ya hemos visto el caso de Virgilio, pero podría citar muchos persas
ilustres que se sirvieron a su vez del símil del ruiseñor, venerable en el
Islam: Aḥmad Gazzālī, Rūzbihān Baqlī, 'Aṭṭār, y, sobre todo, el sublime Yalāluddīn Rūmī. Pero el ruiseñor de los persas ya no se lamenta,
como el de las *Geórgicas*, sino que celebra exaltado la unión transformante. Lo supo bien Borges, a quien vuelvo a dejar la palabra: «el aga-
reno te soñó arrebatado por el éxtasis». He aquí que hemos topado al
fin con la «dulce Filomena» de san Juan de la Cruz, que conserva el ro-
paje exterior de la mitología clásica pero que se comporta como un ave
persa. Ajena al «rosignol che si soave piagne» de Petrarca, al «ruiseñor
viüdo» de Góngora y a la Philomela que «chora» de Camoens, el ave-
cica soleada de san Juan celebra con sus contrapartidas agarenas el éxtasis transformante. Nueva y oximorónica «ninfa de Judea», la Filomena que lanza al aire su canto exaltado representa para san Juan tanto el
alma enamorada *como* su Amado: «en esta unión el alma jubila y ala-
ba a Dios con el mismo Dios» (CB 39, 8). Ya no se sabe quién canta
porque ambos participan de la misma esencia: no nos extrañe, pues,
que para celebrar tan inextricable unión el poeta esculpa un ave bi-
fronte, oriental y occidental a la vez.

Pero mucho más oriental que occidental, por cierto. Sabemos que
Filomena es muda porque Tereo le cortó la lengua para que no dijese
su desgracia. El mítico personaje no podía hablar, y por eso opta por la
melodía sin palabras, es decir, por el canto del ruiseñor[282]. El ruiseñor
de los sufíes queda igualmente afásico, pero no porque un cuñado ira-

cundo y traidor le cortara la lengua, sino por causa del trance prodigioso que le ha acontecido. El ave persa sabe que el silencio es el lenguaje de los ángeles, no de los torturados. Los persas, sobre todo Rūmī, también entendieron desde antiguo que el canto del ruiseñor —y la poesía que lo expresa a tientas— nace en la separación, porque en el momento mismo de la unión las palabras mueren. Cuando el ave extática canta es porque celebra con su melodía sin palabras la unión pasada, que la había dejado sin lengua. (San Juan parecería saberlo, y acaso por eso su Filomena canta tan sólo al final del poema.) A Dios se le sugiere mejor al margen del lenguaje, porque el lenguaje, como explica Rūmī en algunos de sus dísticos más hermosos, no es sino el velo de Dios. El ruiseñor islámico canta y no dice: es mudo como la Filomena de Virgilio, pero por razones distintas.

Pero el Reformador orientaliza aún más a su dulcísima Filomena. El verso que sigue a su prodigioso canto sin palabras es muy extraño, sin duda: «el soto y su donaire». La aplicación de la noción de «donaire» o «gracia» a un soto o bosque de árboles es inaudita. En nuestra lengua el adjetivo «donaire» se suele aplicar a personas con gracia, incluso a mujeres que se mueven con gracia. El soto parecería moverse asimismo con gracia, de seguro por el aire que aspira en este venturoso jardín arbolado donde escuchamos el trino del ruiseñor. El soto parecería adquirir su «donaire» al eco del canto de Filomena, que precede su misterioso movimiento. La lírica europea no nos ayuda a comprender aquí las imágenes, aparentemente inconexas e irremisiblemente delirantes. La intertextualidad literaria islámica, en cambio, nos permite comprender que los símiles sanjuanísticos están más concatenados de lo que parecería a primera vista. Voy a dejar la palabra a Annemarie Schimmel, que comenta los versos en los que Rūmī alude al aire primaveral que orea el jardín de su alma. El ruiseñor canta y su canto sin palabras hace bailar de júbilo el bosque, porque ha quedado invitado a unirse a la danza cósmica en celebración de Dios:

La creación se percibe como una gran danza cósmica en la cual la naturaleza, adormecida en la no-existencia, escuchó el llamado divino y acudió de súbito a la existencia en medio de una danza extática [...] Los árboles, las flores, los jardines que han llegado danzando a la existencia, continúan su danza en este mundo, tocados por la brisa primaveral mientras escuchan las melodías del ruiseñor.

Las ramas comienzan a bailar como penitentes (que acaban de entrar en el sendero místico), las hojas baten sus manos como trovadores, dirigidas por el árbol de plátano. El ruiseñor regresa de su viaje y convoca a todos los habitantes del jardín a unírsele en [la *sāma'*][283] para celebrar la primavera. La gente común quizá no advierte esa danza que comienza tan pronto como la brisa primaveral del amor toca los árboles y las flores [...] las hojas, vestidas de verde como huríes, bailan felizmente en la tumba de enero [...] Solamente las ramas secas no se agitan con esta brisa y con este son maravilloso, y son comparables a los corazones secos de los eruditos y de los filósofos[284].

Parecería que Annemarie Schimmel se encuentra describiendo la lira del «Cántico» que nos ocupa, y no es de extrañar, pues hace años la docta investigadora me dijo que ella no se asombraba de los misterios sanjuanísticos que tanto habían «asustado» a Menéndez Pelayo y a Dámaso Alonso porque solía leer a san Juan «como si fuera un sufí». No cabe duda que estas lecturas alternas al «Cántico» son particularmente fértiles. Acaso la madre Ana de Jesús se encontraba a salvo, culturalmente hablando, de la espesa tradición virgiliana y supo decodificar sin mayor problema la Filomena sanjuanística como ave del éxtasis. No descuento, una vez más, que símiles como éstos se encontraran lexicalizados y fueran muy conocidos en los ambientes monacales donde se generaron y se leyeron los versos del santo. Posiblemente nuestra cultura clásica nos ha dificultado el acceso a algunos símbolos cruciales de san Juan, que quizá, una vez más, sus primeros lectores comprendieran sin tanto esfuerzo erudito de confrontación de fuentes antiguas.

Importa añadir que este soto que danza extático al son del aire y del canto del ruiseñor es un soto nocturno. No puede no serlo, ya que el ruiseñor canta de noche, y lo sabe san Juan, que pasa a celebrar en su próximo verso precisamente a «la noche serena». Claro que un sufí entendido en la literatura en clave de los iniciados comprendería inmediatamente que se trata de otro tópico místico más, ya que la noche es un hito en el camino hacia la Trascendencia. San Juan acuña en sus tratados teológicos el término técnico de la «noche oscura del alma», que parece endeudado a su vez con el misticismo islámico. Tanto Miguel Asín como yo hemos dedicado largas páginas a esta posible filiación islámica, y habré de volver sobre el tema en el próximo capítulo en torno al poema «En una noche oscura...». Por el momento vale decir que la noche mística de esta lira es «serena» y no «oscura», sin duda porque estamos en un momento de alegría extática donde los principios de la vía mística, asociados a períodos ascéticos, han quedado atrás. Tampoco el poeta parece aquí aludir al momento de agotamiento psíquico por exceso de actividad espiritual, que Evelyn Underhill asocia —*toutes proportiones gardées*— con una depresión emocional, sobrecogedora pero inmensamente fecunda. Aquí parecería que la oscuridad aniquila nuestros sentidos y nuestra razón para dar paso a la vivencia más profunda y gozosa de la luz sobrenatural, que pasa a ser celebrada, como consecuencia, en el último verso: «con llama que consume y no da pena».

Esta llama transformante, afín a todas las tradiciones místicas, es, como tendremos ocasión de ver en el tercer capítulo, también reconocible dentro del discurso literario sufí. De seguro con la sola mención de la «noche» y la «llama» la madre Ana quedaría alertada al hecho de que su poeta barajaba abreviaturas metafóricas para el éxtasis místico. No en balde el Reformador habría de dedicar dos poemas futuros a ambos motivos temáticos: la «Noche» y la «Llama». Los dos poemas y los dos símbolos parecen ser parte del regalo sin par —del innombrable «aquello» que su Amado le dio «el otro día». Ya tendremos ocasión de explorarlos más de cerca, pero por lo pronto cabe decir que el símil de la llama que consume al jardín oreado, musicalizado y nocturno tampoco escapó a los místicos musulmanes. San Juan cierra con esta extraña imagen su alucinado torrente verbal, mientras que Ibn 'Arabī inaugura los citados versos «Mi corazón es capaz de cualquier forma...» justamente con la llama transformante: «¡Oh maravilla! Un jardín entre llamas». La idea resulta clara para un sufí: el corazón o *qalb*, representado, como tantas otras veces, bajo la imagen de un jardín o huerto divinal, queda ahora envuelto en llamas porque se encuentra en estado de perpetua transformación (*taqallub*). El fuego convierte en sí todo lo que toca, y por eso este corazón/jardín es capaz de dejarse convertir en todas las manifestaciones de Dios simultáneamente[285], sin atarse a ninguna porque se quema en todas. El alma se encuentra «en la morada de la no-morada» («in the station of no station») que diría Michael Sells. Una vez más, y como en las liras centrales de la unión del «Cántico», la sucesión hipnótica de imágenes que constituye la lira parecería indicarnos que éstas no terminan nunca. Y que hemos acabado por abrasarnos en todas ellas, en el afortunado *locus* a-temporal y a-espacial del alma transformada en Dios. O transformándose en Dios: es difícil indicar el tiempo cuando éste ha sido borrado.

El privilegiado espacio de la unión no sólo se encuentra a salvo del tiempo, del espacio y del lenguaje, sino de toda compañía perturbadora: «Que nadie lo miraba / Aminadab tampoco parecía, / y el cerco sosegaba, / y la caballería / a vista de las aguas descendía». El espacio termina esfumándose del todo en esta lira que resulta, como bien señala Colin P. Thompson, «de una atmósfera casi ultramundana» («almost other wordly in atmosphere»)[286]: «Que nadie *lo* miraba». ¿Qué *es* lo que *nadie* mira? ¿Un espacio, una unión amorosa? Posiblemente ambas cosas a la vez. La mirada transformante que tanto se ha celebrado en el poema acaba ahora de ser denegada. El tiempo resulta igualmente indeterminado, ya que el pretérito imperfecto «miraba» alarga indefinidamente la acción. No sabemos quién canta estos versos finales, e igualmente problemático resulta identificar al elusivo, sobrecogedor «Aminadab».

En las glosas al «Cántico» Aminadab es el demonio (hablando espiritualmente) «adversario del alma» (CB 40, 3). Pero su nombre nos remite una vez más al *Cantar de los cantares*, cuyo original lee:

לֹא יָדַעְתִּי נַפְשִׁי שָׂמַתְנִי מַרְכְּבוֹת עַמִּי־נָדִיב [287]

La Vulgata trae «Nescivi: anima mea conturbavit me, / Propter quadrigas Aminadab» (6, 11). «Este verso está generalmente considerado como el más difícil del *Cantar* y continúa inquietando a traductores y comentaristas», declara Pope al estudiar el pasaje[288]. Lleva sobrada razón: en estudio aparte he examinado la controversia[289] que ha suscitado el versículo, que algunos escriturarios traducen como «mi pueblo príncipe» (así Razi, Ibn 'Ezra y fray Luis); otros como «nombre propio» (Benito Arias Montano); otros como «Cristo» (san Gregorio) y aun otros como la carroza simbólica en la que la Sulamita «monta» a su amado: «Y, oh, antes de que me pudiera dar cuenta / ella me sentó en la más lujosa de todas las carrozas» («And oh! Before I was aware, / she sat me in the most lavish of chariots»)[290]. Esta última versión, de Ariel y Chana Bloch, me parece de las más plausibles dado el contexto nupcial del antiguo poema, y no deja por cierto de guardar relación con aquellos versos de «La casada infiel» del andaluz Lorca: «Aquella noche corrí / el mejor de los caminos, / montado en potra de nácar, / sin bridas y sin estribos».

No sé si san Juan supo de esta posible asociación del verso con las pasiones desatadas del cuerpo, porque de ello precisamente es que el propio poeta dice que trata la lira. Sea como fuere, lo que sí me fue dado averiguar, bajo la guía generosa de Eulogio Pacho, es que ya desde el siglo V Teodoreto de Ciro asocia el ímpetu de los misteriosos «carros» bíblicos al poderío del demonio sobre el alma:

> [...] vertit hoc [ver. 11] Symmachus, dicens: «Anima mea dubium fecit me a curribus populi [sic[291]] ducentis». Haec, dum facio, dubito et obtupesco, quoniam ego studiose operam dedi ut salvi fierent; ipsi autem impetum in me fecerunt, dum parent imperio diaboli, et tamquam currus illius fiunt atque ab eo gubernantur, Aminadab enim significat populi ducentis, aut populi imperantis (PG, 81, 181-182 B-C).

[Símaco traduce en este lugar (ver. 11), diciendo: «Mi alma me ha puesto tambaleante [indecisa, como] los carros que el pueblo conduce». Mientras hago esto vacilo y enmudezco porque afanosamente me ocupé de que fueran salvos y ellos mismos, sin embargo, me han atacado, obedeciendo el mandato del diablo, y hacen como el carro suyo, y son guiados por él. Porque Aminadab sigifica ser del pueblo, que guía, o del pueblo que ordena (PG, 81, 181-182 B-C).

Cornelio a Lapide, en su *Commentaria in Canticum Canticorum* (París, 1868) nos da noticia de las versiones de diversos exégetas sobre el versículo —Aponius, por ejemplo— y no cabe duda que varios de ellos identifican a Aminadab con el demonio. San Juan de la Cruz ha hecho, pues, escuela con estos antiguos escriturarios y saberlo aclara en algo la lira en cuestión.

Pero la lira se nos comienza a contaminar acto seguido con alusiones bélicas fantasmales y difusas: el cerco, que sosiega ahora; la caballería, que «desciende» a vista de las aguas. Aunque no sabemos a ciencia cierta de qué guerra es de la que nos estamos defendiendo aquí, sí podemos asumir que nos encontramos totalmente a salvo de los asaltos del enigmático Aminadab y sus inquietas cuadrillas. San Juan identifica en sus comentarios en prosa estos elementos que dan guerra a la psique profunda con «las pasiones y apetitos del alma» (CB 40, 4). Estamos, pues, ante la artillería del demonio, que quiere asaltar el castillo inex-pugnable del corazón en quietud. Pero a estas alturas del éxtasis las «raposas» y las «ninfas de Judea» han quedado neutralizadas para siempre.

El *cerco* —que antes fue muro, fuerte o frontera— delimita con meridiana claridad el *locus* recóndito y sagrado del alma en unión per-fecta. Debemos estar en un espacio inviolable semejante al del séptimo castillo interior que santa Teresa tomó prestado, sin saberlo, de sufíes como Abū-l-Ḥasan al-Nūrī. Ella bien sabía que en llegando a esta sép-tima fortaleza del alma las sabandijas de nuestras imperfecciones eran incapaces de penetrar. Nūrī, buen musulmán al fin, había identificado las impurezas de los apetitos del alma —nuestros elementos «demonía-cos»— con un perro (animal impuro en el Islam) que ladraba a los cas-tillos pero que no tenía acceso al último, por darse allí la unión con Dios.

Los šāḍilīes, miembros de la secta sufí hispanoafricana que tanto estudió Miguel Asín en su libro póstumo *Šāḍilīes y alumbrados*, indica-ban la altura alcanzada en sus éxtasis justamente cuando advertían que el demonio era ya incapaz de perturbar el alma en estado de unión. Sir-viéndose de las mismas imágenes bélicas que san Juan, estos sufíes del Magreb imaginaban el encastillamiento del alma dentro de sí misma en términos de una batalla contra las armas y artillerías del enemigo exte-rior. Pero el éxtasis transformante garantiza totalmente el estado de paz y triunfo absolutos. En este sentido la lira final del «Cántico», leí-da a la luz de los discursos de la milicia simbólica islámica, no parece tan anticlimática como los críticos han visto. (María Rosa Lida, como se sabe, asoció este extraño final del «Cántico» con el «anti-clímax ho-raciano».) Pero, insistimos, a la luz de esta contextualidad musulmana, el poema resiste otra lectura: la celebración máxima de la unión trans-formante consiste en anunciar que ya el demonio enemigo del alma tie-ne vedado el acceso a nuestro castillo interior. Nos encontramos en la cima del éxtasis[292]. Ha sido tanta la insistencia del poeta en lo aislado e inexpugnable de su *locus* de unión amorosa que cada vez resulta más patente que no se trata de un simple ayuntamiento carnal que requiera privacidad. Es que el éxtasis místico es impermeable a toda compañía o alteración externa porque implica un estado de conciencia distinto del usual. Radical, infinitamente distinto. Si esto es así, es lícito pensar que estamos entonces ante un *grand finale* literario: de seguro el poeta sabía bien de lo que estaba hablando aquí, porque también santa Tere-sa conocía las modalidades de este símil del asalto fracasado del demo-nio a la séptima fortaleza del alma.

Pero las patéticas artillerías de Aminadab «descienden» o ceden «a vista de las aguas». No tenemos que abrir las glosas al poema para sa-ber que se trata de las aguas deleitosas del espíritu (CB 40, 5): hemos vuelto, prodigiosamente, al *locus* de la fuente, donde comenzó a ges-tarse la unión transformante. Estamos una vez más ante los semblantes plateados donde el ciervo sació su sed infinita, ante el corazón o *qalb* proteico capaz de reflejar todos los atributos de Dios sin aferrarse a ninguno. Claro que la *caballería* —los sentidos y las potencias— «descienden» ante la visión de la fuente cristalina: no están capacitados para percibir una experiencia que los trasciende completamente, y mucho menos pueden dar cuenta de esta vividura infinita que nunca pasó por ellos. Todo queda obnubilado, pues, ante la alfaguara proteica de la transformación en Uno. La última lira constituye, una vez más, un *grand finale*, pero ahora, curiosamente, porque nos devuelve al centro prodigioso del poema: a la mismísima unión mística lograda en el ojo de agua. El «¿adónde?» inicial de la primera lira ha sido contestado para siempre. El «Cántico», poema infinito sin *alpha* ni *omega*, se ha mordido la cola y ha regresado a su principio. ¿No decíamos que el círculo era el símbolo perfecto del Todo?

San Juan nos susurra, pues, su secreto *abisal* una vez más, ahora por la pista oblicua de la extraña concatenación estrófica de su inspirado poema, de factura doble y siempre visionaria[293]. Como recordaremos, he venido siguiendo la versión primitiva del «Cántico», el llamado «Cántico A» del códice de Sanlúcar de Barrameda, que resiste una lectura «anular» o «de anillo» al estilo oriental. La gozosa mandala interior que constituye esta primera e inspiradísima versión del poema nos envía perpetuamente al núcleo profundo de intensidad poética que se encuentra justamente a mitad de los versos. San Juan nos envía, pues, al centro. Y de súbito accedemos al prodigio de su honda enseñanza espiritual: el santo nos obliga a entrar en el centro de nosotros mismos, en el *apex* del alma, del cual las liras unitivas constituyen soberbia metáfora. Una vez más, *in interiore hominis habitat veritas*. También en el interior del poema es que habita la Verdad. El magisterio poético-místico tiene unos alcances sobrecogedores, ya que esta zona sagrada del hondón del espíritu —y de los versos interiores del «Cántico»— es donde se celebra la unión transformante a salvo del espacio-tiempo y de la razón humana.

Hemos nomaneado errátiles por espacios y tiempos en permuta constante. Primero despreciábamos los espacios fugitivos con la protagonista poemática porque tendían a exteriorizarla, y el Amado no se encontraba sino dentro de ella. Pero una vez se encuentra a sí misma, en lo hondo de la fuente, descubre que todos estos espacios confluían en su propio ser transformado en Dios. Por eso ve al Amado como espacios: montañas, valles, ríos. Nuestro ojo interior de lectores ha sido espejo metafórico de los atributos indeterminados de Dios que el poeta —a través de su *alter-ego* femenino— asegura haber reflejado en el espejo incoloro (y capaz de todas las formas) de su alma privilegiada. *Allí* —en este sublime *allí*— hemos quedado liberados al fin de los confines que delimitan nuestro ser para unirnos con el Amor total. Por eso ha sido necesario ignorar, en estas estrofas unitivas, y siempre de la mano de nuestro sapientísimo poeta, el divisorio verbo *ser*. Toda la espacialidad caleidoscópica que fluye a continuación —huerto, manzano, montiña, arca, nido, cavernas de la piedra— no es otra cosa que el

123

discurrir de la amada dentro de los espacios simbólicos de sí misma, que sigue reflejando, embelesada y sin tregua, en los semblantes plateados de su alma transformada. Todo confluye en la fuente, todo nos devuelve a la fuente.

Si fuésemos a ilustrar iconográficamente el talismán verbal de estas liras unitivas (y acaso del «Cántico espiritual» como conjunto poético) no podríamos recurrir a las leyes de la perspectiva clásica, sino a la superimposición de imágenes en palimpsesto y en proyección profunda donde el eje de la visión del contemplador pudiese abarcarlas todas simultáneamente. El conjunto implicaría también una unidad de tiempo cualitativo, donde el pasado y el futuro estarían simultáneamente en el presente. La contemplación o «lectura» de esta esfera multidimensional constituiría de esta manera una realización interior, un itinerario mental con funciones de *mandala*. La poesía ha logrado ilustrar desde su «estructura profunda» cosas para cuya expresión no estaba hecho el lenguaje»[294]. En su poema y sobre todo en estas liras a-conceptuales en las que converge, san Juan ha cumplido de una manera muy especial el postulado de Bergson: «El arte del escritor consiste sobre todo en hacernos olvidar que usa las palabras»[295]. El suyo ha sido de veras «el canto de la dulce Filomena», pero no de la «Filomena» melancólica de Virgilio, sino del ruiseñor extático de los persas. El alma, como los versos que la cantan en espiral concéntrica, ha ido de Dios a Dios o de sí misma a sí misma: la protagonista poética del «Cántico» en verdad nunca recorrió camino porque lo que buscaba estaba todo el tiempo en ella misma. Y era infinito[296].

Importa tener presente que la misma sublime orden de interiorizarnos la reiteró el santo una y otra vez en vida. En una ocasión lo hizo en Beas, y la escueta, radical enseñanza aún reverbera en nuestros oídos. Catalina, una carmelita que trabajaba como cocinera en el convento, preguntó a su santo Padre por qué las ranitas de un estanque que tenían en la huerta, al sentirla pasar, se escapaban de súbito y se escondían en el fondo. Y san Juan, «como si hablase al estilo de un *hayku* de Bashò»[297], le respondió: «porque aquél es el lugar y centro donde tienen seguridad». «Así ha de hacer ella» —le dice— huir de las criaturas y zambullirse en lo hondo y centro, que es Dios, escondiéndose en él»[298]. Tanto le importaba al santo que su dirigida siguiera sus palabras que le adjuntó un recordatorio de su propia pluma: «a nuestra hermana Catalina, que se esconda y vaya al fondo»[299]. El «Cántico espiritual» no hace otra cosa que repetir, a través de los siglos, la sencilla lección que el poeta director de almas otorgara a su hija la hermana Catalina[300].

Advertimos, por último, que es la protagonista —y no el Amado— quien nos ha dictado casi todo el «Cántico espiritual». Cuando el Amado hace sentir su presencia en el poema es para manifestarse en la amada, para fundar su existencia en ella, que lo ha estado buscando con tanta urgencia y veracidad emocionales. La protagonista poemática nos ha estado hablando todo el tiempo de sus estados espirituales, de su gozosa unión transformante. De ella misma. A través de la lectura atenta de estas liras embriagadas de amor, hemos quedado preparados para aceptar el hecho que san Juan celebra a lo largo de su «Cántico espiritual» no sólo a Dios, sino a sí mismo, transformado en Dios. Nos lo recuerda Raymond Bailey: «La literatura mística es inevitablemente autobiográfica»[301]. Con toda la humildad abismal de un monje que quiso «meterse cartujo», el poeta ha elaborado sin embargo en su más alto poema de amor un proceso de narcisismo sublime, una inesperada, estremecedora «Ode to myself» [Oda a mí mismo]. El «Cántico» resulta, sorprendentemente, el «Cántico» a sí mismo. Cantarse a sí mismo en estos estados transformantes no es —el príncipe de los místicos lo sabe como nadie— ni egoísta ni inapropiado. Es, sencillamente, glorificarse en el regalo indescriptible de la participación directa en el Todo, de ese grado último del amor que los sufíes celebraban con el grito extático de *subḥānī* —«¡gloria a mí!»—. Dicen que san Juan también cantó a gritos desde la celda de su prisión toledana el «Cántico espiritual» que había concebido de memoria y de rodillas. No hacía otra cosa que celebrar, con todos los místicos auténticos, el milagro más grande del amor: la transformación de la amada en el Amado.

NOTAS

1. *Triumphus cupidinis*, III, 151, 162.
2. Lorenzo De' Medici, *Tutte le opere* II, Milano, 1958, pp. 206-207.
3. En su magnífico ensayo «Love's Greatest Miracle»: *Modern Language Notes* LXXXVI (1971), p. 29. Cf. también su libro *The Kiss Sacred and Profane*, The University of California Press, 1969.
4. Resulta muy útil en este sentido un estudio de Guillermo Serés que acaba de llegar a mis manos después de redactadas estas páginas: *La transformación de los amantes. Imágenes del amor de la antigüedad al Siglo de Oro*, Crítica, Grijalbo-Mondadori, Barcelona, 1996.
5. Lo hace en uno de los sonetos de su *Arcadia*, que citamos por Perella, *op. cit.*, p. 27.
6. Perella, *ibid.*
7. Cf. Ángel Cilveti, *La literatura mística española*, Taurus, Madrid, 1984, p. 32. Para otros ejemplos del fenómeno de la transformación mística en las literaturas europeas, cf. Domingo Ynduráin, *Aproximación a San Juan de la Cruz. Las letras del verso*, Cátedra, Madrid, 1990.
8. Ángel Cilveti, *ibid.*
9. *Discursos y sermones*, cap. III, *apud* Ana María Schlüter Rodes, «San Juan de la Cruz y el Zen»: *San Juan de la Cruz* IX (1992), p. 56.
10. *Vida en el amor*, Carlos Lohlé, Buenos Aires-México, 1970, p. 41; también Trotta, Madrid, 1997.
11. Advierte cautelosamente el teólogo: «Nuestro Medio Divino no se halla sino en las antípodas del falso panteísmo» (*El Medio divino*, Taurus, Madrid, 1959, p. 120). Oigamos al maestro reelaborar a un nivel místico las antiguas ideas de los poetas del *dolce stil nuovo* en torno a la muerte instintiva del enamorado que se funde con el objeto de sus anhelos: «Unirse es, en todo caso, emigrar y morir parcialmente en aquello que enamora. Pero si, como estamos persuadidos, esta anihilación en el Otro tiene que ser tanto más completa, cuanto mayor que nosotros sea Aquel a quien nos ligamos, ¿cuál no será el desprendimiento requerido para que nos integremos a Dios?» (*op. cit.*, p. 83).
En *El fenómeno humano*, Teilhard insiste una vez más en la gozosa entrega del ser que redunda, paradójicamente, en el más absoluto control de la identidad: «Y, en efecto, ¿en qué momento llegan a adquirir dos amantes la más completa posesión de sí mismos, sino en aquel en que se proclaman perdidos el uno en el otro?» (*El fenómeno humano*, Taurus, Madrid, 1974, p. 321).
12. *Cántico cósmico*, Nueva Nicaragua, Managua, 1989, p. 551; también Trotta, Madrid, ²1993.

13. *New Seeds of Contemplation*, A New Directions Book, New York, 1972, p. 227.

14. Thomas Merton, *Entering the Silence, Becoming a Monk and Writer*, editado por Jonathan Montaldo, HarperCollins Publisher, Harper-San Francisco, 1996, pp. 127-128. Agradezco a mi hermana Clara Eugenia López-Baralt el que me alertara sobre este testimonio místico de Merton, que acaba de ver la luz.

15. *The Everything and the Nothing*, Sherian Press, South Carolina, 1989, pp. 1 y 19.

16. Por extraño que parezca, Borges admitió en varias ocasiones (tanto en una entrevista a Willis Barnstone como a mí personalmente) que tuvo dos experiencias de tipo místico en su juventud. Toda su obra, de alguna manera u otra, evoca una nostalgia y una reflexión mística muy profunda, que exploró Emilio Báez, como tesina para el Programa de Estudios de Honor de la Universidad de Puerto Rico (1991). Báez y yo hemos publicado una entrevista que le hiciéramos a María Kodama, la viuda de Borges, en torno a estas vivencias espirituales del escritor argentino (cf. «¿Conoció Jorge Luis Borges la experiencia mística del *aleph*?», en *El sol a medianoche. La experiencia mística: tradición y actualidad*, Trotta, Madrid, 1996, pp. 251-264). Estas experiencias fueron tan significativas para el escritor que llegó a ir a un monasterio Zen en Kioto con el propósito de explorarlas más a fondo. En este monasterio pensaba permanecer un año, cuando le sorprendió su última enfermedad. Importa recordar, ante el caso de Borges, la posición de Thomas Merton y de Ernesto Cardenal frente a estas experiencias espirituales unitivas: están más repartidas de lo que se cree y no necesariamente conllevan la santidad de las personas que las experimentan.

17. Sobre estas aves simbólicas en vuelo místico de la literatura musulmana, que de alguna manera parecen haberle sido familiares a san Juan de la Cruz, cf. mi ensayo «Para la génesis del pájaro solitario en San Juan de la Cruz», en *Huellas del Islam en la literatura española. De Juan Ruiz a Juan Goytisolo*, Hiperión, Madrid, 1985/1989, pp. 59-72.

Deseo advertir, de otra parte, que en las numerosas citas del árabe del presente libro me sirvo del sistema de transliteración de la Escuela de Estudios Árabes de Madrid y de la revista *Al-Andalus*. Respeto, sin embargo, el sistema de transliteración del árabe y del hebreo de cada crítico que voy citando: de ahí las variantes.

18. Ibn Ǧāfī definía así estas locuciones teopáticas: «Es aquello que se desborda durante el éxtasis y que parece extraño al lenguaje [común]» (citamos por el estudio de Carl W. Ernst, *Words of Ecstasy in Sufism*, State University of New York Press, Albany, 1985, p. 21).

19. Lo hace en su prólogo al «Cántico espiritual». Para una exploración sobre los estrechos paralelos entre las teorías del santo sobre el delirio verbal y los *šaṭṭ* de los sufíes, cf. mi libro *San Juan de la Cruz y el Islam*, Colegio de México/Universidad de Puerto Rico, 1985; Hiperión, Madrid, 1989.

20. Sobre este éxtasis transformante, cf. el citado estudio de Evelyn Underhill, *Mysticism*.

21. Citamos por R. A. Nicholson, *Poetas y místicos del Islam*, en versión española de Fernando Valera, Orión, México, 1945, p. 45. Por cierto que en el mismo poema que venimos citando, Bisṭāmī intuye exactamente lo mismo que Ernesto Cardenal: en el fondo de nuestra identidad descubrimos a Otro. He aquí los versos: «La criaturas están sujetas a estados de cambio y mudanza; pero el gnóstico no tiene "estado", porque la esencia de Otro borra sus vestigios y aniquila a su esencia, de suerte que se pierde hasta el rastro de Otro» (*ibid.*).

22. Cf. al respecto Annemarie Schimmel, *Mystical Dimensions of Islam*, University of North Carolina Press, Chapel Hill, 1975, p. 50; próxima publicación en Trotta, Madrid.

23. También celebraba en verso: «Yo soy Aquel a quien amo, y el que amo es yo: Somos dos espíritus que moran en un mismo cuerpo. / Si me ves, Le ves, y si Le ves, nos contempla a los dos» (citamos por R. A. Nicholson, *Poetas y místicos del Islam*, p. 183).

24. Véanse en este sentido los estudios de Louis Massignon, *La passion de Ḥallâj*, 4 vols., Gallimard, Paris, 1975; Reynold Alleyne Nicholson, *Studies in Islamic Mysticism*, University Press, Cambridge, 1921, y Annemarie Schimmel, *Mystical Dimensions...* Escuchemos a esta última: «La frase *anā'l-Ḥaqq*, "Yo soy la Verdad absoluta", o, como vendría a ser traducida después, "Yo soy Dios", llevó a muchos místicos a pensar que Ḥallaŷ, sin embargo, mantiene la trascendencia de Dios sobre lo creado, argumentando su *qidam*, es decir, la preeternidad que lo separa para siempre de la *ḥahath*, "aquello que es creado en el tiempo". Sin embargo, en momentos privilegiados del éxtasis el Espíritu increado puede unirse con el espíritu humano creado, y el místico pasa así a convertirse en el testimoniante personal de Dios, pudiendo declarar entonces *anā' l-Ḥaqq*» (*op. cit.*, p. 72).

25. *Mathnawī-i-ma'nawī*. Commentary by R. A. Nicholson, London, 1925-40, vol. I, 3056-3063. El sublime poeta eleva el amor humano a estas alturas divinales al entender que la suprema bienaventuranza para las almas que se aman consiste en estar unidas, aquí y ahora, con el alma universal. Así, dedica al Sol de Širaz, su compañero de camino místico, estos versos estremecedores: «Feliz

momento aquel en que nos sentamos en el palacio, tú y yo. / Con dos formas y dos semblantes, pero con una sola alma, tú y yo. / Los colores y luces de la alameda y la voz de los pájaros otorgan la inmortalidad cuando penetramos en el jardín, tú y yo. / La estrellas del cielo vendrán a contemplarnos, y nosotros se las mostraremos a la misma Luna, tú y yo. / Y nos fundiremos en el éxtasis, y no seremos más seres individuales, jubilosos y a puerto seguro del necio lenguaje humano, tú y yo. / Todos los pájaros de brillante pluma del cielo se morderán de envidia el corazón, en el lugar donde reiremos, tú y yo. / He aquí la mayor de las maravillas, que sentados aquí, en el mismo escondrijo, vivimos al mismo tiempo en el Irak y en Khorasán, tú y yo» (apud Nicholson, Poetas..., pp. 199-200).

26. Bujarī LXXXI; 38; apud Michael Sells, «Ibn 'Arabī's Polished Mirror»: Studia Islamica 66 (1988), p. 132.

27. Citamos el Corán por la versión española de Juan Vernet (Planeta, Barcelona, 1967, p. 550).

28. Citamos, a lo largo de este libro, las Obras completas de San Juan de la Cruz por la edición que hice, en colaboración con Eulogio Pacho (Alianza, Madrid, 1991), aunque para alguna información biográfica del poeta me sirvo de la edición de la Vida y obras completas de San Juan de la Cruz de Crisógono de Jesús et al., BAC, Madrid, 1964.

29. Una lectura atenta de los textos sanjuanísticos permite advertir los penosos cuidados que tiene el Reformador para evitar que caiga sobre él cualquier sospecha de herejía o heterodoxia. Recordemos, entre tantos posibles ejemplos, la apremiante defensa del culto a las imágenes que lleva a cabo en la Subida (L. III, 15, 2).

30. Cada día sabemos más acerca de la angustia de muchos contemplativos como Miguel de Molinos, cuya Guía espiritual y Defensa de la contemplación han sido editadas recientemente por José Ángel Valente y por Eulogio Pacho. Salta a la vista la actitud a la defensiva del antiguo heresiarca (acaso ya no lo veamos como tal), que se esmera en respaldar sus enseñanzas acerca de la oración silente con innumerables citas teológicas «prestigiantes». Con todo, ya Eulogio Pacho dejó demostrado cuán cerca se encontraba su magisterio espiritual del sanjuanista (cf. su ensayo «El quietismo frente al magisterio sanjuanista sobre la contemplación»: Ephemerides Carmeliticae [Roma] XIII [1962], pp. 353-426).

31. Sobre este proceso místico unitivo en san Juan de la Cruz, cf. Eulogio de la Cruz, La transformación total del alma en Dios según San Juan de la Cruz, Madrid, 1963, y Domingo Ynduráin, Aproximación a San Juan de la Cruz. Las letras del verso, Cátedra, Madrid, 1990.

32. «Estudio literario», p. 173.

33. Humbert Wolfe recurre también a la poesía, pero sabe bien que sólo habrá de hablar de la huella evanescente de su experiencia teopática intransferible:

I will tell you the poet's secret. It is this
To trap the shadow and leave the light that cast it,
To set a sound beside those silences
That give the sound its glory and outlast it.
There is a net of colour at the edge of the mind
And the poet beats against it, as a bird,
Against a stained glass window, but, behind
The window, distance stainless, cold, unstirred.
[Te voy a decir el secreto del poeta: Es
atrapar la sombra y echar de lado la luz que la arrojó.
Asentar un solo sonido junto a aquellos silencios
que dan al sonido su gloria y la sobreviven.
Hay una red policromada al filo de la mente
y el poeta golpea contra ella, como un pájaro
contra un vitral de colores, pero, detrás
de la ventana, la distancia sin mácula, fría, inconmovible.]
(Apud E. I. Watkin, Poets and Mystics, Sheed and Ward, New York, 1953, p. 14.)

34. Citamos los Estudios de crítica literaria de M. Menéndez Pelayo (Madrid, 1915, pp. 55-56) y La poesía de San Juan de la Cruz. (Desde esta ladera) (Aguilar, Madrid, 1966, p. 18) de Dámaso Alonso. Para una reflexión acerca de la «temerosa» recepción que ha recibido la obra de san Juan desde el siglo XVI al XX, cf. mi «Estudio introductorio» a las citadas Obras completas de Alianza Editorial.

35. El citado «Estudio introductorio» y sobre todo mi citado libro San Juan de la Cruz y el Islam.

ASEDIOS A LO INDECIBLE

36. *La poesía de san Juan de la Cruz*, cit., p. 18.

37. A. del Villar (ed.), *Tiempo y espacio*, Madrid, 1986, p. 97.

38. Todos los místicos han afirmado la radical suprarracionalidad de la experiencia mística auténtica. Oigamos a Thomas Merton, quien lo expresa de manera muy moderna y muy persuasiva: «Nada podría resultar más ajeno a la contemplación que el *cogito ergo sum* de Descartes. «Pienso, luego existo». Ésta es la aformación de un ser alienado, exilado de sus propias profundidades espirituales, compelido a buscar algún consuelo en *una prueba de su propia existencia* (!) basada en la observación de que «piensa». Está reduciendo su ser a un mero concepto. Hace que le sea imposible experimentar, de manera directa e inmediata, el misterio de su propio ser. A la misma vez, al reducir también a Dios a un concepto, se impide a sí mismo tener cualquier intuición de la realidad divina, que es inexpresable» (*New Seeds of Contemplation*, p. 8).

Sobre esta condición supralingüística del éxtasis, cf. también Roland Barthes, *El grado cero de la escritura* y *El grano de la voz*.

39. Citamos por la versión inglesa de Thomas Merton, *The Way of Chuang Tzu*, New Directions, New York, 1965, p. 82.

40. «Formas de lectura y dinámica de la tradición», en *Hermenéutica y mística*, p. 22.

41. Apud Morris Jastrow, *The Song of Songs. Being a Collection of Love Lyrics from Ancient Palestine*, Philadelphia & London, 1921, p. 84.

42. La frase es mía. Sobre la contextualidad del *Cantar de los cantares* en relación al «Cántico», cf. José L. Morales, *El «Cántico espiritual» de san Juan de la Cruz: su relación con el Cantar de los Cantares y otras fuentes escriturísticas y literarias*, Editorial de Espiritualidad, Madrid, 1971, y nuestro citado *San Juan de la Cruz y el Islam*.

43. Poco importa que hoy tengamos noticia científica de que los antiguos versos epitalámicos eran versos de amor humano, y que fueron las exégesis posteriores, tanto hebreas como cristianas, las que los fueron convirtiendo en versos de amor divino. San Juan, como sus contemporáneos del siglo XVI, entendía que los ardientes versículos traducían una experiencia mística que les era inherente desde el principio (cf. en este sentido el estudio de Marvin Pope *The Song of Songs. A New Translation with Introduction and Commentary*, The Anchor Bible, Doubleday, New York, 1977).

44. En nuestro comentario de texto utilizaremos el «Cántico A», que, al igual que Dámaso Alonso y Cristóbal Cuevas (*San Juan de la Cruz. Cántico espiritual. Poesías*, Alhambra, México, 1985), preferimos sobre el B desde un punto de vista estético. Sin duda la reorganización estrófica a la que el santo somete su texto en la segunda redacción le sirve para aclaraciones de doctrina espiritual, pero no mejora la inspiración poética, que en el A surge con una espontaneidad mucho más sincera y, por lo tanto, dotada de más verdad emocional y literaria.

A propósito del «Cántico B», se impone tener en cuenta el descubrimiento de un nuevo códice del mismo, fechado en 1593 y dado a conocer por José Guillermo García Valdecasas en un Congreso sobre san Juan de la Cruz celebrado en Roma en 1991. Al presente Eulogio Pacho se encuentra en proceso de estudiar el inédito, que parece, a todas luces, favorecer la teoría de la autenticidad del CB en el contexto de la larga polémica que se ha suscitado al respecto. Cf. el reciente ensayo de Pacho «Una novedad reveladora sobre el «Cántico espiritual»: *Ínsula* 534 (junio 1991), pp. 1-2.

45. Lo advierte Fernando Lázaro Carreter: «La expresión de su amor cuenta con la dificultad de la ausencia de rasgos físicos en el ser amado: el poeta sabe que éste es la hermosura misma, pero ignora en qué consiste su hermosura» («Poética de San Juan de la Cruz», en *ACIS*, vol. I, p. 59).

46. Cito la Cantiga 43, titulada «Omega», del citado *Cántico cósmico*, pp. 395-410.

47. La intuición es de mi alumno de la Universidad de Puerto Rico Ferdinand Padrón (curso de *Literatura mística española*, 1996), que me autorizó a citar su ensayo aún inédito «La corporeidad de los sujetos líricos en el "Cántico espiritual" de San Juan de la Cruz». Entiende el joven estudioso que la lira inicial ya comienza a ser unitiva, porque el ciervo, con su sola huida, «detona la transformación de la vaga inmaterialidad de la amada, y la convierte en un ser intangible, capaz de emprender vuelo» (p. 12).

48. *Ensayo sobre Miguel de Molinos: Guía espiritual. Defensa de la contemplación*, Barral Editores, Barcelona, 1974, p. 14. Véase también María Jesús Mancho Duque, «Símbolos dinámicos en San Juan de la Cruz», en *Palabras y símbolos en San Juan de la Cruz*, Fundación Universitaria Española/Universidad Pontificia de Salamanca, Madrid, 1993.

49. «Lenguaje técnico y lenguaje popular en San Juan de la Cruz», en *Hermenéutica y mística...*, p. 217.

50. Tanto William James (*The Varieties of Religious Experience*, Collier Books, New York, 1961) como Evelyn Underhill (*Mysticism*) distinguen entre los místicos «emanentes» y los místicos

«inmanentes». Para los primeros, agudamente conscientes de la trascendencia de Dios, la aventura mística está concebida como un salirse de sí mismos hacia el Absoluto. Estos contemplativos suelen ser ascetas y penitentes por razón del terrible contraste que advierten entre ellos y la Perfección que contemplan. Claman «desde el abismo» y suelen ser espirituales pesimistas incapaces de olvidar sus imperfecciones y pecados. Para los místicos «inmanentes», que James considera «mentalmente equilibrados» (*healthy minded*), la búsqueda del Absoluto no es una larga jornada sino la súbita, gozosa realización de que la Trascendencia se encuentra implícita en su propia identidad (*self*). Estas almas reaccionan más a la armonía del plan divino que a la sensación de pecado y están más inclinadas al amor que al asombro espiritual. San Juan nos irá dando muestras, a lo largo del «Cántico», de la «Noche» y de la «Llama», de que disfruta de un temperamento místico a todas luces «inmanente».

51. *L'archange empourprée. Quinze traités et récits mystiques traduits du persan et de l'arabe,* Fayard, Paris, 1976, pp. 197-198.

52. Mi antigua alumna, tanto de la Universidad de Puerto Rico como de Brown University, Laura Robledo, ha escrito un penetrante ensayo, todavía inédito, sobre los espacios y los tiempos en el «Cántico espiritual», que ha titulado «El extravío delirante del "Cántico espiritual": hacia una poética del espacio en San Juan de la Cruz».

53. La complejidad de las coordenadas literarias en las que se mueve san Juan es notoria: la palabra «pastores» lanza al lector *bona fide* de inmediato al mundo arcádico de Teócrito, de Virgilio, de Sannazaro y de Garcilaso. Pero, ya con esta constelación de poetas en mente, ese mismo lector tiene que rectificar y añadir aún otro discurso poético a su atareada memoria: la pastoril bíblica. Aun cuando no descartemos del todo la pastoril europea como sustrato literario del «Cántico» (es imposible hacerlo, ya que la sola mención de los «pastores» en lengua española nos detona en seguida a Garcilaso y su mundo cultural), tenemos que aceptar que, a medida que vamos leyendo, vamos entrando cada vez más de lleno en la bucólica del *Cantar de los cantares.* Nos movemos, pues, «esquizoides», de Oriente a Occidente, y ese zigzagueo cultural contribuye no poco al misterio y a la dificultad del «Cántico espiritual».

54. La presencia de estas misteriosas «fieras» rompe, de otra aparte, el esquema del posible espacio pastoril europeo que el lector podría identificar como trasfondo del prado sanjuanista. Estas feroces criaturas no abundan por cierto en los tranquilos espacios arcádicos de Virgilio, de Sannazaro, ni de Garcilaso.

55. Tomo el dato de Adolfo E. Jiménez Benítez, *El cancionero popular sefardí y la tradición hispánica,* Zoé, San Juan de Puerto Rico, 1994, p. 83.

56. «El "Cántico espiritual"»: *Revista Interamericana* (San Juan, Puerto Rico), VII (1977), pp. 333-344.

57. *Apud* H. Corbin, *L'archange empourprée...,* pp. 270 y 353.

58. Es tan nueva esta perspectiva «cuasi cubista» desde la cual el emisor dicta los versos, que pienso que san Juan la pudo haber aprendido no sólo en sus propias experiencias de estados alterados de conciencia, sino en su modelo literario preferido, *Cantar de los cantares.* En el versículo 1, 16 la esposa canta: «Las vigas de nuestra casa son de cedro, y el techo de ciprés». Esta observación del techo que cobija a los amantes puede hacerse tan sólo desde el lecho, que es precisamente desde donde parece estar el punto de mira de la protagonista poemática, que acaba de celebrar su unión con el amado en «nuestro lecho florido». No conozco ningún otro poeta del Siglo de Oro que experimente como san Juan con estas perspectivas novedosas, típicas del epitalamio bíblico pero no de la poesía occidental.

59. Resulta curioso que Jorge Luis Borges, en un poema en el que parece dar cuenta de estados psíquicos semejantes, que, según confesión propia, le acontecieron dos veces en su juventud, utilice el mismo término «frontera». Siente que en el centro de su ser una voz infinita le dicta una sola palabra que lo contiene Todo. Su esfuerzo, a todas luces inútil, de traducir el prodigio lo hace prodigar imágenes en alucinada sucesión caleidoscópica. Entre ellas espigamos las sugerentes, intuitivas fronteras sanjuanísticas: nos limitamos a transcribir un fragmento del estremecedor «Mateo XXV, 30»:

«—Estrellas, pan, bibliotecas orientales y occidentales,
Naipes, tableros de ajedrez, galerías, claraboyas y sótanos,
Un cuerpo humano para andar por la tierra,
Uñas que crecen en la noche, en la muerte.
Sombra que olvida, atareados espejos que multiplican,
Declives de la música, la más dócil de las formas del tiempo,
Fronteras del Brasil y del Uruguay, caballos y mañanas,
Una pesa de bronce y un ejemplar de la saga de Grettir,

Algébra y fuego, la carga de Junín en tu sangre,
El sueño como un tesoro enterrado, el dadivoso azar,
Y la memoria, que el hombre no mira sin vértigo».

Todo eso le fue dado al poeta en un instante privilegiado, pero reflexiona melancólico: «Has gastado los años y te han gastado, / Y todavía no has escrito el poema». Ni lo hubiese podido escribir jamás: entre la experiencia y su modesto intento de expresarla media, como todo extático sabe, un verdadero abismo que es siempre insalvable.

60.   Curiosamente, en las glosas san Juan nos indica que este «prado de verduras» esmaltado de flores «también se comprehende toda la diferencia de las hermosas estrellas y otros planetas celestiales» (CB 4, 4). El asociar el prado o jardín florido con el cielo estrellado es usual en los poemas cultos andalusíes: los *nawuriyyat* o poemas florales y los *rawḍiyyat* o poemas en torno a jardines hacen gala constante de ello, anticipando por siglos el célebre toro gongorino, mentido robador de Europa, ocupado en pacer estrellas en campos de zafiro. Pero desde el momento en el que el jardín se incrusta en un contexto místico es lícito pensar, como hicieron los sufíes, que se trata también de una alegoría del alma, motivo que por cierto será cada vez más evidente en el «Cántico». Pero por el momento no deja de ser curioso advertir que el prado terrenal tiene su contrapartida exacta e inmediata en el cielo supraterrenal. Es como si el poeta nos indicara entre líneas nuestro parentesco celeste: nuestra alma microcósmica está hecha a imagen y semejanza del universo macrocósmico y divinizado. Parece que también lo supo santa Teresa, que en más de una ocasión desliza la idea de que los planetas en órbita celeste equivalen a los castillos concéntricos de su alma iluminada. Se trata —importa recordarlo— de una asociación tan antigua que es zoroastriana y babilónica. Sólo que hace pleno sentido en el caso de nuestro enigmático poeta, que nos sigue aleccionando espiritualmente por caminos inesperados.

61.   Observa Laura Robledo (*op. cit.*) que los espacios sanjuanísticos van perdiendo la natural capacidad ubicatoria y delimitante que les adjudicara Aristóteles en su *Física* y que los hiciera, de otra parte, célebres en el escenario arcádico clásico: más que definir un lugar, los espacios ahora son personajes.

62.   La paleta cromática de san Juan de la Cruz es de las más originales del Renacimiento español y merecería un estudio de propósito. Es particularmente refulgente o fulgúrea, con su insistencia en los metales brillantes —«semblantes plateados», «escudos de oro», «toque de centella», «cristalina fuente»—. De otra parte, nuestro poeta privilegia colores poco usuales en los discursos poéticos al uso: el violeta («en púrpura tendido») y el verde («flores y esmeraldas», «riberas verdes», «prado de verduras»). Otro dato curioso que cabe comentar es que los ojos nunca tienen color en la poesía de san Juan de la Cruz, por más que su mirada tenga siempre una importancia trascendental, y que la piel, por su parte, no es blanca como la de las damas idealizadas de la poesía cortesana, sino «morena» como la de la Sulamita ensolinada de Judea. Por último, el socorrido color azul, tan amado por los poetas contemporáneos del Reformador, brilla por su ausencia en las liras embriagadas de sus poemas principales.

63.   Otro tanto sucede con el símbolo sanjuanístico del «pájaro solitario», que no tenía determinado color porque «todos los colores estaban en él». Con ello san Juan pretende comunicar la idea de que el alma del contemplativo se encuentra desasida de toda atadura material. Sobre la relación de este símbolo con la ornitología simbólica mística sufí, cf. mi ensayo «Para la génesis del "pájaro solitario" de San Juan de la Cruz», en *Huellas del Islam...*, pp. 59-72.

64.   *The Poet and the Mystic. A Study of the «Cántico espiritual»*, Oxford University Press, London, 1977, pp. 86-87.

65.   Cf. lo dicho en la nota 59.

66.   *Apud* William L. Hanaway, Jr., «Paradise on Earth: The Terrestrial Garden in Persian Literature», en Elizabeth B. Macdougall y Richard Ettinghaussen (eds.), *The Islamic Garden*, Dumbarton Oaks/Trustees for Harvard University, Washington, D.C., 1976, p. 50.

67.   «Les arabes et la couleur», en *Hommage à Roger Bastide*, PUF, Paris, 1979, p. 350. Tan verde perciben el cielo los musulmanes que en los zocos de Oriente venden tejidos y pinturas en los que se evoca un cielo completamente verde en vez de azul, circunstancia que no deja de ser curiosa para el gusto occidental.

68.   Góngora, como dejé dicho, culminó el lugar común poético de la lírica árabe, de seguro sin saberlo, con su célebre toro robador de Europa, que «en campos de zafiro pace estrellas».

69.   «Les arabes et la couleur», p. 347.

70.   Ferdinand Padrón también ha visto cómo este prado de verduras, punteado por los destellos argénteos de las flores que carecen de color preciso «asume las características de una superficie espejeante, que anticipa la fuente de enigmáticos semblantes plateados» (*op. cit.*, p. 14).

71.   «The Power of Paradox...» , p. 211.
72.   Cf. en especial Fritjob Capra, *The Tao of Physics* (Boulder, 1957), y el más reciente estudio de Lawrence LeShan, *The Medium, the Mystic and the Physicist. Toward a General Theory of the Paranormal* (Ballantine Books, New York, 1982).
73.   Para más detalles sobre lo dicho, refiero al lector a mi citado estudio *San Juan de la Cruz y el Islam*.
74.   «The Power of Paradox...», pp. 211-212.
75.   *Apud* Nicholson, *Poetas..*, p. 198.
76.   Sobre este tópico, utilizado por Pietro Bembo y Giordano Bruno, cf. el brillante ensayo de Aurora Egido, «Itinerario de la mente y del lenguaje en San Juan de la Cruz»: *Voz y Letra. Revista de Filología*, Arco/Libros, S.A., II/2 (1992), p. 99.
77.   Como el sentido de esta lira es tan significativo para la intelección de los matices espirituales del «Cántico», la incluimos aquí, a pesar de que figura en el «Cántico B» o códice de Jaén, y no en el de Sanlúcar de Barrameda («Cántico A»), que es el que vamos siguiendo en nuestro comentario. Para una puesta al día de la controversia en torno a la autoría de esta segunda versión del poema, cf. el citado estudio de Eulogio Pacho, «Una novedad reveladora sobre el "Cántico espiritual"».
78.   Sobre la meditación acerca de la muerte que entrevera la obra sanjuanística, cf. José Damián Gaitán, «Vida y muerte en la "Noche oscura" de San Juan de la Cruz», en Otger Steggnick (ed.), *Juan de la Cruz, espíritu de llama*, Institutum Carmelitanum, Roma/Kok Pharos Publishing House, Kampen, The Netherlands, 1991, pp. 745-760.
79.   *Cien años de soledad*, Suramericana, Buenos Aires, 1970, p. 335. La unión del *eros* y el *tánatos* constituye una intuición a todas luces universal. La lengua francesa se refirió al orgasmo como «pequeña muerte» (*petite morte*), mientras que en el inglés del siglo XVIII la frase *to die*, morir, significaba la culminación del acto erótico. La palabra griega para «cementerio» incluye a su vez los sentidos de «sepulcro» y de «lecho nupcial», mientras que el término árabe *fanā'*, que significa la cesación del ser o la aniquilación, es un estado místico anejo a la culminación del amor en el que el contemplativo siente anegar su alma. La literatura de todos los tiempos registra también, como era de esperar, la inesperada unión de las dos intuiciones límites del ser humano: la felicidad o plenitud total y la muerte o la extinción del yo; el ser y el no ser. Cf. al respecto mi ensayo «José Hierro ante el milagro más grande del amor: la transformación de la amada en el amado»: *La Torre* VI (1992), pp. 105-173.
80.   Es obvio que aquí la fuente sirve de espejo, y que el poeta reflexiona sobre la esencia última y verdadera de su identidad. El espejo es, como se sabe, un símbolo plurivalente que han interpretado a su modo las distintas literaturas espirituales que se han servido de él. En san Pablo (1 Cor 13) se trata de la reflexión de la Divinidad, que se manifiesta «a través de un espejo, oscuramente» en esta vida. En la tradición cristiana posterior significó la figura de Jesús como espejo del Padre y también la Virgen María, impoluto «Espejo de la justicia». Michael Sells nos recuerda, por su parte, que durante la Edad Media el símil del espejo sirvió de título a numerosas obras de los más diversos temas. El estudioso advierte la diferencia entre la simbología especular cristiana y la sufí: «En el sufismo, el espejo se asocia frecuentemente con el reflejo pulido que ocurre en la unión mística» (*Mystical Languages of Unsaying*, p. 144). Lleva razón Sells: el misticismo musulmán prodiga los ejemplos del espejo como símbolo de la transformación o fusión de la identidad del alma en Dios: el persa Ḥakīm Sanā'ī y el murciano Ibn 'Arabī son tan sólo dos predecesores de los espejos pulidos de semblantes plateados de santa Teresa y de san Juan de la Cruz. J. A. Cooper, por su parte, insiste en la asociación del espejo con el éxtasis transformativo en el sufismo, y además señala que en el budismo y el taoísmo representa el alma en estado de pureza y de auto-realización. Una vez más, san Juan parecería estar más cerca de coordenadas culturales orientales que occidentales (cf. Cooper, *Illustrated Encyclopedia of Traditional Symbols*, Thames and Hudson, London, 1978, p. 106, y Mario Satz, *Umbría Lumbre. San Juan de la Cruz y la sabiduría secreta en la Kábala y el Sufismo*, Hiperión, Madrid, 1991).
Tampoco es lícito ignorar el sentido esotérico adicional que ha tenido el espejo para las tradiciones más antiguas, desde Grecia hasta el presente. De alguna manera numerosas culturas han sabido que fijar los ojos en una superficie pulida o acuosa facilita la proyección de imágenes —reales o subconscientes— que guardan profundo significado para el observador. Cabe recordar el *psychomanteum* u oráculo de los muertos, que consistía en una superficie líquida en la que los antiguos griegos veían reflejados a sus muertos (el que preparó Ulises con la ayuda de Circe en la saga de Homero era de sangre, y allí contempló innumerables guerreros fallecidos y doncellas de vida truncada antes de tiempo. El psiquiatra Raymond Moody ha intentado imitar estos célebres observatorios especulares con sus pacientes de manera controlada). En Siberia, los shamanes tungus usaban espejos de cobre con idéntico propósito de acceder a los espíritus de los muertos, y tan clara es la asociación de estas

superficies pulidas que su palabra para «espejo» deriva de la palabra empleada para «alma» o «espíritu». Acaso por eso mismo Aladino se veía precisado a pulir la superficie de su lámpara metálica antes de que el generoso genio pudiese acudir en su ayuda. Por no decir de otros prodigios especulares de la cuentística tradicional, desde el espejo que Alicia atravesó en su camino hacia el país de las maravillas hasta el siniestro *speculum* que dijo la ominosa verdad a la madrastra de Blanca Nieves acerca de quién era la mujer más hermosa de todas. Por algo también las adivinas gitanas usan su proverbial bola pulida de cristal, con la que acceden más fácilmente al futuro de su interlocutor, y que alguna misteriosa relación tiene con las esferas translúcidas y tornasoladas en las que H. G. Wells y Borges vieron el inconcebible universo (cf. Mircea Eliade, *Shamanism: Archaic Techniques of Ecstasy*, Princeton University Press, New Jersey, 1964; Benjamin Goldberg, *The Mirror and Man*, University Press of Virginia, 1985; Northcote W. Thomas, *Crystal Gazing: Its History and Practice, with a Discussion of the Evidence of Telephatic Saying*, Dodge Publishing Company, 1905/Health Research, New York, 1968, y Raymond Moody, *Reunions. Visionary Encounters with Departed Loved Ones*, Ivy Books, New York, 1993).

81. Dirijo al lector a su ensayo «El ojo de agua», del ya citado libro *La piedra y el centro*, p. 69.

82. «San Juan de la Cruz: destrucción y destino», en *Hermenéutica y mística...*, p. 156.

83. Cf. C. G. Jung, *Alchemical Studies*, Princeton University Press, Princeton, 1970, p. 104.

84. «Transmisión y recreación de temas grecolatinos en la poesía lírica española»: *Revista de Filología Hispánica* I (1939), pp. 20-63.

85. Y continúa el estudioso: «La bondad originaria o supraser de lo divino es fuente que mana sin cesar de sí misma, en despliegue misterioso de vida y abundancia» (*El «Cántico espiritual» de San Juan de la Cruz. Poesía. Biblia. Teología*, Paulinas, Madrid, 1992, p. 248).

86. El texto fue traducido por Jack Sage (London, 1962).

87. Cf. el comentario que en este mismo sentido hace Margaret Wilson del texto de Cirlot (*Saint John of the Cross. Poems*, Grant & Cutler Ltd./Tamesis Books Ltd., London, 1975, p. 30). J. C. Cooper nos recuerda, por su parte, que la fuente de la vida queda asociada con Cristo en la tradición cristiana: de ahí que para san Juan, en una espléndida etimología falsa, la declare «cristalina» por ser «de Cristo». En la tradición sufí implica, en cambio, la gnosis espiritual más alta: el éxtasis transformante en el que ocurre la revelación de la Divinidad (*op. cit.*, p. 189). Salta a la vista que en este caso san Juan se sirve simultáneamente de ambas tradiciones, la cristiana occidental y la musulmana. Es difícil negar, con todo, que la alegoría cristiana es más superficial en el caso de la fuente del «Cántico», mientras que el significado más profundo y más teológico sofisticado del manantial místico responde mejor a coordenadas espirituales islámicas.

88. «La fonte», La Habana, 1946, p. 18.

89. *Historia de la literatura nacional española en la Edad de Oro*, Barcelona, 1933, p. 108.

90. Añade el poeta una leve asociación de los ojos con la fuente: «¿sabes que me quitaste, fuente clara / los ojos de la cara?». San Juan parecería exacerbar la idea pálidamente esbozada aquí, pero, como veremos, tiene un manejo demasiado exacto del símbolo místico de los ojos reflejados en el manantial del alma como para tratarse de una simple elaboración de un pasaje desleído de Garcilaso. Nos detendremos en seguida en el hecho de que los sufíes, como san Juan, elaboraron minuciosamente —y con todo conocimiento de causa— el símbolo del alma en proceso de transformación en Dios traducido precisamente a través de unos ojos que se reflejan en el manantial de la ipseidad del alma extática.

91. «Estudio literario», cit., p. 77.

92. *Los siete libros de la Diana* de Jorge de Montemayor, Espasa-Calpe, Madrid, 1967, p. 211.

93. En su ensayo inédito «El simbolismo de la fuente, el semblante y los ojos en las liras 12 y 13 del "Cántico espiritual" de San Juan de la Cruz» (p. 2), que sometió como requisito del curso graduado de literatura mística española. Agradezco al profesor Soto, hoy mi colega, que me permitiera citar su ensayo. Soto cita en su apoyo diccionarios hebreos y el *Diccionario de símbolos* de Jean Chevalier y Alain Gheerbrant (Herder, Barcelona, 1986, p. 771), y no es difícil corroborar la equivalencia aludida en diversos estudiosos del Cantar. Ariel Bloch y Chana Bloch insisten en ello: «*'ayin* significa tanto "ojo" como "fuente", manantial autónomo de agua» (*The Song of Songs. A New Translation with an Introduction and Commentary*, Random House, New York, 1995, p. 202).

94. Cf. Soto Rivera, *op. cit.*, p. 14.

95. Cf. en especial mi estudio *La enseñanza del árabe en Salamanca en tiempos de San Juan de la Cruz o de cómo el maestro Cantalapiedra «leía el arávigo por un libro que se llama la Jurrumía»*, en prensa en el Colegio de México.

96. *La formación universitaria de San Juan de la Cruz*, Junta de Castilla y León/Consejería de Cultura y Turismo, Valladolid, 1992.

97. He logrado dar con el texto de clase: la *Jurrumía* o *Muqqadima* de ibn al-Ŷurrum, que todavía circulaba en versiones aljamiadas entre los moriscos del siglo XVI. Cf. mi citado libro *La enseñanza del árabe...*

98. Lo dice el atormentado maestro en el alegato que presenta en su defensa desde la cárcel de Valladolid ante el licenciado Diego González el 16 de mayo de 1573. Cf. M. de la Pinta Llorente, *Procesos inquisitoriales contra los catedráticos hebraístas de Salamanca: Gaspar de Grajal*, Monasterio de El Escorial, Madrid, 1955, p. 212.

99. Cf. Helmut Hatzfeld, *Estudios literarios sobre mística española*, Gredos, Madrid, 1968.

100. Uso aquí el término «imaginal» en el sentido en que lo acuña Henry Corbin: el *mundus imaginalis* no es el mundo «imaginario», sino el mundo intermedio «que es el mundo de las ideas-imágenes [...], el mundo de la "sensibilidad suprasensible", del cuerpo *mágico* sutil, "el mundo donde los espíritus se hacen corpóreos y donde los cuerpos se espiritualizan"» (*L'imagination créatrice dans le soufisme d'Ibn 'Arabī*, Flammarion, Paris, 1975, p. 141).

101. Shihâboddîn Yahyâ Suhrawardî, *L'Archange empourprée. Quinze traités et récits mystiques traduits du persan et de l'arabe*, trad. y ed. de Henry Corbin, Fayard, Paris, 1976, p. 149.

102. *Ibid.*, p. 211-212.

103. *The Tao of Islam, A Sourcebook on Gender Relationships in Islamic Thought*, State University of New York Press, 1992, p. 161.

104. Annemarie Schimmel, *Mystical Dimensions...*, p. 256.

105. *L'homme de lumière dans le soufisme iranien*, Présence, Paris, 1961, p. 70-71.

106. Manejamos *Las eclosiones de la Belleza y los perfumes de la Majestad* de Naŷm ad-dīn al-Kubrā de acuerdo con la edición de Fritz Meier, *Die Fawā'iḥ al-gamāl wa-fawātiḥ al-galāl*, Akademie der Wissenschaften und der Literatur, Veröffentlichungen der Orientalischen Kommission, Bd. IX, Wiesbaden, 1957, p. 67.

107. Toshihiko Izutzu, «The Paradox of Light and Darkness in the *Garden of Mystery* of Shabastarī», en Joseph P. Strella (ed.), *Anagogic Qualities of Literature*, University Park, Penn., 1971, p. 298.

108. Corbin confiesa que no conoce el origen de esta curiosa cristología, aunque cabe recordar que Kubrā precede por varios siglos a san Juan de la Cruz: «Suhrawardî formula una cristología cuyo origen exacto nos es desconocido, pero que nos hace pensar en el judeo-cristianismo primitivo» (*L'Archange...*, p. xix).

109. Cf. J. M. Cowan, *Arabic-English Dictionary* (Spoken Languages Services, Ithaca, New York, 1976, p. 663), que ofrece, entre otros, algunos de los sentidos principales de la raíz *'ayn*: «ojo» (*eye*), «fuente» (*spring*), «sustancia» (*substance*), «el yo» o «la mismidad» (*self*), «individualidad» (*individuality*), «exactamente lo mismo» (*exactly the same*), «exactamente la misma cosa» (*the very same thing*), «averiguar» (*to find out*); *'ainiya*: «identidad» (*identity*).

110. Este importante paralelo entre san Juan y los sufíes no parece darse, por cierto, ni en la Biblia ni en los espirituales europeos que explora a este propósito Domingo Ynduráin en su citado estudio *Aproximación a San Juan de la Cruz* (cf. sobre todo las pp. 99 ss.).

111. Cf. al respecto el lúcido ensayo de Ludwig Schrader, «Les yeux de l'âme et de l'esprit, métaphore de la littérature religieuse du siècle d'or», en Agustín Redondo (ed.), *Le corps comme métaphore dans l'Espagne des XVIᵉ et XVIIIᵉ siècles*, Éditions de la Sorbonne, Paris, 1992, pp. 203-214.

112. Ya antes he citado el verso a través de Nicholson, *Poetas...*, cit., p. 198. También san Juan aludirá a uno de estos ojos, siguiendo el modelo del *Cantar de los cantares*: «En *uno* de mis ojos te llagaste». Sobre esta curiosa unicidad del ojo, cf. los citados estudios de Marvin Pope (*The Song of Songs...*), de D. Ynduráin (*Aproximación...*) y de López-Baralt (*San Juan de la Cruz...*).

113. «Ibn 'Arabī's Polished Mirror», pp. 121 y 131.

114. En este «Cantar del alma que se huelga de conocer a Dios por fe» que venimos citando, nuestro poeta se regocija —«aunque es de noche»— en la certeza mística que siente ante esta fuente simbólica de su alma en estado de unión. Repite nada menos que once veces el verbo *saber* en el poema, enfatizándolo casi invariablemente: «qué bien sé yo». Esta misma certeza es el referente semántico primordial de la fuente simbólica de la gnosis mística de los sufíes. Entre otros contemplativos islámicos, dice Algazel en su *Nicho de las luces* al comentar la azora coránica XIII, 19: «El agua significa aquí el conocimiento» (*Mishkāt al-anwār (The Niche for Lights)*, trad. e intr. de W. H. T. Gaidner, Royal Asiatic Society, London, 1924, p. 77). Lo sabe desde el siglo IX Abū-l-Ḥasan al-Nūrī de Bagdad: en el tratado VII de sus *Maqamāt al-qūlūb (Moradas de los corazones)* en el que dedica largas

descripciones al agua mística del alma, afirma que la que fluye en el corazón del contemplativo implica el conocimiento (*ulūm* o علم) de los secretos de un Dios eterno (recordemos a san Juan: «aquella eterna fonte está scondida»). El agua divinal también simboliza para Nūrī la certeza de ese conocimiento de Dios.

Pero san Juan matiza esa certeza: «que bien *sé* yo por *fe* la fonte frida». La «cristalina fuente»
del «Cántico» se traduce en las glosas igualmente por la *fe* (CB 12,3). Esa delicadísima conjunción de
fe y de *certeza* se da también, curiosamente, entre los contemplativos del Islam. Leemos en el *Libro de
la certeza* que el anónimo tratadista describe en esos mismos términos la «fuente de la enseñanza
acerca de la certeza»: «Este grado no es otra cosa que la fe (*īmām*)» (*The Book of Certainty*. Prólogo
de Abu Bakr Sirāŷ Ed-Dīn, Rider & Co., London, s.f., p. 145). En otro pasaje, el tratadista determina
que el segundo grado de la *fe* en el sufismo es el del «ojo de la certeza» (*'ainu'l-yaqīn*, p. 13). Esta terminología nos parecería abstrusa y extranjera, pero nos acerca más a la fuente sanjuanística, donde la
certeza, la fe, la identidad y los ojos se identifican armónicamente en el momento de la transformación del alma en Dios.

Los paralelos entre san Juan y los sufíes en lo que toca a la fuente mística son aún más estrechos. Como botón de muestra, regresemos una vez más al «Cantar» sanjuanístico que comienza «qué
bien sé yo...». Allí san Juan nos va explicando su «fonte» y muchos de los elementos descriptivos (salvo el final, marcadamente cristiano) parecerían estar incluidos en este comentario que, siguiendo casi
ad pedem litterae el citado *Libro de la certeza* (p. 27), hace la estudiosa Laleh Bakhtiar del símbolo
sufí de la fuente mística: «El místico entra en el Jardín del Espíritu y encuentra una fuente, un manantial autónomo que fluye [...] [«fluyente» en el *Libro de la certeza*, p. 36; «fonte que mana y corre» en
san Juan] [...] la fuente es la Fuente del Conocimiento [«qué bien sé yo», es el estribillo del poeta] [...]
que se encuentra iluminada por el Espíritu. Es la Verdad de la Certeza del contemplativo, el conocimiento de la iluminación [...] [San Juan dirá de su fuente, también curiosamente encendida: «Su claridad nunca es oscurecida, / y sé que toda luz de ella es venida»] [...] conocimiento de la unidad de todos los Atributos divinos [san Juan insiste en la unidad, aunque se refiere a la que subyace en el
misterio de la Trinidad: «Bien sé que tres en una sola agua viva / residen, y una de otra se deriva»]
[...] La Fuente del Conocimiento semeja velos de luz, no de oscuridad, y detrás de cada uno de ellos
resplandece la mismísima Luz de la Esencia [en los «semblantes plateados» de la fuente del «Cántico», que san Juan entiende como *fe* en sus glosas, se entrevé a Dios aún a través de velos: «a la postre
de esta fe, quedará la sustancia de la fe, desnuda del velo de esta plata [...] De manera que la fe nos da
y comunica al mismo Dios, pero cubierto de fe [...]» (CB 12, 4)]».

Son tantas y tan dramáticas la coincidencias entre san Juan y sus compañeros contemplativos de
Oriente, que nos tomará muchos años de estudio desapasionado el llegar a conocerlas a fondo.

115. *Op. cit.*, p. 71.
116. *L'homme de lumière...*, p. 128.
117. *Ibid.*
118. *Ibid.*
119.   Importa recordar aquí que san Juan se encarga de entrelazar y aun de identificar los términos *fuente* y *ojos* en las glosas aclaratorias al «Cántico». Entiende que la *fuente* simboliza la «fe»,
y que los *ojos* que se *reflejan* allí y que tiene «en sus entrañas dibujados» significan la verdades divinas «encubiertas en fe» (CB 12, 5). Tenemos, pues, que tanto, la *fuente* como los *ojos* significan lo
mismo: la «fe». Los términos, identificados, resultan pues intercambiables tanto en los versos como
en la prosa aclaratoria: *fuente* = *ojos*.

Recordemos, de otra parte, que san Juan, al hablarnos aquí de los principios del éxtasis transformante, también podría estar apuntando a la antigua imagen del «ojo del alma». El símil de este
«ojo del alma», que al parecer inauguró Platón en Occidente, ha sido utilizado como símbolo por innumerables espirituales occidentales como san Agustín (*Confesiones*, X), Orígenes, Meister Eckhart,
san Buenaventura, Raimundo Lulio (cf. el ya citado ensayo de Ludwig Schrader, «Les yeux de l'âme
et de l'esprit...»). También J. García Palacios (*Los procesos...*, p. 220), nos añade otros autores españoles que se sirven del socorrido símil: Laredo, Estella, Gómez García. Pero el símbolo del ojo es también —y en su forma singular— un órgano del conocimiento espiritual para los musulmanes. 'Ayn al-
qalb («ojo del corazón o del alma») lo llama Algazel en su *Iḥyā' 'ulum al-dīn* y el anónimo autor del
Libro de la certeza, como ya hemos dicho, «*ayn'l-yaqīn* ("ojo de la certeza")». También Ibn 'Abbād
de Ronda manejará el símbolo en términos semejantes en sus *Ḥikam* (243). La tradición popular de
origen hindú se refiere al místico, por su parte, como poseedor de un «tercer ojo». Más adelante tendremos ocasión de ver que san Juan parece coincidir más de cerca con la pormenorizada elaboración
del símil que llevan a cabo los sufíes que con sus propios correligionarios occidentales.

Recordemos, por último, y como nota curiosa, que la lengua española aún recuerda la antigua asociación que hace la lengua árabe del «ojo» con la «fuente»: todavía decimos «ojo de agua» para referirnos a un manantial autónomo.

120. Michael Sells advierte la extraordinaria riqueza del término *'ayn* en la obra del maestro sufí de Murcia. «*'Ayn* es uno de los términos más dificultosos de la obra de Ibn 'Arabī», nos anuncia en su brillante ensayo «Ibn 'Arabī's Polished Mirror: Perspective Shift and Meaning Event»: *Studia Islamica* 66 (1988), p. 137. A veces traduce el *'ayn* por «determinación, de-limitación, o unificación de la realidad indeterminada, ilimitada, no personalizada». Aquí el término, que equivale, como sabemos también, a «fuente» y a «ojo», parecería estar cerca del concepto de indeterminación de la fuente sanjuanística del poema «La fonte»: «bien sé que suelo en ella no se halla, / y que ninguno puede vadealla, / aunque es de noche». También Sells traduce el plurivalente concepto del *'ayn* por «lo mismo» (*the same*), como en los versos del *Fuṣūṣ* I, 119): «Pero en realidad [el atributo divino de la Soberanía] es *lo mismo* (*'ayn*) que el Ser» («Ibn 'Arabī's Garden Among the Flames: a Reevaluation»: *History of Religions* XXXIII [1984], p. 295, énfasis mío). (Sells ha incorporado los dos ensayos que hemos venido citando en su libro *Mystical Languages of Unsaying*, pero los seguiremos citando por esta primera publicación en revistas.)

121. Citamos por la edición bilingüe del *Tarjumān al-Ashwāq* de R. A. Nicholson, Royal Asiatic Society, London, 1911, p. 71.

122. *Op. cit.*, p. 51.

123. El sufí de Murcia prodiga la idea de esta mirada divina, que a menudo considera en el *Tarŷumān* como «asesina» para el contemplativo que se siente disolver en ella. No para mientes, de otra parte, en reflexionar, exactamente igual que san Juan, que los ojos alegóricos de la Divinidad «lo hacen pasar de sí mismo [trasponerse]» (*op. cit.*, p. 73).

124. El místico podrá sentir que «sale de sí hacia Dios», pero no hace sino encontrarse a sí mismo. San Juan lo vuelve a intuir cuando canta en una de sus canciones a lo divino: «mil vuelos pasé de un vuelo [...] y le di a la caza alcance», para añadir: «abatíme tanto tanto...». Observa acertadamente al respecto Margaret Wilson (*op. cit.*, p. 398): «La misma ambigüedad existe en el caso de las trayectorias hacia arriba y hacia abajo. Mientras más alto es el vuelo, más honda es la caída en la desesperanza de alcanzar la meta; pero este *abatir* del espíritu es también el *abatíme tanto tanto* que logra al fin capturar la presa. ¿Se eleva el pájaro hasta su presa, o se abalanza sobre ella desde lo alto? Las violentas contradicciones de este vuelo vertiginoso sugieren los éxtasis del poeta como ningún lenguaje lógico podría». Cf. también, sobre este tema del ave mística, Mancho Duque, «Aproximación a una imagen sanjuanista: el vuelo»: *Teresianum* XLI (1990), p. 393.

125. Frithof Schuon describe el ascenso del sufí a su propia alma en términos parecidos: «Lo que separa al hombre de la Realidad divina es la más tenue de las barreras. Dios está infinitamente cerca del hombre, pero el hombre está infinitamente lejos de Dios. El hombre concibe la barrera como una montaña [...] que debe remover con su propia mano. Excava la tierra, pero todo es en vano, la montaña permanece incólume; el hombre continúa cavando en el nombre de Dios. Y la montaña desaparece. Nunca estuvo allí» (*Stations of Wisdom*, *apud* Bakhtiar..., p. 57). Sobre la relación del monte sanjuanista con la mnemotecnia que tan común fue entre los espirituales españoles, cf. Aurora Egido, *op. cit.*, p. 92.

126. Sobre los interesantes paralelos entre las enseñanzas contemplativas del Reformador y el Zen o la práctica de «estar a solas con la noticia», cf. el citado estudio de Ana María Schlüter Rodes «San Juan de la Cruz y el Zen» y *El raja-yoga de San Juan de la Cruz* (Orión, México, 1959), de Swami Siddheswarananda.

127. Agradezco a mi alumno Félix Vega Flores el que me advirtiera de esta acepción adicional del mandato «vuélvete» en un curso de literatura mística comparada en la Universidad de Puerto Rico (1995). Curiosamente, en los seminarios subsiguientes en los que enseñé el «Cántico», varios alumnos adicionales, a quienes agradezco también su intuición perspicaz de lectores, me volvieron a reiterar la equivalencia.

128. Citamos por la edición de las *Obras completas castellanas*, prologada y anotada por Félix García, BAC, Madrid, 1962, vol. I, p. 173.

129. *Ibid.*

130. Cf. *A Dictionary of the Targumin, the Talmud Babli and Yerushalmi, and the Midrashic Literature*, compiled by Marcus Jastrow, Pardes Publishing House, Inc. New York, s.f., p. 1528, que trae: «to go back, come back» [ir de regreso, retornar]. El *Gesenius' Hebrew and Chaldee Lexicon to the Old Testament Scriptures* (B. Eerdmans Publishing Company, Michigan, 1957, p. 806) aclara a

su vez que *šub* significa «to turn about, to return» [volverse, regresar], y asocia el término con el árabe *tab* (ﺗﺎﺏ), que trae el sentido adicional de «to be converted» [convertirse]. También serían plausibles otras interpretaciones, ya que si *šub* está seguido de otro verbo, implica que se pide que la acción se repita: «Followed by another verb, *to return and do*, or *to return to do* (any thing) is the same as *to do again*» [«Seguido por otro verbo, *regresar y llevar a cabo,* o *regresar para llevar a cabo* (alguna cosa) es lo mismo que *volver a hacer*»].

Véase también W. L. Holladay, *The Root Sûbh in the Old Testament,* Brill, Leiden, 1958. Agradezco una vez más a mi alumno y colega Rubén Soto el que me llamara la atención hacia estas fuentes.

131. *Le Cantique des cantiques. Traduction et commentaire,* Librairie Lecoffre, Paris, 1963, p. 248.

132. *The Song...,* pp. 99 y 196.

133. *Ibid.,* p. 197.

134. En su edición la enumeración del versículo es ahora 7, 1 (cf. su citado *Song of Songs. A New Translation with Introduction and Commentary,* p. 593).

135. *Ibid.,* pp. 595-596.

136. Como dato de interés cabe apuntar que también el verbo árabe *'āda* o *'aud* (ﻋﺎﺩ), como el *šub* hebreo y el castellano «vuélvete», se puede interpretar como «ir», «venir» y «convertirse»: significa simultáneamente «to return, come back, to revert, grow into [...]; turn into, to regain consciousness, come to, resume, re-establish, to recover or reconquer» [regresar, volver hacia atrás, revertir, tornarse en...; convertirse en..., retomar conciencia, volver a aparecer, reanudar, re-establecer, recuperar o reconquistar], entre otros sentidos. Cf. Cowan, *op. cit.,* pp. 653-6654.

137. Para una interpretación jocosa del misterioso versículo, muy interesante por cierto, cf. «"Come back, come back the Shulamite" (*Song of Songs* 7: 1-10): A Parody of the *waṣf* Genre», de Athalaya Brenner, en Athalaya Brenner (ed.), *A Feminist Companion to the «Song of Songs»,* Sheffield Academic Press, Sheffield, 1993, pp. 234-257.

138. Citamos por la edición de la *Sagrada Biblia. Versión directa de las lenguas originales* de Eloíno Nácar Fúster y Alberto Colunga Cueto, BAC, Madrid, 1975, p. 966. Por cierto, que en ello insiste el citado Gesenius en su *Hebrew and Chaldee Lexicon to the Old Testament Scriptures,* aclarando que *šub* significa *return* pero que tiene el sentido metafórico adicional de «conversión» con el que lo había interpretado Isaías: *conversion, Isaiah 30: 15*» (p. 809).

139. *Origenis Opera Omnia.* Opera et Studio DD. Caroli et Caroli Vincentii Delarue, Accurante et Recognoscente J.-P. Migne. *Patrologiae Graaecae,* tomus 16, Pars Secunda, Turnholti (Belgium), s.f., pp. 1596 y 1598.

140. *Op. cit.,* tomus 17, p. 280. También es curioso recordar que la súplica repetida de este «regreso» se hacía en el antiguo festival de Adonis: «La exclamación de «regresa, regresa» es la misma que entonaba el coro de mujeres en el festival de Adonis mientras echaba al agua sus jardines de Adonis [sic] y sus imágenes de Adonis y Astarté» (*The Interpreter's Bible,* vol. V: *The Books of Ecclesiastes. The Song of Songs. The Book of Isaiah. The Book of Jeremiah,* George Arthur Buttrick *et al.* [eds.], Abingdon Press, New York/Nashville, 1956, p. 135).

141. Cf. el citado *Arabic-English Dictionary* de J. M. Cowan, p. 784.

142. *Apud* S. Murata, *The Tao of Islam...,* p. 297.

143. *Ibid.*

144. *Ibid.,* p. 298.

145. *Ibid.,* p. 307.

146. *Ibid.,* p. 307.

147. *Ibid.*

148. *Ibid.*

149. *Las contemplaciones de los misterios* de Ibn al-'Arabī, introducción, edición, traducción y notas de Suad Hakim y Pablo Beneito, Editora Regional de Murcia, 1994, p. iii. Agradezco a Pablo Beneito sus comentarios y aclaraciones en torno a este pasaje (Estambul, octubre de 1997).

150. Exploro más a fondo lo dicho en mi libro *San Juan de la Cruz y el Islam...,* pp. 49 ss.

151. Cf. Cowan, *op. cit.,* p. 784. También Mario Satz se hace eco de lo dicho en su citado estudio *Umbría lumbre*: «Para el sufismo [...] la palabra árabe *qalb* no se limita al único significado de "corazón"» (p. 97). También alude a *qalab,* «poner una cosa al revés» (por eso en el corazón humano, espejo de la gloria divina, todo está invertido). «El vocablo *qalab,* que tiene idéntica raíz, indica la extracción de la médula de la palmera, árbol que —al igual que en la Kábala— en el sufismo se considera iniciático, emblema de la *baraka* o transmisión secreta. Emparentada con las anteriores, está

también la palabra *qalb*, que señala un "reverso", aquello que está "invertido", que está en "el otro lado"».

Contrario al plurivalente *qalb* árabe, el concepto hebreo para corazón —*léb*— no es el asiento de la gnosis mística ni de los afectos sino el espacio de la mente, de la voluntad y de la decisión.

152.   «Símbolos dinámicos en san Juan de la Cruz», cit., p. 393.

153.   Cf. nuestro ensayo «Para la génesis del pájaro solitario de San Juan de la Cruz», en *Huellas del Islam*..., pp. 59-72. Para la equivalencia simbólica de la paloma en la literatura mística española y en los bestiarios medievales, remito al lector a mi citado libro *San Juan de la Cruz y el Islam*, pp. 62 ss.

154.   Marvin Pope, *op. cit.*, p. 400.

155.   Me sirvo de la traducción de William Chittick, *The Sufi Path of Love. The Spiritual Teachings of Rūmī*, State University of New York Press, Albany, 1983, p. 290.

156.   Se queja de que en las despiadadas ciudades modernas no ha podido escuchar a la paloma mística de larga estirpe persa: «Nunca escuché a la paloma cantar: "¿Adónde? oh, ¿adónde?"» (cf. *Nightingales Under the Snow*, Khanikahi Nimatullahi Publications, London & New York, 1994, p. 33. He traducido al español buena parte de este poemario en los apéndices del citado estudio que escribí en colaboración con Lorenzo Piera, *El sol a medianoche. La experiencia mística: tradición y actualidad*).

157.   Cf. Cowan, *op. cit.*, p. 203.

158.   «El punto de comparación puede ser la forma de óvalo, [y] posiblemente también la delicadeza de las palomas» (*op. cit.*, p. 147).

159.   *Op. cit.*, pp. 2 y 538. El estudioso admite, sin embargo, que no sabe a ciencia cierta el por qué de tan enérgica asociación: «No queda claro cuál aspecto de la paloma es el que queda asociado con los ojos de la esposa. Los comentaristas han sugerido diferentes posibilidades: las plumas de la paloma, su movimiento grácil, su pureza, su delicadeza, o su inocencia. La mejor posibilidad es el color reluciente de la paloma y su movimiento rápido» (p. 356).

160.   *Cantar*..., cit., p. 95.

161.   Agradezco la intuición a mi alumno y colega Rubén Soto.

162.   «Splashing in milky spray, sitting in brimming pools», Marvin Pope, *op. cit.*, p. 8. Acaso la imagen está asociada con la noción de unos ojos muy negros, cuya negrura contrasta con el blanco de la esclera. Así las tenían las huríes del Paraíso coránico, tan contrastantes que resplandecían. De ahí el término *ḥūr*, que alude precisamente a este «resplandor», que dio nombre de «huríes» a estas hermosas doncellas del otro mundo. Cf. mi ensayo «La bella de Juan Ruiz tenía ojos de hurí»: *Nueva Revista de Filología Hispánica* XL (1992) pp. 73-83.

163.   Cf. María Rosa Lida, *La tradición clásica en España*, Crítica, Barcelona, 1975, pp. 54 ss.

164.   Cuando comenta los versos «leones, ciervos, gamos saltadores», el poeta asegura que «los ciervos [...] tienen esta potencia concupiscible más intensa que muchos otros animales...» (CB 20, 6).

165.   Lida, *La tradición clásica en España*, pp. 76-77.

166.   CF. C. Cuevas, «El bestiario simbólico en el «Cántico espiritual» de San Juan de la Cruz», en *Simposio sobre San Juan de la Cruz*, Ávila, 1986, p. 184, y María Purificación Castaño Moreno, «El simbolismo animal en el «Cántico espiritual» de San Juan de la Cruz»: *San Juan de la Cruz* VIII (1991), pp. 242-243.

167.   Cf. el citado ensayo de María Rosa Lida, «Transmisión y recreación de temas grecolatinos en la poesía lírica española».

168.   Para más detalles acerca de la contextualidad literaria del ciervo, cf. mi citado estudio *San Juan de la Cruz y el Islam*, pp. 59 ss.

169.   Con su admirable erudición, Aurora Egido nos recuerda que la imagen del ciervo-Cristo estaba tan extendida que incluso Góngora la llega a usar casi sacrílegamente en un romance de 1591. No cabe duda de que san Juan, que usurpa su ciervo simbólico directamente de la sensual bucólica del epitalamio hebreo, era también consciente de esta equivalencia religiosa secular (cf. su citado ensayo «Itinerario de la mente y del lenguaje en San Juan de la Cruz», p. 98). La simbología alquímica tampoco nos aleja demasiado de esta equivalencia sanjuanística, ya que en ella *ciervo* significa «Cristo» o el «alma incorrupta».

María del Pilar Hernández, por su parte, ofreció una ponencia excelente acerca del «Bestiario alegórico en el *Dilucidario del verdadero espíritu de Jerónimo Gracián de la Madre de Dios*» en el II Congreso de la AISO (Salamanca/Valladolid, 26 de junio de 1990). Agradezco mucho a la colega que nos facilitara la copia aún inédita de su texto.

170.   Recordemos una moaxaja con su jarcha representativa, atribuida a Yosef ibn Saddiq: «Un día el ciervo golpea a su puerta [...] y ella alza la voz y se apoya sobre su madre: "No puedo re-

sistir. ¿Qué faré, mamma? Meu-l-ḥabīb est'ad yana"» [¿Qué haré, madre? Mi amigo está a la puerta] (*apud* Manuel Alvar, *Poesía española medieval*, Planeta, Barcelona, 1969).

171. Elizabeth B. Davis, *op. cit.*, p. 213.

172. *L'imagination créatrice dans le soufisme d'Ibn 'Arabî*, Flammarion, Paris, 1976, p. 118.

173. Para un estudio reciente del símbolo plurivalente del aire/aura, refiero al lector a los trabajos de Davide Stimilli, en particular a *The Strategy of Immortality: A Study in the Physiognomical Tradition*, Tesis doctoral inédita, Yale University, 1995.

174. Marvin Pope describe estas *foraminibus petrae* (II, 14) o escondrijos de las palomas: «En Palestina hay dos lugares conocidos como el "Valle de las Palomas" (Wadi Ḥamām): uno cerca de Jericó y el otro cerca del extremo noroeste del Mar de Galilea, al norte de Majdal. Tristam vio manadas inmensas de palomas anidando en los acantilados cerca de Jericó, y en los empinados precipicios de Wadi Ḥamām aparecían de golpe miles de palomas aleteando de tal manera que daba la impresión que azotaba un fuerte golpe de viento» (*op. cit.*, p. 400). Parecería que escuchamos el revoloteo final de los amantes del «Cántico», en vuelo vertiginoso hacia sí mismos.

175. Elizabeth B. Davis, *op. cit.*, pp. 203-204.

176. *Ibid.*, p. 218. Es interesante otra observación que hace Elizabeth B. Davis en torno al *Cantar de los cantares*: no cree que en el epitalamio bíblico podamos observar esta organizada *coincidentia oppositorum* que es tan consciente en la poesía del santo. Estoy de acuerdo, sólo que san Juan sí coincide con su amado libro de cabecera en lo que se refiere a su notable tendencia al enigma y a la incoherencia poética. Tanto la imita, que construye toda una teoría del lenguaje místico inefable a base de ella (cf. nuestro citado estudio *San Juan de la Cruz y el Islam*, pp. 19-86).

177. *Mystical Languages of Unsaying...*, pp. 9-12.

178. Importa decir que también la prosa sanjuanística evidencia esta tendencia simbiótica que nos ayuda a vislumbrar algo del proceso extático transformante vivido por su autor. Es Ciro García quien destaca las palabras del Reformador en su ensayo «Cántico espiritual. Prosa nupcial»: *Monte Carmelo* XCIX (1991), p. 418: «Hagamos de manera que, por medio de este ejercicio de amor ya dicho, lleguemos a vernos en tu hermosura, esto es, que seamos semejantes en hermosura, y sea tu hermosura de manera que, mirando el uno al otro, se parezca a ti en tu hermosura, y se vea en tu hermosura, lo cual será transformándome a mí en tu hermosura; y así te veré yo a ti en tu hermosura, y tú a mí en tu hermosura; y tú te verás en mí en tu hermosura, y yo te veré a ti en tu hermosura; y así parezca yo tú en tu hermosura y tu hermosura mi hermosura; y seré yo tú en tu hermosura, y serás tú yo en tu hermosura, porque tu hermosura misma será mi hermosura (C 35, 3)». Por cierto que para un lector de *Las contemplaciones de los misterios* de Ibn 'Arabî estas paradojas en el orden ontológico le son muy familiares.

Remito al lector también al ensayo «Antítesis dinámica de la «Noche oscura»» de la admirable sanjuanista María Jesús Mancho Duque, incluido en su citado libro *Palabras y símbolos en San Juan de la Cruz* (pp. 107-127), así como a mi *San Juan de la Cruz y el Islam*...

179. Cito a M. Sells, *Mystical Languages of Unsaying*, p. 212.

180. Cito su brillante estudio titulado *Los procesos de conocimiento en San Juan de la Cruz*, Universidad de Salamanca, 1992, p. 16.

181. Los calificativos son de un testigo segoviano, mientras que otro contemporáneo, fray Francisco de Santa María, aseguraba que el lenguaje hablado del santo fue superior a su pluma (cf. C. Cuevas, «Estudio literario», p. 126).

182. Tanto las citadas como la que les sigue en el «Cántico A»: «Nuestro lecho florido...».

183. Sobre la magia incantatoria, cf. Juan Martínez Ruiz y Joaquina Albarracín, «Farmacopea en *La Celestina* y en un manuscrito de Ocaña», en *Actas del I Congreso Internacional sobre* La Celestina, 17-22 junio 1974, p. 411.

184. Cf. Kenneth Rexroth, «The Works of Rimbaud»: *Saturday Review*, January 14, 1967, pp. 34 ss.

185. El santo, que cantaba de rodillas y a gritos las primeras liras de su «Cántico» en la cárcel toledana, debió de tener un agudo oído musical, a juzgar también por el ritmo inherente a las liras de sus poemas más famosos. También sabemos algo de su afición por el baile, que le sirvió en la Navidad de 1585 para expresar su altísima embriaguez espiritual: entrando el santo a la clausura de sus monjas granadinas, le mostraron sus hijas espirituales una imagen muy hermosa del Niño Jesús recostado y dormido sobre una calavera. El poeta, enternecido, exclama mientras baila: «Señor, si amores me han de matar, agora tienen lugar». Cf. también al respecto de esta musicalidad instintiva de la obra sanjuanística el ensayo de Gerardo Diego, «Música y ritmo en la poesía de San Juan de la Cruz»: *Escorial* IX (1942), pp. 182-189.

138

186.   Citamos el prólogo al «Cántico», en el que san Juan defiende algo más extremo aún: la opacidad de sus glosas aclaratorias. Salta a la vista una vez más lo consciente que era el poeta de la pertinencia del misterio verbal de su escritura. Insisto una vez más en que nadie en el Siglo de Oro manejó así ni la poesía ni la prosa.

187.   Ernesto Cardenal reescribe el mismo anhelo cuando, citando a César Vallejo, imagina la misericordia última de un encuentro con la Divinidad en el que habrá de recuperar sus amores perdidos: «Serán dados los besos que no pudisteis dar» (cito una vez más su *Vida en el amor*, p. 106).

Volviendo al caso de la profusión de imágenes sensoriales de estas liras unitivas, es significativo recordar con Rosa Rossi que el «Cántico» fue escrito en el «retrete maloliente» toledano (*Juan de la Cruz. Silencio y creatividad*, Trotta, Madrid, 1996, p. 85). Me pregunto si sería justamente para compensar el estrecho espacio maloliente por el que el poeta dulcificó con tantos aromas sus liras, que tan excesivamente orientalizantes parecieron a Paul Valéry. Siempre he pensado que el estrictísimo asceta que fue san Juan tendría que negarse a sí mismo con extremada dureza justamente porque tendría una personalidad proclive al deleite sensorial. Éste surge en sus poemas con tanta apasionada intensidad que es imposible no pensar que la sensorialidad — mejor, sensualidad— no era parte inherente a la psique de nuestro altísimo poeta. Acaso le debamos a esta solapada tendencia buena parte de la altura estética y del intenso colorido de sus versos. (W. W. Miessner S.J., M. D., somete a san Ignacio a un estudio psicoanalítico tan riguroso como responsable en su reciente *Ignacio de Loyola. La psicología de un santo*, Muchnik-Anaya, Madrid, 1995. Sería hondamente aleccionador el que se hiciera un estudio semejante en torno a la figura de san Juan de la Cruz.)

Vale la pena tener presente también aquí la teoría del conocimiento que elabora san Juan en torno a las experiencias alteradas de conciencia que establecen paralelos con los sentidos corporales. «Aprehensiones sobrenaturales corporales» o «sentidos corporales interiores» las llamaba el santo, y es, una vez más, imposible no admirarse de la sabiduría que muestra el teólogo en la experiencia sensorial, no empece haya sido «interior». Aun cuando niegue el valor de estos estados psíquicos fronterizos entre el mundo sensible y el mundo del espíritu, se le escapa una gozosa fruición cuando los describe: «Porque acerca de la *vista* se les suelen representar figuras y personajes de la otra vida, de algunos santos, y figuras de ángeles buenos y malos, y algunas luces y resplandores extraordinarios. Y con los *oídos* oír algunas palabras extraordinarias [...] En el *olfato* sienten a veces olores suavísimos sensiblemente [...] También en el *gusto* acaece sentir muy suave sabor, y en el *tacto* grande deleite, y a veces tanto, que parece que todas las médulas y huesos gozan y florecen y se bañan en deleite...» (2S, 12, 1: citamos por J. García Palacios, que se ocupa de estos estados psíquicos en *Los procesos de conocimiento en San Juan de la Cruz*, p. 86).

Pero la docencia sanjuanística es, como se sabe, meridianamente clara en cuanto al rechazo de todos estos carismas interiores se refiere. (De los exteriores, ni digamos: recordemos que el Reformador hacía comulgar a santa Teresa con una forma pequeña para mortificar sus gustos sensibles.) Llega a más el santo, sin embargo, cuando nos previene incluso de apegarnos a las imágenes pías tradicionales en el proceso de la meditación: «De donde los que imaginan a Dios debajo de algunas figuras de éstas [Cristo crucificado, o en la columna, o en otro paso, o a Dios con grande majestad en un tronco; o considerar e imaginar la gloria como una hermosísima luz, etc.] u otras cualesquier formas, y piensan que algo de aquello será semejante a él, harto lejos van de él» (S 12, 5). Bien lo supo el Doctor de las Nadas: el alma sin estas imágenes está más cerca de Dios, que no las tiene. (Cf. también al respecto Colin P. Thompson, «El mundo metafórico de San Juan de la Cruz», en *ACIS*, pp. 74-93, y Antonio T. de Nicolás, *Power of Imagining. Ignatius of Loyola. A Philosophical Hermeneutic of Imagining Through the Collected Works of Ignatius of Loyola*, State University of New York, New York, 1986.)

188.   «San Juan de la Cruz, poeta "contemporáneo"», en *Teoría de la expresión poética*, Gredos, Madrid, 1970.

189.   Cf. A. Schimmel, *The Triumphal Sun...*, p. 166.

190.   Es fascinante advertir cómo san Juan, de seguro inconscientemente, va canjeando la atribución de estas virtudes o atributos unas veces a Dios, y otras veces al alma, que no en balde están unificados ya. A menudo no parece claro en quién realmente residen las virtudes celebradas: cuando el santo comenta el verso «en púrpura tendido» aclara que «Todas estas virtudes están en el alma como tendidas en amor de Dios...» (CA 15, 6).

191.   Seguimos citando por la traducción castellana de fray Luis de León, en *Obras completas castellanas*, pp. 144 y 76.

192.   Fray Luis de León, *op. cit.*, p. 159.

193.   Para una exploración más detenida al respecto, cf. mi *San Juan de la Cruz y el Islam*, en especial las pp. 49 ss.

194. Fray Luis de León, *op. cit.*, p. 77.

195. Cito por la *Biblia Hebraica*, Rudolph Kittel y P. Kahle (eds.), American Bible Society, New York, 1952, I, 16, p. 1202. En adelante abreviaré: BH.

196. El ms. 125 de las carmelitas descalzas de Valladolid lee «*Mira* Amado las montañas», mientras que la copia autógrafa de Ana de San Bartolomé, hoy en Amberes, «corrige»: «Mi Amado *en* las montañas». Como éstas, hay otras variantes que nos indican con elocuencia cómo no se «toleraron» bien las «inconsistencias» sanjuanísticas. Pero no se lo tomemos a mal a los copistas antiguos: forman tradición con una larga serie de estudiosos que se han sentido perplejos frente a las «incorrecciones» gramaticales de nuestro santo. Ahí está la queja elocuente de Antonio de Campagny (1787), que siente que los versos a menudo ininteligibles del Reformador le resultan «descuidados» (*Teatro histórico crítico de la eloqüentia española*, t. II, A. de Sancha, 1787, p. 138). Lo secunda Francisco Pi y Maragall (1853), quien encuentra a san Juan «incorrecto» pero «sublime» y «completamente nuevo» (Prólogo a las *Obras del Beato padre Juan de la Cruz, en Escritores del siglo xvi*, t. I, BAE, 1853, p. xix). Azorín se siente perplejo a su vez frente a la «oscuridad» y las «transgresiones gramaticales» de la obra del santo («Juan de Yepes», en *Los clásicos redivivos. Los clásicos futuros*, Espasa-Calpe, Madrid, 1973, p. 48) y, de seguro porque tampoco acababa de entender estos versos delirantes, José Coll y Vehí aconseja leer a san Juan «con el corazón, más que con los ojos» (*Diálogos literarios*, J. Jepús, Barcelona, 1868, p. 483). (He tomado muchos de estos ejemplos de la citada edición del «Cántico» de C. Cuevas García). Para una puesta al día de esta recepción inicial, cf. María Jesús Mancho Duque y José Antonio Pascual, «La recepción inicial del "Cántico espiritual" a través de las variantes manuscritas del texto» (*ACIS*, vol. I, pp. 107-122).

197. *The Everything and the Nothing*, p. 36.

198. «De la noche oscura a la más clara mística», p. 189. Joaquín García Palacios advierte con razón que este ensayo de Zambrano, con la sola excepción del infatigable Salvador Ros, «ha sido sistemáticamente ocultado y olvidado (no sabemos por qué extrañas razones) por *todos* los estudiosos de la obra sanjuanista» (*Los procesos...*, p. 173). Lleva razón mi querido amigo: en mi propio caso nunca cité el ensayo por simple ignorancia, de la que le agradezco haberme sacado.

199. Observa María del Rosario Rollán que en estas liras el espacio se ordena e ilumina por la presencia deseada del Amado. Yo precisaría aún más: la presencia misma de Amado está vista en términos espaciales, que ambos amantes no sólo comparten sino que *son*. Cf. Rollán, «Poética del espacio místico en San Juan de la Cruz», en M. J. Mancho Duque (ed.), *La espiritualidad...*, p. 155.

200. Esta imagen o dimensión simbólica espacial le es muy cara a san Juan para la comunicación de su éxtasis transformante. En las «Coplas del mismo hechas sobre un éxtasis de harta contemplación» insiste en la imagen, repitiendo el *donde* y el *allí* del «Cántico»:

«Entréme *donde* no supe,
y quedéme no sabiendo
toda ciencia trascendiendo.
Ya no supe *dónde* estaba,
pero, cuando *allí* me vi,
sin saber *dónde* me estaba,
grandes cosas entendí.

....

El que *allí* llega de vero
de sí mismo desfallece...» (énfasis mío).

201. Borges, como todos recordaremos, articuló una imagen semejante en esa sobrecogedora reflexión mística que es, entre tantas otras cosas, su relato del *Aleph*.

202. *Imagination créatrice...*, pp. 95 y 88.

203. Traduzco al español de la citada versión árabe-inglesa de R. A. Nicholson.

204. M. Sells, «Ibn 'Arabī's Garden Among Flames...», p. 311, n. 37.

205. *Ibid.*, p. 293.

206. Michael Sells, *op. cit.*, pp. 290-291.

207. *Entering the Silence*, cit., p. 127.

208. *Ibid.*, p. 299.

209. «Ibn 'Arabī's Polished Mirror...», p. 132.

210. Importa recordar una vez más que san Juan también había dicho que el pájaro solitario de su alma, aunque no tenía «determinado color», poseía a la vez todos los colores, con lo que el poeta significaba simbólicamente el desasimiento del alma de todo lo creado.

211. *Apud* S. Murata, *op. cit.*, p. 298.

EL «CÁNTICO ESPIRITUAL» DEL SIMURG

212. *Ibid.*, p. 303.
213. Cf. mi ensayo «Para la génesis del «pájaro solitario» de San Juan de la Cruz», en *Huellas del Islam...*, pp. 59-72.
214. Kubrā se refiere a la montaña cósmica del Cāf, asociada, como dejé dicho, con la revelación de la Esencia última de Dios. Una vez más, el corazón/*qalb* accede a la revelación de Dios en la forma simbólica de una montaña, tal como hace san Juan en la primera experiencia vivencial —siempre metafórica— que tiene de él: «Mi Amado las montañas...».
215. *Qalīb* o *qulib* significa literalmente «pozo» o «cisterna», pero también retiene, como siempre sucede con los numerosos significados que una raíz árabe emparenta, el sentido de «cambio». Por eso intenté traducir ambos conceptos a la vez, el de «cisterna» y el de «cambio» a través de la frase «pozo de la existencia cambiante».
216. *Op. cit.*, p. 7.
217. *Apud* S. Murata, *op. cit.*, p. 304.
218. *Ibid.*, p. 307.
219. *L'imagination créatrice...*, p. 171.
220. Está por hacerse el estudio de la frecuencia y la alegría con las que el poeta prodiga las imágenes gustativas en sus poemas, tan ajenas a la estética de la poesía renacentista que le fue contemporánea. No sólo la cena nos «recrea y enamora», sino que bebemos con el poeta vino adobado, mosto de granadas, e incluso pacemos con el Amado entre las flores. Hasta la vida eterna se traduce en términos gustativos en la «Llama»: «que a vida eterna sabe». La ciencia mística es, por más, «ciencia muy sabrosa». Otro tanto sucede con las imágenes olfativas, tampoco demasiado frecuentes en la lírica de la época: ya sabemos que son tantas en la poesía del Reformador que dejaron a Paul Valéry saciado al extremo.
221. Sobre la contextualidad literaria sacramental de otra extraña imagen sanjuanística relacionada con el sustento —«Y pacerá el Amado entre las flores»— nos habla Domingo Ynduráin en su ensayo «*Y pacerá el Amado entre las flores*: el verso», en M. J. Mancho (ed.), *La espiritualidad...*, pp. 37-43. Para la contextualidad epitalámica hebrea del mismo verso, enormemente complejo, cf. nuestro citado estudio *San Juan de la Cruz y el Islam*. Ya insistiré en él más adelante.
222. Cf. H. Corbin, *L'Archange empourprée...*, p. 120.
223. O'Reilly, «El "Cántico espiritual"...», en J. A. Valente y J. Lara Garrido (eds.), *Hermenéutica y mística...*, pp. 276-277.
224. *L'Imagination créatrice...*, pp. 105-106.
225. *Ibid.*, pp. 105 y 107.
226. Corbin señala que los místicos musulmanes se fundan en el versículo coránico II, 72 —«la *philoxénie* d'Abraham»— para el establecimiento de su símil (*ibid.*, p. 105). Ciro García, por su parte, nos recuerda que las imágenes del festín «son reminiscencias de la parábola evangélica de las vírgenes que acuden al banquete de bodas (Lc 15, 1-13)...» (*op. cit.*, p. 411). Bien podría ser, aunque, con todo, la elaboración del sentido teológico de la «cena» parece más cerca de coordenadas teológico-místicas musulmanas que cristianas.
227. Lleva razón Ciro García cuando asocia este lecho nupcial con los elaborados lechos reales de la antigüedad: «La descripción del lecho se hace a partir de imágenes que parecen tomadas de los grandes lechos regios de los castillos o palacios castellanos, enmarcados por artísticos baldaquinos, con ricas telas bordadas en "púrpura" y adornadas con "escudos de oro" y figuras de leones» (*op. cit.*, pp. 410-411). Sólo que importa siempre insistir en lo enigmático del extraño lecho nupcial del «Cántico», que no tiene baldaquinos ni frazadas normales sino que aparece rodeado de cuevas y techado por unos escudos (¿suspendidos en el aire?) que ni siquiera sabemos si son monedas o rodelas de guerra o escudos de armas.
228. Cf. A. Schimmel, *Mystical Dimensions...*, p. 237. Agradezco el dato a mi alumna del Seminario Evangélico de Puerto Rico María de Lourdes Díaz Cruz.
229. Cf. nuestro ensayo «El símbolo de los siete castillos concéntricos del alma en santa Teresa y en el Islam», en *Huellas del Islam...*, pp. 73-97, así como el ensayo pionero de Miguel Asín Palacios al respecto, reproducido en sus *Šāḏilíes y alumbrados*, ed. de Luce López-Baralt, Hiperión, Madrid, 1990. En breve daré noticia más detallada de mi reciente hallazgo en Estambul del Tratado de Tirmiḏī al-Ḥakīm (noviembre de 1997).
230. Sobre el sentido de Aminadab, en el que me detendré más adelante, cf. mi citado estudio *San Juan de la Cruz y el Islam*. Sobre la imagen del diablo en el conjunto de la obra sanjuanística, cf. José Vicente Rodríguez, «La imagen del diablo en la vida y escritos de San Juan de la Cruz»: *Revista de Espiritualidad* LVIV (1985), pp. 301-336.

141

231. Imposible descartar otra posible asociación del color purpúreo de este lecho florido, que puede recordar a su vez la sangre virginal de la que se inicia en el estado matrimonial. También el alma, metafóricamente, estrena virginalmente su nuevo estado de conciencia trascendido.

Xabier Pikaza, por su parte, piensa que la lira evoca la sangre de Cristo, derramada por la humanidad en el sacrificio de la Cruz, y también insiste en el significado de «tendido»: además de estar tenso, extendido o apoyado en cuatro postes, «se dice que un encaje está "tendido" cuando se va haciendo de una sola tirada, sin tener que levantarlo del patrón. Así es el lecho donde ejercen su realeza los amantes: es púrpura "tendida", tejida sin fisuras ni retoques, como espacio donde puede ya vivirse en unidad de amor por siempre» (*op. cit.*, p. 320).

Más adelante tendré ocasión de detenerme en otros versos en los que san Juan insistirá en imágenes alusivas al tejido o a la urdimbre, a la que, como se sabe, se dedicaban sus padres, tejedores de burato.

232. Mi alumna de la Universidad de Puerto Rico Nilsa Nenadich ha estudiado minuciosamente esta estructura del «Cántico A», que centra su celebración mística en el centro del poema, celebración que luego parece aludirse y recordarse retrospectivamente desde las liras subsiguientes, en las que tanto se emplea, como también ya ha señalado C. P. Thompson, el deíctico *allí*. Cf. el ensayo (aún inédito) de N. Nenadich «El problema de las escalas místicas en el "Cántico espiritual" de San Juan de la Cruz».

233. José C. Nieto alude al deíctico *allí* y al tiempo circular que éste implica; «La visión del tiempo es la de círculo, que se mueve, sí, pero permanece en el mismo sitio. Hay, pues, moción, pero no progreso; todos los puntos están siempre equidistantes del mismo centro: el *allí*» (*Místico, poeta, rebelde, santo: en torno a San Juan de la Cruz*, FCE, Madrid, 1982, p. 79).

234. «Luz y transfiguración», en *Hermenéutica y mística...*, p. 298.

235. C. P. Thompson, *op. cit.*, p. 90.

236. *Spanish Christian Cabala: the Works of Luis de León, Teresa de Jesús and San Juan de la Cruz*, University of Missouri Press, Columbia, 1986, p. 24.

237. El ensayo apareció en el *Bulletin Hispanique* XLVI (1944) pp. 233-236.

238. Ya he venido aludiendo a este asombro del poeta francés ante la obra de san Juan de la Cruz. Cf. su ensayo «Cantique spirituel», en *Oeuvres*, Gallimard, Paris, 1962, pp. 445-457.

239. *De amore. Comentario al* El Banquete *de Platón*, trad. de Rocío de la Villa Ardura, Tecnos, Madrid, 1994, p. 47.

240. Remito al lector a mis citados estudios *San Juan de la Cruz y el Islam, Huellas del Islam...*, «Simbología mística islámica...» y «El *trobar clus* de los sufíes...».

241. Prólogo a *L'Éloge du vin (Al Khamriya), poème mystique de 'Omar Ibn al Faridh*, Les Éditions Véga, Paris, 1932, pp. 62-63.

242. Como no me voy a detener en el problema de la filiaciones literarias del poeta, remito al lector al capítulo VIII de mi estudio *San Juan de la Cruz y el Islam*, «Las posibles fuentes intermedias entre San Juan de la Cruz y el Islam». Sólo quiero dejar advertido que, si bien algunos símiles de clara estirpe musulmana continúan siendo elaborados durante la Edad Media por contemplativos cristianos arabizados, que citaban como fuentes a san Agustín junto con Algazel, no toda la imaginería simbólica de san Juan puede quedar explicada a la luz de estos eslabones intermedios. Su aparente «islamización literaria» es mucho mayor que la de cualquiera de sus «antepasados» europeos, y a esta semitización particular hay que añadir el conocimiento del *Cantar de los cantares* más profundo y entusiasta que yo haya podido leer en ningún autor occidental. San Juan no se limita a manejar las posibles «alegorías» religiosas medievales del epitalamio, sino que parece incluso conocer algunos secretos del texto poético en su lengua original hebrea.

243. Los tejidos son, una vez más, uno de los *leit-motiv* simbólicos más recurrentes en el misticismo del Islam, como estudia Annemarie Schimmel en su citado estudio *The Triumphal Sun...*

244. J. M. Cirlot, *A Dictionary of Symbols*, Philosophical Library, New York, 1971, p. 110.

245. Cf. *L'Homme de lumière...*, p. 123.

246. «La *visio smaragdina* de San Juan de la Cruz: acerca de las esmeraldas trascendidas que encontró en el jardín de su alma iluminada», en Martha Elena Venick (ed.), *Varia lingüística y literaria. 50 años del CELL*, vol. II: *Literatura. De la Edad Media al siglo* XVIII, El Colegio de México, 1997, pp. 147-176.

247. H. Corbin, *L'homme de lumière...*, p. 71.

248. *De Fray Luis a San Juan: la escondida senda*, Castalia, Madrid, 1972.

249. *San Juan de la Cruz y el Islam...*, pp. 278 ss.

250. Para más ejemplos, cf. mi citado *San Juan de la Cruz y el Islam...*

251. BH IV, 9, p. 1205.
252. Para un análisis más a fondo del versículo, cf. mi citado *San Juan de la Cruz y el Islam...*, pp. 43 ss.
253. *The Song of Songs. Translated from the Original Hebrew, with a Commentary, Historical and Critical*, Longman, Brown, Green, Longmans & Roberts, London, 1857, p. 159.
254. *Apud* Ali B. Uthman Al-Jullābī Al-Hujwīrī, *Kashf al-Mahjūb. The Oldest Persian Treatise on Sufism*, trad. de R. A. Nicholson, Gibb Memorial Series, vol. XVIII, London, 1976, p. 206. Para otros ejemplos, cf. mi citado *San Juan de la Cruz y el Islam...*, pp. 277 ss.
255. Remito al lector al minucioso estudio de A. Bartlett Giamatti *The Earthly Paradise and the Renaissance Epic*, Princeton University Press, Princeton, New Jersey, 1969.
256. Tan enamorados están los persas de sus jardines que muchas casas de Shiraz y de Isfahan tienen una terraza en el techo, donde la familia se reúne en invierno a extasiarse con el espectáculo de su jardín nevado. De esta aguda sensibilidad de exquisitos hortelanos nacen los célebres jardines de Shalimar en Lahore y Cashmir y los jardines del Generalife en Granada —«huerta que par no tenía».
Incluso las alfombras persas están relacionadas con esta obsesiva veneración al jardín: sus medallones de flores de vivos colores permitían al usuario tener dentro de la casa un jardín, para consolarse en los días grises del invierno.
257. Ariel y Chana Bloch, *op. cit.*, p. 192.
258. *Exposición al Cantar...*, p. 112.
259. Marvin Pope, *op. cit.*, p. 406.
260. Ariel y Chana Bloch, *op. cit.*, p. 188.
261. Xabier Pikaza, *op. cit.*, p. 281.
262. *Apud* Margaret Smith, *The Sufi Path of Love. An Anthology of Sufism*, Luzac & Co., London, 1954, p. 113.
263. Traduzco del árabe al español la morada V de las *Maqāmāt al-qūlūb* de Abū-l-Ḥasan al-Nūrī (*Textes mystiques inédits*. Avec introduction et notes de Paul Nwyia, Imprimerie Catholique, Beyrouth, 1968, p. 134).
264. Xabier Pikaza, *op. cit.*, p. 307.
265. *Traité d'Histoire des religions*, Paris, 1975, p. 255.
266. *Alchemical Studies*, Princeton University Press, Princeton, 1970, p. 196.
267. Para más detalles, cf. mi citado estudio «Simbología mística islámica...», pp. 76 ss.
268. Así, Ariel y Chana Bloch interpretan: «Daughters of Jerusalem, swear to me by the gazelles, by the deer in the field, that you will never awaken love until it is ripe» [Hijas de Jerusalén, juradme por las gacelas, por los ciervos del campo, que no despertaréis al amor hasta que esté dispuesto] (*op. cit.*, p. 57).
269. Xabier Pikaza, *op. cit.*, p. 293.
270. *Ibid.*, p. 303.
271. *Op. cit.*, p. 25.
272. C. P. Thompson, *op. cit.*, p. 67.
273. Parafraseo sus palabras y refiero al lector a su citado e indispensable *Mysticism*.
274. Laleh Bakhtiar, *op. cit.*, p. 30.
275. *The Book of Certainty*, prólogo de Abu Bakr Sirâj Ed-dîn, Rider & Co., s.f., pp. 27-28.
276. Xabier Pikaza, *op. cit.*, p. 388.
277. *The Kiss, Sacred and Profane*, University of California Press, Berkeley/Los Angeles, 1969, p. 5.
278. Cf. Antonio Ruiz de Elvira, *Mitología clásica*, Gredos, Madrid, 1975, pp. 359 ss.
279. Cf. el citado estudio de la insigne María Rosa Lida *La tradición clásica en España*, p. 44.
280. *Ibid.*, p. 44-45.
281. Para una revisión de la bibliografía al respecto, cf. mi ensayo «Lo que había del otro lado del Zahir de Jorge Luis Borges», en *Conjurados. Anuario Borgiano*, vol. I, Centro de Estudios Jorge Luis Borges, Universidad de Alcalá/Franco Maria Ricci, Milán, 1996, pp. 90-109.
282. «"El canto de la dulce Filomena" parecería hacerse eco de este efecto agridulce: la Filomena mística cantaba porque estaba impedida de hablar después de que el hombre que la violó le cortara la lengua [...] Su afasia recuerda poderosamente la del místico, cuyos versos delirantes son su "cántico" o expresión alterna» (Elizabeth B. Davis, *op. cit.*, p. 217).
283. La *samā‘* es el baile ritual de los derviches, que bailan con sus faldas blancas acampanadas (símbolo de su sudario) y sus largos bonetes de fieltro (símbolo de sus lápidas) porque han aniquilado su ego para dar paso a la experiencia directa de Dios.

143

284. *The Triumphal Sun...*, p. 220.
285. Cf. el citado ensayo de Michael Sells, «Ibn 'Arabī's Garden Among the Flames: a Reevaluation».
286. C. P. Thompson, *op. cit.*, p. 91.
287. BH VI, 12, p. 1208.
288. Marvin Pope, *op. cit.*, p. 584.
289. Cf. mi citado *San Juan de la Cruz y el Islam...*, pp. 44 ss.
290. Ariel y Chana Bloch, *op. cit.*, p. 97.
291. Teodoreto de Ciro emplea como arcaísmo la voz *currus* en lugar del celta *carrus*, que ya estaba en boga para su época. Sin embargo, se equivoca en la declinación, ya que *currus* no tiene la desinencia *curribus* en ablativo plural, sino *curris*.
292. Ha sido tanta la insistencia del poeta en lo aislado e inexpugnable de su *locus* de unión amorosa que cada vez resulta más patente que no se trata de un simple ayuntamiento carnal que requiera privacidad. Es que el éxtasis místico es impermeable a toda alteración exterior porque implica un estado de conciencia distinto del usual. Radical, infinitamente distinto.
293. Por cierto que el santo va a repetir su mensaje infinito desde el conjunto ambiguo y a menudo lingüísticamente alucinante de sus glosas aclaratorias, que a menudo no hacen otra cosa que exacerbar la condición a-racional de las liras que comentan. Para un análisis más a fondo de la relación de los versos y las glosas y su mensaje místico profundo, remito al lector a mi estudio *San Juan de la Cruz y el Islam.*
294. Raimundo Lida, «Bergson, filósofo del lenguaje», FCE, México/Buenos Aires, 1958, p. 93.
295. *Apud* Raimundo Lida, *ibid.*, p. 88.
296. En el «Cántico B», el poeta, haciendo gala de una anarquía estructural desusada en Occidente, decide alterar el orden estrófico, colocando, entre otros cambios, una de estas liras cruciales, «Nuestro lecho florido», muy lejos del centro místico unificante del «Cántico A». Ahora ya no podemos leer el poema como si tuviera una apretada estructura anular, porque las liras parecen dispersarse. San Juan ha colocado momentos «culminantes» del poema en los más diversos lugares del mismo. La lectura requiere que atendamos y que gocemos cada lira como unidad fundamentalmente independiente, obligándonos a menudo a hacer caso omiso a la línea argumental del poema, que ya no es ni anular ni lineal. Pero, una vez más, la sorpresa: también esta estructura aparentemente caótica es característica de la poesía árabe y hebrea, hasta el punto que ha sido denominada como estructura «molecular» por expertos como Gustav von Grünebaum (*Kritik und Dichtkunst. Studien zur arabischen Literaturgeschichte*, Otto Harrassowitz, Wiesbaden, 1955) y Wolfhart Heinrichs (*Arabische Dichtung und Griechische Poetik*, Beirut, 1969). Leemos estas estrofas dispersas de la lírica oriental como unidades aisladas de belleza que se pueden disfrutar independientemente del conjunto. Curiosamente, en cierto sentido, así es que podemos leer y disfrutar el «Cántico B», que carece, en lo fundamental, de orden lógico o causal entre sus estrofas. Algo de esto parece que intuyó el Reformador, que parece haberse inspirado en la estructura «caótica» del *Cantar de los cantares* para su revolucionario experimento estrófico. Cuando muere, pide que le digan en voz alta el poema de toda su vida, y, formidable crítico literario, exclama: «¡qué margaritas preciosas!». El epitalamio era, pues, para nuestro santo un «collar» («collar» llamaban por cierto los árabes y los hebreos a sus poemas), cada una de cuyas perlas aisladas resultaba artísticamente válida en sí misma. Esas «perlas» son precisamente las que san Juan va a imitar en las liras orientalizantes de su «Cántico B».
297. Las palabras son de Rosa Rossi, *op. cit.*, p. 92.
298. Citamos por Eulogio Pacho, *Vértice de la poesía y de la mística. El «Cántico espiritual» de San Juan de la Cruz*, Monte Carmelo, Burgos, 1983, p. 26.
299. Silverio de Santa Teresa nos da noticia por extenso de la vida y virtudes de esta hermana carmelita en el tomo VII de su *Historia del Carmen Descalzo en España, Portugal y América*, Monte Carmelo, Burgos, 1937, pp. 214-241. R. Rossi, por su parte, destaca la condición de conversa de Catalina: el episodio del estanque de las ranas citado fue referido por uno de los primeros biógrafos, acerca de la conversa que trabajaba como cocinera en el Carmelo de Beas» (*op. cit.*, p. 92).
300. Pedro Salinas ha visto con su acostumbrado tino la insistencia de la poesía de San Juan de la Cruz en esta interiorización centrípeta. Su «evasión de vuelo hacia la vida interior» (*La realidad y el poeta*, p. 154) le resulta muy distante de la espiritualidad centrífuga de Fray Luis de León, puesto que siempre aspiró a «volar» a los cielos estrellados. Lo que San Juan retrata es la vida puramente interior, el mundo de la conciencia: «Lo que San Juan hace es penetrar en esas aparentes realidades, sumergirse en ellas, romper su corteza exterior, y entonces, después de utilizarlas como instrumentos de

búsqueda espiritual, convertirlas en símbolos de algo misterioso y oscuro. Su técnica es la inmersión o penetración, como la de un buzo o un minero. [El lector] se siente violentamente empujado, arrastrado hacia mundos de significaciones secretas, que sólo están claras para el alma del poeta: y, de la vida externa que se le presentaba, se ve transportado el lector a un desconocido y fantástico mundo del espíritu» (*ibid.*, p. 127).

301. Raymond Bailey, *op. cit.*, p. 29.

II

A OSCURAS Y EN CELADA:
LA FUSIÓN NOCTURNA EN EL AMOR INDECIBLE[1]

Noche luminosa, mediodía oscuro...

Maḥmūd Šabastarī (siglo XIV)

San Juan de la Cruz, ¿poeta del amor divino o poeta del amor profano? La inesperada pregunta se ha planteado en torno al célebre poema «En una noche oscura», que ha suscitado un interés especial en los últimos años gracias al estudio en el que José C. Nieto propone una lectura «profana» del mismo, al margen de las glosas alegorizantes que el propio santo adjunta a sus versos[2]. Cierto que Jorge Guillén fue el primero en insistir en la posibilidad de esta lectura «exenta» de la poesía sanjuanística: «Los poemas, si se los lee como poemas —y eso es lo que son—, no significan más que amor, embriaguez de amor, y sus términos se afirman sin cesar humanos. Ningún otro horizonte poético se percibe»[3]. La «Noche oscura» —es fuerza admitirlo— es uno de los poemas más encendidamente sensuales de la lírica del Siglo de Oro, que tan apegada solía estar a la teoría neoplatónica del amor. Siempre me ha sorprendido lo poco neoplatonizante que es san Juan de la Cruz, poeta que canta a un amor consumado y jubiloso y del todo ajeno al sufrimiento de la negación de los sentidos que nos propone en cambio en su prosa teológica[4]. San Juan, a quien podríamos bautizar sin reparos como «el poeta de las caricias» —esas caricias que los poetas del *dolce stil nuovo* desterraron para siempre del universo poético renacentista— ha aprendido su teoría amorosa no en el neoplatonismo europeo sino en los versículos tan encendidos como desculpabilizados del libro de toda su vida: el *Cantar de los cantares*. Mal podría platonizar quien ha elegido como modelo erótico uno de los poemas más ardientes de la lírica universal. Admitido esto, queda la interrogante en pie: ¿es lícito leer a san Juan como poeta exento, al margen de la contextualidad flagrantemente mística de sus glosas y del resto de su poesía

147

espiritual? Me atrevo a pensar que sí. El milagro de la verdadera poesía es su polivalencia significativa, y cuanto más rica sea ésta, mejores serán los versos en cuestión. Imposible negar la dimensión erótica de la poesía sanjuanística, que acaso contribuyera a las dificultades que arrostró la publicación del «Cántico». (Sabemos que algunos contemporáneos consideraban el poema como una mera paráfrasis del *Cantar* bíblico.) Creo, pues, que es fundamentalmente legítima una lectura aislada de poemas como la «Noche oscura», que arrojaría, como es obvio, un saldo favorable a su dimensión amorosa humana[5]. Desde esta perspectiva, estamos ante uno de los más bellos poemas de amor del Siglo de Oro, y sería penoso inhibirnos del goce artístico que esta lectura del texto, sin duda originalísimo, nos permite.

De otra parte, también me parece lícita una lectura «alegórica» de los versos que tome en cuenta sus glosas teológicas (después de todo fue el propio autor quien las adjuntó), así como el trasfondo literario que constituye el resto de la obra del santo. Aunque esta segunda lectura sea, en el caso de la «Noche», acaso más forzada desde el punto de vista estrictamente poético (sabemos que los comentarios en prosa se ajustan mal a los versos que pretenden explicar[6]), es fuerza admitir que el conjunto de la obra de san Juan se encuentra marcado por una espiritualidad trascendente que es a todas luces innegable. Difícil no tomar esto en cuenta al momento de interpretar en sus propios términos el significado último de sus textos poéticos. Hay que decir que no deja de ser curiosa la escisión amoroso-teológica de la poesía de nuestro santo, que es a la vez el poeta erótico más apasionado del Siglo de Oro y el asceta más riguroso del Carmelo español[7]. En el presente estudio del poema de la «Noche oscura» intentaré un nuevo camino interpretativo y me plantearé la posibilidad de una lectura armonizante e intermedia entre la puramente profana y la puramente alegórico-teológica. Leídos de cerca, los versos exentos de la «Noche», tan apasionadamente sensuales, nos van proporcionando, sin embargo —y desde esa misma celebración que llevan a cabo del amor físico— unas claves internas sutiles gracias a las cuales nos podemos plantear un sentido trascendente simultáneo para la historia nocturna de amor que van narrando las liras italianizantes. Son tan significativas estas claves internas que me llevan a asegurar que el poema de la «Noche oscura», de una polivalencia extraordinaria, no se puede reducir a una estrecha interpretación erótica porque, sencillamente, la rebasa. Y todo ello, sin necesidad de recurrir a las glosas doctrinales a la luz de las cuales quiso el poeta que leyéramos sus conmovedoras quejas de amor humano[8].

Vayamos, pues, al poema, cuyas liras iré comentando en orden consecutivo[9]:

En una noche oscura,
con ansias, en amores inflamada,
¡oh dichosa ventura!,

salí sin ser notada,
estando ya mi casa sosegada.

La protagonista poemática, cuya voz femenina nos remite, al igual que el «Cántico», a coordenadas literarias orientales[10], nos da noticia de su agitado estado emocional, tan ajeno al de las damas inaccesibles que fueron el norte del amor neoplatónico de tantos rendidos poetas del Renacimiento. Se encuentra «con ansias» e inflamada en amores. Sincera admisión. Casi escuchamos su respiración entrecortada de auténtica enamorada en trance de gestionar un final clandestino pero feliz para la pasión que la consume[11]. También nos dice la incógnita dama que su aventura amorosa se inicia en una noche cerrada: en un punto a la vez temporal —la hora nocturna— y espacial —en la zona protectora de las tinieblas totales—[12]. La primera —e importantísima— palabra que inaugura la «Noche» nos remite, al igual que en el caso del «Cántico», a una preocupación fundamentalmente espacial. (No dice el poeta que la acción ocurre «de noche» sino «en una noche».) Ya sabemos que san Juan suele metaforizar su experiencia de un estado alterado de conciencia en términos de su ingreso en un espacio novedoso y rarificado: «Entréme donde no supe, / y quedéme no sabiendo, / toda ciencia trascendiendo». El Reformador, como todo poeta capaz de articular un mundo poético coherente, dialoga consigo mismo en su propia obra y reescribe sus motivos simbólicos más importantes una y otra vez. Parecería que la pregunta ansiosa que inaugura el «Cántico» —«¿Adónde te escondiste, Amado...?»— se sigue contestando en este primer verso de la «Noche»: «En una noche oscura...». Y es que el espacio-tiempo de la noche tendrá una importancia radical para la intelección profunda del poema. A este punto temporal simbólico y a este espacio sagrado habremos de volver, porque en él se fundirán en uno los misteriosos protagonistas poemáticos. Más aún: ellos serán, como tendremos ocasión de ver, la noche misma que los envuelve protectoramente. Pero no nos adelantemos. Limitémonos a advertir que la oscuridad de la noche contrasta fuertemente con la luz súbita de las llamas que inflaman el ardiente corazón de la fémina en fuga[13]. San Juan pinta desde el principio del poema un claroscuro contrastante que será también altamente significativo para la comprensión cabal del poema.

No se nos dice nada, de otra parte, de la identidad de la protagonista: ni sabemos su nombre —san Juan, ya lo hemos visto, nunca bautiza a sus hembras— ni, curiosamente, tenemos noticia de su rostro o de su aspecto físico[14]. Por el momento, sin embargo, vemos —o, mejor, adivinamos entre las sombras de la noche— a la emisora de los versos, que se desliza inadvertida y amparada por la oscuridad a un encuentro que sospechamos secreto. El poeta repite en la «Noche» un verbo muy caro a su universo poético: «salí». En el «Cántico» la protagonista salía «clamando», aquí, aunque con las mismas «ansias» de su contrapartida anterior, sale «sin ser notada». Parecería que en este sigilo recién estrenado el poeta nos deja ver el *savoir faire* que ha adquirido su simbólica dama enamorada. Sea como fuere, una cosa sí nos consta: cuando una fémina sanjuanista emprende camino el lector tiene que estar alerta, ya que las protagonistas poemáticas del santo no suelen llevar a cabo desplazamientos normales en los que se superen distancias sucesivas. Se trata más bien de caminos circulares anulados u ontológicamente inexistentes. Ya tendremos ocasión de ver si la «Noche» es o no es excepción a esta regla. A esta estremecedora, fecundísima regla que nos suele colocar en el umbral de la experiencia mística.

Nuestra protagonista, como dejé dicho, se desliza subrepticiamente de noche[15], y en ello se comporta como cualquier hembra atrevida de la literatura amorosa profana. Es ella misma quien, como la Tisbe del libro IV, 93-94 de las *Metamorfosis* de Ovidio que acaso san Juan leyera en la traducción castellana de Jorge de Bustamante[16], toma la iniciativa de salir de su casa a cumplir la cita amorosa clandestina. Otro tanto hizo, todos lo recordamos, la esposa de los *Cantares* (5, 7) (que por cierto san Juan consideraba un texto inspirado), cuando se precipita a la búsqueda frenética de su amado, que se le ha perdido en las tinieblas nocturnas. Las hembras orientales casi siempre resultan más intrépidas que las occidentales en materia de amores: al menos, así las retratan los poetas, y es obvio que san Juan ha decidido formar tradición con ellos a través del epitalamio bíblico. Pero incluso al margen del recuerdo constante del *Cantar* que siempre hallamos en los poemas principales del santo, los versos parecerían cantarnos desde un plano inequívocamente humano. Los sensuales versículos salomónicos pudieron, en principio, haber inspirado un poema amoroso laico. Pero la cosa no es tan sencilla como parece. Un lector atento incluso tan sólo al mensaje estrictamente poético de la «Noche» no puede evitar ponerse en guardia ante la mención lapidaria que inaugura el poema —«En una noche oscura»—, mención que será martilleada una y otra vez de manera ominosa a lo largo de las liras subsiguientes. Tanta insistencia es sospechosa. San Juan nos desliza la idea de que, de alguna manera, el hecho de que los amantes se reúnan precisamente de noche es extraordinariamente importante.

José C. Nieto[17] señala que la noche no parece simbólica en el contexto del poema porque san Juan alude a «una» noche concreta, y no a «la» noche. Sin embargo, creo que la repetición insistente del punto temporal nocturno en el que se da la unión amorosa es demasiado reiterado como para no levantar recelo en el lector. Todos recordaremos que Jean Baruzi y, con él, Dámaso Alonso proponen que la noche juancruciana es una noche simbólica, con la que el poeta intuye instintivamente el abismo nocturno de la experiencia trascendente[18]. Oigamos a Dámaso Alonso:

> Baruzi entiende por símbolo una intuición poética mucho más profunda, de carácter mucho más general. Para Baruzi, la más alta y la más original creación de san Juan de la Cruz es la del símbolo de la «Noche», y su prolonga-

ción en el de la «Llama». Parte de una diferencia fundamental entre símbolo y alegoría. El símbolo, tomado en este sentido, se origina por una intuición profunda, que excluye la correspondencia exacta y paralela entre un mundo de realidades o conceptos y un mundo de imágenes [...] El símbolo así considerado es una profunda sima de intuición estelar, vértice el más alto de la creación artística y a la par su venero más soterraño. A su luz la alegoría parece un juego fácil y pueril. La alegoría traduce término a término, y es traducible. Pero el símbolo no traduce nada y no admite traducción. Nacido de una intuición profunda y oscura, emite a su vez imágenes; pero éstas no tienen correspondencia a términos de realidad, sino que están ligadas sólo al símbolo mismo «por una especie de lógica interna»; es decir, que tienen en él mismo su necesidad y su justificación. El puro símbolo es raro en el caso de la poesía y en el de la mística. Y sigue mostrando Baruzi cómo san Juan ha creado este símbolo invasor de la noche, en el que la luz de la Fe es una oscuridad absoluta para nuestros ojos humanos, y cómo este símbolo de la noche lleva necesariamente en su desarrollo el de la llama, el de la absoluta brasa y la absoluta iluminación, de tal modo que no son dos símbolos correspondientes, sino uno solo y total[19].

Estamos de acuerdo en lo fundamental: la noche sanjuanística, que se comienza aludiendo en el poema como un simple punto del calendario en el que se da una cita amorosa, termina por devenir un símbolo extraordinariamente complejo. Pero esto no se da porque el poema tenga de suyo reclamos religioso-alegóricos, sino por razones estrictamente poéticas intrínsecas al poema exento. Como espero poder demostrar, la noche y sus tinieblas envolventes, a las que se alude de manera obsesiva, van enriqueciendo y aun minando lentamente la escueta historia de amor carnal, que no puede quedar sólo en eso (aunque tampoco deja nunca de ser eso).

Pero esta noche que muchos estudiosos no dudan en calificar de simbólica es bastante más compleja de lo que hemos visto hasta ahora. Baruzi sospechó que la noche —esa noche metafórica que sería la manera en que se impondría a la intuición y al lenguaje de san Juan un particular momento espiritual[20]— era un símbolo intuido *ex nihilo* por el poeta[21]. Su supuesta «originalidad» dejó perplejo al ilustre hispanista francés: «No es necesario invocar ninguna tradición para poder seguir al poeta»[22]. Ya hoy no tenemos la incertidumbre que tuvo Jean Baruzi en 1924. La noche, precisamente como símbolo de un hito en el camino místico, ha quedado codificada en la literatura espiritual anterior al santo. Minuciosa, apretadamente codificada. El hecho escapó al maestro francés, y aun a Dámaso Alonso, pero hoy nos es fuerza admitir que la riquísima contextualidad literaria del término ensancha desde el principio el campo semántico del poema, que sería leído, no lo olvidemos, en contextos conventuales. (Insisto una vez más en que algún día habrá que aplicar las teorías contemporáneas de la recepción a la obra de san Juan de la Cruz, que no fue escrita ni para cortesanos ni para universitarios, sino para espirituales, y, en particular, para mujeres espirituales. Reitero mi sospecha de que estos lectores peculiarísi-

ASEDIOS A LO INDECIBLE

mos estarían en el secreto de muchos símbolos e imágenes que hoy nos parecen misteriosos cuando no abstrusos: en más de un sentido eran mejores lectores que nosotros.) Se impone, pues, que recordemos brevemente algunos hitos de esta «noche» literaria, que se repiten en la literatura espiritual de distintas culturas. Difícilmente se sustraería de estas tradiciones reconocibles un destinatario avisado que leyera los versos, incluso exentos, del Reformador. Es razonable pensar que, desde el principio, este hipotético lector enterado podría hacer una lectura dual del poema, que abarcara simultáneamente tanto el plano humano como el místico. Insisto en dar siempre por sentado el plano erótico de los versos, aun cuando defiendo el hecho de que tienen una dimensión espiritual que les es inherente, porque se trata del nivel literal e innegable del poema, que no hay por qué descartar y muchísimo menos despreciar. Mal que le pese al santo, los comentarios teológicos más avasallantes no serían óbice para que ningún lector —conventual del siglo XVI o laico del siglo XX— pudiera echar legítimamente de lado el nivel amoroso del poema. También tendremos ocasión de ver que con ello san Juan no divide «esquizofrénicamente» en la «Noche» los dos planos de amores divino y humano, sino que antes —y, repito, quién sabe si *malgré lui*— los armoniza. Dicho esto, importa que hagamos ahora un *excursus* para rastrear esa contextualidad literaria que enriquece automáticamente el poema y que pudieron tener en mente algunos de los contemporáneos del santo incluso —insisto una vez más— en una lectura exenta[23].

El propio san Juan es quien nos da a entender claramente que él no ha inventado el símbolo espiritual de la noche. Antes, admite que es consciente de que algo se ha escrito al respecto. En la *Noche* (I, 8), después de dividir el estado místico de la «noche» en *noche sensitiva* y *noche espiritual*, nos anuncia que hablará brevemente de la *noche sensitiva*:

> [...] porque de ella (como cosa más común) se hallan más cosas escritas, por pasar a tratar más de propósito de la noche espiritual, por haber de ella muy poco lenguaje, así de plática como de escritura, y aun de experiencia muy poco.

La alusión indirecta pero concreta a las fuentes anteriores, tanto orales[24] como escritas, nos permite sospechar que el santo reconoce una tradición espiritual para su símbolo nocturno. Es que la había. Dejemos de lado los obvios —aunque leves— recuerdos de Sebastián de Córdoba o de la Égloga II de Garcilaso[25] que san Juan evidencia en sus versos nocturnos, y concentrémonos en la posible tradición espiritual que los nutre y que sería evidente a un público lector monacal. La crítica ha comenzado a sangrar esta vena literaria: Colin P. Thompson[26] nos recuerda que la «noche oscura» es asociable en última instancia a la *divina caligo* o tiniebla luminosa del Pseudo-Dionisio Areopagita, aunque admite que el símbolo es mucho más elaborado en san Juan y que existen diferencias fundamentales entre ambos teóricos. En efecto, san Juan cita directamente al Pseudo-Dionisio y evidencia una innegable familiaridad general con sus doctrinas. Esto es así sobre todo en las teorías místicas relacionadas con la «divina Oscuridad» y el «rayo de tiniebla», símiles que en la obra del Pseudo-Dionisio apuntan a esa oscuridad que es exceso de luz y que implica el conocimiento trascendental de Dios que no se obtiene por la razón discursiva. Pero todavía el símbolo nocturno del carmelita, con toda su intrincada pormenorización, parecería ser de su propia minerva inspirada. La obra del Areopagita sencillamente no alcanza a explicarnos del todo las novedades teóricas de san Juan que el poema de la «Noche» parece asumir.

Acaso las *Moralia* de san Gregorio nos resulten más cercanas a san Juan, ya que éste interpreta las menciones esporádicas de la noche en Job y en los Salmos (por ejemplo, los salmos 41, 9; 15, 7 y Job 3, 3; 3, 23 y otros) en términos de una experiencia y proceso espiritual. El Padre de la Iglesia entiende la noche bíblica ya como luz excesiva que oscurece con su fuerza la luz intelectual (aquí estamos cerca del Pseudo-Dionisio), ya como noche oscura de esta vida corporal, ya como *tribulationis nox*, que, estamos de acuerdo con el padre Lawrence Sullivan, se acercan mucho a la sanjuanística[27].

San Gregorio de Nisa, por su parte, y como nos recuerda Guillermo Serés, se hace cargo de la oscuridad simbólica en la que se alcanza la visión transformante. En su *Vida de Moisés*, comenta en este sentido dos pasajes bíblicos (Éx 20, 21 y Juan 1, 18):

> ¿Qué quiere decir que Moisés ha entrado en las tinieblas y aquí ha visto a Dios [Éx 3, 1-6] [...] Que el alma [...] cuanto más se acerca al conocimiento [de las cosas reales], tanto más advierte la incogniscibilidad de la naturaleza divina... Después que [el alma] ha dejado todo lo que es apariencia [...] va siempre más adentro, hasta que con una intensa búsqueda intelectual penetra lo que es invisible y comprensible, y es aquí cuando ve a Dios. Porque en esto se halla el verdadero conocimiento de los que buscamos, en ver a través del no ver nada, pues lo que buscamos es superior a todo conocimiento, está rodeado por todas partes de incomprensibilidad, como envuelto en tinieblas. Por eso también Juan el Profundo, que se halló dentro de esta tibiebla luminosa, dice que ninguno jamás ha visto a Dios [Juan 1, 18], afirmando con estas palabras que el conocimiento de la esencia divina es inalcanzable, no sólo por parte de los hombres, sino también por toda naturaleza intelectual. Por eso Moisés, cuando ha llegado a ser más grande, a causa del conocimiento, dice entonces que ha conocido a Dios en las tinieblas [cf. Éx 20, 21], es decir, ha conocido que la divinidad por naturaleza trasciende todo conocimiento y toda comprensión[28].

San Juan de la Cruz parece hacerse eco de esta contextualidad literario-mística cristiana, que entiende que a Dios sólo se le conoce cuando la razón queda sumida en medio de las tinieblas —tinieblas luminosas— ya que el raciocinio humano jamás alcanzará a comprenderlo.

Los espirituales del Islam fueron verdaderos expertos en esta *divina caligo*. Asín Palacios, como se sabe, fue el primero en reconocer la pre-

ASEDIOS A LO INDECIBLE

sencia del símbolo nocturno entre los sufíes al asociar la «noche oscura» del alma juancruciana a la de Ibn 'Abbād de Ronda y Abū-l-Ḥasan al-Šāḏilī en su ensayo «Un precursor hispano-musulmán de san Juan de la Cruz»[29] y en su libro póstumo *Šāḏilíes y alumbrados*[30]. Los místicos musulmanes medievales elaboraron, en efecto, el símbolo nocturno obsesivamente a lo largo de muchos siglos, haciéndolo suyo y dotándolo de intrincados matices inmediatamente reconocibles como islámicos y no trazables —como admite Asín— a fuentes occidentales neoplatónicas. Justamente algunas de estas modalidades de la noche son las que encontramos en la literatura de san Juan. Son tantas más de las que alcanzó a ver Miguel Asín que nos preguntamos si san Juan las escucharía en la soledad de un confesionario o de los labios susurrantes de alguno de sus padres espirituales o de sus compañeros de Reforma.

Acaso nunca lo sabremos, pero una cosa queda clara: el Reformador llevaba razón cuando decía que sobre la «noche» había algún lenguaje, «así de plática como de escritura». Le parecía al santo sin embargo que este «lenguaje» era escaso. No lo era. Lo que sí es posible es que la tradición literaria que codificaba la noche simbólica mística le llegara escaseada y sigilosamente, ya que era, en buena medida, de origen musulmán. Este dato de una posible fuente remota pero —digámoslo de una vez— peligrosa, posiblemente ya no lo conoció el Reformador, pero es difícil negar la evidencia: los sufíes elaboraron el símil nocturno de tal manera que cualquier lector musulmán culto lo ubica dentro de su propia tradición literario-mística y lo reconoce como suyo —y no como invento literario sanjuanístico—. Algo de esta antigua tradición espiritual, aunque desleída por el paso del tiempo y por una prolongada persecución religiosa, debió de estar viva aún en el XVI español. Sería probablemente a la que aludiría en parte, y con tanta discreción, san Juan, ya que coincide con ella mucho más que con sus antepasados cristianos. No es descabellado pensar que esta contextualidad literaria —prefiero hablar aquí, como dejé dicho, de contextualidad y no de fuentes— debió de alcanzar asimismo a los hipotéticos lectores del santo, que probablemente reconocieran de golpe posibles elementos simbólico-místicos en la mención de la «noche» que repetía insistentemente el poema de su hermano de hábito. Con toda probabilidad, estos primeros destinatarios serían los que más cómodamente pudieron haber integrado a su lectura de los versos estas claves literarias espirituales de remoto origen islámico. Y todo ello, por cierto, aún antes de leer la prosa explicatoria que más tarde acompañaría al poema. Es que también los conventuales se vieron precisados a hacer, en primera instancia, una lectura exenta de los poemas del santo. En esta lectura sin glosa dependerían en alto grado de su propia cultura espiritual, que no dudo en pensar que estaría llena de claves secretas compartidas. Es probable también que estos primeros lectores no supieran que a veces manejaban símbolos que habían sido codificados amorosamente, y durante siglos, por sus enemigos en la fe. Mal que bien, España todavía albergaba en su seno, a la altura el Renacimiento, una con-

154

flagración de culturas, tanto europeas como semíticas, que terminarían por llevar su sello inconfundible.

Los elementos simbólico-místicos de la «noche» eran, como acabo de adelantar, palmarios en el Islam. No es exagerado decir que estamos hablando de un verdadero *clisé* que incluso se había lexicalizado en el contexto de la literatura contemplativa sufí: de ahí que cualquier espiritual musulmán podría reconocer en la sola mención de la noche unos sobretonos místicos obligados. Advirtamos que los sufíes no se limitan a hablar de la «oscuridad luminosa» o del «rayo de tiniebla», sino que urdieron concretamente el símbolo de la «noche mística» del alma. Ya desde el siglo XII, Rūmī celebra su noche espiritual en apasionados versos:

> *En la noche de mi corazón*
> *por un camino oscuro*
> *anduve a ciegas, y, de súbito: la luz,*
> *y el infinito espacio del día*[31].

Abū al-Māwāhīb al Šāḏilī también celebra en sus *Máximas de la iluminación* esta «noche de amor y de felicidad» en la que, iluminado, descubre que «la oscuridad no es ignominiosa para un hombre de perfección»[32]. Es que se trata precisamente de la «noche» gracias a la cual ha advenido al fin la iluminación espiritual. Lo supo bien Naŷm ad-dīn al-Kubrā, ya desde el siglo XIII. Este maestro, uno de los teóricos más complejos del sufismo, declara que la «Tiniebla divina» o «noche simbólica en cuyo seno el alma progresa» no es de ninguna manera asociable con la oscuridad espiritual, sino que se trata, paradojalmente, de una «noche luminosa»[33]. Saʿadī, de otra parte, declara que él puede —exactamente igual que san Juan— «apreciar la prolongación de la noche larga y oscura»[34] como etapa espiritual ardua pero necesaria. Šabastarī, por su parte, ofrece en su famoso *Rosal secreto* un verso célebre para todo sufí: «¡Noche luminosa, mediodía oscuro!»[35]. Este verso de Šabastarī recibe numerosos comentarios, entre ellos el de Lāhīŷī, digno de la complejidad y la hondura del san Juan de la Cruz:

«¿Cómo explicaré este pasaje tan sutil? *Noche luminosa, mediodía oscuro* (v. 125)», exclama el poeta del *Rosal secreto*. Su comentador lo sabe: para el que haya experimentado este estado místico, una simple alusión basta [...]. Y Lāhīŷī celebra esta Noche luminosa (*sab-e roshan*) que es Mediodía oscuro, mística aurora boreal [...] Es ciertamente una Noche, porque es luz negra y escondida de la pura Esencia [de Dios], noche de la inconciencia y de lo incognoscible, y, por ello, noche *luminosa*, porque ella es al mismo tiempo la teofanía del *absconditum* en la multitud infinita de formas teofánicas [...] *Mediodía*, mitad del día [...] es decir, pleno día de luces suprasensibles [...] que los místicos perciben por su órgano de luz, su ojo interior [...]; y, por lo tanto, *Mediodía oscuro*, porque la multitud de esas formas teofánicas son también los 70.000 velos de luz y de tinieblas que ocultan la pura Esencia [...] *Noche* de la pura Esencia, sin color ni determinación, inaccesible al sujeto consciente [...] Y, por ello mismo, *Noche luminosa*, porque es ella la que hace ser a este sujeto, en haciéndose ver por él, la que lo *hace ver haciéndolo ser mediodía oscuro* de formas teofánicas, ciertas...[36].

Esta «noche divina de lo incognoscible»[37] de Suhrawardī y de Avicena marca distintas moradas del camino hacia Dios. Para Simnānī, se trata del sexto grado, el del *aswād nūrānī* (luz negra); para el crítico Corbin, «noche luminosa» que constituye «la etapa iniciática más peligrosa»[38]. Tanto para Lāhīŷī como para Naŷm Rāzī la «noche» implica la culminación extática, el grado séptimo y final que es el de la luz negra y que resulta —como para san Juan— «avasallante, aniquilante»[39]. (Estamos cerca del «rayo de tiniebla» del Pseudo-Dionisio: advirtamos cómo los sufíes parecen ir adaptando las ideas del antiguo místico en términos de un proceso espiritual, cosa que los acerca más a san Juan.)

Niffarī, ya desde principios del siglo X (seis siglos antes que san Juan), y con una voluntad teórica muy definida que indefectiblemente nos recuerda a la del santo Reformador, entiende también su «noche oscura» personal como un hito en el camino que conduce al éxtasis último:

> [Dios] me puso en la morada de la noche y, después, me dijo: cuando te sobrevenga la Noche, mantente delante de mí y toma en tu mano el Desconocimiento (*ŷahl*): de esta manera desviarás de mí la ciencia de los cielos y la tierra, y, desviándola, atestiguarás mi descenso (*mawāquif*)[40].

También el persa Rūmī ve concretamente cómo el místico debe abrazar y aceptar esta «noche» metafórica que conduce precisamente a la intuición de la unidad esencial de Dios: «Toma a Leyla [*layl*: noche] sobre tu pecho, oh Maŷnūn: / la noche es el aposento del *tawḥid* [unidad de Dios], y el día es idolatría [*šerk*] y multiplicidad»[41]. Aquí advertimos algo muy importante: en la poesía de los sufíes el *leit-motiv* de la noche mística se cantaba, como más adelante sucedería con san Juan de la Cruz, bajo la cobertura del amor humano. Rūmī, como tantos otros sufíes[42], emplea un juego de palabras con el nombre femenino de *Leila*, que en árabe significa también «noche». Leila y Maŷnūn eran una pareja de amantes tan célebre como la que constituirían más tarde el Romeo y Julieta occidentales. En los versos amorosos del persa, el amante Maŷnūn abraza contra su pecho a Leila, y, al hacerlo, no hace otra cosa que abrazar, simultáneamente, la noche oscura de su propia alma. No pueden no venir a la mente las apasionadas caricias nocturnas de los amantes sanjuanísticos, en especial el momento en el que el Amado se reclina justamente sobre el pecho de la amada. Tan codificado estaba el término técnico de la «noche» en la tradición poética espiritual musulmana que un lector espiritual podía decodificar inmediatamente el sentido oculto del poema amoroso profano en términos del símbolo espiritual nocturno. Estamos, no cabe duda, ante el gran *clisé* literario del sufismo: difícil pensar que lo inventara aisladamente el Reformador del Carmelo.

156

En el siglo XIII, Ibn 'Arabī de Murcia repetirá el aserto teórico de tantos correligionarios sufíes que de una manera u otra hará suyo san Juan en el Renacimiento español: la «noche» marca una etapa o morada en la vía mística cercana ya a la unión. Se trata de la estación de la proximidad (al-qurb: القربة)[43] muy cercana ya a los «levantes del aurora» o posesión final de Dios. Para ambos, como para tantos sufíes, la noche se encuentra iluminada por relámpagos o manifestaciones abruptas de la esencia divina[44]. A menudo las coincidencias entre san Juan y los místicos de Oriente resultan muy estrechas: Ibn al-Fāriḍ llega a poetizar en su Tā'iyyat al-kubrā (El mayor de los poemas que rima en T) del siglo XIII una modalidad que conocerá el santo en el siglo XVI —la noche de los sentidos—: «Y tú, iluminado, / conoces gracias a su luz, / y descubres su presencia en la noche de los sentidos»[45].

Los sufíes del Irán elaboraron pormenorizadamente el símbolo de la noche oscura del alma a lo largo de la Edad Media, y lo hicieron tanto en lengua persa como en lengua árabe. Henry Corbin destaca el caso de Šihābuddīn Yaḥyā Suhrawardī, del siglo XII, a quien ya hemos tenido ocasión de citar. En uno de sus recitales místicos, titulado en persa Awâz-e Parr-e Jabrâ'yêl o El zumbido de las alas de Gabriel, el místico nos da cuenta de cómo su alter-ego literario sale de noche[46] —se trata de «la noche de los sentidos», según Corbin[47]— en busca de su Amado. «La salida durante la noche es simultáneamente un regreso [...] al hombre interior, al "templo" interior donde se produce el encuentro [con Dios]»[48]. Esta salida subrepticia, que equivale a un adentrarse en sí mismo —recordemos el «vuélvete» plurivalente del «Cántico»— ocurre de noche porque esta noche de los sentidos «es aliada del no-ser, un no-ser que es aquí "el desvanecimiento del mundo de los objetos sensibles ante los ojos de la visión interior"»[49]. Pese a lo secreto de la salida, nuestro personaje queda sumido en la más absoluta tranquilidad —«a oscuras y segura»— nos habrá de garantizar, a su vez, la hembra enamorada de san Juan. Suhrawardī, que habla en primera persona en su relato místico, se ilumina en la oscuridad cerradísima de la noche con una llama (una vez más, como la fémina en fuga de san Juan): «La llama o candela que porta el narrador para salir es el intelecto, porque el intelecto es la guía del género humano, el que lo conduce del fondo oscuro de la miseria a la felicidad suprema»[50]. La llama simbólica que arde en las tinieblas de la noche simbólica es, pues, el intelecto, pero el intelecto entendido como el órgano de percepción mística, que ilumina el camino oscuro del visionario. Y la sorpresa final es mayúscula: el camino clandestino y nocturno, pese a todos sus preparativos secretos, no se cumple realmente, ya que constituye el recorrido del alma hacia sí misma. Ha ido de sí misma a así misma. Veremos que otro tanto sucederá con el sigiloso itinerario de la protagonista la «Noche oscura» de san Juan de la Cruz.

Tan adeptos fueron los sufíes a estos desplazamientos nocturnos que no nos debe extrañar que algunos islamólogos sospechen que se trata de una reescritura «a lo divino» de un motivo literario que fue a la vez obsesivo en la poesía profana árabe: la hembra que se desliza subrepticiamente de su casa para la cita con el amado. James T. Monroe alude a esta tradición poética laica:

> En una sección de su *Risāla*, el poeta [Abū 'Āmir ibn Šuhaid (922-1035), que escribe en tiempos del Califato de Córdoba] asistió a una reunión de críticos literarios que discutían sobre poesía. La discusión giraba en torno al tópico de cómo un tópico (*ma'nā*) podía ser refinado gradualmente por poetas sucesivos. Se sugiere un tema: el del amante que se desliza con sigilo en la oscuridad para visitar a su amada, caminando tan silenciosamente como le es posible para evitar ser advertido por los guardianes de ella. Se cita un buen ejemplo de Imru'al Qais, seguido por uno malo de 'Umar ibn abī Rabī'a[51].

Para su salida nocturna, como sucederá con la protagonista de san Juan, estos amantes nocturnos se servían de una «secreta escala». Se trata de uno de los símbolos favoritos de Ŷalaluddin Rūmī, que «diviniza» el *leit-motiv* profano: «De nuevo a tono con la imaginería de Sana'i, tenemos la [alegoría mística] de la escala o escalera de peldaños (*nardabān*) que eventualmente conducen al amante a la azotea, donde lo espera la amada»[52]. En la *Epístola de las altas torres*, que el persa Suhrawardī redacta en lengua árabe en el siglo XII, el ascenso es esta vez al castillo fortificado de su propia alma. La escala simbólica es, como ya tuvimos ocasión de ver, el aire mismo: «El camino para acceder a esta torre [de la fortaleza] es arduo; no se logra sino empleando el aire como escala»[53]. Y Rūmī y Suhrawardī son tan sólo dos casos representativos entre los numerosos poetas sufíes que se sirvieron de la útil escala provisional para acceder al techo o para bajar al suelo en busca del Amor. Y la búsqueda siempre se hacía, curiosamente, de noche.

Pero la salida de noche más famosa del Islam es, sin duda, la del viaje nocturno o *išra* que Mahoma —«de nocte et nullo vidente» [de noche y sin ser visto por nadie], en palabras de Raimundo Martín[54]— realiza al séptimo cielo. Aunque el origen de a leyenda es coránico (XVII, 1), los sufíes, como señalan Louis Massignon y Miguel Asín, «se apoderan de la leyenda y tienen la audacia de arrogarse el papel de protagonistas, en sustitución de Mahoma»[55]. En estudio aparte me he ocupado de esta reescritura sufí de los antiguos versículos coránicos[56], por lo que aquí sólo cabe recordar los casos del *Libro del nocturno viaje hacia la Majestad del más generoso* de Ibn 'Arabī y el *Tratado del viaje nocturno* de Suhrawardī. No cabe duda de que todas estas reiteradas tradiciones literarias islámicas en torno a salidas místicas «de noche» necesitan más estudio, porque parecerían constituir un misterioso telón de fondo de la «Noche oscura» del Reformador. No era tan extraña ni tan «original» como hubiéramos podido creer.

Los paralelos de la «Noche oscura» con la de los contemplativos del Islam son, como vamos viendo, realmente sobrecogedores, pero no nos importan aquí para un posible estudio de filiación literaria —que ya llevamos a cabo en otro lugar— sino para dejar en claro que la equivalencia automática *noche* = hito del camino místico fue establecida por los sufíes durante la Edad Media[57]. Estamos ante una tradición literario-mística reiteradísima que de alguna manera u otra parecería que alcanzó a ser conocida por los espirituales del XVI español, con san Juan a la cabeza. Cuando un sufí canta a la noche del encuentro amoroso o a la noche que es su amada Leila en un poema exento de otro sentido que no sea el erótico, sus compañeros en la vía mística eran capaces de decodificar al acto el sentido oculto apretadamente místico del símbolo. Como decía Lāhīŷī, el comentador de Šabastarī: «una simple alusión [a la noche] basta». Creo que otro tanto pudo haber sucedido con los espirituales del siglo XVI, aquellos primeros lectores avisados de nuestro santo: acaso, una simple alusión a la noche —y san Juan no hace una, sino muchas— les bastaba para entender el plano espiritual oculto bajo las célebres liras nocturnas.

Pero no perdamos de vista a nuestra ansiosa enamorada, que continúa su camino furtivo en la segunda estrofa de la «Noche oscura»:

A oscuras y segura,
por la secreta escala disfrazada,
¡oh dichosa ventura!,
a oscuras y en celada,
estando ya mi casa sosegada.

La protagonista poemática repite la frase «a oscuras» para subrayar las tinieblas que la envuelven y que sin embargo le dan una paradójica seguridad. No en balde le van a permitir el encuentro con su amado. Una vez su casa ha quedado en silencio, puede deslizarse subrepticiamente por una escala que parecería, a todas luces, ser provisional y clandestina —«instrumento portátil y arrimadizo»[58]— como aquella que usara Calixto para alcanzar el huerto y la persona de Melibea. Esta escala que la protagonista desciende en lugar de ascender ha sido para José C. Nieto una de las claves internas del poema que delata su condición erótica y no mística: los contemplativos suelen, según el estudioso, aludir a subidas del espíritu por escalas ascensionales, nunca a descensos al plano horizontal de la tierra por estas mismas escalas. No estoy tan segura. En primer lugar, si la amada hubiese subido por la escala a un hipotético encuentro amoroso en lo alto del huerto no hubiera estado tampoco garantizada por esto la implicación mística del poema exento, ya que numerosos amantes de la literatura renacentista —Calixto es tan sólo el caso más obvio— acceden a las alturas por una escala a la cita galante y eso no hace que sus textos adquieran una dimensión contemplativa automática. En segundo lugar, los místicos se sirven tanto del símbolo del ascenso como del símbolo del descenso para señalizar su encuentro con el Absoluto: ahí está la tantas veces citada advertencia agustiniana «No salgas fuera, regresa a ti mismo, en el interior del hombre habita la verdad» (Noli foras ire, in te ipsum redi, in interiore hominis habitat veritas). Este mandato ha sido secundado, como se sabe, por innumerables imágenes místicas universales a las que también he hecho referencia, como la del pozo interior del alma; la fuente autónoma en la que el místico se hunde, y que es él mismo; los castillos concéntricos en cuyo interior oculto y último se logra la unión con Dios[59]. Aludo a símbolos universales para evitar entrar en la contextualidad literario-mística del propio san Juan, que utiliza ambas perspectivas simultáneas —la subida y el descenso— para explicitar su propio camino hacia la transformación en Dios[60]. Si somos del todo honrados, sin embargo, daremos la razón a Pedro Salinas, que ve lúcidamente cómo el santo suele privilegiar el descenso a las profundidades del ser frente la imagen de la salida metafórica al exterior:

> Éstos son los dos métodos de evasión utilizados por los dos más grandes poetas místicos de España. Podríamos llamar al método de fray Luis «centrífugo», puesto que se extendió hacia los cielos volando, elevándose. Y al de san Juan «centrípeto», puesto que se sumergió más y más profundamente hacia el interior, hacia abajo[61].

No hay que insistir en la contextualidad literaria del santo, sin embargo, para dar por bueno un hecho incontestable de la literatura mística de todos los tiempos y todas las persuasiones religiosas: los contemplativos viven su trance extático como una experiencia tanto emanente como inmanente, y se sirven por igual de imágenes exteriorizantes e interiorizantes en el trance difícil —mejor, imposible— de comunicar dicha experiencia[62]. De todo ello podemos concluir lo siguiente: el poema de la «Noche oscura», por sí solo, no apunta necesariamente hacia un rechazo de un proceso místico interiorizante porque la amada descienda por una escala en lugar de ascender por ella. (Ya veremos que, por el contrario, conviene al conjunto del poema exento este descenso y no un hipotético ascenso.) Si nos atenemos a la contextualidad literaria de san Juan, el caso es aún más claro: el hecho de que la protagonista descienda en lugar de subir es sospechosamente indicativo de una bajada hacia las honduras del espíritu —hacia el amor, que, sea de naturaleza humana o divina, siempre se experimenta en el interior del alma.

La emisora de los versos nos da otro dato inquietante: va disfrazada, como tantas otras féminas del Siglo de Oro en desplazamientos clandestinos semejantes. «Disfrazada» y «en celada»: la celada alude metafóricamente a la pieza antigua de armadura con la que se protegía —se ocultaba— la cabeza y, también, por extensión, a una emboscada o actividad secreta que se hace a hurtadillas[63]. «Las máscaras tras las que se oculta nuestra misteriosa protagonista no hacen otra cosa, sin embargo, que apuntar hacia los abismos insondables de su identidad verdadera con más fuerza»[64]. El lector sospecha que en algún momento habrá de saber algo más del ser auténtico de esta fémina, que por ahora se nos escamotea. Anticipamos que justamente todo el poema va

a girar en torno a este encuentro jubiloso consigo misma, con la culminación límite de su identidad. Amar —ya hemos insistido en ello— no
es otra cosa que acceder plenamente a nuestro propio *ser*. Todo gran
poeta de amor lo sabe. Y por eso precisamente la amada innombrada
de la «Noche» parecería adelantarse a aquella otra amada cuyo ser último buscaba Pedro Salinas en *La voz a ti debida*. Antes de asumir el
amor, la muchacha también ocultaba su verdadera persona bajo un
disfraz, que en su caso era el de la risa superficializante. Pero su enamorado poeta, que le conoce los confines últimos del ser desde la inmensidad de su amor, sabe que ésa no es ella: es su máscara. Y en el
instante supremo del intercambio amoroso de miradas —ya sabemos
por los poetas cortesanos que esto de mirarse los amantes a los ojos es
asunto muy serio— la amada se desata la lazada de la máscara y surge
su yo más profundo: «tú te desatarás, / con los brazos en alto, / por detrás de tu pelo, / la lazada, / mirándome. / Sin ruido de cristal /se caerá
por el suelo, / ingrávida careta / inútil ya, la risa». La protagonista a
quien Salinas dice deber su voz poética se desata su máscara frente a
los ojos escrutadores de su enamorado, pero esos ojos no son otra cosa que un auténtico espejo en el que podemos ver de verdad quiénes
somos:

> Y al verte en el amor
> que yo te tiendo siempre
> como un espejo ardiendo
> tú reconocerás
> un rostro serio, grave,
> una desconocida,
> alta, pálida y triste,
> que es mi amada. Y me quiere
> por detrás de la risa[65].

No es la primera vez que un poeta ilumina a otro. De la misma manera que la mirada del protagonista poético de *La voz a ti debida* hace
que la máscara de la amada caiga por el suelo, la mirada en sombras
que los protagonistas de la «Noche» se han de intercambiar logrará hacer aflorar la verdadera —y, esta vez, sublime— identidad de la amada.

Pero nos estamos adelantando. Dejemos la palabra una vez más a
nuestra enamorada juancruciana:

> En la noche dichosa,
> en secreto, que nadie me veía,
> ni yo miraba cosa,
> sin otra luz y guía
> sino la que en el corazón ardía.

Las pistas que nos da aquí la protagonista son cada vez más interesantes. Antes había aludido insistentemente a la oscuridad cerrada

que la envolvía; y ahora nos anuncia que la noche es, en efecto, tan oscura, que «nadie me veía / ni yo miraba cosa». Familiares y amigos han quedado sin luz y ya no pueden sorprender a la fémina furtiva en trance de huida, pero —esto es lo más notable— ella también ha quedado completamente a oscuras en su camino amoroso, que emprende «de nocte et nullo vidente» [de noche, y sin ser visto por nadie], como diría el citado Raimundo Martín de otro camino, esta vez el de los espirituales del Islam, que fue también nocturno. La protagonista no sólo nos da a entender que se desliza enajenada porque concentra apasionadamente en aquel que la espera, sino que admite que «no ve cosa»: camina, pues, a ciegas. Maravillosa intuición: la amada experimenta vivencialmente la noche, es en su falta absoluta y volitiva de luz esa noche misma que la envuelve protectivamente. Parecería que la vemos caminar en un trance sonámbulo, casi de autómata, que resulta análogo, si se nos permite el recuerdo, al de aquella otra mujer desesperada y delirante del «Cántico». Pero ¿adónde se dirige? Extraordinario problema, ya que lo que le sirve de guía en su camino es nada menos que una luz —de nuevo el súbito fogonazo de luz del claroscuro sanjuanístico— que arde en lo hondo de su mismo corazón. Aquel que, en la primera lira, estuvo, asimismo, «inflamado» de amores.

Una interpretación «desde esta ladera», como decía Dámaso Alonso, nos llevaría a la conclusión de que la hembra huidiza sabe bien, allá en su psique profunda y aun en su intuición femenina, dónde será la cita nocturna con el amado que la espera. Pero si leemos el poema con lógica implacable, advertimos que su metafórica antorcha de guía es una luz que arde en su interior, ¿y hacia dónde la va a poder dirigir esta luz que no sea hacia ella misma? De súbito comenzamos a sospechar que estamos haciendo con nuestra sigilosa viajera un camino que no se cumple, que no se camina de veras, porque revierte hacia ella misma: hacia la luminaria que habita en su pecho y que sólo la puede dirigir hacia su interioridad y no fuera de ella. Es precisamente en la psique profunda o en la interioridad emocional donde se sienten los amores que desde antiguo los poetas metaforizan con un corazón en llamas. Gran clave por cierto la que nos ha dado en estos versos el Senequita de santa Teresa, que ya en su «Cántico» nos enseñó mucho y aun harto de estos caminos aleccionadoramente circulares e imposibles. Ahora ya no nos extraña tanto que la amada de la «Noche» hubiese bajado —y no subido— la escala en su camino unitivo hacia el amor. Es lícito sospechar que acaso bajaba hacia ella misma, hacia esa luz que la habrá de conducir en la noche y con la que acaba de establecer contacto gozoso.

La lectura exenta de los versos nos permite deducir, en rigurosa lógica, que estamos haciendo un camino interior, y esta inferencia a su vez nos lleva hacia la posibilidad de que el poema tenga un sentido trascendente que coexista con el sentido literal del amor humano que el poeta canta en un primer plano. Es obvio, de otra parte, que los contextos literario-místicos sanjuanísticos —en los cuales estoy evitando apoyarme en la medida de lo posible para mi análisis— avalan la intuición que sugiere el poema de un camino místico que no se cumple porque es hacia uno mismo[66]. «Ya por aquí no hay camino», señala san Juan, casi con angustia pedagógica, en el grabado mismo de la *Subida del Monte Carmelo* con el que pretende explicitar el poema en cuestión. Pero ya nos lo había sugerido en los versos, con más cautela pero a la vez con más fuerza poética. Es justamente por todo ello que ya no parece tan descabellado pensar que la «noche» del poema bien puede ser simbólica de una vivencia sobrenatural: en ella se cumple el camino oscuro pero definitivo hacia nosotros mismos. Los contextos literarios del misticismo universal (y, sobre todo, islámico) se activan, pues, sigilosamente y comienzan a operar en el poema por derecho propio, haciéndolo cada vez más complejo, más denso y sobre todo más espiritual en su red de significaciones.

Pero sigamos a la misteriosa amante, quien, sin poderse contener, continúa la celebración de esta capacidad lumínica de su interior que la lleva por un misterioso camino circular y redundante:

> *Aquésta me guiaba*
> *más cierto que la luz del mediodía,*
> *adonde me esperaba*
> *quien yo bien me sabía,*
> *en parte donde nadie parecía.*

La luz de su corazón la guía, paradojalmente, «más cierto que la luz del mediodía» en las tinieblas contrastantes de la noche oscura. Una vez más parecería que estamos ante uno de los célebres claroscuros de Rembrandt. La protagonista oscila entre su ceguera total para las cosas exteriores y esta luz interior que celebra y que la va conduciendo con una certeza envidiable. Ella mira, pues, con un solo ojo simbólico e iluminado. Es lícito aceptar la pista espiritual del poeta: el corazón encendido es el *'ayn al-qalb* u ojo del corazón que es capaz —ya tuvimos ocasión de corroborarlo— de reflejar a Dios como en inmaculado espejo. Sólo que la enamorada no nos informa exactamente hacia dónde se dirige con la afortunada antorcha de su mirada interior[67]. (Otra vez el intrigante *adónde* del «Cántico».) Sí sabemos, sin embargo, que en este incógnito y solitario «allí» la espera el amor. (También ya hemos quedado familiarizados con el deíctico.) Pero recordemos que la protagonista poética nos ha dicho en la primera lira que es ella quien está «en amores inflamada». Y el faro de luz que arde en su corazón mal puede conducirla, ya lo dejé dicho, fuera de él. ¿Nos indica con esto el poeta, una vez más, que el camino que recorre su *alter-ego* femenino es circular, hacia ella misma? ¿Y que el paisaje y el amado que allí va a encontrar habitan el espacio de su propia conciencia interior? Por lo pronto los versos sugieren que esta espacialidad es desdibujada, ignota, inaprehensible: «en parte donde nadie parecía». (Ya sabemos que Aminadab quedó fuera del *locus* de la unión en el

163

«Cántico».) Más misterioso aún es el amante que allí la espera, y de quien sólo se nos dice que es: «quien yo bien me sabía». Podría nuestro santo decir con Lorca: «Entonces comprendí. Pero no explico». Pero la certidumbre del encuentro a oscuras es total: difícil no traer a la mente el hecho de que este corazón inflamado era el órgano de la visión de los místicos del Islam, que lo llamaban en árabe '*ayn al-yaqīn* u ojo de la certeza. No cabe duda: aunque acabamos de descubrir que el camino es nocturno y redundante, sí sabemos que lo recorreremos con la enamorada sin vacilar por un momento. El místico auténtico, como sabemos, ya no «cree» sino que «experimenta». Acaso por ello mismo es que san Juan puede cantar con una convicción tan absoluta, que jamás tuvieron en el renglón amoroso poetas del verdadero amor humano como Petrarca o Garcilaso. La simple ruptura con el consagrado sistema neoplatónico es de por sí una pista suficiente para un lector avisado: el optimismo en amores era definitivamente la excepción y no la regla en el Siglo de Oro.

Resulta magnífica la otra clave poética que nos ha dado san Juan en esta lira: estamos a oscuras en todo sentido. No podemos ver —ni saber a ciencia cierta— hacia dónde vamos con tanta alegría y propósito ni exactamente con quién será el encuentro tan deseado. Parecería que comenzamos a vivir con nuestra protagonista la célebre «noche de los sentidos»: estas tinieblas alcanzan no sólo nuestro campo visual sino nuestras propias facultades intelectivas, ya que no acertamos a conocer de cierto la nueva realidad en la que la protagonista poemática se dispone a entrar. El espacio de las citas amorosas clandestinas nunca ha sido tan indeterminado en la literatura amorosa occidental. Las pistas están dadas: todo parece persuadirnos de que la «Noche» está celebrando un estado alterado de conciencia. No es ilícito intuir que el Reformador dialoga aquí con el resto de su obra, en la que nos advierte una y otra vez que a Dios no se lo puede percibir nunca ni por los sentidos ni por la razón: se trata de una Luz indecible que pone a oscuras nuestro entendimiento[68]. Sea como fuere, a la luz del poema exento participamos, junto a la emisora de los versos, de la esencia misma de la noche oscura en la que se mueve en su enigmático camino circular: nuestro campo visual y nuestras capacidades cognocitivas van quedando misteriosamente obnubiladas.

Acaso por ello mismo es precisamente ahora cuando la amada pasa a celebrar lo que de transformante tienen las tinieblas cerradas que lo van envolviendo todo menos las emociones amorosas que la reclaman una y otra vez hacia su propia interioridad:

> ¡*Oh noche que guiaste!*
> ¡*Oh noche amable más que el alborada!*,
> ¡*oh noche que juntaste*
> *Amado con amada*,
> *amada en el Amado transformada!*

Posiblemente esta lira sea una de las más importantes en lo que a las claves profundas del poema se refiere. La voz narrativa femenina comienza proponiéndonos una celebración de la noche, que es tan abrumadora como para parecernos sospechosa. Las tinieblas nocturnas se elevan a un primerísimo plano de importancia, y el lector no puede no preguntarse por qué la hora de la cita se celebra más que la cita misma. Todo coadyuva a ir legitimando cada vez más una lectura simbólica de la «noche» del encuentro. Esta noche, bien vista, implica, de otra parte, una contradicción lógica verdaderamente fecunda: «¡Oh noche que guiaste!». De repente advertimos la maravilla: la noche y la luz ardiente del corazón son lo mismo, ya que ambas son las que han venido guiando a la amada furtiva. Es difícil no asociar la paradoja con los clásicos contrasentidos literarios típicos del discurso místico en los que san Juan siempre se nos ha mostrado tan experto. La misma protagonista nos lo dice a paso seguido: «¡oh noche amable más que la alborada!». La noche, pese a su oscuridad, es más amorosa que la luz del amanecer, y ello ya no nos puede extrañar, porque se nos ha dicho que es paradojalmente lumínica. Súbitamente, los claroscuros del poema se han desvanecido o al menos se han armonizado: la luz y las sombras han terminado por ser lo mismo. Las «metamorfosis» sanjuanísticas son —ya lo hemos podido corroborar antes— más radicales que las de Ovidio. Pero esta nueva paradoja no nos debe abrumar demasiado a los lectores del «Cántico», porque ya teníamos aprendido en aquellas liras centrales de la transformación que nuestro poeta poseía un corazón «capaz de cualquier forma». El único capaz de reflejar los atributos de la Divinidad en infinito proceso de despliegue en el espejo de la *scintilla* del alma.

Parecería, de otra parte, que la amante, que se movía ciega por las sombras, nos deja saber, subrepticiamente —y con el misterio de toda auténtica poesía— que su ceguera es sólo aparente, que ve, merced a esas mismas tinieblas, mejor y más certeramente que nadie, a ese misterioso amante que sólo ella se sabe. Está ciega al mundo pero en su interior conserva perfecta visión: debajo de su disfraz, como sospechábamos, está la gran verdad de su ser auténtico, que ahora sabemos desafía los límites de la conciencia y de los sentidos. No parece, sin duda, que se trate de una enamorada cualquiera.

La alquimia unitiva alcanza en los próximos versos a los amantes mismos que se buscan en la noche cerrada: «¡oh noche que juntaste / Amado con amada, / amada en el Amado transformada!». La noche, que ha devenido lumínica, tiene, pues, la misteriosa facultad se fundir en uno, esta vez a los protagonistas del amor. Desde nuestra lectura aislada del poema, sabemos que es porque las tinieblas propiciaron el encuentro secreto de los personajes. Desde perspectivas más hondas, sospechamos que san Juan nos está dando claves simultáneas aún más significativas, que no niegan pero que sí enriquecen el plano literal de los versos. Notemos que el poeta alude al hecho de que la noche «junta» a la pareja: el verbo puede significar que los amantes simplemente se encuentran el uno junto al otro, o incluso que se acoplan eróticamente al amparo de las sombras protectoras. Lo que ya es decididamente más problemático es el lapidario «amada en el Amado transformada». Es difícil forzar al poema a que signifique aquí por esta «transformación» una simple unión erótica: los cuerpos bien pueden unirse, pero no por ello se funde y se transforma en uno el ser de los amantes que participan en la cohabitación amorosa. Lucrecio nos lo recuerda en los desgarradores versos de su «Herida oculta», y vale la pena verlos por extenso porque los tiene en cuenta Marsilio Ficino al elaborar sus teorías neoplatónicas en su *De amore*. Los amantes no pueden poseer nunca de veras el cuerpo amado:

> *Al fin, cuando, los miembros pegados,*
> *saborean la flor de su placer,*
> *piensan que su pasión será colmada,*
> *y estrechan codiciosamente el cuerpo*
> *de su amante, mezclando aliento y saliva,*
> *con los dientes contra su boca, con los ojos*
> *inundando sus ojos, y se abrazan*
> *una y mil veces hasta hacerse daño.*
> *Pero todo es inútil, vano esfuerzo,*
> *porque no pueden robar nada de ese cuerpo*
> *que abrazan, ni penetrarse y confundirse*
> *enteramente cuerpo con cuerpo.*
> ....
> *Y es que ellos mismos saben que no saben*
> *lo que desean, y, al mismo tiempo, buscan*
> *cómo saciar ese deseo que los consume,*
> *sin que puedan hallar remedio*
> *para su enfermedad mortal:*
> *hasta tal punto ignoran dónde se oculta*
> *la secreta herida que los corroe*[69].

Los neoplatónicos se dejaron aleccionar por estas antiguas intuiciones de teóricos como Lucrecio, y para experimentar de alguna manera la transformación de las almas enamoradas tuvieron que renunciar a la posesión del cuerpo. Como estamos en el contexto de un poema lírico renacentista, es imposible no recordar aquí a Petrarca, que fue, como dejamos dicho, quien primero propuso que en la culminación última del amor «l'amante ne l'amato si trasform[a]»[70]. Los poetas del *dolce stil nuovo* —Pietro Bembo, Lorenzo de' Medici, Marsilio Ficino, tantos otros— insistieron una y otra vez en esta psicología amorosa desesperadamente transformante, y, al hacerlo, usurparon la retórica del discurso místico. Todo ello, como recordaremos, para escándalo de algunos de sus contemporáneos más píos. Pero estos cultísimos enamorados guardaban con san Juan de la Cruz una diferencia interesante:

hablaban de un amor estrictamente neoplatónico, que propiciaba la unión de las almas a través de lo más espiritual que hay en la criatura humana: la mirada. La alusión a la transformación en uno de la pareja nos tiene que sonar incongruente en el contexto de la «Noche oscura», ya que nuestro poema nos habla, aparentemente, de un amor puramente carnal en el que parecería que no hay intercambio ninguno de almas a través de los ojos.

¿Pero por qué san Juan de la Cruz evoca al casto Petrarca, si él es, como dejamos dicho, el poeta menos neoplatónico del Siglo de Oro? El aparente contrasentido literario[71] es, una vez más, particularmente fértil para la comprensión cabal del texto. En primer lugar, esta ruptura poética tan importante, que mezcla tradiciones poéticas completamente dispares —el amor trovadoresco continente con el eros regocijado y pleno del epitalamio bíblico— nos deja adivinar, en su incongruencia misma, sentidos ulteriores para los versos de san Juan. No parece lícito citar a Petrarca en el contexto de un poema de amor carnal: el poeta está enviando al lector señales equívocas. (O aparentemente equívocas.) Insistamos en el hecho de que el Reformador nos acaba de informar que sus amantes se unen en el cuerpo, pero también que se transforman el uno en el otro, y eso ya no se puede dar en el cuerpo. La carne es trágicamente separadora. Y, sin embargo, san Juan pasa a dar por sentado en este momento del poema que la unión transformante ha sido —o va a ser— absoluta: «Amado con amada, / amada en el Amado transformada». Señala acertadamente M. T. Narváez en su citado ensayo que la repetición alterna de los nombres encadenados sugiere el deslizamiento transformante del uno en el otro. Todo, pues, se con-funde y adquiere capacidad fusional: la noche se desliza en la luz, el camino no recorre distancias, la amada se transforma en el Amado[72]. Ya veremos cómo san Juan logra el prodigio añadido de evocarnos una unión física que es, a la vez, radicalmente intangible y espiritual.

Y al fin vemos al Amado. Digo mal: no lo vemos, lo sentimos:

En mi pecho florido,
que entero para él solo se guardaba,
allí quedó dormido,
y yo le regalaba,
y el ventalle de cedros aire daba.

Hemos llegado con la amada a un espacio desconocido pero nuevo —y que por lógica hemos inferido que se encuentra en su psique profunda— donde se produce el ansiado encuentro con el Amado. Advirtamos que la lira comienza por la misma preposición *en* indicadora de lugar con la que comenzara en poema —«*en* una noche oscura»—. El poeta, para que no perdamos su pista simbólica espacial, la subraya con su socorrido deíctico *allí*. San Juan nos proporciona, una vez más, pistas internas importantísimas que nos permiten apreciar la extraordinaria plurivalencia poética de sus versos. Dejé dicho que finalmente aparece el Amado —pero no vemos su fisonomía—. Tampoco la ha percibido la amada: la opacidad de su campo visual no nos puede extrañar, porque es de noche. No hay indicio alguno de que haya amanecido, y la protagonista, que «no miraba cosa», continúa a ciegas en el momento culminante de su cita amorosa. «En realidad no se ve nada», advierte a su vez Bernard Sesé[73]. Así, nunca sabremos si la pareja de nuestra enamorada es un pastor rubio al uso renacentista o blanco y colorado de cabellos crespos y negros como cuervo, al gusto de la Sulamita del *Cantar*. El rostro aparece borroso[74]. Adivinamos, sin embargo, el peso amoroso de su cabeza reclinada contra el pecho de su amante: estamos ante una sensación primordialmente táctil, termal, acaso, por inferencia, también olfativa. Estamos, y damos la razón aquí a Nieto, ante una de las escenas del más encendido erotismo de las letras hispánicas: «Quedarse con la cabeza dormida sobre los pechos floridos de la amada y sentirse medio dormido al ser acariciado o "regalado" por la hembra amada es una de las experiencias más táctiles y erosas que uno puede jamás experimentar»[75]. Así lo sería, en efecto, tanto para ella como para él, pues se regocijan precisamente en la cercanía de su piel, de esa piel que acarician en la oscuridad de la noche. El dato es magnífico y lo acaba de subrayar el propio Nieto: estamos ante una experiencia predominantemente táctil. El pecho «florido» o en flor de plenitud de la amada se evoca no tanto porque lo estemos observando directamente, sino porque la apasionada hembra siente que sobre él se reclina el rostro cálido de quien más quiere, a quien recibe sin poder ver. Ella es, ya lo sabemos, noche oscura, y sigue «sin mirar cosa». Incluso los cedros que puntean y orientalizan el paisaje no se ven, sino que se adivinan a través del sentido del tacto: su «ventalle» es a manera de gigantesco abanico que se registra, una vez más, por su refrescante roce contra la piel[76].

Conviene que advirtamos la importancia de lo que sucede a continuación. El amado, bastante pasivo por cierto (como observa el citado estudioso), se deja acariciar y termina por dormirse —por perder la conciencia del todo—. Para dormir hay, naturalmente, que cerrar los ojos: hay que fundirse en la noche, hay que participar de la noche. Precisamente, de la noche metafórica en la que la amada ya se encuentra, mientras acaricia a ciegas en su estremecedor encuentro amoroso. Ambos amantes han quedado, pues, reducidos al sentido del tacto, que es una manera que tiene san Juan de indicarnos que ambos están «ciegos», que ambos viven la noche, y que terminan por quedar identificados y por fundirse, a nivel realmente profundo, en la noche que los envuelve. Ahora sí que podemos decir con el poeta «¡Oh noche que juntaste / Amado con amada, / amada en el Amado transformada!». Ya Petrarca y los neoplatónicos del *dolce stil nuovo* no nos suenan tan incongruentes como antes[77]. Las dos noches amorosas que los protagonistas se intercambian a través de sus miradas en sombras —y que son ellos mismos— se han fundido en una sola. La oquedad de esta gozosa nada simbólica que implica la experiencia de la oscuridad es más fácil de fundir del todo, por su evidente inmaterialidad, que los cuerpos pesadamente tangibles que se acarician[78]. Que se acarician, eso sí, con extraordinario deleite: los cuerpos han sido la puerta de un encuentro amoroso que se registra simultáneamente a niveles extraordinariamente más hondos y más trascendidos.

Y he aquí la maravilla: en la «Noche oscura» san Juan no parece negar ni el amor humano ni el divino, antes los armoniza entrañablemente a ambos. Otro tanto hicieron los antiguos sufíes, que cantaban sus penas de amor divino en términos del anhelo del amor humano. Por cierto que con menos culpabilidad que san Juan. Como apunta Henry Corbin al explorar «la viva llama de amor» de Naŷm-dīn al-Kubrā: «Se trata de dos formas de un mismo amor [...] una forma del amor se transforma en la otra cuando se da la metamorfosis [mística] del sujeto [...] no hay, pues, por qué sorprenderse si [el poeta] no distingue entre el amor divino y el amor humano, como hacen los píos y devotos ascetas»[79]. El caso de Kubrā es paralelo al de Ibn 'Arabī, que cantó simultáneamente a la hermosa Niẓām y a Dios en los encendidos dísticos del *Tarŷumān al-ašwāq*, insistiendo en que ambos niveles del amor eran igualmente legítimos. Algo parecido advierte Xabier Pikaza para el caso de nuestro poeta español: «el amor interhumano, bien interpretado, es epifanía de Dios»[80]. San Juan de la Cruz es, como siempre, más compasivo, más profundamente sabio, libre, y abismalmente sincero en sus versos de lo que es en su prosa explicativa. Sus versos nos ofrecen, autónomos, la compasiva, sublime lección amorosa que la prosa explicativa niega. La poesía no es sino la exteriorización artística de las grandes verdades que yacen en la conciencia profunda. (Y ya lo sabemos: *in interiore hominis habitat veritas.*)

Recordábamos que Petrarca y sus seguidores insistían en que esta transformación espiritual última de las almas enamoradas sólo se lograba a través de la mirada. Nuestro poeta ha repensado y reescrito la teoría neoplatónica de manera inesperada: en medio de las caricias más encendidas, estos amantes no ven los rostros que los han enamorado: sus miradas oscurecidas sólo pueden intercambiar sombras, y en esas sombras[81] precisamente equivalen, se unen, se van transformando el uno en el otro[82]. La noche del poema es mucho más que un simple punto del calendario en el que se da una cita amorosa: va emergiendo como símbolo del amor transformante por derecho propio. En el primer verso, la «noche» se nos antojaba un punto simultáneamente espacial —zona tenebrosa y protegida— y temporal —la alta hora del encuentro clandestino—. Ahora parecería que la protagonista puede de veras afirmar «la noche oscura *c'est moi*»: es mi espacio interior sin confines limitantes y sin tiempo sucesivo; mi hondón del alma devenido infinito merced al encuentro Indecible, necesariamente a oscuras de la razón y de las trágicas coordenadas del espacio-tiempo. Las vivencias místicas que el santo desgrana en sus largos tratados en prosa no estaban, pues, tan ajenas a fin de cuentas a este gran poema de amor

ASEDIOS A LO INDECIBLE

«literal». Sólo que san Juan nos dice con más belleza y con más pasión en sus versos lo que nos enseña con más abstracción teológica —y con mucho más severidad humana por cierto— en su prosa.

La agudización del sentido del tacto, que hace de la «Noche oscura» el poema más sensual del Renacimiento español, le sirve también a san Juan para indicarnos que la fusión de los amantes está ocurriendo, paradójicamente, a unos niveles en que la corporeidad se comienza a perder. La protagonista poética no ve: eso ya lo sabemos, porque se mueve a tientas en la noche y acaricia un rostro incógnito. Su amante parecería estar igualmente a ciegas en las cerradas tinieblas nocturnas, ya que nunca nos dice si su valiente dama es rubia o si sus cabellos rizados y oscuros recuerdan en cambio un rebaño de cabras que suben al monte de Galaad, ni si sus pechos floridos semejan cabritos mellizos que pacen entre azucenas. Tan sólo se nos insinúa que, en el proceso de caer dormido, debe de haber sentido las caricias de su hembra, sin verla. Pero hay más: el varón requerido de amores no sólo no puede ver porque es de noche, sino porque, como dejamos dicho, al cerrar los ojos, reafirma la oquedad —la tenebrosa oquedad negra o *black hole*— de su campo visual.

El dato tiene todavía otras implicaciones. En el momento más apasionado del amor, el Amado abandona el cuerpo: duerme, pasando a otro nivel de conciencia donde tendrá, por fuerza, que haber quedado insensible —incluso, anestesiado— a las caricias que le prodiga su amada con un esmero que adivinamos tan encendido como moroso. Es importante recordar que no tenemos ningún indicio poético de que el amor entre ambos ya se haya consumado y que estemos en el relajamiento psíquico y físico del estado poserótico. Nunca vemos a la pareja hacer el amor directamente, y el elogio que hace la amada a la noche que los «junta» puede significar, como dijimos, tanto su gozosa aproximación física como su ayuntamiento carnal, sólo que nunca se nos dice cuándo exactamente éste ocurre. Si es que ocurre en el contexto cerrado del poema. Como quiera que sea, en la lira que nos ocupa el Amado acaba de hacer precisamente su primera aparición, y no deja de asombrar al lector de un poema «profano» tan explícito el hecho de que el amante, tan afanosamente buscado, se entregue pasivamente al sueño en la primera imagen que nos ofrece de sí mismo. Pero es que su dormir —su sumirse en la noche y su escapar del cuerpo— podría tener un sentido simbólico más significativo en el contexto de este poema que cada vez nos va pareciendo menos ceñido a una interpretación exclusiva de amor humano, no empece su indiscutible pasión erótica.

Porque, ¿dónde pierde el misterioso enamorado su campo visual y entrega su conciencia? «Allí» —nos dice su pareja—: «en mi pecho florido». (Ya sabemos que se trata del deíctico reiterado del «Cántico».) Magnífico indicio. Porque era precisamente *allí* donde ella se sentía inflamada de amores, donde resplandecía la antorcha lumínica que la guiaba hacia ella misma, donde esta guía de luz se transmutaba en aquella otra guía que era la noche fecunda, que casi nos atreveríamos a

A OSCURAS Y EN CELADA

llamar, con Lope de Vega, «quimerista». Pero las «quimeras» nocturnas de san Juan no son los desengaños pesadillescos del Fénix[83]. En el
espacio central de la psique profunda de la emisora de los versos todo
parecería confluir y transformarse gozosamente en uno: el corazón inflamado de luz, la noche oscura, el camino inexistente, y ahora, el
amante mismo que se recuesta justamente en este espacio privilegiado
y proteico que no es otra cosa que ella misma. Que ella misma representada por su pecho, es decir, por su corazón o conciencia profunda:
por su *qalb* transformador, capaz de adquirir cualquier forma de las
manifestaciones que recibe de la Divinidad.
    La apoteosis transformante nos remite una vez más al verso petrarquista, que va quedando imbuido cada vez de un sentido más hondo:
«amada en el Amado transformada». El camino nocturno se ha vuelto
a cerrar una vez más: la protagonista tenía razón en celebrar tanto la
noche, porque en ella —y de muchas maneras simultáneas— ha encontrado el amor. Y, al hacerlo, se ha encontrado a sí misma, ya que es
precisamente en su más honda mismidad donde confluye todo: la luz,
la oscuridad, el amor. Una vez más: la noche *c'est moi*. La amada de la
«Noche», al igual que la protagonista de *La voz a ti debida*, ha tirado
por el suelo su máscara metafórica, y debajo de su disfraz surge esplendorosa su verdadera identidad. Y era divina. Porque tales prodigios
ontológicos —a todos nos consta— no les suelen acontecer a una simple hembra en el contexto del amor humano. San Juan nos va deslizando, pues, sugerencias verdaderamente elocuentes desde el punto de vista místico, que podemos intuir sin necesidad de abrir las páginas
teóricas de la *Subida* ni del tratado de la *Noche oscura*.
    Y la amada aún canta:

> El *aire del almena,*
> *cuando yo sus cabellos esparcía,*
> *con su mano serena*
> *en mi cuello hería*
> *y todos mis sentidos suspendía.*

    La protagonista poética, que lleva, indiscutiblemente, y como buena hembra orientalizada, la voz cantante en el encuentro amoroso,
continúa acariciando al objeto de su deseo, que sigue sin poderle responder porque ha quedado dormido en su seno[84]. Toma entonces su
lugar un misterioso elemento —«el aire del almena»— que acaricia a
su vez a la emisora de los versos, que ha quedado sola en el espacio del
amor. Una vez más, la misteriosa mujer no ve su entorno oscurecido
sino que se limita a percibir a través de su piel, que es una manera muy
elocuente que tiene el poeta de recalcarnos que sigue a ciegas. Toda su
persona registra de manera fundamentalmente táctil: primero siente el
calor del rostro amado sobre la piel de su pecho; luego, el ventalle de
los cedros; ahora, el aire del almena. Admitamos en seguida que el
enigmático «aire del almena» es difícil de concebir por estricta vía lógi-

ca, sobre todo para nosotros los lectores modernos: ¿por qué el fresco procede ahora de una almena? Es difícil saberlo de cierto, «y eso tengo por mejor», como diría aquí el propio san Juan. Parecería que con el dato alucinado el poeta nos sugiere que el espacio que venimos viviendo con los amantes no es el de la realidad exterior objetiva, sino el paisaje onírico, a salvo de la lógica racional, y, para colmo, mágicamente orientalizado, de un estado alterado de conciencia[85]. Como el que viviría el santo en el hondón de su alma en trance unitivo.

Lo que sí nos es dable saber hasta el momento es que «el aire del almena» prodiga a la amante las mejores caricias —las que el Amado pudo haberle dado—: «con su mano serena / en mi cuello hería / y todos mis sentidos suspendía». Muchos críticos[86] atribuyen estas caricias apasionadas al Amado, pero la atribución, como indica Antonio Alatorre con sobrada razón[87], no se sostiene gramaticalmente. El sujeto de la acción es indudablemente «el aire del almena», y mal podría, por más, acariciar quien duerme plácidamente, como el poeta nos ha indicado ya desde la estrofa anterior. Es como si san Juan nos insinuara delicadamente que las caricias corpóreas se han volatizado: no las regala el Amado que duerme sobre el pecho tangible, sino el aire inmaterial. El cuerpo se comienza a borrar.

Pero es que este «aire del almena» acaso no resultaría tan misterioso para lectoras «de la casa» como Ana de Jesús o Ana de Peñalosa. (O incluso para Teresa de Jesús, quien, aunque nunca recibiera el honor de una dedicatoria poética de su Senequita, sabría de sus claves secretas místicas mucho mejor que nosotros.) Es que la sola mención del *aire* —que el «ventalle» anticipa y subraya— es otro vocablo cifrado que los lectores de cultura conventual de la época podrían reconocer rápidamente. Tan socorrido era el sentido «oculto» teológico de este «aire», que estos primeros lectores ni siquiera tendrían que recurrir a la declaración de las glosas de san Juan. Ya lo exploré en el caso del «Cántico»: «al aire de tu vuelo». Pero san Juan, con todo, nos ilustra al respecto en su prosa doctrinal, como recuerda Dámaso Alonso: «En la críptica simbólica de san Juan de la Cruz [el aire] alude a las más íntimas y sutiles operaciones de la Divinidad en los últimos trances de la unión perfecta; es el soplo del Santo Espíritu creador»[88]. La equivalencia es tan universal y tan reconocible que la comparten por igual los místicos de Oriente con los de Occidente. El aire de la noticia de Dios y los vientos de las revelaciones divinas orearon repetidamente las almas de sufíes como Abūl-l-Ḥasan al-Nūrī y Suhrawardī. Este último evocará en su *Lugat-i-Mūrān* (*El lenguaje de las hormigas*) un pavo real que ha olvidado su propia belleza y el hermoso jardín que habita porque ha sido violentamente aprisionado en una caja oscura donde, para colmo, le han cosido en una envoltura de cuero el plumaje de la cola, cubriéndolo por completo. De vez en cuando, y a pesar de su creciente ignorancia acerca de sus orígenes, «cada vez que una brisa soplaba y él aspiraba el olor de las flores, de los árboles, de las rosas, de las violetas [...] hallaba un extraño placer»[89]. La brisa divina lo devuelve, pues, siquiera momentáneamente, a su verdadero y altísimo origen. El viento metafórico de cristianos y sufíes implica, pues, el «despertar» del alma a su verdadera condición ontológica: una vez más, hemos tirado el antifaz con la amada de la «Noche» y nos hemos reconocido en nuestro auténtico ser.

Pero es que el aire surge «del almena». Aquí sí que ya estamos ante una imagen más difícil de desentrañar y más misteriosa. Dámaso Alonso nos ayuda señalándonos su posible origen remoto en los endecasílabos de Sebastián de Córdoba: «Allí entre dos almenas hice asiento / y acuérdome que ya con ella estuve / las noches del verano al fresco viento»[90]. Pero el refundidor de Garcilaso «a lo divino» no nos da pistas de oculto sentido místico que sean verdaderamente significativas: ya sabemos de su fundamental superficialidad en cuanto a la alta contemplación se refiere. Pero es que los primeros lectores de la «Noche» no sólo tenían que recurrir a Córdoba para ir aclarando su lectura: todo vocablo asociado con «almena» o «fortaleza» o «cerco» o «castillo fortificado» en el contexto de un escrito espiritual tenía pleno sentido. Eso sí que lo pudo haber decodificado santa Teresa mejor que nadie: por algo imaginó que su alma en unión transformante había quedado rodeada —y perfectamente aislada— por siete castillos concéntricos. Un castillo o un cerco murado o almenado ofrece, como todos sabemos, protección. Los sufíes usaron «a lo divino» el léxico de estas fortalezas protectoras, desde los siete castillos concéntricos de Nūrī de Bagdad hasta los de los *Nawādir*, que —también lo he adelantado— anticipan por muchos siglos los castillos teresianos y los cercos sosegados de san Juan. Un lector del «Cántico» también evocaría aquí el lecho florido y protegido del «Cántico»: el *ḥiṣn* que para los sufíes era a la vez protección alrededor, fortaleza y condición nupcial. Con toda razón el docto poeta gemina los versos del «Cántico» y de la «Noche»: «nuestro lecho florido» y «en mi pecho florido». Es que en ambos casos se trata de los espacios sin límites de la unión transformante, del matrimonio espiritual. Habremos de volver sobre este «pecho» o «lecho» que no sólo se encuentra florido, sino también iluminado. Por el momento importa advertir otra clave sanjuanística que raya en lo sublime: estos espacios rodeados tanto por «cuevas de leones» como por «almenas» describen un círculo, tan protegido como cerrado. Estamos, una vez más, ante el símbolo sagrado de la perfección, del infinito, de lo Absoluto.

Ahora estamos también mejor preparados a entender el enigmático verso «el aire del almena», que nos dejó aturdidos en una primera lectura «exenta» de la «Noche». Lo podemos decodificar teológicamente —también sin necesidad de glosas aclaratorias— en términos del recuerdo súbito de nuestro elevado origen divinal que nos proporciona el «aire» de la noticia de Dios. San Juan también nos enseña que la experiencia abismal se vive en la más absoluta de las protecciones, ya que la «almena» señaliza el amparo espiritual de aquella zona sagrada donde Aminadab sencillamente no «parecía». La coincidencia (¿casual?) de san Juan con el *Relato del exilio occidental* de Suhrawardī es realmente inquietante en este sentido. Como en el caso de san Juan, el *alter-ego* del gnóstico persa —que esta vez escribe en árabe— recibe la brisa divinal de lo alto de un castillo almenado de altas torres, que no es otra cosa que su propia alma. Para colmo, es de noche en el espacio imaginal de esta geografía visionaria, y ya sabemos lo que significa la *noche* en la simbología mística sufí: «[...] durante las horas de la noche, subimos al castillo, hasta dominar la inmensidad del espacio [...] la brisa perfumada del aroma del *arak* suscita en nosotros un arrebato extático tras otro. Y suspiramos entonces de deseo y de nostalgia por nuestra patria»[91]. También la brisa del castillo fortificado llenaría el alma de la protagonista de la «Noche» de nostalgia por su Jerusalén celestial. No me cabe duda.

La sensación de refugio que nos proporciona el espacio simbólico en el que los protagonistas viven sus amores trascendidos queda ratificada cuando advertimos que debemos estar en un jardín murado. En un vergel oriental de cedros y —como veremos más adelante— de azucenas. Es que el jardín, como nos recuerda María Jesús Mancho Duque, es un símbolo protector oriental[92]. Ya lo dejamos explorado en el «Cántico», tan adepto a huertos místicos. ¿Será para insistir en esta clave de la protección que el poeta puntea su huerto de elementos orientalizantes? Bien que nos comunica, en cualquier caso, la protegida secretividad de la unión, en un jardín cercado de almenas que sólo parecen dejar pasar el aire y el ventalle de los olorosísimos cedros.

Ya sabemos, pues, que quien prodiga las caricias a la amada no es el objeto de sus pasiones sino unos extraños elementos naturales y arquitectónicos preñados de sentidos místicos polivalentes que serían decodificables para lectores que manejaran algo de la cultura literaria monástica de la época. Pero al margen de quién le prodigue las caricias, lo significativo es que la protagonista de la «Noche» sigue siendo un centro de percepción táctil para estos toques sensualísimos que registra ahora en su cuello. Se trata de una zona particularmente erógena: no cabe duda que san Juan es el poeta más ardiente —y más arriesgado— de su época. Tan impactantes son las caricias —esas caricias que nunca se animaron a prodigar poéticamente ni Garcilaso ni Herrera ni fray Luis— que terminan por sacar de sí a la protagonista: «y todos mis sentidos suspendía». Importante intuición la que comparte ahora la emisora de los versos con el lector —ha quedado traspuesta, fuera de sí, al margen mismo de sus exacerbadas capacidades sensoriales—. Extraño pero cierto: ha quedado fuera del cuerpo. Con ello, queda totalmente identificada —una vez más— con su Amado, que yace sobre ella más allá de todo posible reclamo físico. Ahora ella se dispone a acompañarlo en esa fuga final de la carne, que ha sido, curiosamente, celebrada como nunca a lo largo de estos versos, los más refinadamente eróticos del Siglo de Oro:

Quedéme y olvidéme,
el rostro recliné sobre el Amado,

cesó todo y dejéme,
dejando mi cuidado
entre las azucenas olvidado.

Si leemos atentamente, advertimos que el escorzo físico final que ofrecen los amantes es bastante extraño en el contexto de un poema explícito de amor humano. Él se ha dormido sobre el pecho de ella, y ahora, ella se reclina, desmayada, inconsciente o traspuesta, sobre él. Ambos se colapsan el uno sobre el otro, abandonando el cuerpo que tan ardientemente habían celebrado[93]. No sólo el cuerpo sino la conciencia[94]. Parecería que han perdido el ser, que se han desplomado —mejor, apagado— en esa entrega mutua límite que implica el *grand finale* poético con el que culminan los versos[95]. Esta corporeidad rendida es, una vez más, sospechosa. Y muy elocuente, ya que conduce el poema a nuevos niveles de significado. Si hacemos una lectura «profana» de los versos, y entendemos que nos hablan tan sólo de amor humano, éstos nos pueden sugerir, como propone Nieto, que los amantes se relajan físicamente y se rinden emocionalmente luego de hacer el amor. El rendimiento de los cuerpos es tan dramático, sin embargo, y se celebra con tanta insistencia y con tanto pormenor, que podría sugerir además, y todavía «desde esta ladera», que la pasión amorosa ha trascendido la carne para instalarse en el espíritu. Que la historia de amor no ha concluido, sino que pasa a vivirse ahora en regiones aún más profundas de la conciencia. Esta consideración final que hace el poeta acerca del aniquilamiento o transformación de la identidad en la del objeto amado es una experiencia intuitiva que los auténticos enamorados reclaman siempre como suya y que ha sido aludida, como se sabe, con el nombre técnico del eros y el tánatos. La vivencia del amor total permite la intuición del otro extremo que es la muerte o la anegación del ser, y de ello se han ocupado los poetas de las lenguas y culturas más diversas desde tiempo inmemorial. «Máteme tu vista y hermosura», dejó dicho nuestro poeta en su apasionadísimo «Cántico». La alusión velada pero indiscutible que hace a su vez en la «Noche oscura» al eterno dilema del eros y el tánatos —vivir el amor es morir a uno mismo para vivir en el amado— hunde el poema en un mundo de significaciones mucho más complejas de las que tendría un simple poema de amor erótico que se limitase al estricto plano carnal. Y todo ello, sin negar la apasionada dimensión sensual de los versos que nos ocupan. Pero hay más. Si aceptamos que la apoteosis final de la «Noche» nos conduce a la pérdida instintiva de la mismidad, estamos en el umbral mismo del éxtasis transformante. Examinemos el vocabulario que emplea aquí la emisora de los versos: «quedéme y olvidéme»; «todos mis sentidos suspendía»; «dejéme». Estar «quedado», «suspenso» o «dejado» son términos que señalan sin ambages un estado de contemplación tan extremo que llegó a ser incluso peligroso en el siglo XVI por estar asociado a la secta heterodoxa de los alumbrados[96]. Estamos, definitivamente, ante un léxico no ya amoroso sino contemplativo y, para colmo, teológicamente controvertible. «Cesó todo», nos dice la protagonista, en una de las exclamaciones más contundentes y más emocionantes de todo el poema. Han cesado la búsqueda, los ventalles, los aires, las caricias mismas: ha cesado el cuerpo. Estamos al borde de un nuevo estado de conciencia, desde donde se va a vivir el amor de manera absoluta, porque se ha logrado al fin la fusión perfecta, la transformación amorosa que buscaba Petrarca en la mirada imposiblemente azul de su Madonna Laura. Esta transformación de los abismos del ser se tiene que lograr, por fuerza, fuera del cuerpo. Y lo hemos perdido —jubilosamente— a estas alturas del poema. Y, al perderlo, hemos quedado libres de los límites de la materia, de la conciencia, del espacio-tiempo.

En los primeros versos, como recordaremos, la protagonista poética, todavía disfrazada, había buscado al amado en la noche, y nos deja saber paulatinamente que ha quedado sumida en la misma noche de su búsqueda, ya que no le era posible ver nada en la tinieblas que presidían su desplazamiento secreto. Qué bien hizo en buscarlo «*en* una noche oscura». Inmensa la sabiduría *abisal* del príncipe de los místicos: es que ella *era* la noche. Y sólo había de encontrar a su infinito Amor en sí misma, ya sin la máscara exterior que ocultaba su verdadero ser. Porque también él *era*, como ella, noche. Noche simbólica de lo Incognoscible, sin límites y sin materia, oquedad pura en la que la razón y la vista corpórea quedan gloriosamente ensombrecidas. Por eso la afanosa amante encuentra al amado sumido a su vez, y desde el principio, *en* la noche oscura: con los ojos cerrados y con su campo visual tan apagado como el de su buscadora. Para colmo, ya ha abandonado —metafóricamente— el cuerpo y ni siquiera registra a estas alturas las caricias que le prodiga su encendida enamorada. Ella sigue acariciando, cegada por las tinieblas nocturnas —el intercambio de las almas a través de las miradas en sombras ha comenzado— hasta que queda suspendida y rinde su corporeidad sobre el cuerpo inerte del amado[97]. También su conciencia queda envuelta en sombras: ambos son uno en la sombra, en la *noche oscura* que ahora ha devenido simbólica justamente por su capacidad unitiva. Los amantes han alcanzado la noche de los sentidos y la noche de la conciencia racional, y ello se desprende del poema exento sin tener que recurrir a ningún plano alegórico ajeno a los versos. Han alcanzado la nada —esa Nada tan obsesiva que nos reitera una y otra vez san Juan en los momentos más sublimes de su altísimo magisterio espiritual—. Y es que alcanzar la Nada es alcanzar el Todo: cuando la amada dice «cesó todo» hay una larvada glorificación de ese vacío negro en la que se acaba de sumir. No es ni negativo ni amedrentador: es «amable más que la alborada», y la ha guiado, en efecto, «más cierto que la luz del mediodía». Misteriosamente, la noche cómplice la ha llevado tanto al amor de los sentidos como al amor más allá de los sentidos: al amor humano y al amor divino. (Lo dijo bien san Pablo, a quien tanto secundaba santa Teresa: «si en el cuerpo o fuera del cuerpo no lo sé, Dios lo sabe», 2 Cor 12.) Estamos, por ello, ante una noche excepcionalmente luminosa por su plurivalencia significativa y por sus implicaciones simbólicas profundas, no sólo porque sus tinieblas hayan propiciado una simple cita de amor carnal.

Y precisamente en esta nota de luz termina la «Noche oscura». La protagonista, en su solemne, radical abandono del ser, deja su «cuidado / entre las azucenas olvidado». Parecería que estamos ante la primera imagen flagrantemente visual que nos ofrece el texto, ya que la amada no percibe las flores por el tacto, como hacía con el ventalle de cedros, con el aire del almena y sobre todo con la piel y los cabellos de su querido. Tampoco se nos indica el perfume de las flores en cuestión, aunque no podemos descartar del todo que éste opere en un plano sensorial secundario. Sí parecería, sin embargo, que las azucenas ponen una nota de blancura resplandeciente al final de un poema que ha estado fundamentalmente sumido en la oscuridad, bien que ésta haya sido gloriosa. Es como si el poeta nos indicara que los amantes, al cerrar los ojos a la vida y a la conciencia, al fin advinieran a la luz. No deja de ser curioso el toque lumínico de estas menudas flores, que san Juan debe haber obtenido una vez más del epitalamio bíblico que privilegia tanto como fuente literaria. Es interesante advertir, con todo, que el poeta opta por el vocablo arabizante (y mucho más sugestivo) de «azucenas» en vez de «lirios»[98]. Estas flores que brillan justamente ahora, en el momento del dejamiento final de los amantes, no pueden no ser luminosas. La única luz que habíamos visto arder en el poema ardía precisamente en el pecho o en el corazón de la amada, que la guiaba hacia sí misma, hacia ese espacio privilegiado donde acaba de hundirse con su amado gracias a que ambos han quedado traspuestos y a salvo del cuerpo. Es como si el poeta nos dijera: es *allí*, en el pecho —que sólo ahora sabemos exactamente por qué tenía que ser *florido* como el lecho del «Cántico»—, donde encontramos la verdadera luz del estado de la unión transformante[99]. Como nota curiosa recordemos una vez más que la raíz trilítera árabe *z-h-r* vale tanto para «iluminación» como para «florecimiento»: los sufíes estarían más que de acuerdo con san Juan en que el corazón o pecho «florido» también tiene que estar, necesariamente, iluminado. También el budismo Zen ilustra la iluminación mística en forma de un blanco loto abriente: no cabe duda de que la equivalencia de la luz con el florecimiento tiene un sabor marcadamente oriental[100]. Sea san Juan consciente o no de esta antigua raigambre oriental de sus simbología profunda, lo cierto es que ahora comprendemos mejor por qué la «noche» que se celebraba en las primeras liras del poema tenía que ser lumínica. Es que conducía a la luz, a la luz de la verdadera conciencia —de la conciencia «florida»— que se alcanza —el «Senequita» de santa Teresa lo sabía bien— cuando se cierran los ojos a lo visible.

No querría pasar por alto una última pista secreta que podría estarnos regalando aquí san Juan de la Cruz. La lectura exenta de los versos nos ha llevado a ver que la emisora del poema abandona su «cuidado» y entrega su conciencia entre unas misteriosas azucenas.

Ya advertimos que su blancura luminosa conviene como broche visual final a un poema nocturno que es paradojalmente luminoso. Pero no cabe duda de que se trata de flores singulares, exóticamente reclamadas, para colmo, en un vocablo arabizante. Los «lirios» nos hubieran llevado más bien a la idea de la pureza, que aquí no parece importar mucho ni desde la ladera humana ni desde la espiritual. Se trata de un estado de entrega de la conciencia entre unas flores muy específicas. Curiosa, aparentemente arbitraria la elección de esta flor por parte de san Juan.

En nuestro comentario de la «Noche oscura» nos hemos visto forzados a acudir al universo poético de otras tradiciones literarias extranjeras a fin de que nos arrojaran luz adecuada sobre el poema. Así, sólo dentro del contexto poético de Petrarca y los *dolce stilnuovistas* nos fue dado entender en sus propios términos versos claves como «amada en el Amado transformada», que acuñó, casi en términos idénticos, el célebre poeta de Arezzo en su *Triumphus cupidinis*. De alguna manera, ya haya sido a través de fuentes directas o intermedias, esta contextualidad neoplatónica, tan en boga en el Renacimiento, alcanzaría al Reformador, que no en balde estudió en la cultísima Salamanca. Permítaseme ahora interrogar otra tradición literaria, esta vez musulmana, para enmarcar de manera apropiada la enigmáticas azucenas entre las que la protagonista de los versos pierde su mismidad. Ya dejamos dicho que nuestro poeta evita la versión latinizante de los «lirios», que hubiéramos asociado indefectiblemente con la idea de la pureza. Los versos aluden en cambio a la noción de trasponerse, al dejamiento del ser que se rinde precisamente entre estas blancas florecillas. En la tradición literaria sufí, que ya sabemos antecede por siglos a san Juan, los poetas místicos habían acuñado un lenguaje secreto para expresar sus secretos de amor transformante. Una de las claves de su *trobar clus* contemplativo, que todo iniciado reconocería y en el que ya he insistido bastante, era precisamente la del símbolo de las azucenas. Las azucenas son la flor del dejamiento —el *fanā'*— para los sufíes que han alcanzado la etapa mística última donde falla todo lenguaje. Para estos contemplativos, la azucena, «anhelantes de adoración» (*breathless with adoration*) en palabras de Annemarie Schimmel[101], glorifica a Dios en silencio con las diez lenguas forzosamente mudas de sus pétalos. San Juan no concluyó nunca, lo sabemos, su comentario al poema de la «Noche oscura», por lo que no podemos asegurar que se servía conscientemente de la equivalencia «secreta» de la azucena como flor del dejamiento. Pero su coincidencia con el discurso místico *à clef* de los espirituales del Islam es demasiado precisa como para ignorar el paralelo, máxime a la luz de tantos otros adicionales como guarda el santo con los sufíes de Oriente, muchos de los cuales elaboraron sus discursos embriagados de amor precisamente en suelo español[102]. Estas equivalencias simbólicas, que eran parte integrante del *corpus* místico sufí, bien pudieron haber pasado a formar parte del legado literario místico español al cabo de tantos siglos de convivencia estrecha entre las dos comunidades. La transmisión, como adelanté, bien pudo haber sido anónima y oral, y sospecho que san Juan nunca tendría noticia de que estaba manejando los símiles literarios que habían acuñado los que consideraría sus enemigos en la fe. Acaso el ambiente monacal, resguardado y secretivo, guardó como en prodigioso frasco de alcohol estas imágenes de remoto origen islámico mejor que otros espacios intelectuales más abiertos como la universidad o la corte. El ejercicio de la dirección espiritual —siempre secreto y más proclive a darse de viva voz que por escrito— constituiría un arcaísmo de otras épocas, impermeable al paso del tiempo o a la contaminación fácil con otras corrientes culturales como el humanismo cristiano. Acaso los hermanos de hábito de san Juan se movieran con más comodidad en el contexto de las antiguas enseñanzas místicas de un Raimundo Lulio (que admite haber imitado a unos morabitos llamados «sufíes») que con las «novedades» de Erasmo o de Pico della Mirandola. Sea como fuere, ahí está el paralelo, demasiado estrecho para ser casual. Si atendemos a estos posibles referentes literarios musulmanes, el *grand final* del poema quedaría subrayado y la elección de esta flor específica parecería más artística e intencional. Me inclino a creer que más de un espiritual español contemporáneo de san Juan hubo de entender la equivalencia «secreta» (o acaso, para ellos, no tan «secreta») de la azucena como flor del dejamiento último en las manos de Dios, y gustar de estas liras finales con más conocimiento de causa que nosotros los lectores modernos. Dudo mucho que san Juan fuese el único contemplativo que se mantuviera sobre la pista de esta equivalencia literaria de remoto origen islámico: ya he insistido en que su poema fue pensado para destinatarios bastante enterados en asuntos de espiritualidad.

Importa decir que, en cualquier caso, ni siquiera necesitamos estar refrendados por la cultísima tradición del misticismo sufí para la comprensión cabal de esta entrega última del ser que pone broche de oro a la «Noche oscura»: la interpretación se desprende con absoluta claridad de los versos mismos. Hemos pasado —ya lo dejé dicho— de la celebración del cuerpo a la súbita celebración de un nivel de existencia al margen del cuerpo. Como si nos dijera san Juan: perder la identidad en el Amado es ganarla de nuevo, infinitamente transformada. Para lograr tal grado de unión amorosa, que los teólogos llaman *theopoiesis*, hay que perder no sólo el cuerpo físico sino aun la mismidad —el disfraz exteriorizante—, ya que sólo así pueden los amantes simbólicos transformarse en uno en la noche unitiva. Salta a la vista que san Juan ha fraguado un símbolo poderosísimo para el órgano de percepción mística u hondón del alma: el espacio de una negra oquedad que se nos antoja infinita porque no tiene límites que la circunscriban ni geográfica ni visualmente. En este sapientísimo «ojo del alma», que nos reclama ardientemente hacia la interiorización, se anegan todos los contrarios. Es capaz de reflejar todas las formas, exactamente igual que el manantial simbólico del «Cántico», justamente porque no se ata a ninguna. *Allí* —y uso el deíctico con plena conciencia de ello— se está a oscuras y a la vez iluminado; se celebra el cuerpo y se lo trasciende; se está dormido o traspuesto y a la vez lúcido; se reside «en parte donde nadie parecía» pero a la vez se goza de la protección absoluta del almena, que nos inscribe en un círculo sagrado. En esta esfera simbólica la amada se encuentra a salvo del tiempo, porque es el tiempo mismo (la noche como punto del calendario), y del espacio, porque en esta zona de las tinieblas protectoras en la que se ha sumido no tiene que recorrer distancia alguna, ya que su meta es ella misma. Ella misma, en unión transformante con lo que más ama. De nuevo el círculo de un camino inexistente: ya nos advirtió Elizabeth Davis del «tenaz sentido de circularidad» que caracteriza la poesía juancruciana. Lleva razón la estudiosa: es que el poeta quiere reiterarnos la altísima lección del «Cántico»: estamos ante una experiencia transformante e ininteligible en la que los límites entre el Amado y la amada se han borrado.

La «Noche oscura» constituye un verdadero prodigio literario. El poeta nos ha dado todas estas claves de la más alta espiritualidad, que corresponden, sin duda alguna, a las enseñanzas teológicas de sus tratados en prosa, justamente a través de un poema que canta al amor humano. Y por cierto que el Reformador ha cantado a las criaturas con una pasión y una sinceridad insólitas en el contexto del Siglo de Oro español. San Juan de la Cruz, ¿poeta, pues, del amor profano o poeta del amor divino? Contestaría, con el mayor entusiasmo y respeto literarios: poeta del amor profano *y a la vez* poeta del amor divino. Es precisamente esta condición de poeta la que permite al príncipe de los místicos españoles, que tan riguroso fue como espiritual, armonizar aquello que era, lamentablemente, improbable de hacer cónsonos en su tradición teológica cristiana: el amor carnal y el amor trascendente a Dios. No es poco, pues, lo que nos deja sugerida la amorosa historia nocturna, sencilla y literal sólo en apariencia: nada menos que el consorcio armónico del instinto del amor, que acepta jubilosamente todos los registros.

NOTAS

1. Una versión muy abreviada de este capítulo, bajo el título «La noche oscura del amor transformante en San Juan de la Cruz», apareció en la revista *Mairena* XIII (1991), pp. 5-24.

2. *San Juan de la Cruz. Poeta del amor profano*, Torre de la Botica/ Swan, Madrid, 1988. Muchos estudiosos, entre ellos Antonio Alatorre («La noche oscura de San Juan de la Cruz»: *La Gaceta del Fondo de Cultura Económica*, nueva época, 228 [diciembre de 1989], pp. 15-21), han comentado con reservas este estudio, que resulta, de otra parte, muy valiente. También María Teresa Narváez ha publicado un ensayo que comenzó a redactar antes de tener conocimiento del estudio de Nieto: «"Lectura profana" de la *Noche oscura* de San Juan de la Cruz»: *Mairena* XIII (1991), pp. 61-72. Agradecemos a la autora que nos facilitara una copia de su ensayo cuando aún se encontraba inédito.

3. *Lenguaje y poesía. Algunos casos españoles*, Revista de Occidente, Madrid, 1962, p. 107.

4. Nieto insiste en la calidad erótica o «erosa» de la «Noche» pero en cambio suaviza el contenido sensual del «Cántico». Me permito diferir: a pesar de que, en efecto, el «Cántico» incorpora ciertas claves poéticas que aluden a un posible sentido espiritual para el poema, san Juan no se inhibe, muy dentro de la tradición del *Cantar de los cantares* que ha hecho suya, de aludir al amor erótico de

manera explícita. Pensemos en el abandono amoroso con el que la protagonista femenina reclina su cuello sobre los brazos del Amado, y la celebración sin ambages que hace de su propio lecho nupcial —«nuestro lecho florido»—. Imaginemos por un instante a Beatrice o a *Madonna* Laura o a la Galatea o Elisa de la Égloga I de Garcilaso haciendo otro tanto. Pero el «atrevimiento poético» más notable de la emisora de los versos del «Cántico» tiene lugar cuando propone directamente a su amado que hagan el amor: «*Gocémonos, Amado*». No otra cosa significa el requerimiento erótico del «gozarse», cónsono, una vez más, con el espíritu libérrimo del amor que san Juan aprendiera en los versículos del epitalamio salomónico.

5. Si toda la obra de san Juan de la Cruz se hubiera extraviado (y tenemos noticia de lo mucho que hemos perdido de la misma) y tan sólo contáramos con el poema aislado de la «Noche oscura», no cabe duda de que la posteridad se hubiese inclinado hacia una lectura «profana» de los versos. Así lo intuye también Antonio Alatorre en el lúcido ensayo en el que dialoga, como adelanté, con Nieto.

Con su valentía característica, Alatorre apunta que «la crítica sanjuanista ganaría en claridad si cada crítico expusiera su credo» (p. 18). Considera fundamentalmente agnóstico el de Nieto y totalmente agnóstico el suyo propio, razón por la que ambos vienen a chocar con el criterio de los católicos Menéndez Pelayo y Dámaso Alonso y sobre todo de fray Emeterio Setién de Jesús María. Curiosa y, como dije, valiente la posición de Alatorre, que pide una sinceridad apriorística a los estudiosos de la obra de san Juan. Creo que no es exagerado decir que a todos y cada uno de los sanjuanistas se nos transparenta con meridiana claridad nuestra posición fundamental frente al significado profundo de la obra del poeta sin par al que nos dedicamos. Pero no quiero dejar de complacer a mi ilustre amigo Antonio Alatorre, aclarando mi posición de creyente total en la experiencia trascendente que se canta en estos poemas privilegiados. Añado a esto que no ignoro, de ninguna manera, las hondas pulsiones eróticas que simultáneamente también aquí se cantan, aún a pesar de que su admisión hubiese podido incomodar al poeta. Pero estamos en el siglo XX y sería pecar de superficiales el pensar que un místico, por más auténtico que sea, carezca de subconsciente. Apunta Evelyn Underhill, en su tantas veces citado *Mysticism*, que los místicos, que no son otra cosa que enamorados en grado superlativo, son particularmente proclives a la belleza creada y al amor humano, no empece muchos hayan renunciado a él por razones de tradición religiosa. Pero esta renuncia ha solido ser característica del misticismo cristiano occidental y no es necesariamente la regla en otras persuasiones religiosas. Como arabista, estoy acostumbrada a leer textos místicos que celebran simultáneamente el amor divino y el amor humano, ya que el celibato no se le suele exigir a los contemplativos del Islam. De ahí que haya habido tantos sufíes casados: el amor, como argumentaba Ibn Hazm de Córdoba en su *Collar de la paloma*, no está vedado ni reprobado por la Santa Ley. (Sobre todo ello me extiendo en mi edición de *Un Kāma Sūtra español*, Siruela, Madrid, 1992.)

Pero este no es, naturalmente, el caso de la cultura mística occidental, que se ha visto precisada a elegir entre el amor carnal y el amor espiritual. Bien que supo de estas fecundas contradicciones ese gran crítico literario que fue Sigmund Freud. Importa recordar, en el contexto de estas reflexiones en torno a un poema a la vez místico y erótico, que las posiciones del fundador del psicoanálisis, tan refractarias e indiferentes a la experiencia mística, están siendo revisadas —una vez más, con enorme valentía— por Ana María Rizzuto. La psicoanalista, autora del *Birth of the Living God* (The University of Chicago Press, Chicago/London, 1979), ofreció una primicia de sus teorías en el Congreso celebrado en Ávila en septiembre de 1993 bajo el título de *La experiencia mística. Tradición y actualidad*. Su ponencia, «Reflexiones psicoanalíticas sobre la experiencia mística», de una importancia que no dudo en llamar histórica, vio la luz en las Actas del Congreso, en el citado volumen que preparé con Lorenzo Piera, *El sol a medianoche. La experiencia mística: tradición y actualidad*. Creo firmemente que tanto las pulsiones humanas hacia el amor sexual como hacia la experiencia trascendente son perfectamente legítimas. Aún más: no se contradicen la una a la otra sino que, por el contrario, coexisten misteriosa, armónicamente. La obra polivalente de san Juan de la Cruz me parece un magnífico ejemplo de ello.

6. Y explicar por partida doble: los tratados de la *Subida* y de la *Noche oscura* pretenden ambos explicar simultáneamente el poema desde dos perspectivas espirituales distintas. Estamos ante otra de las excentricidades literarias de san Juan, que asigna aquí una polivalencia inaudita a sus versos.

7. Ya sabemos que santa Teresa parecía sentirse amenazada por lo extremo de dicho rigor espiritual. Consideraba que su compañero de Reforma era «demasiado refinado» y que «espiritualizaba hasta lo extremo». Era cierto: aunque estaban de acuerdo en lo fundamental, el santo, como adelanté, mortificaba los «gustos» o «consolaciones» espirituales de su dirigida, y le solía dar a comulgar con una forma pequeña, y no con las obleas grandes que ella prefería. Como éste, tenemos numero-

sos ejemplos de la relativa tensión de las relaciones humanas entre los dos místicos más preclaros de España. Y aclaro que apunto al hecho, sin poner de ninguna manera en duda el afecto y el respeto espiritual que les unía. Pero se trataba —no cabe duda— de dos espiritualidades diferentes.

8. Eulogio Pacho insiste, y lleva razón, en la necesidad de situar el poema en su debido contexto originario, que era, sin duda, religioso: «Primer paso para la comprensión del poema es situarlo en su contexto originario, es decir, en una clave religiosa y espiritual que desborda el sentido inmediato y denotativo de los signos lingüísticos empleados [...] Quiere decirse que, estudiada en dimensión profana, [la poesía] queda vaciada de su auténtico contenido y de su hondura simbólica» («*Noche oscura*. Historia y símbolo, evocación y paradigma»: *Monte Carmelo* 99 [1991], p. 437).

En mi propio caso intento ir más lejos: aun una lectura «profana» de la «Noche» nos obliga a percibir un sentido oculto pero innegable de amor trascendente en el poema. Insisto una vez más en que esto de ninguna manera oblitera el nivel estrictamente erótico del poema, que es simultáneo al sentido espiritual. Y que no es, en absoluto, desdeñable.

9. Citamos, una vez más, según la edición de las *Obras completas de San Juan de la Cruz* que hemos hecho en colaboración con Eulogio Pacho (Alianza, Madrid, 1991).

10. La más obvia es, como dejé dicho, la del *Cantar de los cantares*, pero conviene tener en mente también el caso de las jarchas, cantadas casi siempre por una muchacha particularmente liberal en materia de amores. Las jarchas no hacen sino imitar modelos poéticos hebreos y árabes, en los que son precisamente las hembras quienes cantan sus quejas de amor. Y las quejas, para el lector que recuerde las jarchas, no son siempre pasivas, sino que movilizan a la desenfadada protagonista a tomar acción directa para remedio de sus amores.

11. Estoy completamente de acuerdo con Nieto cuando compara la pasión amorosa de esta enamorada que se toma la iniciativa con el personaje de Melibea de *La Celestina* de Fernando de Rojas. Ante la espléndida caracterización de esta fémina enamorada, palidece, como todos sabemos, la figura algo acartonada de Calixto. Con cuánta razón y acierto de lectores los contemporáneos llamaron a la obra *La Melibea* y no *La Celestina*.

12. Así lo intuye Bernard Sesé en su lúcido ensayo «Estructura dramática de la *Noche oscura* (tres aspectos del poema)»: «La *noche oscura* viene, pues, a ser a la vez el lugar temporal y espacial de esta acción dramática» (*ACIS*, vol. 1, p. 250).

13. María Teresa Narváez (*op. cit.*) observa con razón que la voz poética femenina queda identificada tarde en la estrofa, con lo que surge una interesante ambigüedad gramatical: no sabemos a ciencia cierta si quien está «con ansias, en amores inflamada» es la noche oscura o la hembra enamorada. Esta ambigüedad no deja de ser interesante e incluso fecunda en el caso de nuestra propia interpretación del poema, según habremos de ver más adelante.

14. También lo ha advertido B. Sesé: «la *amada* no tiene forma ni figura, no tiene rostro, ni nombre: ni siquiera sombra en la noche, es una pura alegoría del deseo» (*op. cit.*, p. 248).

15. Asimismo se deslizó, por cierto, el santo en otra noche oscura, esta vez histórica, en la que dio fin a su prisión entre los calzados. Eulogio Pacho insiste en el referente biográfico del poema: «es el recuerdo aún lacerante de su huida de la prisión toledana» («Noche oscura...», p. 431).

También importa recordar la riqueza experiencial que en el orden místico significó la oscura cárcel toledana para san Juan de la Cruz. Crisógono de Jesús repite sus palabras al efecto: «Una sola merced de las que Dios allí me hizo no se paga con muchos años de carcelilla» (*Vida y obras completas de san Juan de la Cruz*, BAC, Madrid, 1964, p. 183).

16. Debo el dato a A. Alatorre, *op. cit.*, p. 20.

17. José C. Nieto, *op. cit.*, pp. 51 ss.

18. Cf. también al respecto María Jesús Mancho Duque (*El símbolo de la noche en San Juan de la Cruz*, Universidad de Salamanca, 1982) y María Jesús Fernández Leborans (*Luz y oscuridad en la mística española*, Cupsa, Madrid, 1978).

19. Dámaso Alonso, *La poesía de San Juan de la Cruz. Desde esta ladera*, pp. 159-160. Alonso se refiere, claro está, al célebre estudio de Jean Baruzi, *Saint Jean de la Croix et le problème de l'expérience mystique*, Librairie Félix Alcan, Paris, 1924.

20. Tenemos, importa recordarlo, sobrados testimonios de que san Juan de la Cruz meditaba de noche en la soledad del campo. También rezaba de cara a la noche que observaba desde la ventana de su celda. Comenta el mismo Baruzi: «El poeta místico adhiere los espacios nocturnos al silencio donde se abisma en una percepción súbita y exaltada que se convierte en un signo del universo» (*op. cit.*, p. 288).

21. Evelyn Underhill nos describe teológicamente el estado espiritual de la «noche oscura»: «Psicológicamente, [...] la "Noche oscura del alma" constituye un estado antiguo que ha quedado ex-

hausto. Este estado, a su vez, implica el crecimiento hacia un nuevo nivel de conciencia. Se trata de un crecimiento doloroso que le es característico al proceso orgánico del alma que se encamina hacia lo Absoluto [...] Las oscilaciones mentales, los trastornos y reajustes a través de los cuales una personalidad psíquicamente inestable se mueve a lo largo de nuevos centros de conciencia tienen su paralelo en las oscilaciones espirituales propias del alma espiritual en continuo y esforzado ascenso...» (*Mysticism*, p. 386). «[...] los trabajos de la Noche oscura están dirigidos hacia la aniquilación del yo, que permite a su vez una vida no sólo nueva sino más profunda» (*ibid.*, p. 412). Significativamente, la autora titula el capítulo de su libro en el que describe la morada mística del desasimiento purificador como «The Dark Night of the Soul». Parece, sin duda, que toma prestado el término de san Juan, pues, aunque muchos místicos atraviesan idéntico camino espiritual, ninguno de los que maneja la estudiosa —hay que decirlo— emplea el término técnico de la «noche oscura». Sólo san Juan y los místicos musulmanes lo hacen.

22.   J. Baruzi, *op. cit.*, p. 347.

23.   Estudio con más detalle esta posible red de significaciones simbólicas espirituales del concepto de la *noche* en mi citado *San Juan de la Cruz y el Islam*, al que refiero al lector.

24.   La alusión de san Juan a las fuentes orales me parece importantísima. Se sabe que los espirituales son muy secretistas en el magisterio de las almas, y que no suelen poner por escrito las enseñanzas que puedan dar a viva voz. Esto es así hasta el siglo XX, y me parece acertadísima esta técnica que hoy asociaríamos al psicoanálisis moderno. Pero el dato nos debe poner en guardia: consideremos cuánta sabiduría espiritual, cuántos símiles místicos y cuánta contextualidad literaria se silenció para siempre en los confesionarios del Renacimiento español. Ni santa Teresa ni san Juan lo aprendieron todo en los libros, y el santo acaba de confesárnoslo.

25.   Los advierte Dámaso Alonso en su citado ensayo *La poesía de San Juan de la Cruz (Desde esta ladera)*. He aquí los versos de la Égloga II de Garcilaso, que guardan parentesco innegable con los sanjuanísticos:

«La quinta noche, en fin, mi cruda suerte
queriéndome llevar do se rompiese
aquesta tela de la vida fuerte,
hizo que de mi choza me saliese
por el silencio de la noche oscura...» (p. 35).

26.   En su citado *The Poet and the Mystic*, p. 8.

27.   «Gregorio (II, 284) interpreta la *Nox* del Salmo 41, 9 en términos de un período de la vida espiritual en el que las personas sienten que Dios les retira su protección y sus consuelos anteriores. Se trata de una morada de debilidad espiritual y de tristeza y oscuridad avasallantes que se conoce como la purificación pasiva del alma» («Saint Gregory's *Moralia* and Saint John of the Cross»: *Ephemerides Carmeliticae* XXVIII [1977], pp. 62-63).

28.   *La vita di Mosè*, Fundazione L. Valla-Mondadori, Milano, 1984, pp. 162 y 164, traducción española de Guillermo Serés, *op. cit.*, pp. 30-31.

29.   *Al-Andalus* I (1933), pp. 1-79.

30.   Como dejé dicho, prologué la primera edición del libro, que apareció en Hiperión de Madrid en 1990.

31.   *Apud* Arthur Arberry, *Sufism. An Acccount of the Mystics of Islam*, George Allen & Unwin Ltd., London, 1968, p. 117. (La traducción española es mía.)

32.   Cito por Edward Jabra Jurji (*Illumination in Islamic Mysticism*, Princeton University Press, Princeton, 1938, p. 59) y traduzco, una vez más, al español.

33.   *Fawāïḥ al-Ŷamāl wa-Fawātiḥ al-Ŷalāl*, pp. 20-21. (La traducción española es mía.)

34.   *Apud* Margaret Smith, *The Sufi Path of Love. An Anthology of Sufism*, Luzac & Co., London, 1954, p. 113. (La traducción española es mía.)

35.   *Apud* Henry Corbin, *L'homme de lumière dans le soufisme iranien*, p. 117. (La traducción española es mía.)

36.   Henry Corbin, «Symboles choisies de la *Rosarie du mystère*», en *Trilogie Ismaélienne*, III, Teheran/Paris, 1961, p. 177.

37.   *Ibid.*, pp. 20 y 72.

38.   *Ibid.*, p. 151.

39.   La frase es de H. Corbin, *ibid.*, p. 161.

40.   *Apud* Paul Nuwyia, *Ibn ʻAṭaʼ Allāh et la naissance de la confrérie šāḍilīte*, Dar El-Machreq Éditeurs, Beirut, 1971, p. 105.

41.   *Apud* Annemarie Schimmel, *The Triumphal Sun...*, p. 346.

42.   También el anónimo autor del *Libro de la certeza* asocia el nombre de la amada más famosa del Islam, la Beatriz o Julieta musulmana, Leila, con dicha noche espiritual: «[...] en la poesía y en las leyendas árabes la amada suele llamarse Laila (noche), porque la noche es un símbolo de la belleza perfecta pasiva [...] el deseo del amante [...] viene a representar [...] su aspiración a la Verdad última» (*The Book of Certainty*, prólogo de Abū Bakr Sirāj Ed-Dīn, Rider & Co., London, s.f., pp. 63-64). (La traducción es mía.)

43.   Cf. el ya citado *Tarjumān al-ashwāq. A Collection of Mystical Odes*, p. 146.

44.   También los sufíes asocian esta noche a los estados alternos de la apretura (*qabḍ*) y la anchura (*basṭ*) del alma. Lo mismo haría san Juan, como señala Asín en su citado *Šāḍilīes y alumbrados*. Para una puesta al día de este aspecto del estudio del maestro, cf. mi *San Juan de la Cruz y el Islam*, pp. 244 ss., así como mi estudio introductorio a la citada edición de los *Šāḍilīes* en Hiperión de Madrid.

45.   Cf. *The Poem of the Way*, trad. versificada al inglés de A. J. Arberry, Emery Walker, Dublin, 1956, p. 48. (La traducción española es mía.)

46.   También el alma sale en una noche simbólica en el *Relato del exilio occidental*, del mismo Suhrawardī.

47.   Citamos su estudio *L'archange empourprée...*, p. 241.

48.   *Ibid.*, p. 225.

49.   *Ibid.*, p. 241.

50.   *Ibid.*, p. 242.

51.   «Hispano-Arabic Poetry During the Caliphate of Córdoba», en G. von Grünebaum y Otto Harrassowitz (eds.), *Arabic Poetry. Theory and Development*, Wiesbaden, 1973, p. 142.

52.   Annemarie Schimmel, *The Triumphal Sun...*, p. 289.

53.   H. Corbin, *L'archange empourprée...*, p. 353.

54.   Cf. Miguel Asín, *La escatología musulmana en la* Divina Comedia. *Seguida de la historia y crítica de una polémica*, Instituto Hispano-Árabe de Cultura, Madrid, 1961, p. 583.

55.   *Ibid.*, p. 76.

56.   Cf. mi citado estudio *San Juan de la Cruz y el Islam*, pp. 246 ss.

57.   Incluso la salida de sí mismo a un nivel espiritual más alto de conciencia durante una noche oscura es un motivo literario-místico recurrente en el Islam. En la *Escala de Mahoma* o *Miʿrāŷ*, el Profeta asciende al séptimo cielo envuelto en las tinieblas de la noche. Sufíes posteriores como Al-Bisṭāmī tienen la osadía de usurpar la anécdota y hacerla suya, reescribiendo el *Miʿrāŷ* en términos de su propia experiencia mística nocturna. Como san Juan, todos salen subrepticiamente de noche, que no es otra cosa que salir simbólicamente de sí mismos para instalarse en un nivel de conciencia espiritualmente superior.

58.   Cito las palabras de M. J. Mancho Duque, «Símbolos dinámicos...», p. 174.

59.   El símbolo, como dejé dicho, es sufí antes que teresiano: cf. mi ensayo «El símbolo de los siete castillos concéntricos en Santa Teresa y en el Islam», en *Huellas del Islam en la literatura española...*, pp. 73-98.

60.   El caso de la propia «Noche oscura» es ilustrativo: la protagonista poemática «sale» de su casa (de sí misma, diríamos desde una lectura espiritual de los versos) para bajar la escala (para bajar a su conciencia profunda, volveríamos a interpretar desde una perspectiva contemplativa).

Tanto María Jesús Mancho Duque como Joaquín García Palacios han explorado la dualidad constante que ofrecen los símbolos místicos del santo en cuanto a estos «ascensos» o «descensos» se refiere. Oigamos a Mancho Duque espigar ejemplos de esta bipolaridad simbólica sanjuanística armonizadora de contrarios: «El camino [en la obra de san Juan es otro símbolo dinámico]: En este *camino*, el [dejar su *camino* es entrar en camino]» (2S, 4, 5); En este *camino* el abajar es subir el subir *abajar* (2N, 18, 2); En este *camino*, «cegándose en sus potencias ha de ver luz» (2S, 4, 7); «Suele Dios hacerla *subir* por esta scala para que *baje*, y hacerla *bajar* para que suba» (2N, 18, 2). Paradoja que repite en unos versos famosos referidos al otro símbolo dinámico, el *vuelo*: «Cuanto *más alto* llegaba [...] tanto más *bajo y rendido* / y *abatido me hallaba* / [...] y *abatíme* tanto tanto / que *fui tan alto, tan alto...* [...] De donde el *venir* aquí es el *salir* [de aquí y de allí, *saliendo* muy *lejos* de ese *bajo* para esto, sobre todo alto» (2S, 4, 5)» («Creación poética y componente simbólico en la obra de San Juan de la Cruz», en *Palabras y símbolos...*, pp. 150-151).

García Palacios, por su parte, encuentra otro ejemplo ilustrativo de estas fecundas contradicciones juancrucianas en los comentarios a la «Llama de amor viva»: «Dice san Juan combinando esos dos sentidos, ascendente e interiorizante: «porque el amor es asiṇ.lado al fuego, que siempre sube hacia arriba, con apetito de engolfarse en el centro de su esfera». En LB 3, 10 explica el movimiento interiorizante de la llama: «la llama todos los movimientos y llamaradas que hace con el aire inflamado son a fin de llevarle consigo al centro de su esfera» (*Los procesos de conocimiento...*, p. 176).

Salta a la vista, pues, a la luz de tantos ejemplos, que san Juan se encuentra perfectamente cómodo con esta bipolaridad constante de su paradojal simbología mística, manufacturada al fin y al cabo para intentar transmitir un conocimiento al margen de la lógica y de la razón humana.

61. *La realidad y el poeta*, p. 154.

62. Como tuvimos ocasión de ver en el primer capítulo, a menudo san Juan usa simultáneamente ambas imágenes, tanto la interiorizante como la exteriorizante, cancelando así —con extraordinario acierto— el camino simbólico del espíritu que, de todas maneras, no va sino hacia sí mismo.

De otra parte, Evelyn Underhill, la célebre experta en literatura contemplativa, indica que los místicos más profundos —e incluso los más sanos y optimistas— suelen favorecer la experiencia de la unión transformante como un experiencia inmanente y no emanente. San Juan de la Cruz se encuentra, sin duda, entre ellos (cf. su citado *Mysticism*).

63. Tampoco es lícito descontar la asociación que viene a la mente del lector con la voz «en celada», que consuena con «encelada» o «en celo». Nuestra hembra, que se declara «en amores inflamada», bien que es, simbólicamente hablando, una mujer «en celo».

64. Ya lo dijo Nietzsche: «Todo lo que es profundo ama el disfraz. Todo espíritu profundo tiene necesidad de una máscara». Jaime Vélez Estrada nos recuerda, con el estilo lapidario que le es característico, el sentido que tenía esta máscara en la esfera existencial que representaba en la antigüedad clásica Dioniso, el dios enmascarado: «La máscara, en su pétrea rigidez, es un silencio expresivo, pues su translucidez nos permite adivinar un "otro" fantasmal; la máscara desnuda más de lo que encubre, trae a la luz todo *pathos* disimulado, puede hacer expresivo todo reverso pues explicita lo que ella misma oculta...» («Origen y sentido existencial del carnaval»: *Revista de Estudios Generales*, Universidad de Puerto Rico, IV [1989-90], p. 304).

Cf. también al respecto George T. Wright, «The Poet in the Poem: The *Personae* of Eliot, Yeats, and Pound», en *Perspectives in Criticism*, IV, University of California Press, Berkeley, 1960, y Susana Cavallo, «La voz lírica», capítulo V de su libro *La poética de José Hierro*, Taurus, Madrid, 1987.

65. Cito por las *Poesías completas de Pedro Salinas*, Barral Editores, Barcelona, 1971, pp. 236-237, y refiero al lector a mi ensayo «*Melibeo soy*: el amor como reflexión ontológica en *La voz a ti debida* de Pedro Salinas»: *La Torre* VIII (1993) pp. 177-186.

66. Esto sucede también en el «Cántico espiritual», como traté de demostrar en el primer capítulo.

67. Tampoco nos lo informaba la protagonista poemática del «Cántico», cuando se desplazaba sonámbula por los elementos exteriores de un paisaje —montes, valles, fronteras— donde su Amado no podía morar. Sólo mora en el interior del ser de su rendida amada, y de ese descubrimiento espiritual es del que tratan precisamente, como hemos tenido ocasión de ver, estos dos poemas de la «Noche» y del «Cántico». Estamos, pues, frente a dos caminos circulares que se cancelan a sí mismos: ya veremos que en la «Llama de amor viva» el camino ha desaparecido: el poeta ya no necesita ni siquiera sugerirlo.

Recordemos, una vez más, que es precisamente con este cargado vocablo indicador de espacialidad —*¿adónde?*— como comienza el «Cántico espiritual». En el primer capítulo creo haber encontrado la respuesta, ominosa en su sencillez ontológica: «en mí misma». Veremos que en la «Llama» ya el poeta no se pregunta por el *adónde*, porque el poema comienza, con gozo incontenible, desde el *allí* de la psique profunda al que al fin se ha llegado.

68. Recordemos una vez más las palabras del santo: «Dios, a quien va el entendimiento, excede al [mismo] entendimiento, y así es incomprensible e inaccesible al entendimiento; y, por cuanto, cuando el entendimiento va entendiendo, no se va llegando a Dios, sino antes apartando» (Ll 3, 48).

69. Me sirvo de la versión española de Luis Alberto de Cuenca y Antonio Alvar, *Antología de la poesía latina*, Alianza, Madrid, 1981, pp. 22-23.

70. *Truimphus cupidinis*, III, 151, 162.

71. Para Nieto (*op. cit.*, p. 85) no hay tal contrasentido, ya que la «transformación» apunta al amor físico y no al amor casto petrarquista. Sin embargo, no veo cómo podemos aislar la frase «amada en el amado transformada» de su larga estirpe neoplatónica italianizante, cuando no de sus sobretonos místicos, que son bastante obvios de todas maneras.

72. San Juan es maestro de esta alquimia verbal (tanto en su poesía como en su prosa) que sugiere una y otra vez la unión de los contrarios y la consiguiente transformación del alma en Dios: cf. nuestro citado estudio *San Juan de la Cruz y el Islam*, sobre todo para el caso de la prosa explicativa en la que aquí no nos detenemos.

73. B. Sesé, *op. cit.*, p. 247.

74. Lo mismo sucede, como tuvimos ocasión de ver, en el «Cántico espiritual». La amada se mira en la fuente y descubre que ya no tiene rostro, porque en vez de su bulto corpóreo ve allí los ojos de quien ama, que llevaba dibujados en su interioridad emocional. Cuando aparece el Amado, la protagonista poemática no lo celebra en términos físicos, sino en términos del paisaje: el hipotético «rostro» de su consorte se le convierte en montañas, valles, ríos sonoros, incluso, en noches y músicas y cenas que la «enamoran». Definitivamente, nunca vemos directamente las caras de los amantes enamorados, con lo que el poeta apunta a una identidad en trance de transformación. Y de ello precisamente trata la experiencia mística unitiva.

75. J. C. Nieto, *op. cit.*, p. 67.

76. Acaso también, el ventalle de cedros se pueda registrar de manera olfativa: es célebre, como se sabe, el aroma de las coníferas. Es curioso constatar que cuando san Juan de la Cruz se decide a darnos algunas pinceladas de este paisaje percibido por sentidos ajenos a la vista, nos ofrece datos orientalizantes que nos remiten en seguida a su libro de cabecera, el *Cantar de los cantares*. De la misma manera, cuando en el «Cántico», en medio de tanto paisaje desleído y evanescente, el poeta nos ofrece su única pista geográfica concreta, no duda en aludir a «Judea». Allí habitan unas imposibles «ninfas» hijas de la tradición clásica, pero el santo parecería sentirse más a gusto en Palestina que en la Arcadia o en Toledo. No cabe duda: el Reformador del Carmelo es el poeta más original —y más orientalizado— del Siglo de Oro.

77. Tampoco los místicos que acuñaron el símbolo nocturno como símil de la unión última con Dios. Por algo el poeta celebraba más la hora oscurecida en que transcurre el encuentro que el propio Amado que lo protagoniza. Es extraordinario observar cómo san Juan, sin hacer una sola alusión teológica a la «noche» de sus versos, enriquece poéticamente el término de tal modo que ya no puede significar exclusivamente la noche en que ocurre un encuentro amoroso humano.

78. Colin Peter Thompson reflexiona, con la perspicacia que le es habitual, en el sentido trascendente y redimido que adquieren las criaturas, vistas *sub specie aeternitatis*, en la obra de san Juan de la Cruz (cf. su citado ensayo «El mundo metafórico de San Juan», *ACIS*, vol. 1, pp. 75-93). Podríamos pensar que esto ocurre también en el caso de estos cuerpos amorosos de la «Noche oscura» que se respetan —aún más, que parecerían bendecirse— porque de alguna manera no niegan sino que nos dirigen hacia amores más profundos y trascendidos.

79. *L'homme de lumière...*, p. 134.

80. X. Pikaza, *op. cit.*, p. 62.

81. La contextualidad literaria de las «sombras» o la oscuridad es verdaderamente compleja y rica en la literatura universal: la asociación de las sombras con la vida interior del hombre y con las imágenes incorpóreas que genera es, como se sabe, milenaria. Octavio Paz evoca a Demócrito en su *Sombra de obras* («Palabra: sombra de obra», reza el lema del libro), mientras que Jorge Luis Borges, bajo la égida de Virgilio (*ibant obscuri sola sub nocte per umbram, Eneida* VI) crea una imagen plurivalente de la sombra en su *Elogio de la sombra* al asociar el término no sólo a la irónica ceguera que le fue deparada en vida, sino a la «noche en que se forjan los sueños, las imágenes que se proyectan en el lenguaje, en las palabras, y la imágenes que, a su vez, las palabras proyectan en la mente del lector» (citamos por Arturo Echavarría, *Lengua y literatura de Borges*, Ariel, Barcelona, 1983, p. 126). La reelaboración del símbolo nocturno de las sombras persiste, como era de esperar, en la poesía en lengua española en lo que es estrictamente contemporánea: pensemos tan sólo en los casos recientes de *La voz a ti debida* de Pedro Salinas, de José Hierro (que dota a su poema «Sombras», de *Quinta del 42*, y «Lope. La noche. Marta», de *Agenda* [Prensa de la Ciudad, Madrid, 1991], de una hondura simbólica extraordinaria plurivalente) y de Manuel Ángel Martín López, quien titula su reciente poemario justamente *Colección de sombras* (Gallo de Vidrio, Sevilla, 1991).

82. La mirada es importantísima en la obra poética de san Juan, ya que suele ser a través de ella justamente como se indica la proximidad o la culminación del matrimonio espiritual. Recordemos que, en los instantes previos a la unión, la Esposa del «Cántico» ya no se puede reflejar en la fuente, sino que ve en ella «los ojos deseados» del Amado, que tiene dibujados en su propia conciencia interior. Acto seguido pide al Esposo que aparte esos ojos, que va de vuelo hacia él mismo: propone volar hacia esos ojos, pero, como están en la fuente, no haría la amada otra cosa que hundirse en la fuente de su propia interioridad psíquica. El poema prodiga la imagen ocular: «máteme tu vista y hermosura», había dicho la protagonista del «Cántico», que luego glosa: «Cuando tú me mirabas / su gracia en mí tus ojos imprimían; / por eso me adamabas, / y en eso merecían / los míos adorar lo que en ti vían». Tendremos ocasión de ver enseguida cómo estos ojos metafóricos vuelven a ser importantes en el caso de la «Llama de amor viva». Los «ojos» de los que tanto se sirve san Juan no son sólo

186

los ojos de la poesía italiana amorosa, que intercambiaban almas más que miradas, sino que también son asociables, como dejé dicho, al órgano visual u «ojo de luz» metafórico a través del cual los contemplativos místicos, desde san Agustín hasta Šabastarī, advienen a la contemplación inenarrable de la Divinidad.

83.   Aludo, como se sabe, al célebre soneto «A la noche» de las *Rimas humanas* (1602), que por cierto sirve de epígrafe a un «Nocturno» del *Libro de las alucinaciones* de José Hierro.

84.   San Juan de la Cruz es un experto en la poetización de caricias, abrazos, y toda suerte de intercambios de cariño entre enamorados. Debió ser el suyo un temperamento de veras afectuoso y sensual. Espiguemos unos pocos versos que ejemplifican lo dicho. En el «Romance sobre el Evangelio "In principio erat verbum", acerca de la Santísima Trinidad», el poeta no titubea al darnos una versión intensamente amorosa —carnalmente amorosa— del misterio de la creación. Dios Padre creará la naturaleza humana y la dará por esposa al Hijo: responde Dios Hijo al Padre como un esposo enamorado: «Reclinarla he yo en mi brazo, / y en tu amor se abrasaría, / y con eterno deleite / tu bondad sublimaría». La naturaleza humana personificada en Esposa aguarda con impaciencia el desposorio: «pero la esperanza larga / y el deseo que crecía / de gozarse con su Esposo / contino les afligía». (Recordemos el «gocémonos, Amado» del «Cántico».) En el romance que venimos citando san Juan traduce el nacimiento de Jesucristo en un pesebre en términos, una vez más, del desposorio de Dios Hijo con la naturaleza humana. Los versos no pueden ser más sensuales, y tienen un aire bíblico antiguotestamentario muy claro: «Ya que era llegado el tiempo / en que de nacer había, / así como desposado / de su tálamo salía / abrazado con su esposa, / que en sus brazos la traía...». No cabe duda: nuestro poeta elige una y otra vez la metáfora del más encendido amor humano nupcial para dirimir asuntos teológicos trascendentes. Por ello no nos debe extrañar que la «Noche» hable a su vez, simultáneamente, en los dos registros amorosos humano y divino.

85.   Lo mismo, por cierto, nos sugieren las fecundas y numerosas incongruencias lógicas del «Cántico espiritual», que San Juan llamó «dislates» y que defendió apasionadamente, como sabemos, en su prólogo al poema. Si Dios no se entiende, mal se van a entender unos versos que canten el conocimiento directo de Dios, que no se lleva a cabo ni a través de los sentidos ni de la razón. El poeta bien sabe lo que dice en su curiosa defensa teórica de esta «estética del delirio» que implican sus «dislates»: trae en su apoyo nada menos que el *Cantar de los cantares*, que, por ser —según el poeta— un texto de sentido místico, «habla misterios en extrañas figuras y semejanzas». Por ello no se podrá «declarar» nunca de manera eficaz. Siempre me ha dejado sorprendida la extraordinaria valentía artística y teórica de san Juan de la Cruz, que no se inhibe de dar la espalda y de subvertir completamente la poética al uso que le fue contemporánea y que tan apretadamente aristotélica fue en cuanto al respeto a la lógica y a la claridad expositiva se refiere.

86.   Entre ellos José C. Nieto en su citado estudio.

87.   A. Alatorre, *op. cit.*, p. 17.

88.   D. Alonso, *op. cit.*, p. 54.

89.   Cito por Otto Spies y S. K. Khatar (ed. y trad.), *Three Treatises on Mysticism by Shihabuddīn Suhrawardī Maqtūl*, Khatak, 1935, p. 23. Sobre este símbolo del pájaro en san Juan y en el Islam, cf. mi ensayo «Para la génesis del *pájaro solitario* de San Juan de la Cruz», en *Huellas del Islam...*, pp. 59-72.

90.   D. Alonso, *op. cit.*, p. 56.

91.   *Apud* H. Corbin, *L'archange empourprée...*, p. 274.

92.   «El elemento aéreo en la obra de San Juan de la Cruz»: *Criticón* 52 (1991) p. 15.

93.   Lo advierte a su vez Bernard Sesé en su citado ensayo: «Los cuerpos de los amantes están ahí, abrazados e inertes, pero las personas (el alma, el espíritu) están en otro sitio: el Amado se ha dormido, la Amada se ha dejado a sí misma» (*op. cit.*, p. 246).

94.   Ni por el uno ni por la otra se percibe a Dios, como nos asegura el poeta en las glosas, que vienen a coincidir aquí con el mensaje profundo del poema.

95.   Por cierto que muchos amantes de la antigua lírica amorosa europea rendían mutuamente sus almas y morían el uno sobre el otro después de sellar su unión amorosa con un beso. Como nos recuerda magistralmente Nicholas Perella, no sólo la mirada sino también el beso servía de instrumento para el intercambio amoroso de las almas (cf. su estudio, ya citado, *The Kiss. Sacred and Profane*).

96.   Siempre he sospechado que una de las posibles razones por las que el santo rehusó terminar el comentario de estos versos finales es por las implicaciones que tenía en términos de una espiritualidad del dejamiento. No es que san Juan no se atreviera a explicar en prosa los versos que aludían a la experiencia extática inenarrable por definición: lo hizo, con bastante fortuna, en el caso de las li-

ras unitivas de su «Cántico espiritual» y de la «Llama». Aquí en la «Noche» parecería que subyace una culpabilidad más sospechosa, que tampoco hay que atribuir a la excesiva sensualidad de las estrofas finales. En el «Cántico», como dejamos dicho, hay sobrados ejemplos de versos de claro sentido erótico.

97.   Imposible no percibir aquí la intuición de la muerte, pero de una muerte liberadora y gozosa. Recordemos cómo san Juan se había quejado en el «Cántico»: «Más ¿cómo perseveras, / ¡oh vida! no viviendo donde vives, / y haciendo porque mueras / las flechas que recibes / de lo que del Amado en ti concibes?». También dijo la protagonista poética: «máteme tu vista y hermosura». En la «Noche» esa muerte simbólica se ha logrado al fin.

98.   Por cierto que los versículos suelen hablar más de lirios —lilia— que de azucenas. San Juan arabiza la flor, ya que opta por un vocablo de raíz etimológica árabe. Esta raíz árabe del vocablo «azucena» (y de la misteriosa «almena») ha sido apuntado por Margaret Wilson: «Mi reacción emocional [ante la "Noche oscura"] gira en torno a dos palabras: "almena" y "azucena". "Almena" me deleita en primer lugar por su absoluta sorpresa. Aparece de manera muy poco memorable en los poemas de [Sebastián de] Córdoba, después de una alusión a la subida de una torre; pero no hay nada en las estrofas anteriores de san Juan que nos prepare para algo tan concreto y específico como "almenas". Las "azucenas" parecen menos foráneas en la atmósfera que precede al verso: ya se ha dicho que "entre las azucenas" es un préstamos de una escena de amor semejante del Cantar de los cantares. Y, aun así, la palabra no es inevitable, ni adivinable, y produce una emoción particular cuando nos la encontramos en el verso final [...] El origen árabe, parcial o total, de ambos vocablos los dota también de cierto exotismo, y ello puede ser un factor adicional que los ayude a sobresalir como los ejes centrales del poema. Definitivamente, "azucenas" tiene para mí una magia que "lirios" no hubiera tenido nunca, y que tampoco se puede asociar con el uso que le da Garcilaso al término en uno de sus sonetos más famosos» (San Juan de la Cruz. Poems. Critical Guides to Spanish Texts, Tamesis Books, London, 1975, pp. 50-51).

Añadamos a las observaciones de la estudiosa, tan intuitivas como certeras, que el aire «exótico» del paisaje de la «Noche oscura» queda subrayado por aquel «ventalle de cedros» que sólo podemos asociar con legitimidad al Monte Líbano. Salta a la vista que el espacio «bucólico» de nuestro poeta es fundamentalmente oriental y no arcádico.

99.   Sometemos a nota al pie una información que nos da san Juan en las glosas explicativas. Nos dice allí que su alma en estado de unión transformante es a manera de jardín en el que no pueden faltar las flores representativas de los diversos matices del estado místico transformante. Recordando pasajes aromáticos del Cantar de los cantares, el poeta teólogo entiende que el Amado se une al alma «entre las fragancias de estas flores» (CB 17, 10). En un pasaje más detallado de sus glosas al «Cántico», pormenorizará estas flores: el lirio, la azucena, el jazmín, las rosas: cada flor le entrega una dimensión distinta del conocimiento de Dios en el que el alma se va transformando. Las rosas son para el poeta, concretamente, «las extrañas noticias de Dios» (CB 24, 5). En seguida veremos lo que simbolizan las azucenas, que en el Cantar de los cantares se asocian justamente al «pecho florido»: «tus dos tetas, como dos cabritos mellizos que [están paciendo entre azucenas]» (4, 5). (Para los paralelos entre estas flores del jardín del alma en unión mística de la obra de san Juan y el misticismo sufí, cf. mi citado estudio San Juan de la Cruz y el Islam, en especial las pp. 276 ss.).

100.   La lengua hebrea, por su parte, asocia el concepto de «corazón» con el de «florecimiento», como nos recuerda Mario Satz: «¿Sabía San Juan que en hebreo, «corazón» se dice leb y «florecer» libleb [....] ?» (op. cit., p. 246). Tampoco está del todo ajena esta lengua de la otra asociación que es más ostensible en árabe: «Tal vez sea rastreando los ideogramas de la Kábala hebrea donde hallamos una aproximación más exacta a la ecuación corazón/fuego. Órgano del afecto, de la clarividencia, leb, el «corazón», arde y se ilumina con sólo agregarle una letra, la hei, clave del «espíritu», transformándose entonces en lahab o «llama»» (Ibid., p. 251).

Sobre la relación de los místicos españoles con la cábala hebrea cristianizada, cf. los estudios de Catherine Swietlicki: Spanish Christian Cabala. The Works of Luis de León, Santa Teresa de Jesús and San Juan de la Cruz, University of Missouri Press, Columbia, 1986, y «Entre las culturas españolas: San Juan de la Cruz y la cábala cristiana popular», en ACIS, vol. 1, pp. 259-267.

101.   Mystical Dimensions of Islam, p. 308.

102.   Así, Ibn 'Arabī de Murcia e Ibn 'Abbād de Ronda. Para un estudio a fondo de los paralelos entre el santo carmelita y el Islam en lo que a la simbología secreta musulmana se refiere, cf. nuestro citado estudio San Juan de la Cruz y el Islam, así como nuestro citado ensayo «Simbología mística musulmana en San Juan de la Cruz y en Santa Teresa de Jesús».

III

YA POR AQUÍ NO HAY CAMINO:
LA COMBUSTIÓN TRANSFORMANTE FINAL
DE LA «LLAMA DE AMOR VIVA»

All at once, without warning of any kind, I found myself wrapped in a flame-colored cloud. For an instant I thought of fire, an immense conflagration [...] the next, I knew that the fire was within myself. Directly afterward there came upon me a sense of exultation, of immense joyousness accompanied [...] by an intellectual illumination impossible to describe.

[De momento, sin previo aviso de clase alguna, me encontré envuelto en una nube del color de la flama. Por un instante pensé que era fuego, que se trataba de una inmensa conflagración [...] lo próximo que supe fue que el fuego estaba dentro de mí. Inmediatamente después me sobrevino un sentimiento de regocijo, de inmenso júbilo, acompañado [...] por una iluminación intelectual imposible de describir.]

Dr. R. M. Bucke, *Cosmic Consciousness*.

En uno de los textos místicos más apremiantes, desgarradoramente sinceros y convincentes que conozco, Blaise Pascal intenta comunicar su experiencia extática por medio de un grito lumínico y abrasador:

En el año de gracia de 1654
lunes 23 de noviembre, día de san Clemente, papa
y mártir, y otros en el martirologio,
víspera de san Crisógono, mártir, y otros.
Desde alrededor de las diez y media de la noche hasta
alrededor de las doce y media de la medianoche,
FUEGO.
Dios de Abraham, Dios de Isaac, Dios de Jacob,

189

no el [Dios] de los filósofos ni de los sabios.
Certeza, alegría, certeza, sentimiento, alegría, paz[1].

Estas palabras entrecortadas, anhelantes, al margen de toda posible concatenación lógica, constituyen el *Memorial* con el que Pascal celebra su encuentro con la Realidad trascendente. Tanto le importó al contemplativo este talismán verbal íntimo de su iniciación en la más alta vida del espíritu, que lo llevaba siempre junto a sí, cosido debajo del forro de su jubón. Allí lo encuentra un criado a su muerte[2]. El lenguaje inarticulado del amor, que parecería desbordársele al místico en su intento de transcribir la experiencia, es, en las palabras inspiradas de Evelyn Underhill, «una cascada de exclamaciones asombradas, palabras anhelantes y crudas, colocadas allí atropelladamente; el artista que habita [el místico] totalmente suspenso; los nombres de las emociones abrumadoras que lo embargan, una tras otra, mientras el Fuego de Amor va revelando sus secretos, convocan como respuesta una llama de humildad y de arrobamiento en su alma»[3]. «No el [Dios] de los filósofos ni el de los sabios», prorrumpe asombrado este gran filósofo y sabio que se ha visto convertido abruptamente de la ciencia al Amor. El mundo no te ha conocido, «pero yo te he conocido», continúa en su júbilo incontenible, y realmente las frases quebradas de su lenguaje balbuceante ofrecen un contraste dramático con la prosa lúcida de los *Pensées* y la ironía de las *Provinciales*[4]. Una palabra clave destaca en este torrente verbal descoyuntado: FUEGO. Es todo lo que necesita Pascal para recordar el trance indecible que le ha sobrevenido.

Otro tanto san Juan de la Cruz. En el poema de la «Llama de amor viva»[5], en que celebra los límites de su unión transformante, el príncipe de los místicos españoles acude al antiguo símbolo de la llama abrasadora para explicitar de alguna manera estos grados últimos de su combustión espiritual. El fuego, como todos sabemos, transforma en sí todo lo que va quemando, y su temperatura extrema ha sido también asociada desde antiguo con la pasión devoradora del amor. Y el amor ha sido tan subido en este peldaño final de la experiencia extática del santo, que su lenguaje, exactamente igual que el de Pascal, queda reducido a la exclamación continua[6]. Concuerdo con Dámaso Alonso cuando percibe el poema de la «Llama» «agitado como una hoguera bajo el viento»[7]. Pero es el propio san Juan quien así lo advierte, con su habitual lucidez de teórico del lenguaje místico:

> Para encarecer el alma el sentimiento y aprecio con que habla en estas cuatro canciones, pone en todas ellas estos términos: «¡oh» y «¡cuán!», que significan encarecimiento afectuoso; los cuales cada vez que se dicen dan a entender del interior más de lo que se dice por la lengua[8].

San Juan sabe que, una vez más, debe hablar «sobre toda lengua» (Ll 4, 17), y la exclamación, como apunta lúcidamente Cristóbal Cuevas, es «el único vector de escape para eludir el silencio»[9]. Otra fórmula de la que se sirve el poeta para adecuar la culminación de la experiencia teopática al «necio lenguaje humano» de mi tantas veces citado poeta Rūmī es el uso del tiempo presente en las cuatro liras de la «Llama»[10], que contrasta fuertemente con los violentos zigzagueos verbales del «Cántico». Aquí estamos en un instante donde el tiempo se ha perpetuado, o, por decirlo de otra manera, esfumado. «Desaparece el tiempo y su maléfico transcurrir», por usar las gráficas palabras de Gabriel Castro[11]. El trance, en efecto, se vive al margen de la temporalidad y hay un acierto artístico extraordinario en indicar una vivencia de esta índole con el empleo insistente —jubilosamente insistente— del tiempo presente.

También la experiencia mística última, de una sencillez indecible, se vive como luz. En las liras de la «Llama», en las que el amor unitivo se concibe como experiencia de luminosidad llameante, san Juan forma tradición con las escuelas místicas de todas las épocas y de todas las denominaciones. Mircea Eliade nos recuerda las distintas culturas que hacen suyo el símbolo de la luz para señalizar el éxtasis: el judaísmo, el helenismo, el gnosticismo, el sincretismo y el cristianismo en general[12]. Añadimos al largo recuento de Eliade el caso del sufismo, que en muchos sentidos podemos decir que ha llevado el símil lumínico a sus últimas consecuencias artísticas. Estamos, sin duda alguna, ante un símbolo universal que podemos considerar jungeano. Una y otra vez los contemplativos dan testimonio de haberse sentido sumergidos en esta luz increada, esplendente e inefable, de la que pasan a formar parte esencial. Ella es la que les da noticia del extraordinario ajuste interior de que ha sido objeto su conciencia iluminada; del nuevo nivel de existencia espiritual que pasan ahora a experimentar. La descripción de san Agustín, en la que vemos la huella de Plotino y Porfirio, los antiguos maestros neoplatónicos de la escuela de Alejandría, es particularmente persuasiva:

> [...] entré en mi interior, guiado por ti; y púdelo hacer porque tú te hiciste mi ayuda. Entré y vi con el ojo de mi alma, comoquiera que él fuese, sobre el mismo ojo de mi alma, sobre mi mente, una luz inconmutable, no esta vulgar y visible a toda carne ni otra cuasi del mismo género, aunque más grande, como si ésta brillase más y más claramente y lo llenase todo con su grandeza. No era esto aquella luz, sino cosa distinta, muy distinta de todas éstas. Ni estaba sobre mi mente como está el aceite sobre el agua o el cielo sobre la tierra, sino estaba sobre mí, por haberme hecho, y yo debajo, por ser hechura suya. Quien conoce la verdad, conoce esta luz, y quien la conoce, conoce la eternidad. La Caridad es quien la conoce[13].

El Pseudo-Dionisio, por su parte, elabora minuciosamente el símil de esta luz ultraterrenal en sus *Jerarquías celestes*, mientras que Jacopone da Todi la canta en unos versos apasionados:

Sopre' onne lengua amore,
bontá senza figura,

191

lume fuor di mesura
resplende nel mio core.
[Amor sobre toda lengua,
bondad sin rostro,
luz fuera de toda medida
resplandece en mi corazón.]

Lauda xci

El antiguo *leit-motiv* místico se sigue repitiendo en términos casi idénticos a través de los siglos. Santa Hildegarda nos dice que vive sus revelaciones inmersa en una luminosidad especial, más brillante que la luz alrededor del sol: «Lux vivens dicit» [He dicho que se trata de una luz viviente][14], declara lapidaria, sucintamente. El esfuerzo último de Dante por describir, al final de su *Comedia,* la aprehensión de la esencia de Dios, es igualmente lumínico: «Ciò ch'io dico è un semplice lume» [Esto que digo es una simple luz] (Par. xxxiii, 90). Santa Teresa no se queda atrás en su testimonio de la vivencia luminescente[15]: ha visto, como san Agustín, «una luz tan diferente de la de acá, que parece una cosa tan dislustrada la claridad del sol que vemos, en comparación con aquella claridad y luz que se representa a la vista, que no se querrían abrir los ojos después»[16]. Ya en el siglo XIX, el moderno Walt Whitman repite exactamente el mismo aserto: «Light rare, untellable!» [¡Luz extraña, innarrable!][17].

El misticismo islámico se obsede con el símil de la iluminación desde muy temprano, acaso, como proponen Edward Jabra Jurji[18] y Annemarie Schimmel[19], porque funde fecundamente las ideas de Plotino y Platón con las de Zoroastro y otros sabios persas antiguos. Suhrawardī, llamado *al-maqtūl* (el «asesinado» o «ejecutado»), muerto en 1191, está considerado como el *šeyj al-išrāq* (maestro de la filosofía de la iluminación) gracias a su abundante literatura sobre el tema: escribe cerca de cincuenta libros en árabe y en persa, influidos por Avicena, el helenismo, e importantes elementos iraníes y orientales antiguos, entre los que cabe recordar su *Ḥikmāt al-išrāq* (*La filosofía de la iluminación*) y su *Ḥayâkil an-nūr* (*Los altares de la luz*). Sus seguidores insisten de tal manera en esta luz interior que ganan el sobrenombre de *išraquíes*: literalmente «iluminados» o «alumbrados», como aquella secta perseguida del XVI español[20]. Para san Juan de la Cruz fue muy peligrosa la asociación de sus teorías acerca de la iluminación espiritual con la espiritualidad alumbrada[21], pero entre sus correligionarios musulmanes no era tan grave o extraño el apelativo. Ibn al-'Arabī lo usa como autoridad: «Uno de los iluminados (المكاشِـتـيّ) me dijo...»[22]. El mismo respeto encontramos en Algazel, quien, al referirse a un maestro sufí en su *Iḥyā' 'ulūm al-dīn* o *Vivificación de las ciencias de la fe* (IV, 176-179) dice con unción: «Un hombre, de aquellos a quienes la luz increada ilumina con sus resplandores...»[23]. El motivo de la iluminación es común a toda la mística islámica, que lo denomina con varios nombres técnicos como el *zawā'id* (exceso de luz en el corazón) y los críticos no dejan de advertir su importancia. Domingo de santa Teresa vio entre los šāḏilīes «un exagerado apoyo en la iluminación interior, en la lumbre divina»[24], mientras que Annemarie Schimmel, más entusiasta, alude a «la altamente desarrollada metafísica de la luz» del *Nicho de las luces* de Algazel[25]. En efecto: los sufíes desarrollan el símbolo, consagrado, como vimos, en la literatura mística universal, con particular minucia. En su *Iḥyā'* , el citado filósofo persa asigna a la iluminación el tercer grado del *tawḥīd* o unidad con Dios: «en el tercer [grado] se contempla [la Unidad de Dios] por iluminación interior»[26], mientras que para el más tardío Abū-l-Ḥasan al-Šāḏilī se trata del cuarto grado de la ascensión espiritual, en que «Dios alumbra al alma con la luz del intelecto original en medio de las luces de la certeza mística»[27].

Pero el más minucioso tratadista del siglo XI, Huŷwīrī, nos presenta una distinción sutil: «hay una diferencia entre aquel que su Majestad quema en el fuego del amor y aquel que se siente iluminado por su belleza en la luz de la contemplación»[28]. Avicena, por su parte, sabe reconocer el quinto *ḥāl* o estado extático gracias a las brillantes llamas del conocimiento directo de Alá[29] que inflaman «de su alma en el más profundo centro» que el filósofo, como tantos otros sufíes, denomina técnicamente como *qalb* (قلب). Ya tuvimos ocasión de aludir a este simbólico corazón u órgano de la percepción mística. Invariablemente pormenorizado en su tratamiento de los símbolos, Naŷm-dīn al-Kubrā establece, por su parte, la diferencia entre el fuego del demonio y el fuego espiritual del *ḏikr* (ذكر = oración repetida, memoria de Dios, recogimiento) que el místico deberá reconocer «como una llamarada ardiente y pura, animada de un movimiento ascendente y rápido»[30]. 'Aṭṭār celebra en un poema ese mismo fuego: «Qué es el *waŷd* (éxtasis)? [...] convertirse en fuego sin la presencia del sol»[31].

También san Juan de la Cruz se ha convertido en fuego sin la presencia del sol. Aunque en muchos pasajes de la «Llama» nos habla de la luz interior con la que el «Padre de las lumbres» (Iac. I, 17, Ll 1, 15) ilumina su espíritu, hay que decir que insiste mucho más en ese centro de conciencia llameante que es su alma en el momento de su total transformación en Dios. Esta llama simbólica, en la que el padre Crisógono advierte el recuerdo del verso «¡Oh fuego de amor vivo» de Boscán, y Dámaso Alonso el recuerdo del «Boscán a lo divino» de Sebastián de Córdoba, tiene sin duda más que ver con la conciencia profunda encendida de los místicos «iluminados» que precedieron a san Juan en el camino hacia su fuente infinita de origen.

Pero dejemos la palabra a san Juan de la Cruz y veamos cómo comienza la primera de las canciones celebrativas «que hace el alma en la íntima unión de Dios»:

¡Oh llama de amor viva,
que tiernamente hieres

de mi alma en el más profundo centro!
Pues ya no eres esquiva,
acaba ya, si quieres;
¡rompe la tela de este dulce encuentro!

En seguida advertimos que aquí ha cesado la búsqueda del «Cántico espiritual» y de la «Noche oscura». Ya no hay hembra intrépida que se lance a la búsqueda de su Amado perdido por fuertes, fronteras o prados esmaltados de flores, ni tampoco descendiendo escalas al amparo de las sombras de la noche[32]. Importa que advirtamos, en primer lugar, que en estos versos la condición femenina y corpórea de la voz poética se ha desvanecido. Ahora parecería que el propio poeta místico ha asumido la condición de protagonista poemático, aludiendo, ya sin afán metafórico, a su propia «alma»[33]. Digo que asumimos una voz poética masculina para los versos por una sencilla convención poética: sabemos quién fue el contemplativo histórico que escribió la «Llama», y, salvo que se nos indique lo contrario, pensamos en un protagonista poemático varón. Esto es así por lo menos en el caso de las primeras liras, porque, a medida que avanza la «Llama» y que la dimensión afectiva y enamorada del emisor de los versos se va privilegiando, parecería que surge subrepticiamente, una vez más, la voz femenina que caracteriza los mejores poemas de san Juan. Esto lo sabemos por inducción, ya que el poeta termina por hacer referencia a un «querido» (así, en masculino) que «enamora». Y una protagonista femenina conviene más dentro de esta retórica amorosa convencional. Acaso el Reformador asumió que la «Llama» estaría cantada desde el primer momento por una protagonista femenina, sólo que ello no es evidente desde los primeros versos, como en el caso del «Cántico» y de la «Noche»[34].

Sea como fuere, lo que sí salta a la vista es que los protagonistas de este nuevo poema transformante son más elusivos que los que dialogaron en el «Cántico» y en la «Noche». Advierte Gabriel Castro que «los personajes participantes en la acción comienzan siendo el protagonista sujeto único de un grito emocionado hacia la llama, símbolo del amor»[35]. Pero la misteriosa incongruencia de esta curiosa pareja constituida por un ser viviente y una lengua de fuego es aún mayor, ya que el emisor o emisora de los versos parece desdoblarse ya desde la primera lira. Esto es así porque una voz, que debe pertenecer, a todas luces, a un cuerpo físico, es la que alude al centro incorpóreo de su alma como a algo separado de sí. Dicho de otra manera: esta voz celebra desde fuera su más alta espiritualidad, el ápice o *scintilla* donde se opera la unión transformante. Es justamente sobre este estado privilegiado de conciencia y sobre este espacio simbólico donde se concentra la introspección del emisor de los versos. (Por cierto que el poeta nunca había aludido de manera explícitamente teológica a este órgano de percepción espiritual. Al ser más directo que simbólico, san Juan resulta, debemos admitirlo, menos poético que en sus obras anteriores.)

194

Luis Miguel Fernández sigue de cerca el comportamiento de los curiosos protagonistas de la «Llama», y advierte una vez más su inestabilidad ontológica fundamental. Realmente quienes nos dictan el poema son unos emisores poéticos subdivididos en las personas gramaticales del «yo», «tú» y «él», ya que a veces la protagonista poética habla directamente con su Amado. Pero otras «habla de sí misma y de su querido en tercera persona, proyectando a los dos en una presencia desdoblada»[36]. Así, la emisora de los versos no le habrá de llamar «mi querido» sino «su querido». Tampoco este Amado, por otra parte, es estable, ya que unas veces es «llama», otras, «querido», y aun otras «lámparas de fuego». Y ya vimos que el emisor de los versos parece unas veces varón y otras veces hembra. Este «yo» inestable, como sugiere Fernández, se ve además a sí mismo desde fuera y desde dentro simultáneamente, a medida que se va sintiendo partícipe y ajeno a la vez de los embates amorosos de su proteico «querido». El poema tiene, pues, un centro indefinido, un «no-centro, entendido como movimiento continuo hacia él mismo. Esto es: un centro múltiple y no único»[37]. Claro que nada de esto nos debe extrañar, ya que estamos ante otro de los grandes aciertos comunicativos por parte de san Juan de la Cruz. Si el enunciador de los versos y su interlocutor confluyen indiscriminadamente en un metafórico no-centro que gira en espiral continua hacia sí mismo, es porque no pueden distinguirse ontológicamente uno del otro. ¿Y qué hace el fuego si no es transformar en uno y borrar las diferencias entre sí y lo que consume? El Reformador nos ha permitido vislumbrar una vez más algo de su experiencia teopática ininteligible. Ha cesado la dualidad y asistimos a la jubilosa cancelación de los contrarios, instalándonos en el plano paradisíaco de la unificación última. San Juan, «gramático místico»[38] si los hay, ha logrado superar, como hubiera querido Pedro Salinas, «todo el dolor de la primera y la segunda persona». Y, al vencer por fin el «numeral tormento», llega a su ansiada meta: «la imposibilidad del distinguirse»[39]. No otra cosa es el matrimonio espiritual. Detrás del poeta ejemplar hay, no cabe duda, un enorme maestro.

Observamos, de otra parte, ya desde esta primera lira, que estamos ante un poema que delata una voluntad de estilo particularmente quintaesenciada y, sobre todo, teológica. Las historias de amor anteriores, tan pintorescas en su anecdotario y en sus peripecias, se han disuelto en abstracción pura. Ya no hay aventuras que contar, ni protagonistas poéticos que deslindar, ni siquiera sendas que andar: hemos llegado a la meta y somos testigos directos de que «ya por aquí no hay camino». Y, como consecuencia, la palabra poética comienza a adecuarse a la radical experiencia que se intenta cantar[40].

En los poemas anteriores descubríamos el prodigio de una senda que terminaba por anularse a sí misma y por ser circular e inexistente, ya que se trataba del desplazamiento espiritual dentro de la propia alma. Allí era, precisamente, como tuvimos ocasión de ver, donde se encontraba la *veritas* que tan ansiosamente buscaban las protagonistas femeninas. Pero ahora el poeta no intenta siquiera ilustrar ese camino que otrora recorrieron mujeres simbólicas: la *accesis* ha terminado y nos encontramos justamente en la cima del Monte Carmelo. San Juan, como sabemos, nos legó un dibujo alegórico de esta subida, y en las alturas (¿honduras?) vertiginosas de la cúspide de la montaña del espíritu aprendimos la gran lección que este poema lumínico intenta explicitar una vez más: «nada, nada, nada, nada, nada, nada, y aun en el monte nada». Verdaderamente, san Juan de la Cruz entona en la «Llama» su «himno a la nada»[41], por usar la frase precisa de Bernard Sesé. No podría ser de otra manera, ya que este hondón lumínico de la conciencia interior desafía cualquier esfuerzo descriptivo, por estar constituido por el mismo Dios: «El centro del alma es Dios», nos dirá el santo sin ambages en el comentario al poema (Ll 1, 12). Y sus liras cantan —digamos mejor que intentan cantar— precisamente el proceso mismo del «endiosamiento» de la sustancia del alma (Ll 1, 35)[42]. Nada más y nada menos. Los versos que nos ocupan implican, pues, un esfuerzo artístico agónico que se sabe derrotado *ab initio*.

Importa tener siempre en mente el tipo de experiencia que, según san Juan, detona su poema, a fin de que podamos comprender mejor los recursos y las implicaciones artísticas de la «Llama». Traigamos una vez más a la memoria la lección del poeta, que pertenece justamente al comentario a la «Llama»: como «Dios [...] excede al mismo entendimiento [...] así es incomprensible e inaccesible al entendimiento; y, por tanto, cuando el entendimiento va entendiendo, no se va llegando a Dios, sino antes apartando» (Ll 3, 48). Son palabras claves para entender lo que ha vivido san Juan y la cualidad enigmática de que hace gala constante su poesía[43], que se esfuerza por traducir precisamente estas vivencias inenarrables. Ahora se lanza a la empresa de compartir de alguna manera con el lector el extremo mismo de esta experiencia de la *theopoiesis*. Nos encontramos, no cabe duda, ante el poema más difícil del santo, que se debió de llenar de angustia artística cuando decidió cantar desde el vértice de lo Indecible. Por ello justamente consideró Dámaso Alonso que esta obra era la «más original» de san Juan, así como la «más inmediata al centro obsesionante de toda su poesía»[44]. Todos los poemas de san Juan han sido escritos «bajo protesta», pero la «Llama» lo es en un sentido muy especial, ya que habla de la meta y no del camino hacia la meta. Con razón el poeta admite a Ana de Peñalosa su «repugnancia» en acometer el intento desacralizador de hablar de cosas «para las que comúnmente falta lenguaje»[45]. Advierte el Reformador con una mezcla de desconsuelo, de humildad y de apremio: «como se lleve entendido que lo que se dijere es tanto menor de lo que allí hay, como lo es lo pintado de lo vivo, me atreveré a decir lo que supiere»[46].

Consideremos más de cerca lo que se ha atrevido a comunicarnos san Juan desde su desesperación de escritor en estos versos inaugurales de la «Llama». Decíamos que ya no hay caminos que conduzcan al éxtasis porque nos encontramos en medio mismo de la unión transformante, del ensanchamiento del hondón incendiado del alma a niveles infinitos e incomprensibles de conocimiento total. Asistimos al milagro más grande del amor que preludiaran el «Cántico» y la «Noche»: la transformación de la amada en el Amado. Hemos alcanzado, pues, la finalidad espiritual última del «Doctor de las nadas». Desde la primera lira advertimos que ha sucedido algo prodigioso en el poema, que mantiene un diálogo secreto y enormemente fecundo con los anteriores. Han quedado atrás la angustia inquisitiva del «Cántico» («¿*Adónde* te escondiste, Amado...?») y la tersura declarativa de la «Noche», que parecería contestar la interrogante anterior («*En* una noche oscura...»). Ahora tan solo oímos el grito desgarrador del que se consume en fuego justamente *en* su más profundo centro: «¡Oh llama de amor viva...!». Somos testigos directos del pasmo y del aturdimiento del interlocutor de los versos, y nuestra propia sacudida emocional nos permite intuir de manera directa que la exclamación admirada es la alternativa de san Juan a guardar el más total de los silencios. Pero el poeta evade el silencio —ya dejé dicho que ésta es la gran tentación de todos los místicos[47]— y nos obliga en cambio a arder con él.

Y, de repente, nos damos cuenta de que la amada de la «Noche», aquella que, envuelta en sombras cerradas, había dejado su mismidad rendida entre las azucenas, despierta aquí, convertida de súbito en fulgor ardiente. Ya habíamos intuido, al comentar el poema de la «Noche», que las sombras nocturnas transformantes y la luz que conducía a la protagonista centelleando desde su propia alma terminaban por ser equivalentes. Lleva razón, pues, Bernard Sesé cuando comenta, aunque en otro contexto, que «la sensación de luz no se distingue de su privación en la noche oscura»[48]. Da lo mismo, en fondo, estar ciego de sombras que ciego de tanta luz. En estos extremos de vivencia espiritual, el Todo se toca con la Nada, como sabe todo estudiante del Tao.

En la «Llama» la ansiada cita amorosa alrededor de la cual giran la «Noche» y del «Cántico» se cumple por fin cabalmente. Por decirlo con palabras de María Jesús Mancho Duque: «el fuego, ansiado en la "Noche", arde en la "Llama"»[49]. Y esto es así desde el principio mismo del poema, en el que hemos logrado entrar en el espacio insólito del «allí» al que con tanta insistencia se aludía, todavía de manera oblicua, en ambos poemas anteriores. Descendemos (creo que es la mejor palabra) al pecho florido de la amada nocturna, y ahora experimentamos directamente «aquella luz y guía» que era la que «ardía» en su corazón todavía oculto y entenebrecido. Observa Giovanni Caravaggi que la «Noche oscura» anticipa muchos temas esenciales de la «Llama», «de manera que los dos textos se pueden considerar como fruto de experiencias complementarias»[50]. De acuerdo: los tres textos poéticos principales del santo dialogan continuamente entre sí, pero en muchos sentidos la «Llama», como tendremos ocasión de ver, ofrece una contrapartida o reverso a la «Noche» que resulta muy aleccionador. En cierto sentido, podemos decir que la culmina como poema y como vivencia espiritual: la oscuridad ha dado paso franco a las llamas de luz, y por fin la noche resulta de veras «amable más que el alborada».

Decíamos que, ya desde esta lira inicial, habíamos descendido al corazón fulgurante de la amada[51]. La llamarada ígnea que allí nos recibe es el mejor recurso simbólico que tiene a mano san Juan para denotar la sencillez ininteligible de Dios, a salvo de toda imagen, accidente o aprehensión racional. Sólo sabemos que es llama «de amor»: el santo ha experimentado el consuelo infinito de entender que la urdimbre última del universo radica justamente en el amor, que lo sustenta todo. También es llama «viva», ya que la dilatación ilimitada de la conciencia y el nivel inaudito de conocimiento que ha obtenido —y que es precisamente lo que se canta aquí— sólo puede quedar asociado al grado más alto de la existencia, a la certeza de haber logrado la culminación de nuestra personalidad humana y de nuestras posibilidades espirituales. De nuestra vida misma. Las potencialidades del género humano culminan en este instante privilegiado que el filósofo Henri Bergson envidiara a los místicos, que obtienen de súbito lo que los filósofos forcejean por conseguir por vías racionales. No olvidemos que estamos accediendo al infinito de manera vicaria con nuestro poeta, que no intenta otra cosa que celebrar su transformación última en Dios. Y, con todo, tampoco podemos dejar de advertir la larvada, secretísima humanización de la lengua de fuego que nuestro apasionado poeta nos va deslizando subrepticiamente. Al margen de las posibles implicaciones teológicas de su llama purísima y esencial, el hecho de que ésta sea de «amor», que esté «viva» y que, por demás, sea capaz de herir «tiernamente» nos anuncia una paulatina personificación del fuego transformante. San Juan humaniza disimuladamente lo que Pascal dejó en la abstracción más pura: es imposible no advertir la contrastante carga emocional de su afectuosa llamarada frente a la parquedad de aquel desesperado, parquísimo «FEU». Ya volveremos a encontrar otras rupturas afectivas semejantes en el quintaesenciado poema de la «Llama»: serán muy importantes para seguir la pista del mensaje espiritual último del autor.

Tampoco nos extraña, de otra parte, que el emisor o emisora de los versos, como otrora la protagonista del «Cántico», eleve su queja: el amor es tan subido que lo lastima. Mal se puede vivir esta experiencia Indecible, parecería decirnos el protagonista poético, cuando aún se permanece en el plano físico. Pero en aquel otro poema anterior la herida se expresaba como algo pasado y, peor aún, perdido: «como el ciervo huiste, / habiéndome herido...». Ahora la herida que produce la experiencia amorosa irresistible se vive en un tiempo presente entusiasta y celebrativo. En la realidad física, una quemadura de fuego inflige, sin embargo, un dolor inaguantable: la metáfora atroz le es aquí útil al poeta para dramatizar un nuevo nivel de existencia que se experimenta como abrumador. Abrumador pero, paradójicamente, no por ello exclusivamente doloroso: la herida se produce «tiernamente». El abrazo ígneo agridulce —esa *quam dulcis amaritudo* de Marsilio Ficino, que se convierte en «dulzura tan intensa que se vuelve dolor, un dolor inde-cible» para el místico Ernesto Cardenal[52]— ya no lo abandona, y am-bos, el protagonista poético y el Amor total al que canta, se consumen en uno: ya sabemos que el fuego convierte en sí a todo lo que toca. El metaforizar a Dios y al alma misma unidas en un fuego tan consumi-dor como abstractamente indeterminado es otro acierto artístico del poeta, que nos sigue dando noticia —forzosamente indirecta— de su *theopoiesis*. El Amado ya no es aquel ciervo veloz y huidizo, cantado por cierto a través de un símil de belleza extrema masculina de clara raigambre oriental; ni la amada es aquella hembra ansiosa y decidida digna del *Cantar de los cantares* o aun de las jarchas mozárabes. Los amantes que ahora se funden en uno no tienen rostro —por cierto que nunca lo han tenido en la poesía de san Juan— pero aquí ya ni siquiera presentan cuerpo. Parecería que el poeta canta desde fuera de él o al menos al margen de él: «Si en el cuerpo o fuera del cuerpo, no lo sé, Dios lo sabe», decía, anonadado, san Pablo al describir su rapto en uno de los pasajes extáticos más impresionantes de las Escrituras (2 Cor 12)[53]. Recordemos que la corporeidad había terminado por que-dar trascendida en el «Cántico», ya que las esencias espirituales de los amantes era lo que se fundía en uno, reflejadas en las aguas simbólicas de la fuente cristalina y en las aguas cambiantes del corazón pulido de la amada, que era capaz de reflejar cualquier forma. El cuerpo también se había rendido en la «Noche», no empece los reclamos eróticos cons-tantes del poema: la oquedad oscura e inmaterial en la que terminan por sumirse ambos los iguala y los funde en uno. En la «Llama», otro tanto: sólo que la alquimia transformante representada en lumbre —simbólica «zarza ardiente»— se celebra de manera más volitiva, más abierta y sobre todo más abstracta. No es lo mismo amar a un varón que huye de nosotros como ciervo veloz o a un amante que duerme plácidamente en nuestro regazo que a una sutil lengua de fuego.

El Reformador sabe instintivamente, como poeta y como espiritual, que ya desde el principio de poema ha llegado a un nivel de experiencia donde las imágenes sencillamente no caben[54]. Ya no las vemos. Extraor-dinario triunfo espiritual y artístico: ciegos de tanta luz incandescente, hemos alcanzado la nada que pretendía como meta última el poeta. El ojo del alma que llamaran Platón, san Agustín y *Meister* Eckhart —ojo interior u órgano de luz para el persa Šabastarī[55]— ha quedado a salvo de la percepción de las imágenes limitantes. No vemos sino que nos abrasamos: las delicadas caricias de la «Noche», que la amada sen-tía a oscuras, han dado paso al ardor violento; las frescura nocturna del ventalle de cedros y del aire del almena han devenido calor abismal que se registra, sin verse. El «ojo espiritual» (Ll 1, 20) que llama san Juan al «más profundo centro» de su alma no puede percibir imágenes porque Dios no es imagen. Este ojo simbólico o ápice espiritual ha quedado —y dejo la palabra al santo— «esclarecido» (Ll 3, 71). Lo ha mirado Dios y la luz sobrenatural con la que ambos se miran «toda es una» (*ibid.*). Por cierto que la lección estaba dada desde el «Cántico»:

«Ya bien puedes mirarme / después que me miraste / que gracia y hermosura en mí dejaste».

Es emocionante ver el camino poético-místico que ha andado el Reformador en la «Llama» en lo que se refiere al de la mirada transformante. En cada uno de sus tres grandes poemas extáticos, el poeta asocia la transformación amorosa última con la mirada. Una vez más, es fuerza evocar a Petrarca y a los poetas neoplatónicos del Renacimiento europeo que hicieron escuela con él: el intercambio amoroso de las almas, como ya dejamos dicho, se cumple justamente a través de la mirada. Otro tanto sucede en el caso de los místicos, y san Juan, como hemos tenido ocasión de ver, no es excepción. Ahora no son los ojos azules de *Madonna* Laura los que se cruzan con los del ansioso protagonista poemático, sino los ojos abrumadores e inimaginables de la Esencia divina. En el caso del «Cántico», habíamos visto cómo la Amada advertía, al buscar ansiosa su mismidad en la fuente plateada, que encontraba allí los ojos deseados del Amado. Se apropia de ellos para poder «verlo»: sólo con una percepción sobrenatural puede lograr la contemplación infinita para la que nuestros ojos —y nuestro entendimiento— no están capacitados. En seguida la emisora de los versos es testigo «ocular» de una sucesión caleidoscópica de imágenes con las que el poeta intenta ilustrar la visión mística infinitamente indeterminada de Dios. El Amado vertía, o mejor reflejaba, sus atributos en el corazón de la amada, que había devenido claro espejo en el que la Divinidad podía reflejarse —verse— a sí misma. En la «Noche» esta proliferación de imágenes se oscurece y se apaga: no en balde el poeta místico había intuido que Dios no se podía atar a ninguna de ellas. Por eso, el Amado nocturno cierra los ojos y duerme en los brazos de su enamorada, y ésta termina por hacer lo propio al trasponerse y obliterar definitivamente su campo visual, quedando hermanada —equiparada— a él en su ceguera espiritual simbólica. Una vez más, san Juan entrega su enseñanza recóndita a través de la más alta poesía: Dios no es y no admite imagen, y justamente por eso no podemos «mirarlo». Lo experimentamos sin «verlo». Ya desde esta primera lira de la «Llama» que venimos comentando, la estremecedora lección de los poemas anteriores se extrema[56]: las imágenes delirantes del «Cántico espiritual» se funden en una sola, que ya no es oscura sino purísima y encendida. Tampoco ofrece forma ni contenido, y se limita a abrasar, dejando afásico al emisor de los versos, que ha quedado, como dejamos dicho, ciego —mejor, deslumbrado— ante tanta luz blanca. Recordemos, de otra parte, que el color blanco incandescente incluye el arco iris de todos los colores, por lo que el ojo o *scintilla* del alma encendida en fuego incorpora simbólicamente todos los colores. O todas las imágenes, exactamente como la alfaguara del «Cántico» e incluso como el pájaro solitario, que tampoco tenía «determinado color». Así precisamente es el «simple ser» de Dios (CB 14-15, 5), incognoscible por vía racional, que, en palabras de Michael Sells, «se manifiesta a sí mismo por medio de cualquier forma o imagen, sin estar limitado a ninguna»[57]. Eso es exactamente lo que quiere decirnos ahora el poeta. Las montañas, los valles solitarios nemorosos, las ínsulas extrañas —todo aquel muestrario indeterminado de imágenes que antes nos daba noticia del encuentro con el Absoluto y que había quedado oscurecido en la «Noche»— se nos acaba de quintaesenciar en luz. En luz purísima que roza, como dejé dicho, lo blanco. Ahora estamos mejor preparados para comprender por qué la alfaguara del «Cántico» tenía «semblantes *plateados*» y por qué la noche oscura se resolvía en blanquísimas *azucenas*. La experiencia mística es, ante todo, una experiencia de iluminación, y de iluminación no sólo metafórica, sino experiencial. San Juan de la Cruz nos lo ha dejado saber de una manera muy delicada pero a la vez muy rotunda.

Salta a la vista que san Juan elabora en sus tres grandes poemas metáforas que ponen de relieve nuestra simbólica incapacidad visual; nuestra forzosa ceguera ante la Visión Total: la profusión infinita de imágenes caleidoscópicas del «Cántico» equivale en el fondo a la oscuridad total de la «Noche» y a la luz absoluta de la «Llama». En este último poema, sin embargo, da la impresión de que percibimos aún más unificadamente, ya a salvo de los accidentes, y en un estado de concentración última: no hay nada que describir porque sería atentar contra la experiencia que aquí se celebra. Accedemos a la maravilla última: ya no reflejamos sino que somos, y nos limitamos a percibir lo que somos, porque estamos constituidos, con el poeta, en un simplísimo ojo de luz. Podría bien decir el emisor de los versos : «la llama, *c'est moi*». Estamos constituidos de una ipseidad pura ya transmutada —por participación, como diría el santo— en la indecible ipseidad de Dios, que ya no vemos porque es parte de nuestra propia identidad: «Vision has become self-vision» [«la visión se ha convertido en auto-visión»], apunta una vez más Sells, refiriéndose al trance místico de Ibn 'Arabī[58]. Nos hemos convertido en el *'ayn* u ojo lumínico del alma que los sufíes fundían ontológicamente con la fuente del manantial autónomo y con la mismidad del contemplativo. San Juan lo ve con enorme claridad:

> [...] un abismo de luz llama a otro abismo de luz [...] llamando cada semejante a su semejante y comunicándosele. Y así, la luz de la gracia que Dios había dado antes a esta alma, con que le había alumbrado el ojo del abismo de su espíritu, abriéndoselo a la divina luz y haciéndola en esto agradable a sí, llamó otro abismo de gracia, que es esta transformación divina del alma en Dios, con que el ojo del sentido queda tan esclarecido y agradable a Dios, que podemos decir que la luz de Dios y del alma toda es una, unida la luz natural del alma con la sobrenatural de Dios, y luciendo ya la sobrenatural solamente... (Ll 3, 71).

Solamente, en efecto, brilla en este poema la luz sobrenatural. El emisor de los versos es un ojo esclarecido y abrasado[59], como lo describiera por cierto Šabastarī siglos antes que san Juan de la Cruz. Un ojo que se mira a sí mismo con júbilo incrédulo porque contemplador y

201

contemplado han terminado por ser lo mismo. Nunca mejor dicho: «Ya por aquí no hay camino». Ahora, con el poeta, es que «vemos» por vez primera pese a nuestra paradójica «ceguera» de deslumbrados. Justamente por «deslumbrados» es que hemos sido «alumbrados».

Para el místico —ya lo sabemos— ver o conocer es *ser*: tal es la inquietante lección espiritual última del santo, que una vez suplicara «¡Apártalos, Amado / que voy de vuelo!» a aquellos ojos que lo encandilaban y amenazaban con aniquilarle la identidad en medio de la angustia instintiva del *tánatos*. Ya desde esta primera lira de la «Llama» no nos es preciso volar en huida porque somos esos mismos ojos que antes deseábamos y que creíamos que teníamos que contemplar desde fuera de nosotros mismos. El Amado ya no tiene por qué apartar de nosotros «su vista y hermosura»: hemos rendido el ego ante esa mirada que ha terminado por transformarnos en sí misma. Lo supo bien el murciano Ibn 'Arabī, y vale la pena aquí repetir por última vez sus palabras, que casi podría haber firmado san Juan de la Cruz: «Cuando aparece mi Amado, ¿con qué ojo he de mirarle? —Con el suyo, no con el mío, porque nadie lo ve sino Él mismo»[60]. «Ya bien puedes mirarme / después que me miraste», dejó dicho el Reformador a su vez en el «Cántico»: el simbólico «color moreno» que el poeta usurpa al *Cantar* y que interpreta como la oscuridad de la culpa y de la separación es ahora luz pura, igual en esplendor a la luz que contempla y de la que forma parte. La amada se ha transformado en el Amado frente a nuestros ojos iluminados.

Pero el interlocutor del poema abandona su ensimismamiento gozoso al final de la lira para exigir un nivel unitivo todavía más absoluto. Como esta llama amorosa ya no es esquiva como el ciervo huidizo de marras, le suplica con apremio: «acaba ya, si quieres...». Advertimos con asombro que la combustión sigue ocurriendo dentro del poema mismo, desde donde el poeta quiere culminar la experiencia inenarrable. Y dice aún más: «rompe la tela de este dulce encuentro». (Salta a la vista la ansiedad del emisor de los versos: «acaba ya»; «rompe». El lenguaje se ha tornado apremiante e incluso violento en este poema de la consumación final.) Lo que pide la voz poética no deja de ser significativo: quiere apurar hasta el cabo el proceso de unión que se ha estado desarrollando frente a nuestros ojos. Como señalan Miguel Asín y W. H. T. Gairdner[61], este símbolo del velo de lo fenomenológico y humano que nos separa de Dios lo esbozan ya los neoplatónicos (por ejemplo, el Pseudo-Dionisio en las *Jerarquías celestes*) y se encuentra presente en poetas renacentistas contemporáneos de san Juan como Garcilaso y fray Luis de León. Todos recordamos los apasionados versos del salmantino: «¿Cuándo será que pueda / libre de esta prisión volar al cielo, / Felipe, y en la rueda que huye más del suelo, / contemplar la verdad pura, sin velo?». Para los pueblos semitas es muy socorrida la imagen: el velo del templo judaico era el que separaba a los fieles del Santo de los Santos. Los musulmanes, por su parte, prodigan los ḥadices o tradiciones proféticas en los que se habla de los 70.000 velos de luz y de sombra que separan a Alá del contemplador, que quedaría consumido si lo viera directamente. Ese mismo peligro del deslumbramiento último narran que arrostró Mahoma en su ascensión nocturna al séptimo cielo o *Mi'rāŷ* (XIX, 21), pero, cuando alcanza el trono de Dios, advierte que todavía existen velos y cortinas metafóricos que lo «protegen» de la visión beatífica. Los místicos del Islam insisten en el símbolo de la ruptura de este velo en el contexto más amplio de la iluminación espiritual, hasta el punto que algunos islamólogos como T. H. Weir, no sabemos con cuánta conciencia de los lejanos antecedentes alejandrinos, lo consideran metáfora sufí: «En el lenguaje técnico sufí, la realidad material se concibe como un velo que oculta la verdad a los ojos del hombre»[62]. Lleva razón el estudioso: pocas literaturas espirituales se ocupan tanto de este velo último que es fuerza romper para alcanzar la unión total con Dios. Simnānī coloca el «desvelamiento» de la Divinidad en el número 81 de la novena etapa del camino místico[63], mientras que Iraqī, Al-Huŷwīrī, Ibn 'Aṭa' Allāh de Alejandría, Ŷamī, Ibn 'Arabī, Ibn al-Fāriḍ, Aḥmad y Abū Ḥamid Algazel suplican que se levante —que se «rompa»— este impedimento final que los separa de su meta espiritual última[64]. San Juan forma escuela con todas estas tradiciones y en su comentario a la «Llama» nos describe con detalle qué cosa es esta «tela» que desea ver «rota». A un hijo de tejedores, familiarizado, como recuerda Gabriel Castro, con el burato de las tocas, fácilmente se le puede venir a la cabeza esta metáfora tradicional[65]:

> Quítale de delante [Dios al alma] algunos de los muchos velos y cortinas que ella tiene antepuestos para poderle ver como él es, y entonces traslúcese y viséase así algo entreoscuramente (porque no se quitan todos los velos) aquel rostro suyo lleno de gracias (Ll 4, 7).

San Juan sabe que en esta vida no se pueden levantar todos los velos que nos separan de una vivencia espiritual plena y, sobre todo, permanente, y así, admite que lo que suplica en este verso es la muerte. Garcilaso[66] se lamentaba de que aquella «tela delicada» de la vida de su amada hubiera sido «antes de tiempo dada / a los agudos filos de la muerte». San Juan no se lamenta, sino que ruega en cambio a Dios que le conceda la separación final del cuerpo: «rompe la tela delgada de esta vida y no la dejes llegar a que la edad y años naturalmente la corten, para que te pueda amar desde luego con la plenitud y hartura que desea mi alma sin término ni fin» (Ll 1, 36). Ya lo dejó dicho el Esposo de los *Cantares*: *Quia fortis est ut mors dilectio* [«Porque el amor es fuerte como la muerte»] (8, 6).

Pero el verso «rompe la tela de este dulce encuentro», tiene otra connotación que ya el Reformador no se hubiese animado a explicitar en sus glosas, aun cuando la tuviera presente de alguna manera. Estamos ante un verso de una riqueza polivalente muy significativa. Sin negar de ninguna manera la amplitud semántica de índole espiritual que ya hemos apuntado en la imagen, es imposible no advertir un inuendo sexual añadido en esta ruptura metafórica de la tela que precipitará —y que culminará— finalmente la unión amorosa, que sólo entonces podrá vivirse a plenitud. Los críticos de lengua inglesa, con su tradicional sentido común, lo han advertido así una y otra vez. Ciriaco Morón Arroyo nos recuerda la traducción que hace Willis Barnstone, poeta además de estudioso, del verso que nos ocupa: «Break the membrane of / this sweet encounter...» («Rompe la membrana de / este dulce encuentro...»)[67]. Aunque Morón Arroyo rechaza la versión inglesa porque privilegia con exclusividad el matiz sexual de la imagen, admite que ésta, en su plurivalencia, incorpora también este sentido erótico: «La traducción de la tela por *membrane* es una transcripción del término plurivalente, que puede tener también sentido sexual. *Membrane* es el himen»[68]. Margaret Wilson insiste a su vez en este posible sobretono erótico, que considera es, entre otras, una de las acepciones legítimas del verso: «"Rompe la tela de este dulce encuentro" sugiere varias connotaciones que no dejan de ser relevantes para el tema del misticismo [...] [entre otras] la penetración de la unión física»[69]. Imposible no estar de acuerdo. Máxime cuando somos conscientes de que nos encontramos inmersos en la obra de un poeta que se distingue, como hemos señalado antes, por su proclividad al erotismo y por una fascinación sin precedentes con el antiguo clásico del género —el *Cantar de los cantares*—. En los grandes poemas que hemos venido examinando, el «Cántico» y la «Noche», es fuerza admitir que san Juan ha cantado al amor trascendido sirviéndose de símiles eróticos humanos. Y humanos *in extremis*, como salta en seguida a la vista en el caso de aquel valentísimo «Gocémonos, Amado» y en el de las caricias encendidas de la «Noche», que la protagonista sentía en su cuello y que le suspendían todos sus sentidos. Ni el enamorado Lope de Vega cantó así a la pasión carnal: ya dejé dicho que san Juan, el más alto místico de la lengua, es también el poeta de amor humano más intenso del Renacimiento español. Y el menos neoplatónico. No nos debe extrañar, pues, esta súbita irrupción en la «Llama» de sobretonos eróticos. Poco importa que sean conscientes o inconscientes: lo cierto es que el Reformador ha hecho dialogar siempre en sus poemas al amor divino con el humano.

El diálogo de ambos amores se inaugura en la «Llama» precisamente con este verso controversial, que enriquece el poema de manera inesperada. Aún más: la ambigua coextensividad de ambas dimensiones del amor nos ofrecerá pistas invaluables acerca de la angustia del poeta por intentar explicitar unos niveles de experiencia amorosa que sencillamente el lenguaje no puede traducir. Tan sólo pueden quedar vagamente sugeridos. A lo más que puede aspirar un escritor místico es a comunicar la angustia abrumadora de que aquello que le ha sobrevenido no es expresable por vía racional. San Juan de la Cruz lo sabe como nadie.

Recordemos que en la «Noche», poema sensual por excelencia en el conjunto de la obra poética del santo, la dimensión erótica ofrecía sin embargo fisuras elocuentes. Para un lector avisado que decodificara estas rupturas poéticas, el poema se le transmutaba automáticamente de amoroso en místico. O, mejor, en amoroso y místico a la vez, no empece que fuera a despecho de las intenciones conscientes del poeta. La verdadera poesía —ya he insistido en ello— siempre sobrepasa el propósito inicial del artista que la escribe. Y a menudo lo traiciona. Son traiciones fecundas, sin embargo. Veamos qué sentido tiene la que acabamos de advertir al final de la primera lira de la «Llama».

En el proceso de su diálogo entre el amor divino y humano, la «Llama» funciona como el reverso de la «Noche». Ya vimos que en su prodigioso nocturno el poeta nos iba deslizando significados ocultos que tendían a volatilizar el amor erótico en amor intangible: los amantes se acariciaban con una voluptuosidad nunca vista en la poesía del Siglo de Oro español, pero terminaban por rendir sus cuerpos, por trascenderlos y por devenir sombras etéreas. Sólo así podían quedar unidos de manera total y simplísima. En la «Llama» el camino resulta inverso: el poema comienza con una deslumbrante eclosión ígnea, incorpórea y abismalmente sencilla, que sin embargo se nos desliza irremediablemente en una imagen —la ruptura de la tela— en la que adivinamos posibles connotaciones sexuales. Estos matices eróticos se irán acentuando, como ya adelantamos, a medida que avanzan los versos. Es como si el poeta nos dijera que el lenguaje quintaesenciado con el que inaugura el poema, que es el que menos traiciona la experiencia inefable, es, sin embargo, imposible de mantener por demasiado tiempo. (Tampoco pudo Dante, por cierto, prolongar la descripción de la luz abismal de Dios al final de su *Comedia*.) En estas liras que producen la ilusión literaria de estar siendo escritas en un jubiloso tiempo presente —a medida que ocurre la unión transformante— parecería que el santo quiere comunicarnos algo que él se tendría sabido de manera experiencial: el instante extático dura exactamente eso, un instante, y el regreso al plano usual de la existencia corpórea se vive como una separación desgarradoramente trágica. Querría el poeta que permaneciésemos con él en la pureza inenarrable y perfectamente unificada de la Jerusalén celestial, pero este milagro no nos es dado: de ahí el grito apremiante del emisor de los versos, quien, al pedir la ruptura del velo de la vida, no hace otra cosa sino suplicar que la experiencia se prolongue infinitamente y sea aún más plena y total. Y eso —cómo no lo va a saber un místico— no se puede lograr si todavía estamos en este nivel «normal» de conciencia. El acierto poético es verdaderamente sorprendente. San Juan no puede evitar someternos a una sensación de descenso que resulta doble: abandonamos el plano poético sobrehumano y retomamos el humano; el amor divino se desliza anticlimáticamente en el amor erótico. Y todo ello, en medio de las protestas del emisor de los versos, que reclama la prolongación gozosa de su vivencia del amor perfecto. El fracaso del poeta místico es, paradójicamente, su acierto: ya dejamos dicho que esta cumbre de la vivencia extática no se puede mantener por demasiado tiempo, como tampoco esta cima de un lenguaje poético perfectamente quintaesenciado. El fogonazo de luz inicial se queda, pues, en eso —un instante fulgúreo— y el poeta sabe instintivamente que todo lo que se diga por añadidura nos hará caer en la redundancia o en aquella desesperada enumeración de la «nada» de que hace gala en su grabado del Monte Carmelo y que no es otra cosa que una invitación al silencio. (Sapientísima por cierto.) También los desahogos verbales de Pascal, después de su súbito, estremecedor grito de «FUEGO», devienen tibias consideraciones teológicas que se van tornando cada vez más concretas e incluso más dogmáticas, perdiendo así toda la fuerza de la dramática afasia del emisor de los versos. Parecería que aquí también el poeta no encuentra palabras: no es otra cosa el anticlímax literario que advertimos en este momento del poema, que es, ahora lo sabemos, corto por necesidad. Los momentos límites no se pueden prolongar ni en la vida ni en la poesía. Pero este síntoma de afasia, de claudicación, este «tirar la toalla» poético con el que san Juan abandona el lenguaje simbólico volatilizado del fuego vivo para recaer en el símil de la ruptura de una tela que puede resultar simultáneamente tan neoplatónica como sexual es, como ya he admitido, extraordinariamente importante. Era el mismo santo quien se quejaba, precisamente en el Prólogo a la «Llama», que iba a intentar hablar de cosas «para las cuales comúnmente falta lenguaje». Y, en efecto, le faltó.

Con todo, nos seguimos abrasando con el protagonista poético, quien, una vez más, va a quedar reducido a la exclamación emocionada:

> ¡Oh cauterio suave!
> ¡Oh regalada llaga!
> ¡Oh mano blanda! ¡Oh toque delicado,
> que a vida eterna sabe,
> y toda deuda paga!
> Matando, muerte en vida la has trocado.

De nuevo el símil del dolor insoportable para explicitar un nivel vivencial que no podemos concebir: «llaga»; «cauterio». Parecería que las caricias del «Cántico» y de la «Noche» se han tornado dolorosas de puro intensas: el placer extremo, como se sabe, es agónico. La temperatura emocional de los versos sanjuanísticos ha llegado, pues, a un momento límite. Sería difícil, de otra parte, no asociar este dolor físico con la ruptura de la tela/himen que el poeta acaba de reclamar en el verso inmediatamente anterior. La desfloración nupcial vivida con amor es, paradójicamente, «suave» como este cauterio espiritual de imposible blandura. El símil tiene, naturalmente, otras implicaciones místicas evidentes. De nuevo hemos rozado la afasia: el establecimiento de imágenes antitéticas e imposibles, que san Juan va a prodigar en la estrofa, apunta inmediatamente al léxico místico contradictorio de que han hecho gala los místicos de las más variadas culturas y épocas. Profieren «dichos que parecen dislates» en su patético intento de comunicar la experiencia del estado alterado de conciencia supremo. El sin sentido verbal habla por sí solo: es lícito que el lenguaje desoriente e incomunique cuando la experiencia que debe traducir es de suyo incomunicable.

De otra parte, un cauterio es un procedimiento médico curativo, pese a lo que pueda lastimar nuestra carne. De la misma manera, la iluminación espiritual transforma la conciencia y la hace «curarse» del cuerpo, al trascender por unos instantes las estrechas coordenadas de conciencia y de espacio-tiempo en las que nos aprisiona. Pero esta «cura» nos ha dejado en carne viva (¡cuánta corporeidad para cantar la vida del alma!) y por eso el protagonista poemático, que entonó las primeras liras convertido en fuego consumidor, canta ahora transmutado en llaga. Intensamente adolorido, pero, una vez más, inmerso en un placer sin límites: la llaga es «regalada» y se la acepta con júbilo. «Oh wound that is a joy!» [«¡Oh herida que produce alegría!»], traduce acertadamente Willis Barnstone[70]. San Juan prodiga las heridas violentas en su poesía, que se sitúa completamente al margen de las delicadezas garcilacianas en versos como aquel del «Cántico»: «¿Por qué, pues has llagado / aqueste corazón, no le sanaste?». La llaga no es una herida cualquiera, es una herida viva —como viva estaba también la llama que la producía—. En la coincidencia exacta de «vida» que comparten por igual la llaga y la llama que la produce adivinamos la espléndida intuición —seguramente inconsciente— del poeta, que iguala al «herido» con el «heridor» porque ambos son lo mismo en el proceso de transformación deificante que estamos experimentando con el emisor de los versos. (San Juan no hace otra cosa que reescribir en la «Llama» al ciervo vulnerado del «Cántico» que paradójicamente hería a la emisora de los versos. Un buen maestro repite siempre la lección.) Estamos, pues, ante una lesión que no se ha podido curar, ulcerada, abierta, sangrante o purulenta: la imagen no es, literalmente, «hermosa», pero sí dramáticamente eficaz por su misma violencia. Sobrecoge pensar que al santo, en vida, le tocaría ser cauterizado a sangre fría una y otra vez en su pie ulcerado, antes de morir de septicemia escuchando por última vez —cómo no— las «preciosas margaritas» del *Cantar de los cantares*.

Y continúa el protagonista poemático celebrando: «¡Oh mano blanda! ¡Oh toque delicado!». Una vez más, el poema se le va de las manos al poeta y se desliza en imágenes corpóreas, que ya habían quedado anunciadas por el símil de la ruptura de la tela que bien podía haber sido nupcial además de metafórica. Ahora irrumpe, por primera vez, la más concreta corporeidad en este poema que se nos había presentado al principio tan escueto en su abstracción simbólica. Una mano suavísima acaricia con delicado «toque». (El poema protege de alguna manera su indeterminación abstracta volitiva porque, como señala Gabriel Castro[71], no se nos dice dónde acaricia la mano ni dónde se produce el toque. Añado a la observación del estudioso: es como si el poeta nos dijera que en este *adónde* sublime no hay cuerpo.) Parecería que san Juan no puede resistir la tentación poética de sugerir, una vez más, el amor humano, intentado que apunte al divino por su misma intensidad experiencial. ¿Ha vuelto a sucumbir a la afasia? Parecería que sí: es menos difícil cantar al amor humano que al amor suprasensible, que es moneda común que todos compartimos y comprendemos. El poeta vuelve a emplear imágenes corpóreas que son, en sí mismas, un anticlímax con el que el poeta nos continúa señalizando que, en su intento de describir el proceso de deificación del alma, ha quedado reducido al silencio. Pero es justo admitir que el «descenso» del poeta al nivel literario del amor humano no es tan sólo un fracaso de quien no puede expresar cosas más altas. Pascal, cuando siente enmudecer su lengua, recurre a lugares comunes teológicos y aun píos: san Juan en cambio recurre a las caricias. Estamos ante una verdad muy honda de la psique profunda de nuestro poeta, el más enamorado del Siglo de Oro. No podemos no advertir el gozo soterrado del santo al recaer una vez más en el lenguaje del amor humano al que era tan particularmente proclive y que supo manejar como nadie. Ya dejé dicho que en el discurso poético de san Juan convergen continuamente ambos amores, el divino y el humano, y es fuerza admitir que cuando canta al amor de la tierra es a menudo cuando mejor canta. Nada de esto debe sorprendernos. Vale la pena volver a evocar aquí los que nos dice Evelyn Underhill en su citado *Mysticism*: la sensibilidad agudísima del místico, el «profesional» más grande del amor, es particularmente susceptible también al amor y la belleza humana, no empece que (sobre todo en Occidente) renuncie a ella para alcanzar la más alta vida del espíritu. Se trata de temperamentos amorosos que desbordan su afectividad intrínseca y exuberante en los registros afectivos más variados[72].

Sea como fuere, lo cierto es que hemos regresado, de súbito, a las caricias de la «Noche»: la mano blanda que produce esta delicada caricia o «toque» sobre una piel cuya existencia se nos sugiere vagamente por primera vez en el abstracto protagonista poemático no puede no evocar aquellos halagos que la hembra desenvuelta prodigaba a su Amado: «Allí quedó dormido, / y yo le regalaba...». Mientras lo regala tiernamente con sus manos, ella siente en su piel estremecida la caricia del viento, convertida en amorosa por su propio estado de excitación erótica: «El aire del almena, / cuando yo sus cabellos esparcía, / con su mano serena / en mi cuello hería, / y todos mis sentidos suspendía». Suspenso habría quedado también el enigmático emisor de los versos de la «Llama», que creíamos era una tea encendida o una llaga abierta pero que ahora hemos descubierto que registra a través de su misteriosa piel estremecida, sobrecogido y sensual, los halagos de una mano que no por metafórica deja de presentársenos como indefectiblemente corpórea. Parecería que el cuerpo que se extinguió en la «Noche» se comienza a recuperar ahora en la «Llama». San Juan sostiene un espléndido diálogo consigo mismo a lo largo de sus tres poema principales.

El enigmático interlocutor de la «Llama», sin embargo, recoge velas inmediatamente, y hace un esfuerzo notable por devolver a un plano teológico los estremecidos versos de amor que se le acaban de desbordar. Aquella mano acariciadora y el roce sensual que producía le saben «a vida eterna»: son, podríamos decir, la «noticia» del proceso de transformación de su psique profunda en niveles infinitos de conocimiento amoroso. Con esta caricia sobrenatural, el alma queda «pagada» de toda su posible deuda de imperfección personal o colectiva. Pero advirtamos la tensión continua que mantiene san Juan entre el lenguaje trascendido y el corpóreo: las caricias *saben* a vida eterna. Hemos experimentado con el poeta la vida sobrenatural nada menos que a través del más densamente corpóreo de los sentidos: el sentido gustativo. La imposible imagen gustativa y a la vez abstracta que el poeta nos desliza con tanta suavidad tiene consecuencias interesantes. Lleva razón Gabriel Castro cuando advierte que «*ver* no exige incorporar, lo visto y mirado permanece exterior y alejado del sujeto, tocar ya comporta cercanía, y gustar, en fin, pide asimilación, contacto bucal e íntimo, exige la introducción de lo gustado»[73]. (Por eso el neoplatónico Marsilio Ficino rechazaba como «groseros» los sentidos del gusto y del tacto.) Tanta insistencia en gustar con el paladar nos devuelve de súbito al verso que servía de broche de oro a las liras unitivas del «Cántico»: «la *cena*, que recrea y enamora». Ya dejé dicho algo acerca de la interpenetración mística de este convivio simbólico que eran los amados el uno para el otro en transformación perfecta. La alimentación sublime se vuelve a dar aquí, con toda su carga de unión inextricable. Y la «cena» supraterrenal habrá de enamorar, como veremos en el verso final de la «Llama», «delicadamente» a la protagonista poemática.

Es fuerza admitir, pese a las posibles interpretaciones teológico-místicas a que da pie el verso «que a vida eterna sabe», que estamos ante un anticlímax poético semejante al que ya comenzamos a experimentar con la mención de la «mano blanda» y del «toque delicado». Cierto que el poeta sugiere la intimidad y la cercanía estremecedora del encuentro amoroso, que se nos presentó como trascendido desde la primera lira de la «Llama». Pero, exactamente como Pascal, san Juan tampoco ha podido mantener el nivel de absoluta abstracción que requiere la experiencia que está en trance de celebrar. El poema comenzó trascendido y devino humano subrepticiamente. San Juan lo debe haber advertido porque ahora se apresura a recuperar una vez más el tono apretadamente teológico y trascendente que se propuso desde el principio. Por eso, del símil del amor humano vuelve a recaer una vez más en el plano puramente teológico, que resulta excesivamente explícito y concreto. Frases como «vida eterna» no asomaron nunca, admitámoslo, en los poemas anteriores, usualmente más eufemísticos y simbólicos en su tratamiento del tema espiritual. Ahora el teólogo está en peligro de suplantar al poeta, como ocurre tantas veces en los poemas menores del santo, que no por otra cosa los consideramos «menores»[74]. Lo mismo cabe decir del redundante verso «muerte en vida la has trocado»: la agonía instintiva del *eros* y el *tánatos*, que con tanta pasión cantara san Juan en versos como «Máteme tu vista y hermosura», parecen aquí debilitadas por el intento pedagógico de un poeta que momentáneamente ha perdido su mejor voz. Es casi demasiado obvio el mensaje ideológico del contenido del verso: la muerte se trueca en vida merced al proceso de alquimia transformante que vamos atravesando con el poeta[75]. Esto san Juan ya lo había dejado sugerido con más fuerza plástica en el estallido fulgúreo con el que abre el poema.

Pero el Reformador retoma su inspiración y canta ahora con su voz más misteriosa, que es siempre su mejor voz. No en balde defendió la condición enigmática de sus «dislates» con tanta vehemencia en el prólogo al «Cántico». Y la próxima lira nos devuelve precisamente al arcano verbal que san Juan de la Cruz ha hecho clásico en las letras españolas, no empece haya sido él el único que haya hablado en esos registros poéticos en el Siglo de Oro:

> *¡Oh lámparas de fuego,*
> *en cuyos resplandores*
> *las profundas cavernas del sentido,*
> *que estaba oscuro y ciego,*
> *con extraños primores*
> *calor y luz dan junto a su querido!*

La lira sume en perplejidad al lector más avisado por lo insólito del paisaje ante el cual irrumpe de súbito: ¿qué cosa podrán ser estas lámparas enigmáticas que encienden con primores extraños las más profundas cavernas del sentido? Una vez más salta a la vista que hemos dejado atrás el paisaje exteriorizante de aquellos montes, ínsulas, fronteras y cedros olorosos —los del «Cántico» y la «Noche»— para adentrarnos en una espacialidad desusada, completamente incógnita dentro de las coordenadas del paisaje poético occidental. El cuadro delirante que pinta el poeta en esta lira, contemplado desde hoy, se nos antojaría «surrealista». Es que no puede ser de otro modo: hemos hollado la psique interna del poeta, las cavernas u honduras simbólicas del centro más profundo de su alma. Acabamos de tocar fondo, y el ambiente poético se torna necesariamente onírico porque impera la lógica del sueño o del estado alterado de conciencia. Importa admitir que el espacio literario donde se dirimen los tres grandes poemas de san Juan es siempre su propia psique profunda, y que el paisaje desleído y sonámbulo (bucólico sólo en apariencia) de aquellos poemas representaba también las imágenes aleatorias de su interioridad psíquica.

Pero aquí hemos calado todavía más hondo. Ya el poeta no canta la búsqueda de su propia interioridad —el ciervo en huida— ni el descenso a ella por la emblemática escala nocturna. Hemos bajado el último peldaño de las gradas metafóricas, y al fin nos es dado encontrar los ojos del Amado/ciervo en los abismos de la cristalina fuente. Parecería que ahora el poeta canta desde lo profundo de la fuente («¡Que bien sé yo la fonte que mana y corre...!»). Digo con toda intención que san Juan canta desde el manantial de su alma, aquel manantial que en el «Cántico» representara a la vez los ojos deseados de su Amor y de su propia identidad: en seguida veremos que este fuego en el que las lámparas hacen arder la psique del protagonista poético se va a transmutar milagrosamente en agua. De la llama ardiente volveremos, pues, al corazón acuoso capaz de reflejar cualquier forma, ya que al reflejar a Dios, no puede atarse a ninguna imagen sino que tiene que ser capaz de abarcarlas todas. El fuego y el agua son lo mismo, parecería decirnos, hablando simbólicamente, san Juan de la Cruz. La alquimia verbal trata de imitar la alquimia amorosa que se experimenta en el hondón último del ser: en los límites de la experiencia el lenguaje falla y la lógica se disuelve.

Examinemos más de cerca las imágenes delirantes que nos aguardaban en este hondón de la psique sanjuanista. Seguramente por su excesivo misterio, la imagen de las «lámparas de fuego» no convence estéticamente a Jean Baruzi, que la declara «una imagen en sí misma bastante pobre»[76]. Me permito diferir del ilustre maestro: para mí se trata de una de las imágenes más estremecedoras y más originales del santo. Sospecho que Baruzi se sintió perdido ante una imaginería simbólica que no tenía precedentes en la literatura espiritual europea. De poco sirve el argumento «aclaratorio» de san Juan en las glosas, que asocia sus lámparas al versículo VIII, 6 de su libro predilecto, el *Cantar de los cantares*: «quia fortis est ut mors dilectio, dura sicut infernus aemulatio; lampades ejus, lampades ignis atque flammarum» [«porque el amor es fuerte como la muerte, duros como el infierno los celos, las sus brasas [son] brasas de fuego encendido vehementísimas»]. La cita del epitalamio alude en efecto a las lámparas encendidas, pero deja en el misterio su posible significado simbólico-místico. También las palabras de Lucas (11, 43) resultan algo vagas en este sentido: «la lámpara de tu cuerpo es tu ojo; si tu ojo es puro, todo tu cuerpo estará iluminado; pero si fuese malo, también tu cuerpo estará en tinieblas». San Lucas habla del cuerpo, pero es obvio que nuestro poeta quiere aquí hablar del alma.

Una vez más, nuestro único asidero seguro para suavizar el enigma simbólico de estos versos se encuentra en la literatura mística de los musulmanes[77]. Imposible no tomarla aquí en cuenta, so pena de interpretar las lámparas sanjuanísticas como un invento *ex nihilo* de parte de nuestro poeta, sin justificación ninguna en el contexto de la literatura mística universal. No: san Juan no es el primer extático que siente alumbrada su alma por lámparas de fuego, y algo de ello acaso sabrían, directa o indirectamente, sus primeros lectores. Ya dejé advertida mi sospecha de que aquellos antiguos espirituales pudieron haber estado mejor preparados para interpretar algunos de los secretos poéticos del santo mejor que nosotros. Sea como sea, lo cierto es que la imagen tiene una ilustrísima estirpe en la literatura *à clef* de los sufíes, a la

211

que ya he ido haciendo referencia. Repasemos brevemente[78] estas coordenadas literarias en las que nuestro santo se inserta con asombrosa
exactitud. La lámpara simbólica alumbra místicamente una y otra vez
el centro del alma del sufí aprovechado en la vía contemplativa. Los
ejemplos son tan numerosos que apuntan en seguida a la presencia de
un *clisé* literario-místico: Bayazīd celebra «tener dentro de sí la lámpara de la eternidad»[79]; Rūzbehān de Šīrāz (1209) advierte las «numerosas lámparas que esparcen una viva luz»[80] en su alma; Algazel insiste
en lo esplendente de «la luz del la lámpara que arde en su corazón»[81],
mientras que el tantas veces citado Ibn 'Arabī enseña que el corazón es
la morada de Dios y el gnóstico debe «alumbrarlo con las lámparas de
las virtudes celestiales y divinas hasta que su luz penetre en todos sus
rincones»[82]. Las lámparas místicas se convierten —habrá que usar el
término— en un lugar común del sufismo que reaparece una y otra vez
entre los espirituales musulmanes de diversos países y siglos. Esta tradición parecería tener origen en los abundantes comentarios a la famosa azora de la lámpara (XXIV, 35) del Corán: «Dios es la luz de los
cielos y la tierra. Su luz es a semejanza de una hornacina en la que hay
una candileja, la candileja está en un recipiente de vidrio que parece un
astro rutilante. Se enciende gracias a un árbol bendito, un olivo, ni
oriental ni occidental, cuyo aceite casi reluce aunque no lo toque el
fuego. Luz sobre luz. Dios guía a quien quiere a su luz»[83]. (Advertimos
aquí que Juan Vernet, cuya versión española usamos, traduce el
miṣbāḥ original (مصباح) por «candileja», pensando acertadamente que
se trata de una lámpara de aceite, como sería no sólo la del Corán sino
también las *lampades* del *Cantar de los cantares*. Casi todos los traductores occidentales del Corán vierten simplemente por «lámpara», asumiendo que se trata de una candileja. No creo estar descaminada al
pensar que también nuestro santo pensó en una antigua lámpara de
aceite cuando redactó su lira orientalizante.
   La azora en cuestión tuvo larga fortuna entre los contemplativos
del Islam. Ya Al-Muḥasābī, nacido en Basora en 781, en su tratado *Fasl
fī-'l maḥabba* (*Tratado sobre el amor*) interpreta «místicamente» la
azora: Dios enciende una lámpara inextinguible que termina por iluminar las más secretas «cavernas» u orificios del corazón del gnóstico.
«Cuando Dios enciende la lámpara en el corazón de su servidor, ésta
quema a su antojo las cavernas de su corazón hasta que el [gnóstico]
queda iluminado...»[84]. También Tirmidī al-Ḥakīm nos enseña en su
Gawr al-umur (*Libro de la profundidad de las cosas*) que las lámparas
de fuego iluminan toda la cavidad interior del alma, una vez más, y
preludiando, por muchos siglos, las «cavernas» iluminadas sanjuanísticas. Otro que aplica la azora a sus experiencias espirituales privadas es
Algazel, quien en su *Nicho de las luces* subraya —como san Juan— la
condición autónoma de esta lámpara interior: «auto-luminosa y sin
origen externo»[85].
   Pero nos aguarda otra sorpresa: san Juan coincide al detalle con
varios de estos místicos musulmanes en cuanto a su interpretación

exacta de estas lámparas espirituales. Para Algazel, significan los «arquetipos de los nombres y los atributos divinos»[86] y para los šāḏilīes, a través de los *Šarḥ al Ḥikam* (I, 69) de Ibn 'Abbād de Ronda, lo mismo: «las luces de los atributos [divinos]...»[87]. Es justamente así como san Juan entiende sus propias lámparas de fuego. Con quien más de cerca coincide es, sin embargo, con Abū-l-Ḥasan al-Nūrī, aquel antiguo místico de Bagdad nacido en el siglo IX que tantas y tan asombrosas coincidencias parece guardar con los contemplativos del Carmelo[88]. Traduzco del árabe un pasaje de sus *Maqāmāt al-qūlūb* (*Moradas de los corazones*) en el que el sufí explicita cuáles son estos atributos divinos que simbolizan para él las lámparas de fuego que encienden el alma durante la unión transformante:

> [Dios] ha suspendido [en la morada del corazón] una lámpara de entre las lámparas de su bondad [...] y la alumbra con el aceite de la justicia y hace brillar su luz por la luz de su misericordia[89].

Los atributos de la lámpara (o la luz que producen) son prácticamente los mismos en las glosas de san Juan a su poema: bondad, justicia, misericordia:

> [...] el resplandor que le da esta lámpara de Dios [al alma] en cuanto es bondad [...], y, ni más ni menos, le es lámpara de justicia, y de fortaleza, y de misericordia, y de todos los demás atributos que al alma juntamente le representan en Dios (Ll 3, 3).

Pero volvamos al poema, que es lo que nos importa aquí. No fue ocioso el *excursus* intertextual porque es importante tener en cuenta que las lámparas de fuego que abren tan enigmáticamente la lira podrían ser inmediatamente decodificables como símil de la transformación del alma iluminada en Dios para un lector enterado: una larga tradición literario-mística avala los versos aun antes de que recurramos a las glosas aclaratorias para corroborar el sentido místico que más tarde les habría de otorgar allí san Juan. Poco importa que la tradición principal parezca ser de remota estirpe islámica: nuestro hipotético lector enterado podría, legítimamente, establecer la asociación de estas lámparas simbólicas con los grados últimos de la vida del espíritu. Ya he dejado admitida en más de una ocasión mi sospecha en torno a estos primeros lectores del santo, que acaso estuvieran más familiarizados con el sentido de estas antiguas imágenes místicas de lo que hoy estamos. Aunque ignorasen el origen musulmán de los símbolos en cuestión, que acaso les hubiese llegado de oídas y anónimamente. Acaso Ana de Peñalosa, contemplativa versada en la vividura mística, supiera algo de las claves internas del poema que le dedicara su confesor. San Juan no pudo haber estado tan dramáticamente aislado como poeta espiritual: no es mucho pensar que sus poemas funcionaran mejor en el medio religioso en el que fueron escritos, y que los entendieran mejor sus primeros lectores naturales, que eran lectores conventuales. O damas de altísima espiritualidad. Dentro de estos mundos literarios cerrados se sabría más de las equivalencias metafóricas precisas de algunos de los símiles del Reformador que luego han resultado más elusivos para los estudiosos y lectores modernos. Ante todo ello, cabe concluir que el misterio radical de nuestras lámparas ígneas queda aliviado en el contexto de la literatura mística musulmana, que pudo ser conocido de manera indirecta en el entorno espiritual que le fue contemporáneo al santo. La imagen ya no es tan sin sentido ni tan «pobre» como le pareció en un principio al maestro Jean Baruzi. Se trataba nada menos que de un *clisé* literario de estirpe islámica.

Los candiles sanjuanísticos resplandecen en las «profundas cavernas del sentido» con una luz que adivinamos «no usada», tal la que evocaba fray Luis de León en su célebre «Oda a Salinas». No hay duda que hemos descendido con el poeta al espacio íntimo de su psique (una vez más, comprobamos que convenía «bajar» y no «subir» la escala en la «Noche»: todo proceso de interiorización auténtica implica un descenso hacia uno mismo y no una salida hacia el mundo exterior). La noción misma de una caverna queda asociada, por otra parte, con una interioridad casi atemorizante, máxime cuando el emisor de los versos nos anuncia que estas «cavernas del sentido» están oscuras y ciegas. A otras cavernas había deseado entrar antes la protagonista del «Cántico», sólo que eran, paradójicamente, «subidas»: «Y luego a las subidas / cavernas de la piedra nos iremos, / que están bien escondidas, / y allí nos entraremos, / y el mosto de granadas gustaremos». Basándose en una evocación algo lejana de un versículo del epitalamio bíblico[90], el santo concibe en el «Cántico» su psique interior en estado transformante como unas «cavernas» donde habrá de beber un vino embriagante (de nuevo la embriaguez simbólica del éxtasis de los sufíes) que lo aturde, lo saca de sí y lo pone a salvo del plano normal de la conciencia. Por eso mismo eran «subidas» aquellas cavernas, y se las alude con el célebre deíctico *allí*, con el que san Juan —ya lo sabemos— suele señalizar el espacio bendecido de su conciencia en el instante supremo en que se encuentra expandida hasta el infinito. En la «Llama» hemos logrado entrar, por fin, y ya no de manera desiderativa, a aquel *allí* tan deseado, que ahora resulta, emocionantemente, un súbito *aquí*. El poeta sigue dialogando consigo mismo, y marcando sutilmente los pasos de progreso de su camino místico en los distintos poemas en los que nos da noticia de su proceso espiritual. Ahora canta desde lo hondo de las cavernas: vale decir, desde las vertiginosas profundidades de sí mismo.

No necesitamos acudir a las glosas para verificar que estas escondidas cavernas representan las potencias del alma: memoria, entendimiento y voluntad (Ll 3, 18), porque el verso nos lo indica indirectamente. Estamos en las «cavernas del sentido», esto es, en las «cavernas» de la capacidad de aprehensión de la conciencia profunda a la que hemos entrado. Este hondón psíquico antes estaba, exactamente como la protagonista de la «Noche oscura», «oscuro y ciego»: será la única alusión del poeta a un tiempo pasado que evoca, por cierto, desde un presente jubiloso. La ceguera ha dado paso a la luz de una visión clarividente y abrumadora. El «ojo del alma», órgano de la visión mística al que tantas veces he aludido, se ha abierto al fin a la contemplación perfecta. Parecería que escuchamos, una vez más, la respuesta del poeta a las tinieblas ciegas de su «Noche oscura», en la que los protagonistas cerraban los ojos y se fundían, eso sí, jubilosamente, en uno. Antes estábamos ciegos de sombras, ahora, ciegos de tanta luz: literalmente, deslumbrados. Curioso cómo los extremos se tocan: el símbolo lumínico es la contrapartida pero también el complemento y aun el equivalente à l'envers de la opacidad total. Una vez más, el Todo y la Nada coinciden, y termina por dar igual la luz que la tiniebla. Ya he citado al respecto a Bernard Sesé: «la sensación de luz no se distingue de su privación en la noche oscura»[91]. Ya vimos que san Juan, en efecto, fundía en uno las tinieblas y la luz en la «Noche», ya que ambas lo guiaban por igual adonde «él bien se sabía». Llevaba razón el Pseudo-Dionisio al proponer la imagen imposible del rayo de tiniebla para explicitar de alguna manera la alquimia transformante de su alma. La «Noche» y la «Llama» son poemas gemelos en este sentido: dos asedios afásicos a lo Indecible desde dos ángulos metafóricos visuales extremos. Parecería que en ambos poemas san Juan nos sugiere que a Dios sencillamente no se lo puede contemplar con los ojos terrenales: éstos devienen ciegos una y otra vez cuando se intenta que sirvan de símil para la visión límite de Dios. (Otro tanto sucede, como dejé dicho, con el caleidoscopio vertiginoso de imágenes sucesivas del «Cántico»: en su inestable fluir advertimos que no quedamos esclavos de ninguna imagen, sino que en Dios percibimos, simultáneamente, todas ellas. La misma lección espiritual ha sido dada por partida triple.)

Con todo, la imagen de este deslumbramiento lumínico en el que tanto se insiste en la «Llama» resulta, no cabe duda, más celebrativa y, literalmente, más radiante que las tinieblas cerradas de la «Noche», no empece fueran fecundas. Allí, esta luz increada era la que nos tenía que conducir desde el interior de nosotros mismos a nosotros mismos. «Sin otra luz ni guía / sino la que en el corazón ardía», cantaba, aún en medio del camino oscuro hacia su meta, la amada furtiva. Ya dije que ahora hemos entrado en las cavernas del corazón interior que antes parecía «arder» autónomamente, y que arde ahora —san Juan nos lo explica en este poema— merced a la combustión de las lámparas supraterrenales. La psique interior arde precisamente con unos «extraños primores», es decir, con una extraña perfección o belleza, que pasa ahora a evocar el poeta, sin palabras una vez más ante lo Inefable. Cuánto ha cantado san Juan a esta «extrañeza» metafórica de una conciencia que se siente sobrecogida al verse instalada de súbito en otro plano superior de percepción. La amada del «Cántico» nos aseguraba que su Amado era para ella las «ínsulas extrañas»: ahora ya no «vamos» por aquellas ínsulas que la hembra emblemática parecía so-

215

brevolar fugazmente («mas mira las compañas / de la que va por ínsulas extrañas»), sino que hemos llegado por fin a ellas. Parecería que el protagonista poético canta desde el puerto seguro de las islas misteriosas y afortunadas. Aún más: él mismo es una «ínsula extraña»: un alma que ha devenido infinita y «deificada».

Y, sobre todo, encendida, ya que las lámparas que lo iluminan emiten «calor y luz». Es como si el poeta nos dijera que al concebir el Todo en términos de luz y no de sombra hubiera avanzado unos peldaños adicionales en su vía unitiva, o al menos en su manera de percibirla, que es ahora más celebrativa[92]. Nos consta instintivamente que, en medio de tanta luminosidad, las tinieblas de la purgación han quedado atrás para siempre (de ahí que el único verbo en pasado aluda a la oscuridad y ceguera de la conciencia profunda como un evento ya finiquitado). El alma brilla ahora como espejo radiante e iluminado, capaz de reflejar, como aquel manantial autónomo del «Cántico», a Dios y a sí misma a la vez. También san Juan habrá de repetir la imagen, elaborándola en su comentario prosístico al poema que nos ocupa. Pero podemos anticipar la imagen especular con una lectura atenta de la lira: recordemos que las lámparas han incendiado a las cavernas, que ahora refulgen y son una con su «querido». Una vez más, el espejo del alma refleja una unión indistinguible: el fuego multiplica el fuego y ya no sabemos quién incendia a quién, porque todo es una misma llama, una misma luz, «Amada en el Amado transformada».

Al devenir lumínicas y sobrenaturales, las cavernas «profundas» se convierten, como las del «Cántico», en cavernas «subidas». Una vez más, en estos abismos de la vida psíquica, da igual subir que bajar: volar hacia los ojos del Amado o hundirse con ellos en la fuente; volar hacia la caza o abatirse en ella[93]; volverse hacia el Amado o volverse lejos de su presencia. San Juan, ya lo sabemos, es el mayor experto de la poesía española en estas súbitas, afortunadísimas cancelaciones del espacio y de las perspectivas. Poco le pueden importar —ya he insistido en ello— a quien se ha liberado por fin de las ataduras espacio-temporales de la conciencia.

Con todo, es prudente admitir que el poeta, en la lira de la «Llama» que nos ocupa, insiste en la sensación de hondura y no en la de altura[94]. Ya dejé dicho que allí en los abismos del ser parecería que las imágenes se tornan delirantes, hijas del sueño o del estado alterado de conciencia. Acaso por ello mismo el poeta recurre a una imaginería simbólica con referentes lejanos o desconocidos entre sus coetáneos, que podrían decodificar o «naturalizar» (por usar aquí el término de Jonathan Culler)[95] el paisaje bucólico del ejido y de los valles nemorosos más fácilmente que estas enigmáticas lámparas que convierten en fuego las cavernas del sentido. En todo caso, sean inspiradas estas curiosas imágenes —desconocidas por cierto en el contexto de la espiritualidad europea— o tomadas de prestado del Islam (éste no es el lugar de dirimir por cuál vía), lo cierto es que el lector continúa bajo la fuerte impresión de haber descendido a honduras insondables de la psique íntima. Parecería que se encontrara inmerso en un sueño: en el *inte-rregno* de la duermevela en el que accedemos mejor al delirio de unas imágenes que no rinden del todo su misterio y que permanecen esencialmente inaprehensibles.

Lo sabe bien san Juan de la Cruz, que pasa ahora a describir —y el lector comparte su vértigo— los límites desconcertantes de profundidad que tienen estas cavernas donde nos ha introducido: «Es, pues, profunda la capacidad de estas cavernas, porque lo que en ellas puede caber, que es Dios, es profundo de infinita bondad; y así será en cierta manera su capacidad infinita, y así su sed es infinita, su hambre también es profunda e infinita, su deshacimiento y pena es muerte infinita» (Ll 3, 22). El poeta habla, pues, de simas de hondura infinita —insistamos en esta noción de lo inacabable e ininteligible— cuando reflexiona sobre la verdadera naturaleza de la psique profunda[96]. Los versos habían dejado sugerido el precipicio insondable del hondón del alma, pero san Juan no lo puede apurar más, porque el lenguaje sencillamente no da para ello. El poeta comparte su aturdimiento y basta: el lector intuye el resto.

Pero el teólogo que hay en san Juan insiste en sus glosas en pormenorizar lo profundo que ha sido nuestro descenso a las cavernas sin límite del «centro más profundo del alma». En la «Llama» vuelve a ponderar acerca del descubrimiento abrumador del que ya nos había dado noticia en el «Cántico»: su psique, constituida por estas cavernas insondables, es tan honda que es concéntrica[97]. Siete veces concéntrica. Lo mismo proponía, por cierto, el sufí Al-Ša'ranī en el caso de su propia psique incendiada de amor, que veía subdividirse en siete estados concéntricos cada vez más profundos[98]. En las glosas al «Cántico espiritual» san Juan proponía que esos grados de concentricidad espiritual eran precisamente siete, y los visualiza, curiosamente, como bodegas interiores (CB 26, 3). Para santa Teresa —todos lo sabemos— son siete los castillos interiores del alma, y la imagen, como ya he señalado, parecería tener estirpe oriental[99]. Otro tanto con las bodegas simbólicas del santo, que parecen tan excéntricas a un lector occidental —¿se habrá filtrado el recuerdo simbólico del vino extático, que dejó embriagados a san Juan y a sus antecesores sufíes «antes de la creación de la viña»?[100]—. Lo cierto es que los musulmanes, como buenos orientales, son muy proclives a esta subdivisión concéntrica de la psique profunda[101]. En la fértil imaginación de Naŷm-ad-dīn al-Kubrā, las concentricidades del alma se dan en la forma de siete pozos que la conciencia profunda, inflamada de amor, tiene que subir hasta alcanzar luz última de la verdad. Una vez más, las nociones del ascenso y del descenso se con-funden: el pozo es profundo, pero, paradójicamente, hay que subirlo. Traducimos del árabe las pormenorizadas elucubraciones de Al-Kubrā, porque guardan una estrecha relación con las del santo:

Has de saber que la existencia no está limitada a un acto único. No hay acto del ser [o de la existencia] al que no lo subyazca otro acto de ser más impor-

tante y más sublime que el anterior, hasta que llegamos al Ser Divino. Por
cada uno de estos actos o niveles de la existencia que vemos a lo largo del
camino místico hay un pozo. Y estos actos del ser o categorías de la existencia son siete [...] entonces, cuando has ascendido por los siete pozos de las
diferentes categorías de la existencia, he aquí que accedes al cielo de la Divinidad y del Poder de Dios [...] Y su luz es tan intensa que los espíritus humanos apenas pueden resistirla, y, sin embargo, se enamoran de ella con un
amor místico supremo[102].

Esta imagen del alma como pozo interior, que tan curiosa nos puede parecer a los occidentales, tiene larga estirpe musulmana. La utili-
zan muchos contemplativos como Naŷm Rāzī, sufí del siglo XIII[103],
pero pocos le sacan tanto partido al símil como Al-Kubrā. En otro pasaje de su *Fawā'iḥ al-Ŷamāl wa Fawātiḥ al-Ŷalāl* lo sorprendemos en
un interesantísimo —y altamente significativo— juego de palabras con
la raíz árabe « قلب » = (q-l-b) , cuyos múltiples sentidos explota y coloca en un primer plano: « قَلَبَ » (qalaba) = volverse/transmutarse, reflejar (algo), cambiar; « قَلْب » (qalb) = transmutación; « قَلْب » (qalb) = en
su sentido más usual de «esencia», «corazón», «centro», «medio», y,
por último, la variante « قَلِيب » (qalīb) = pozo[104]. Al-Kubrā advierte,
pues, en el corazón iluminado del místico, los matices de su posibilidad
de reflejar (a Dios), de transmutarse o de transformarse en él, de constituir esencia y centro más profundo del alma concéntrica y de ser, por
último —y metafóricamente— un pozo. El ingenio de este maestro del
estilo resulta doblemente importante porque coincide, y con sorprendente exactitud, con san Juan de la Cruz. El santo —como si conociera
la posibilidades últimas de la raíz árabe (a la que me fue necesario recurrir antes en mi comentario a las liras unitivas del «Cántico»[105])—
hace equivaler también en la «Llama» al centro más profundo de su
alma, capaz de reflejar a Dios y de transformarse en él, precisamente con un «pozo»: «¡Oh dichosa alma! [...] que eres también pozo de
aguas vivas...» (Ll 3, 7). Como el tratadista persa, san Juan insiste en la
imagen, que repetirá, respaldándola con el pasaje bíblico de la cisterna
de Jeremías[106]. Al-Kubrā había avalado su propia equivalencia con el
pasaje coránico de José[107]. Igualmente interesante es una coincidencia
adicional, bastante extraña por cierto: al utilizar la imagen del alma
como un pozo o cisterna en medio de un proceso de iluminación, ambos místicos —como tantos sufíes anteriores— unen y confunden las
«aguas vivas» de ese pozo espiritual con las llamas de la transformación en Dios. Los árabes, como se sabe, fueron asiduos cultivadores de
la alquimia, y no se limitaron al caso de los metales sino que incluye-
ron la palabra. Su lengua, extraordinariamente dúctil, les permitió a
los poetas unas aleaciones verbales insólitas, que estaban, sin embargo,
respaldadas por los conceptos que las raíces trilíteras emparentaban secretamente. El pozo del alma de Al-Kubrā «se metamorfosea en pozo
de luz», por usar la frase del estudioso Henry Corbin[108]. La prosa de
san Juan exhibe idéntico deleite por esta *ars combinatoria* fundidora

de contrarios de sus antecesores árabes, sólo que ya sin el apoyo lingüístico de las raíces trilíteras. Y vemos en la «Llama» cómo el agua y el fuego se equivalen[109] en un milagro que duplica el de la transformación de la amada en el Amado que ya habíamos visto preludiado en el místico persa:

> De manera que estas lámparas de fuego son aguas vivas del espíritu [...] aunque eran lámparas de fuego, también eran aguas puras y limpias [...] y así, aunque es fuego, también es agua; porque este fuego es figurado por el fuego del sacrificio que escondió Jeremías en la cisterna, el cual cuando estuvo escondido era agua, y cuando le sacaban afuera para sacrificar era fuego (2 Mach., 1, 20-22; 2, 1-22).
> [...] antes las llama *lámparas* que *aguas*, diciendo *¡oh lámparas de fuego!* Todo lo que se puede en esta canción decir es menor de lo que hay, porque la transformación del alma en Dios es indecible (Ll 3, 8).

El poeta lleva razón: es indecible. Como consecuencia, a san Juan se le derrite el lenguaje entre las manos, y su brújula verbal enloquecida es incapaz de comunicar otra cosa que no sea la imposibilidad de la comunicación. La imaginería simbólica del agua y del fuego se transmuta vertiginosamente frente a nuestros ojos, como aquella noche que era, extrañamente, «más cierta que la luz del mediodía». Da igual, pues, el agua y el fuego, la luz y la oscuridad: nuestro poeta viola continuamente la lógica aristotélica con una comodidad lingüística que parecería más afín a un escritor árabe que a un occidental. Un elemento se transforma, pues, en otro, como el alma en Dios: san Juan nos ha dado una ilustración verbal de su vivencia mística. El milagro más grande del amor —la conversión de la amada en el Amado— contagia al mismo lenguaje que trata de comunicarlo[110].

Pero aún hay más. Al metamorfosear su alma incendiada en pozo de aguas vivas, san Juan nos devuelve a la cristalina fuente del «Cántico». En este portentoso diálogo intertextual que el poeta establece consigo mismo, advertimos que, con su rebuscado arabesco verbal, san Juan no ha hecho otra cosa que regresarnos al hondón del alma, a ese jubiloso espacio último por el que preguntaba ansiosa la amada del «Cántico» con su desgarrador *¿adónde?* La imagen del corazón encendido en llamas, que asociábamos a la transformación inenarrable, al pasmo verbal de quien ha quedado afásico y al ojo abierto a la autocontemplación perfecta del iluminado —el órgano de luz de la percepción mística—, es ahora «agua». La paradoja es aleccionadora: para san Juan, que tanto ha cantado y que «tan bien se sabe» estos manantiales de la psique profunda, las aguas autónomas son el espacio —el espejo— donde encontramos los ojos del Amado y nuestra propia identidad metamorfoseada. El ojo del Amado es ahora nuestro propio ojo místico: a Dios no le vemos sino con sus propios ojos, que nos presta para la contemplación infinita, que no podemos adquirir sino en un estado de conciencia alterado. Ya insistimos en el primer capítulo que estos elementos asociados de la fuente, el ojo y la identidad se encierran de manera muy natural en la raíz árabe *'ayn*, de la que se sirvieron literariamente los sufíes a lo largo de muchos siglos para expresar el matrimonio espiritual. Curiosamente, los arabescos metafóricos más rebuscados de san Juan parecerían reflejar los recónditos matices de algunas raíces árabes —hemos visto el caso del *'a-y-n* y el *q-l-b*—. No es éste el lugar de investigar cómo pudo el santo saber tanto acerca de unos asuntos lingüísticos tan peregrinos; lo importante es que los paralelos que guarda con el misticismo musulmán son particularmente útiles a la hora de decodificar los experimentos literarios más dificultosos pero a la vez más importantes del santo. Alguna noticia habría llegado a san Juan de estas modalidades simbólicas a través de las cuales quiso comunicar a sus hermanos de hábito los arcanos de la unión extática. No creo que hablara, como Calderón, «con las piedras, con el viento» cuando les dedicaba los poemas y sus correspondientes tratados prosísticos aclaratorios con tanta camaradería espiritual.

Pero san Juan no prolonga el enigma literario de estos versos por demasiado tiempo, ya que la lira que nos ocupa tiene un final inesperado. Iluminados por las lámparas sobrenaturales, hemos acompañado al poeta en su vertiginosa bajada a los precipicios más recónditos de su espíritu, que antes estaban «ciegos» y que ahora refulgen con «extraños primores». Y refulgen «junto a su querido». El mensaje teológico es evidente —las lámparas han transmutado en su propio fulgor los abismos oscuros del ser, ahora deificado y hecho una sola luz con Dios— pero la ruptura poética es formidable. De la abstracción y el misterio hemos vuelto a recaer de súbito en el más tierno y más íntimo de los requiebros amorosos. A la hora de apostrofar el Amado —ya lo sabemos— san Juan no para mientes en exhibir una actitud tan cariñosa que acaso hubiera sonrojado al púdico, neoplatónico Garcilaso, por no decir al más severo fray Luis. «Carillo», «mis amores», «vida mía», susurraba nuestro poeta en el «Cántico», y sus requiebros eran tan ardientes y tan sinceros que parecerían dichos fuera del convencionalismo del arte. Son los encarecimientos que habría escuchado san Juan en romances o coplas de amor humano, o que bien pudieron haber dicho de viva voz sus contemporáneos a amadas de carne y hueso. Estos apelativos dotan, no cabe duda, a las liras de san Juan de una dulzura afectiva especialísima, y nos persuaden secretamente de la sinceridad y entrega emocional del autor de los versos. El teólogo ha cedido al enamorado. Una vez más, el poeta se siente incapaz de mantener el tono depurado de la especulación teológico-mística (no empece haya sido tan bien conseguido en esta lira) y sucumbe al lenguaje del amor. Ha regresado a su querencia natural. El lenguaje afectivo va socavando irremisiblemente la purísima sencillez del fuego transformante que hace combustión a lo largo del poema. Allá en el hondón del espíritu lo que encontramos es el amor, y san Juan no sabe o no quiere decirlo ahora de otra manera que no sea con el lenguaje amartelado de los enamorados del siglo XVI español. Quién sabe si alguna vez militó en las filas del amor humano este frailecito que arrancó al estudioso Arthur Symons la exclamación asombrada: «This monk can give lessons to lovers!» [«¡Este monje puede dar lecciones a los amantes!»][111].

El poema de la «Llama» se torna ahora no sólo sentimental sino corpóreo. Nos consta que el Reformador ha hecho un esfuerzo poético casi sobrehumano por expresar lo inefable a través de imágenes intangibles, pero el poema, una vez más, se le materializa aceleradamente. La «Llama» se nos va convirtiendo paulatinamente en la «Noche», y el Amado físico que allí veíamos no sólo encarnado sino erotizado hace aquí su aparición secreta. Secreta, pero no por ello menos dramática. El poeta hubiera podido volver a cantar «¡Oh noche que juntaste Amado con amada!»: el amor vuelve a unir personas y no abstracciones. Y con ello desembocamos en una de las sorpresas poéticas más notables de la «Llama». Hasta este punto hemos estado bajo la ilusión de que ha sido un protagonista poético masculino quien había ido compartiendo con nosotros sus quejas de amor trascendido. Nada permitía sospechar otra cosa. Salvo este súbito apóstrofe a un «querido» varón: dentro del convencionalismo poético europeo del que san Juan forma parte, ese requiebro amoroso sólo puede proferirlo una mujer. El receptor de los versos tiene entonces que hacer el siguiente ajuste de lectura: o acepta que siempre nos ha estado hablando una hembra paradigmática como la del «Cántico» y la «Noche», o descubre que nuestro protagonista masculino o neutro se ha trocado inesperadamente en hembra enamorada[112]. O acaso habla ahora el «alma» que había quedado aludida en la primera lira. Las posibilidades proteicas de los personajes juancrucianos ya no nos pueden asombrar a estas alturas. En cualquier caso, salta a la vista que cuando san Juan decide expresar sus sentimientos afectivos más delicados, prefiere privilegiar el aspecto femenino de su psique interna. Y canta como la Esposa de los *Cantares* o las antiguas muchachas de las jarchas.

Hable como mujer o como varón, lo cierto es que el poeta nos deja ver que en el fondo de nosotros mismos hemos descubierto al Otro: nuestro entrañable «querido». San Juan ha llevado a cabo una inaudita, amorosísima repristinización del agustiniano *in interiore hominis habitat veritas*[113].

Y ya el lenguaje del sentimiento se le desborda al poeta de manera irremediable, porque ha ganado la partida:

> ¡Cuán manso y amoroso
> recuerdas en mi seno,
> donde secretamente solo moras,
> y en tu aspirar sabroso,
> de bien y gloria lleno,
> cuán delicadamente me enamoras!

Tenemos, pues, a nuestro «querido» perfectamente delineado. Debe de ser, sin duda, una mujer quien nos dice los versos ahora, empleando en lo fundamental el lenguaje sentimental de la poesía amorosa al uso. San Juan no ha resistido la tentación de superimponer un cuadro concreto de amor humano sobre el lienzo «surrealista» del misterio y estilización extremas que nos había ido pintando hasta ahora. Es emocionante comprobar que estamos, una vez más, frente a un Amado que ya nos era conocido: el mismo que se durmió sobre el pecho florido de su amante en la «Noche», despierta ahora en el seno en la «Llama», donde —de nuevo el prodigioso *adónde* del espacio espiritual— mora en majestuosa soledad. La intertextualidad poética del santo resulta extraordinaria, así como la delicadeza de su introspección. Aquel varón deseado se anonadaba en el sueño sobre los pechos de la hembra que lo regalaba amorosamente, mientras que este «querido», algo más quintaesenciado —pero, eso sí, «manso y amoroso»— retorna en cambio a la conciencia desde el interior del seno, es decir, desde el hondón de la psique profunda que hemos visitado una y otra vez con el emisor de los versos. El pecho que antes se cantaba en la «Noche» como «florido», y que tan «eroso» le pareció a José C. Nieto, es ahora en la «Llama» un abismo de luz. Pero se trata, en el fondo, del mismo pecho enamorado que retiene al Amado. Las flores y la luz terminan por ser equivalentes, y, aunque ya se trata de una asociación mucho más libre, no resisto la tentación de recordar una vez más que la raíz árabe para «florido» vale también para «iluminado»: *z-h-r*. Florido estuvo también, ya lo sabemos, el lecho del «Cántico», y no es difícil pensar que estaría igualmente iluminado. En lo profundo del alma ha florecido, por decirlo de otra manera, el loto de la iluminación budista: los discursos místicos auténticos de todas las culturas terminan por decirnos lo mismo.

El Amor que ahora descubrimos habita en los precipicios del alma, súbitamente «recuerda» o despierta. Es decir, abre los ojos que antes había cerrado en la «Noche» sobre el pecho amado. Hemos insistido una y otra vez que en el poema que nos ocupa, la combustión de luz implica que el «ojo del alma» del emisor de los versos se encuentra iluminado. Ahora el Amado abre los ojos a su vez, que tenía cerrados en el sueño, y ya el protagonista poético (o la protagonista) no se ve precisada a suplicar «apártalos, Amado, que voy de vuelo». Es que ya hemos «volado» (o nos hemos abismado) y llegado a nuestra meta, y, justamente por eso, podemos al fin mirar al Amado frente a frente. Los ojos con los que lo contemplamos son los mismos que ahora, al «recordar», abre amorosamente[114]. Al fin puede el poeta decir *de vero* «ya bien puedes mirarme / después que me miraste / que gracia y hermosura en mí dejaste»[115]. Un solo ojo contempla, porque hemos alcanzado el milagro de la auto-contemplación. San Juan, naturalmente, se ha dado cuenta de la misericordia prodigiosa de la que ha sido objeto al participar de la naturaleza infinita de la fuente última del universo: «ella [el alma] es la innovada y movida por Dios para que vea esta sobrenatural vista» (Ll 4, 6). Aunque el Amado ha abierto los ojos, realmente es la psique transformada la que los ha «abierto»: «Dios es el que le pudo abrir los ojos...» y por eso le parece al alma que él movió y recordó, siendo ella la movida y la recordada (Ll 4, 8)[116]. Lo dijo lapidariamente Michael Sells: «Vision has become self-vision» [«La visión se ha convertido en auto-visión»][117]. El corazón o *qalb* invertidor llameante en el cual nos hemos estado moviendo todo el tiempo ha vuelto a trastocar los planos y los protagonistas. El mensaje es sobrehumano: el poeta ya no puede decir cuál es el sujeto de sus verbos, porque en esta cima del éxtasis se comparte la identidad con Dios.

Se trata —y no puede ser de otro modo— de un tipo de unión inviolable y arcana, de un espacio donde el Amor «secretamente solo mora». El lecho florido —de nuevo las flores de la iluminación en el hondón del alma, que de veras se ha convertido en un tálamo amoroso— parecería encontrarse perfectamente protegido por el cerco esotérico de las cuevas de leones. Aminadab se mantiene a raya, y las «ninfas de Judea» tampoco osan tocar los umbrales de la unión. El «Carillo» se ha escondido «en parte donde nadie parecía»: todos los poemas de san Juan cantan a una misma unión Indecible, que aquí en la «Llama» ha alcanzado su extremo último.

Y allí —en este innombrable *allí* de la unión con el Todo— en su «aspirar sabroso / de bien y gloria lleno», el «querido» enamora para siempre al emisor (o a la emisora) de los versos. El poema se ha vuelto a complicar. ¿Qué puede significar esta «aspiración» del Amado? San Juan es contundente en su comentario en prosa: «En la cual aspiración, llena de bien y gloria y delicado amor de Dios para el alma, yo no querría hablar, ni aun quiero; porque veo claro que no lo tengo de saber decir, y parecería que ello es menos, si lo dijese» (Ll 4, 17). La «aspiración» o «aire», como dejé dicho, se asocia desde antiguo, en los contextos literarios místico-teológicos de las más diversas culturas, a la noticia o presencia de Dios[118]. El poeta sabe instintivamente que pisa terreno inefable, y acepta su afasia y su terrible frustración de escritor fallido, que se hace evidente de todas maneras porque este «aspirar» del Amado resulta bastante extraño e incongruente en el contexto de la escena de amor. Y, con todo, san Juan se ha servido muchas veces del verbo «aspirar» a lo largo de su obra: el Amado del «Cántico» le había regalado ya a su compañera de amores «el aspirar del aire», y también había «aspirado» por su huerto simbólico (que se encontraba, cómo no, «florido»). La rica contextualidad poética del término tampoco nos ilumina mucho, ya que resulta fundamentalmente enigmático en todos los pasajes que venimos citando.

Intentemos seguir al poeta y decodificar lo que ha querido sugerirnos en su desesperación de escritor. Aspirar es, literalmente, atraer el aire a los pulmones, absorber o succionar. Eso es precisamente lo que parecería haber hecho este misterioso Amado: absorber en sí al antiguo emisor de los versos, que ha devenido aire rarificado. (Acaso la combustión del fuego terminó por hacerlo humo, sombra, nada: la aniquilación del ego se deja sugerida veladamente.) Nuestro personaje (¿hombre? ¿mujer?) se ha volatilizado y, en este nivel en el que se encuentra en total estado de disponibilidad espiritual, ha terminado succionado y hecho uno con el Amor que ha descubierto en el interior de su psique. Ya advirtió María Jesús Mancho Duque con su acostumbrada agudeza que san Juan termina equiparando sin más el concepto de *aire* con el de «amor»[119]. Cuando Dios ama en estos niveles de conciencia transforma en Sí nuestro ser. Y el enamorado (o enamorada) que emite los versos ya es otra cosa: es uno con el Amor. La transformación es de índole tan absoluta que se la describe con cierta violencia en las glosas[120]: «[...] es grande lástima que, no entendiéndose el alma, por comer ella un bocadillo de noticia particular o jugo, se le quita que la coma Dios a ella toda, [...] porque la absorbe en sí por medio de aquellas unciones espirituales solitarias» (Ll 3, 63). Acuden a la memoria en seguida aquellas imágenes fruitivas de la «*cena* que recrea y enamora» y el *sabor* a «vida eterna», con las que san Juan quiso darnos noticia de la interpenetración de Dios y el alma. El teólogo que nos apostrofa en la prosa explicatoria se encuentra tan falto de lenguaje como el poeta, y recurre a imágenes algo bruscas —Dios se «come» al alma— para explicitar de alguna manera lo definitivo y total de esta nueva vida que ha quedado aniquilada para renacer a niveles más privilegiados de existencia. «En esta unión vehementemente se absorbe el alma en amor de Dios» (Ll 4, 82), continúa nuestro apasionado san Juan, y en el proceso inenarrable se «endiosa [...] la sustancia del alma, haciéndola divina, en lo cual absorbe al alma sobre todo ser a ser de Dios» (Ll 1, 35). Tan endiosada está el alma que ya no sabemos quién aspira, si Dios o ella: «el alma, unida y transformada en Dios, aspira en Dios a Dios la misma aspiración divina que Dios, estando ella en él transformada, aspira en sí mismo a ella» (CB 39, 3)[121]. La prosa teológica parecería que se disuelve en los «dislates» de la poesía. El trance, asegura el santo, «totalmente es indecible» (Ll 4, 10), y sabe que sólo puede rescatar para nosotros el hecho de haberlo experimentado y el deleite extremo que le ha sobrevenido:

> Y esta tal aspiración del Espíritu Santo en el alma, con que Dios la transforma en sí, le es a ella de tan subido y delicado y profundo deleite, que no hay decirlo por lengua mortal, ni el entendimiento humano en cuanto tal puede alcanzar algo de ello... (CB 39, 3).

El deleite que se experimenta en estos grados altísimos de amor —deleite «sabroso» lo llama el poeta, insistiendo en la sensación gustativa que desarrolla en las glosas— es tan «subido» que san Juan no sabe sino evocarlo, una vez más, a través del símil de la pasión humana.

Recordemos, ahora al margen de las consideraciones teológicas, las implicaciones eróticas de la escena que nos ha pintado san Juan en esta última lira. Un Amado de carne y hueso despierta en nuestro seno[122] y «aspira». Aspirar el aire es también desperezarse, inhalar profundamente, estar accesible a la vida consciente: «cuando recuerda de su sueño respira» (Ll 4, 3), nos asegura el poeta, hablándonos ya en un nivel

224

YA POR AQUÍ NO HAY CAMINO

más humano que divino. En sus otros poemas, como recordaremos, san Juan había asociado la aspiración del aire con paisajes de frescura incitante: ahí está el ventalle de los cedros que abanican en la «Noche», y, sobre todo, el «austro» del «Cántico», que apostrofa la protagonista: «ven, austro, que recuerdas los amores, / aspira por mi huerto, / y corran sus olores, / y pacerá el Amado entre las flores». El viento del sur, curiosamente, al aspirar por el huerto simbólico, despertará el amor, y el Amado podrá entonces pacer entre las flores, es decir, gloriarse en el huerto (o pecho) «florido» del alma enamorada[123]. E iluminada: una vez más, el abrir de las flores es el abrir de la conciencia a la luz de la contemplación auténtica. Los versos del «Cántico» anticipan, no cabe duda, la escena amorosa de la «Llama» en la que se accede o «despierta» a una nueva dimensión del amor trascendido merced a esta curiosa aspiración divina. Pero en la «Llama» se humaniza de súbito esta «aspiración» que antes había sido rarificada y referida tan sólo a la naturaleza: a los vientos que refrescaban unos paisajes que mantenían el encanto orientalizante del epitalamio bíblico que tan de cerca siempre sigue el poeta. Pero ahora es nuestro «querido» quien «aspira». Sólo podríamos advertir la suave respiración de un amante si acercáramos íntimamente nuestro rostro al suyo: el emisor o emisora de los versos, como la amada de la «Noche», ha reclinado su rostro sobre el Amado, y ya no es el austro ni el ventalle de cedros lo que escucha «dar aire», sino ese mismo cuerpo que acaba de despertar y junto al que nos encontramos perturbadoramente cerca. El Amado debe haber «recordado», sin duda, sobre el tálamo nupcial y «florido» que es el seno u hondón simbólico de quien más ama: la escena es de una intimidad conyugal innegable. El matrimonio espiritual se consuma en lo profundo del alma, y acaso por ello san Juan hace que los términos «pecho florido» (de la «Noche») y «lecho florido» (del «Cántico») sean prácticamente idénticos. Una vez más, descubrimos al amor divino y al amor humano sonando al unísono en la poesía de san Juan de la Cruz.

La «aspiración» significa, de otra parte, no sólo la absorción literal del aire, sino el deseo, la apetencia, el anhelo[124]: el poeta ha elegido un vocablo plurivalente y no puede evitar que el poema se le dispare semánticamente en distintos sentidos. Y el sentido erótico resulta, una vez más, palmario. No es necesario insistir demasiado: san Juan ha vuelto a recaer en el amor corpóreo y el Amado se despereza sobre el lecho «manso y amoroso», o «todo él deseos», como diría el *Cantar* salomónico, donde el poeta ha aprendido a cantar la vida afectiva.

Pero hay más. Las connotaciones sagradas y el sentido de erotismo trascendido pero innegable que tiene la «aspiración» llevan al verso en cuestión a sus últimas consecuencias. Dejemos la palabra a Nicholas Perella:

> [...] la idea del aliento (*pneuma*) [...] es la realidad más inmediatamente conectada con la idea de la vida biológica y «espiritual». También es la idea que

225

más fácilmente podría aplicarse al concepto de la posibilidad de unión y comunión entre dos criaturas humanas, así como entre el hombre y los orígenes de la vida. Quizá más que ningún otro de los grandes símbolos y realidades de la vida, esta [idea] ha sido profundamente significativa no sólo en el pensamiento y en la ceremonia puramente religiosa, sino también en la especulación filosófica. Al margen de la importancia que tiene el aliento en la reflexión [espiritual] hindú, cabe pensar también en el concepto estoico del Alma del Mundo, *anima mundi*, y del Aliento santo, que es una de las Personas y *trait d'union*, el mismísimo osculante [...] del Dios Trino cristiano. Es posible también recordar aquí la narración bíblica (Gén 2, 7) que explica cómo Dios creó al hombre insuflándole el *espíritu de vida* al soplarle su aliento[125].

Esta «aspiración» o *pneuma* tiene entonces sobretonos trascendentales, ya que incide en la vida del espíritu y en el acto creativo mismo. De ahí que señalice la inauguración de un nuevo nivel de vida espiritual y con ella la conciencia de haber advenido a los límites más elevados de nuestra identidad transformada.

El misticismo sufí sacó particular partido de este *pneuma* o *logos* divinal, y sus enseñanzas en este sentido parecerían volver a iluminar las extrañas liras sanjuanísticas. Como nos recuerda Titus Burckhardt, «la "Espiración" divina se vincula con la Misericordia total (*ar-Raḥmā*) porque gracias a ella la superabundancia del Ser "desborda" (*afāda*) las esencias limitadas»[126]. Y nos preguntamos entonces si por eso el «querido» despierta y aspira en el alma «manso y amoroso»: es decir, *misericordioso*. Es que los islamólogos insisten en esta «espiración misericordiosa», que asocian nada menos que con «el aspecto maternal» de Dios[127]. Salta a la vista que nuestro poeta nos informa que de repente siente que este Dios suave y misericordioso «despierta» en su seno. Como si adviniese a la vida dentro de sus entrañas maternales, que no en balde habían dibujado antes los ojos de su Amado sobre la fuente. El alma metafórica de san Juan ha vuelto a estar «grávida» de Dios, y no cabe duda de que este aliento creador maternal de los contemplativos del Islam ayuda a explicitar lo extraño de la imagen. Pero es que hay más: los sufíes llegan al extremo mismo de nuestro santo poeta, al entender que este aliento creador y maternal dentro de nuestra alma hace que concibamos un «niño espiritual» asociado con el mismísimo Jesús. Parecería que Laleh Bakhtiar glosa la lira final de la «Llama», sólo que nos habla del *Maṯnawī-i maʿnawī* de Rūmī:

> En el sufismo, Cristo simboliza específicamente el atributo divino del Aliento del Misericordioso, ya que es justamente del aliento de donde todas las cosas reciben el hálito de la vida. Cuando la Palabra de Dios se hace presente en el corazón de alguien y cuando la Inspiración divina entra en su corazón y en su alma, su naturaleza es tal que concibe allí un niño espiritual que tiene el aliento de Jesús, que resucita los muertos[128].

Curiosa esta asociación del aspirar divino maternal con la concepción del niño Jesús dentro del alma del gnóstico: el Reformador coincide estrechísimamente con sus antepasados sufíes, que se nos antojan de repente poetas cristianos. Pero nuestro poeta no se queda en esta delicada imagen maternal, ya que sus liras resisten, una vez más, una lectura erótica. Delicadamente erótica. Es que los seres humanos se intercambian ese *pneuma* o principio vital precisamente cuando se besan. De ahí que el beso sea un símbolo sagrado en las tradiciones religiosas más diversas: representa la reintegración, la posibilidad de trascender el dualismo. Su valor simbólico, como nos recuerda Perella[129], es fusional, y por ello mismo juega un papel tan importante en la filosofía india. El beso que Shiva y Shakti intercambian en el templo de Elura representa la reintegración de los dos «alientos» —*prana* y *apana*— y por lo tanto la fusión cósmica y espiritual de los dos miembros contrastantes de la pareja. Idéntico sentido sagrado tenía para san Bernardo el beso que la Esposa pide el inicio de los *Cantares* («Osculetur me osculo oris sui» [«Béseme de besos de su boca»]); al igual que el ósculo de paz que se daban entre sí los antiguos cristianos, y aun el beso metafórico con el que Apolo dota a la Sibila de una mente y un alma privilegiadas en la *Eneida* (VI, 11 ss.) de Virgilio.

Este beso de sobretonos sagrados, en el que se accede al intercambio del espíritu o el alma que lleva consigo el aliento (o que constituye el aliento mismo)[130] lo habrán de heredar los castos enamorados neoplatónicos[131]. Como el valor simbólico del beso depende precisamente de la teoría de que constituye un vehículo para la transmisión o intercambio de las almas, la tradición cortesana lo consideró «la máxima intimidad que le es permitida a los amantes puros»[132]. Así, veremos desfilar una serie de parejas cortesanas en la temprana literatura europea que se circunscriben a ese beso simbólico como consuelo único de su afán amoroso. Tristán e Isolda e incluso Píramo y Tisbe, en las refacturas medievales de sus respectivas leyendas, llegan al extremo de intercambiar su último aliento en el beso que se dan instantes antes de morir, rindiendo el alma enamorada. Rindiendo, como apuntaba con tanta dulzura Pietro Bembo, «quello intrinseco anelito che si chiama pur esso ancor anima».

Pero regresemos una vez más al interior del seno amante donde despierta el «querido» y ofrece a la protagonista poética un «aspirar» no sólo «sabroso» sino de «bien y gloria lleno» que la enamora sobre toda otra consideración. ¿No piensa calladamente aquí el poeta en el beso, ya humano, ya celestial, con el que desde antiguo se anula la dualidad y se consuma la unión perfecta a través del intercambio de espíritus o alientos? Porque de eso es precisamente de lo que se trata aquí: de la transformación última y sobrenatural de los amantes, del intercambio jubiloso de sus identidades. Nuestro altísimo poeta no estuvo ajeno a la metáfora del beso, que se animó a utilizar para sus más sagradas consideraciones teológicas: «en este alto estado de unión [...] no se comunica Dios al alma mediante algún disfraz de visión imaginativa, o semejanza, o figura, ni la ha de haber; sino que boca a boca, esto es, esencia pura y desnuda de Dios, que es la boca de Dios en amor, con esencia pura y desnuda del alma, que es la boca del alma en amor de Dios (S 16, 9). Verdaderamente sensual esta imaginería simbólica, no cabe duda. Confieso que no puedo asegurar de fijo lo que tenía en mente el poeta con este «aspirar del aire» del querido en la «Llama», pero no es excesiva la sospecha de que la emisora de los versos —tiene que ser ahora una hembra enamorada— pudo haber entonado aquí aquella súplica anhelante: «osculetur me osculo oris sui». Me inclino a pensar que sí la entonó —*tutta tremante*—. Pero ya el beso prodigioso estaba libre de la culpa que le resultó eterna a Paolo y Francesca (Inf. 115-138).

Todo ello nos prepara al *grand finale* del poema: «¡Cuán delicadamente me enamoras!». Se ha repetido la ruptura de la estrofa anterior, que nos daba noticia de un «querido» de carne y hueso en medio de los resplandores abstractos de la conciencia profunda. La «llama» se disuelve una vez más en un torrente incontenible de amor pasional y con esta nota concretísima de la admisión del estado de «enamoramiento» culmina el poema. El santo ha empleado mucho el comprometedor verbo, por cierto: en la «Glosa a lo divino» que comienza «Por toda la hermosura / yo nunca me perderé», reclama la compasión del lector para su condición de enamorado de la Hermosura última e inaccesible: «Pues, de tal enamorado, / decidme si habréis dolor, / pues que no tiene sabor / entre todo lo criado; / solo, sin forma y figura, / sin hallar arrimo y pie, / *gustando allá un no sé qué / que se halla por ventura*». También celebró san Juan, enigmáticamente, «la cena que recrea y enamora» en su «Cántico espiritual», entendiendo que esta cena representaba para él la «visión divina» (CB 15, 28). Por eso la cantaba con tanta vehemencia[133]. Ahora el poeta pone broche de oro a la «Llama» volviendo a proclamar jubiloso su condición de seducido por amores: no ha sabido explicarnos los resultados de esta misteriosa «aspiración» transformante sino con el lenguaje de Petrarca. El poeta no puede cantar sino desde su propio temperamento amoroso. Lo emocional triunfa sobre lo abstracto, o, por mejor decir, complementa lo abstracto, porque nos consta que estamos ante un poeta que se ha quedado corto de palabras. Tratando de decirnos algo de los verdaderos alcances sobrenaturales de su vivencia amorosa unitiva, el Reformador insiste casi patéticamente desde las glosas que el Amado lo «*enamoró de sí* sobre toda lengua» (Ll 4, 17, énfasis mío). El lenguaje del amor humano es coextensivo, una vez más, con el lenguaje del amor divino, y nuestro poeta, que había inaugurado el poema hermanándose con el grito abrasador de Pascal, termina cerrando filas con Herrera y Garcilaso. San Juan, ¿poeta del amor humano o poeta del amor divino? Una vez más, y como en el «Cántico» y la «Noche», nuestro autor armoniza ambos amores con una comodidad emocional insólita. Por cierto que esta armonización última del enamorado no la compartiría conscientemente el teólogo que nos habla desde las glosas, pero la poesía tiene siempre la última palabra. Y san Juan parecería decirnos en la «Llama» que cuando nos falla el lenguaje para expresar lo Indecible —por aquí, como recordaremos, «ya no hay camino»— es permisible recurrir al lenguaje universal del amor profano que todos sus lectores comparten. Justamente gracias a estos registros lingüísticos sentimentales de las caricias estremecidas y del enamoramiento delicado a los que era tan afín es por lo que nuestro poeta se ha animado a cantar a aquella innombrable *pulchritudo tam antiqua et tam nova* que tantos siglos antes descubriera, también en el hondón del alma iluminada, aquel otro enamorado que fue Agustín de Tagaste. Ya sabemos que san Juan de la Cruz ha cantado *al suo modo*, entreverando las imágenes de la pasión amorosa más ardiente con la abstracción indeterminada del místico puro que ha declarado, forzosamente, la guerra a las imágenes. Todo en este poema incandescente y a la vez enamorado nos habla en el fondo de la afasia radical de quien se ha animado a dejar dicho algo de una Realidad que fue percibida más allá de las tristes herramientas de percepción del conocimiento humano.

NOTAS

1. Hemos respetado en lo esencial el francés antiguo del *Memorial* de Pascal, tal como lo reproduce Zacharie Tourneur en su edición de los *Pensées* (Librairie Philosophique J. Vrin, Paris, 1942, p. 19). Importa sobre todo dejar destacada la palabra «FEU» tal como la trae el contemplativo.

2. El texto original está hoy perdido. Tourneur nos lo describe así: «Se trata de un texto escrito sobre un papel que se encontró doblado dentro de un pergamino que a su vez tenía las mismas palabras con ligeras variantes (algunas frases suprimidas y otras añadidas, trazadas, al parecer, posteriormente), y cosido bajo el forro del jubón de Pascal. Decoraba el papel una filigrana de tres borujos dentro de un blasón que se encontraba entre dos palmas. Hacia 1692, el padre Louis Pérrier, canónigo de la iglesia catedral de Clermont, encoló el papel sobre una hoja de filigrana "Cutucat" y sacó una "copia figurada" del texto escrito en el pergamino sobre otra hoja de la misma filigrana. Esto es lo que se puede deducir de la nota manuscrita que Louis Périer escribe y firma en uno de los márgenes de la copia.

»Los dos documentos, montados sobre cartivanas de filigrana A.B.V., fueron, después de 1711, compilados en una encuadernación de fecha posterior a 1731 (folios D y E). De otra parte, una hoja suplementaria, adjuntada en 1864 a la compilación, trae, pegada junto a otros papeles, una copia del "Memorial" hecho en Clermont-Ferrand, en caso de Pierre Guerrires, por un amigo del abate de Aulnays. En una carta del 31 de enero de 1777, este amigo refiere lo que este padre declara a propósito de la "copia figurada": el 31 de enero de 1732, Margarite Pérrier le había dicho que esta copia había sido hecha tan sólo treinta años después de la muerte de Pascal.

»Parece que al presente el pergamino se encuentra perdido.

»El original trae, en el encabezamiento, una cruz sencilla, sin rayos. En la copia de Pérrier el texto se encuentra precedido y concluido por una cruz rodeada de rayos» (*op. cit.*, p. 19).

3. *Mysticism*, p. 189.

4. Cf. Underhill, *ibid.*, y Henri Bremond, *Histoire Littéraire du Sentiment Religieux en France*, Paris, 1916-28, vol. IV, p. 359 ss.

5. El poeta le puso un título harto adecuado: «Canciones que hace el alma en la íntima unión con Dios». San Juan escribe sus cuatro liras (se trata de una lira especial de seis versos) aproximadamente entre los años 1584-1585. Dedica el poema, como se sabe, a su dirigida espiritual Ana de Peñalosa, y es casi seguro que, también a instancias de ella, redactara el comentario a las canciones en 1586. Como dato curioso señalo el hecho de que san Juan parece dialogar con toda confianza desde su prosa teológica con un lector que debe ser a todas luces su destinataria admitida: «Oh, dirás...» (Ll 3, 49); «Pues veamos si tú...» (Ll 3, 58); «a lo menos no me podrás decir...» (Ll 3, 57). El santo habrá de revisar estas glosas años más tarde, en La Peñuela, poco antes de su muerte en 1591. El poema de la «Llama» es, por lo tanto, el más tardío de los tres poemas principales de san Juan, ya que el «Cántico» se comienza hacia 1577-1578 en la cárcel de Toledo, y la «Noche oscura» hacia 1578-1579.

6. Sobre el lenguaje extremo de los Comentarios al poema de la «Llama», cf. Gaetano Chiappini, «El modelo general de la semántica del "deseo" en la primera declaración de la «Llama de amor viva (Texto B)»», en *ACIS*, vol. I, en especial las pp. 233-234.

7. Cito una vez más su *Poesía de San Juan de la Cruz. (Desde esta ladera)*, p. 131.

8. «Llama de amor viva», 1, 1. Continúo citando por la edición de la *Obra completa de San Juan de la Cruz* que llevé a cabo en colaboración con Eulogio Pacho.

9. «Perspectiva retórica de la prosa de la "Llama de amor viva"»: *Ínsula* 537 (1991), p. 23. Cuevas llama la atención también el hecho de que san Juan, desde sus años de estudiante en Medina, «sabe con Cicerón que *exclamatio affectus est* («la exclamación es afecto») y que en ella se basa un género literario que ha dado vida a libros como las *Confesiones* de san Agustín, los *Soliloquios* que también se le atribuyeron, el *Soliloquio* de san Buenaventura, las *Exclamaciones* de santa Teresa, etc.» (*op. cit.*, p. 25).

Dámaso Alonso (en su citado estudio *La poesía de San Juan de la Cruz*, pp. 161-162) y Helmut Hatzfeld («La prosa de San Juan de la Cruz en la «Llama de amor viva»», en *Estudios literarios sobre mística española*, Gredos, Madrid, 1955, pp. 359-386) también estudian este lenguaje ardiente entreverado de exclamaciones de la prosa con la que san Juan comenta las cuatro liras de la «Llama».

10. En la tercera estrofa hay una breve alusión en tiempo pasado: «Las profundas cavernas del sentido / que *estaba* oscuro y ciego» [énfasis mío]. El poeta se refiere, sin embargo, a un estado del alma anterior a la iluminación total que atraviesa ahora y que siempre se canta en tiempo presente.

11. «"Llama de amor viva". Poema del amor, del tiempo y la muerte»: *Monte Carmelo* 99 (1991), p. 458. Para una noticia bibliográfica de los principales estudios en torno a la «Llama», cf. la p. 446 de dicho estudio.

12. Cf. «Experiences of the Mystic Light», en *The Two and the One*, Harper Torchbooks, New York, 1969, pp. 19-77, y *Traité d'Histoire des Religions*, Paris, 1975.

13. *Confesiones* X, 16 (BAC, Madrid, 1956, p. 199).

14. Cf. *Analecta S. Hildegardis opera*, *Spicilegio Solesmensi parata*, Pitra, Analecta Sacra, vol. VIII, Paris, 1882, p. 332. Agradezco a mi entrañable amiga Roselén Rodríguez Orellana que me diera a conocer la edición moderna: *Hildegard von Bingen's Mystical Visions Translated from «Scivias»*, ed. de Bruce Hozeski, Bear & Co., Santa Fe, New Mexico, 1995. Ed. española, *Scivias*, trad. y ed. de Antonio Castro, Trotta, Madrid, 1998.

15. Eulogio Pacho indica que el símil místico de la luz —la «mística de las luces»— se dio en España mucho antes de que se introdujera la obra de santa Gertrudis de Helfta en el siglo XVII. Ahí están, entre otros posibles ejemplos, el *Dilucidario del verdadero espíritu* de Jerónimo Gracián y la *Lumbre del cielo* de Juan de Cazalla («Contribución sanjuanista a la mística de la "luz y de la oscuridad" (Integración doctrinal y lingüística)», en M. J. Mancho Duque (ed.), *La espiritualidad española..*, pp. 167-184.

16. *Libro de la vida*, XXVIII, 5 (BAC, Madrid, 1977, p. 124).

17. Cf. Underhill, *op. cit.*, p. 249.

18. *Illuminations in Islamic Mysticism*, Princeton, 1938, p. 12.

19. Cf. su citado estudio *Mystical Dimensions of Islam*.

20. Curiosamente, el paralelo escapa a Miguel Asín Palacios (*Šāḍilīes y alumbrados*. Estudio introductorio de L. López-Baralt, Hiperión, Madrid, 1990) y a Antonio Márquez (*Los alumbrados. Orígenes y filosofía, 1525-1559*, Taurus, Madrid, 1972). El vocablo «alumbrado» merece más estudio. Aún se aplica en castellano el apelativo de «alumbrado» a un borracho (¿tenue recuerdo de esta secta a menudo delirante de «embriagados» espirituales?). Asimismo, no deja de ser peculiar el uso de vocablos de sentido orientalizante para la borrachera: una «curda», una «turca».

21. El Reformador se burla amargamente de los maestros espirituales que, en su ignorancia de la otra vida del espíritu, sacan a las almas de la oración contemplativa profunda a la que han llegado como nivel auténtico en su camino hacia Dios. Estos confesores, nefastos en opinión de san Juan, victimizan a sus dirigidos, asustándoles con una posible cercanía a la espiritualidad de los alumbrados: «[...] vendrá un maestro espiritual que no sabe sino martillar y macear con las potencias como herrero, y, porque él no enseña más que aquello y no sabe más que meditar, dirá: "Andá, dejaos de esos reposos, que es ociosidad y perder tiempo; sino tomá y meditá, y haced actos interiores, porque es menester que hagáis de vuestra parte lo que en vos es que esotros son alumbramientos y cosas de bausanes"» (Ll 3, 43).

Ante tal incomodidad para con los maestros espirituales que lo que hacían era atrasar el camino de sus dirigidos, no es de extrañar que el santo reclame para los adelantados en la vía mística la libertad de conciencia: «ya por aquí no hay camino, porque para el justo no hay ley, él para sí se es ley». El santo escribe estas palabras en la cima del grabado de su simbólico Monte Carmelo.

22. Citamos una vez más por la edición bilingüe árabe-inglesa del *Tarÿumān al-ašwāq* de R. A. Nicholson, Royal Asiatic Society, London, 1911, p. 84. La traducción al español es nuestra.

23. Citamos por la traducción de Asín Palacios, en *La espiritualidad de Algazel y su sentido cristiano*, vol II, Escuela de Estudios Árabes, Madrid-Granada, 1935, p. 363.

24. *Juan de Valdés (¿1498?-1541). Su pensamiento religioso y las corrientes espirituales de su tiempo*, Analecta Gregoriana, Roma, 1957, p. 17.

25. *Mystical Dimensions...*, p. 96.

26. Citamos el *Ihyā' 'ulūm ad-dīn. Vivification des sciences de la foi* por la edición de G. H. Bousquets, Librairie Max Besson, Paris, 1955, pp. 381-382. La versión española es mía.

27. Abū-l-Ḥasan al Šāḍilī, *Majāfīr*, 97, 199, *apud* Asín, «Šāḍilīes y alumbrados»: *Al-Andalus* XII (1947), pp. 259-260, reeditado en mi citada edición de los *Šāḍilīes...* para Hiperión de Madrid. Cf. también el caso análogo de Aḥmad al-Kharrāz, *apud* Margaret Smith, *The Sufi Path of Love. An Anthology of Sufism*, Luzac & Co., London, 1954, pp. 121-122.

28. *Kašf al-Mahjūb, apud* Schimmel, *op. cit.*, p. 6. La traducción española es mía.

29. Cf. Félix Pareja, *La religiosidad musulmana*, BAC, Madrid, 1975, p. 378.

30. Cito por Henry Corbin, *L'homme de lumière...*, pp. 113-114. La traducción española es mía.

31. Cito por Schimmel, *op. cit.*, pp. 48-49. La traducción española es mía.

32. Luis Miguel Fernández resume acertadamente la conclusión de muchos sanjuanistas cuando explica que la «Llama» se diferencia de los otros poemas del santo «en que no explica el proceso de la unión en su desarrollo sino en su estado final» («El desdoblamiento en la "Llama de amor viva"». Una cala en la canción tercera», en *ACIS*, vol. I, p. 387).

33. Sobre esta metáfora del alma o corazón del místico, cf. Keith Egan, «The Symbolism of the Heart in John of the Cross», en A. Callahan (ed.), *Spiritualities of the Heart,* New York, 1989.

34. Se impone un estudio a fondo sobre el uso de la voz femenina en la poesía de san Juan de la Cruz. San Juan toma prestada la voz literaria femenina de una antigua convención poética que, en el caso suyo, debe derivar del *Cantar de los cantares*, pero que es de profunda raigambre oriental. Basta recordar las jarchas y aun buena parte de la lírica árabe y hebrea popular. Muchos romances castellanos privilegian, igualmente, la voz femenina. Importa subrayar, sin embargo, el hecho de que nuestro poeta siempre canta sus mejores poemas desde la perspectiva de la mujer, como si esta máscara femínea indicara que está dando rienda suelta y libertad total a la dimensión «femenina» —vale decir, afectiva, intuitiva, amorosa— de su psique profunda. Es curioso que encontremos una voz poemática claramente masculina sólo en los poemas menores, como en el caso de la glosa «Sin arrimo y con arrimo», que alude a un protagonista poemático varón: «*todo me voy consumiendo*» (énfasis mío). No cabe duda: el Reformador parece sentirse más cómodo en clave femenina.

35. G. Castro, *op. cit.*, p. 456.

36. L. M. Fernández, *op. cit.*, pp. 390-391.

37. *Ibid.*, p. 396.

38. La frase la emplea Leo Spitzer para referirse a Pedro Salinas («El conceptismo interior en la poesía de Pedro Salinas»: *Revista Hispánica Moderna* VII [1941], p. 59). Sobre esta altísima «gramática mística», cf. también Martin Buber, *I and Thou*, Scribner Library, New York, 1958.

39. Cito el estremecedor poema «Pareja, espectro» de *Largo lamento*, en el que Salinas parece desdecirse de su jubiloso «¡Qué alegría más alta: / vivir en los pronombres!».

40. Podemos ver una curiosa versión «menor» de la «Llama» y sus implicaciones espirituales transformantes en la Glosa «Sin arrimo y con arrimo» de san Juan:

«Hace tal obra el amor
después que le conocí,
que, si hay bien o mal en mí,
todo lo hace de un sabor,
y al alma transforma en sí;
y así, en su llama sabrosa,
la cual en mí estoy sintiendo,
apriesa, sin quedar cosa,
todo me voy consumiendo».

Salta a la vista el largo recorrido estético que va desde esta breve versión poética a la versión de la «Llama» que venimos examinando.

41. «Teoría y práctica del deseo según San Juan de la Cruz»: *Ínsula* 537 (1991), p. 32.

42. San Juan deja meridianamente claro el hecho de que en la «Llama» se describe el proceso de la unión transformante. El alma «está en estado de transformación de amor» (1, 4) y por eso «no puede el alma hacer actos; que el Espíritu Santo los hace todos y la mueve a ellos, y por eso todos los actos de ella son divinos, pues es hecha y movida por Dios» (*ibid.*). Como el alma está aquí «hecha una mesma cosa [con Dios], en cierta manera es Dios por participación [...] cuanto más unida [está] en Dios, está dando a Dios al mismo Dios en Dios, y es verdadera entrega y dádiva de el alma a Dios» (3, 78). Continúa san Juan: «y así, entre Dios y el alma está actualmente formando un amor recíproco en conformidad de la unión y entrega matrimonial, en que los bienes de entrambos, que son la divina esencia, poniéndolos cada uno libremente por razón de la entrega voluntaria del uno al otro, los poseen entrambos juntos...» (3, 79).

43. Exploro este misterio esencial —y la reacción de que ha sido objeto por parte de los lectores del santo desde antes de la publicación de sus poemas— en el *Estudio preliminar* de la citada edición de la *Obra completa* que hice en colaboración con E. Pacho, y en mi estudio *San Juan de la Cruz y el Islam.*

44. *La poesía de San Juan...,* p. 79.

45. Citamos el Prólogo a la «Llama», que san Juan dedica a su interlocutora y destinataria Ana de Peñalosa, matrona segoviana que fue su dirigida espiritual.

46. *Ibid.*

47. Los más altos espirituales de todas las religiones se han mostrado refractarios a hablar de Dios. Plotino pide excusas por tener que usar el lenguaje humano para ello, ya que considera que, en sentido estricto, el lenguaje no es aplicable a esa Realidad inmarcesible. Por su parte, Hilario, obispo de Poitiers, considera que Dios trasciende no sólo la palabra sino el pensamiento mismo. Todavía resuena la emoción contenida en el latín terso de san Agustín: nos animamos a hablar de Dios «non ut illud diceretur sed ne taceretur» [«no por decirlo, sino por no callar»] (*De Trin.*, v., 9). Maimónides aún va más lejos al afirmar en su *Guía de perplejos* que aquel que se atreve a afirmar los atributos de Dios inconscientemente pierde su fe en él. (El rabino de Córdoba, a quien *Meister* Eckhart citará como autoridad, parece muy cerca de la respetuosa abstención del uso del nombre de Dios —el *Tetragrámmaton*— que caracterizó al judaísmo tardío. Santo Tomás, por su parte, evade la alternativa del silencio y se esfuerza en su *Summa* por defender la legitimidad del pensamiento especulativo teológico, explicando que las palabras que usamos para referirnos a Dios (al contrario de las palabras usuales) no expresan la esencia divina tal y como ésta es en sí. Es elocuente el hecho de que cuando el célebre teólogo experimenta al fin el éxtasis místico, abandona para siempre su pluma de teólogo. Cf. mi citado estudio *San Juan de la Cruz y el Islam*, pp. 19 ss.

48. B. Sesé, *op. cit.*, p. 32.

49. «El elemento aéreo...», p. 8.

50. «*Vuelta a lo divino* y "misterio técnico" en la poesía de San Juan de la Cruz»: *Ínsula* 537 (1991), p. 9.

51. Insisto en el descenso por lo que tiene de interiorización psíquica, aunque, como dejé dicho en el capítulo anterior, Joaquín García Palacios observa cómo el propio poeta dota a su llama simbólica de dos movimientos simultáneos: uno ascendente y otro interiorizante. Esto es así porque el fuego sube hacia arriba, pero, según san Juan, también «la llama todos los movimientos y llamaradas que hace con el aire inflamado son a fin de llevarle consigo al centro de su esfera» (LB 3, 10) (*Los procesos de conocimiento...*, p. 176). Gabriel Castro, por su parte, entiende que «La representación lineal que con más aproximación conviene a este poema es la espiral ascendente» (*op. cit.*, p. 475). En mi propio caso, me atrevería a optar, como hace el propio san Juan de la Cruz, por los dos movimientos simultáneos para el símbolo de la «Llama»: ascendente e interiorizante. La llamarada asciende en espiral ascendente, sí, pero también ilumina y abrasa las cavernas del sentido y del más profundo centro del alma, con lo que es, simultánea y obligadamente, interiorizante.

52. Vale la pena seguir de cerca las palabras apasionadas con las que Cardenal nos da testimonio de la cima de su experiencia mística: «[...] Y el alma que ha perseguido la dicha toda su vida sin saciarse nunca y buscado todos los instantes la belleza y el placer y la felicidad y el gozo, queriendo gozar más y más y más, ahogada en un océano de deleite insoportable, sin orillas y sin fondo, exclama: "¡Basta! ¡Basta ya! ¡No me hagas gozar más, si me amas, que me muero!". Penetrada de una dulzura tan intensa que se vuelve dolor, un dolor indecible, como algo agri-dulce pero que fuera infinitamente amargo e infinitamente dulce. Todo es tal vez en un segundo, y tal vez no se volverá a repetir en toda su vida, pero cuando ese segundo ha pasado el alma encuentra que toda la belleza y las alegrías y gozos de la tierra han quedado desvanecidos, son como "estiércol" como han dicho los santos

(*skybala*, "mierda", como dice san Pablo) y ya no podrá gozar jamás en nada que no sea Eso y ve que su vida será desde entonces una vida de tortura y de martirio porque ha enloquecido, está loca de amor y de nostalgia de lo que ha probado, y va a sufrir todos los sufrimientos y todas las torturas con tal de probar una segunda vez, un segundo más, una gota más, esa presencia» (*Vida en el amor*, Trotta, Madrid, 1997, p. 53).

53. Otro tanto santa Teresa de Jesús, que tampoco acierta a decir si estos raptos indecibles se experimentan en el alma o en el cuerpo: «Quien pasare por ellas [estas experiencias espirituales], que tenga más habilidad que yo, las sabrá quizá dar a entender, aunque me parece bien dificultoso. Si esto todo pasa estando en el cuerpo u no, yo no lo sabré decir; al menos ni juraría que está en el cuerpo, ni tampoco que está el cuerpo sin el alma» (*Moradas del castillo interior*, VI, 5,8, apud *Obras completas de Santa Teresa de Jesús*, BAC, Madrid, 1976, p. 48).

54. Lo ha visto también Gabriel Castro: «[En la "Llama"] ya se ha trascendido toda imagen» (*op. cit.*, p. 470). Como se sabe, san Juan y santa Teresa tenían una manera diferente de enfocar su espiritualidad trascendida. Eran místicos de muy distinto temperamento, y una sola frase de santa Teresa nos sintetiza de súbito esas diferencias: «es demasiado refinado. Espiritualiza hasta el exceso». Es que el vehementemente abstracto «Doctor de las nadas» rechazaba las imágenes a las que aún su excelsa hija espiritual parecía estar apegada. Recordemos la insistencia de santa Teresa en las voces —que san Juan trasciende y aún teme— y en las imágenes como la del ángel de la transverberación. Para san Juan toda imagen o idea implicaba atadura, fragmentación y desunión del Todo. Los Reformadores no parecían estar en completo acuerdo acerca del camino místico a seguir para unirse a la Divinidad: baste comparar la enseñanzas de la *Subida del Monte Carmelo* (II, 12, 6) en torno al uso de imágenes en la meditación como cosa de principiantes, con las indicaciones de santa Teresa en el libro sexto de sus *Moradas del castillo interior*: aun después de la unión transformante urge al lector a meditar en la humanidad de Cristo. Huir de las imágenes corpóreas, nos dice, «no me harán confesar que es buen camino» (VI, 7, 5). Como teórico místico, san Juan, en cambio, es muy puro, y todo ello no empece su devoción personal por Cristo.

55. En su *Rosal secreto* advierte el místico cómo ve las luces suprasensibles justamente a través de este ojo luminoso y metafórico. Citamos por Henry Corbin, «Symboles choisis de la Roseraie du mystère», en *Trilogie Ismaélienne* III, Teheran/Paris, 1961, p. 177.

56. San Juan reitera la imagen simbólica de la ceguera en sus poemas menores. Recordemos el caso de las Canciones «tras un amoroso lance...»: «Cuanto más alto subía / deslumbróseme la vista, / y la más fuerte conquista / en oscuro se hacía; mas, por ser de amor el lance, / di un ciego y oscuro salto, / *y fui tan alto, tan alto,* / *que le di a la caza alcance*». El *leit-motiv* se repite, entre otros casos, en la Glosa «Sin arrimo y con arrimo»: «Y, aunque tinieblas padezco / en esta vida mortal, / no es tan crecido mi mal, / porque, si de luz carezco, / tengo vida celestial; / porque el amor de tal vida, / cuando más ciego va siendo, / que tiene el alma rendida, / *sin luz y a oscuras viviendo*».

57. En el citado estudio «Ibn 'Arabī's Garden Among the Flames: a Reevaluation»: *History of Religions* XXXIII (1984), pp. 290-292.

58. M. Sells, *op. cit.*, p. 121.

59. Sobre estas imágenes de luz y calor en la «Llama», cf. el inteligentísimo ensayo de Joaquín García Palacios, «Léxico de "Luz" y "Calor" en la "Llama de amor viva"», en Otger Steggink (coord.), *Juan de la Cruz, espíritu de llama. Estudios con ocasión del cuarto centenario de su muerte (1591-1991)*, Institutum Carmelitanum, Roma/Kok Pharos Publishing House, Kamper, The Netherlands, 1991, pp. 383-412.

60. *Apud* R. A. Nicholson, *Poetas y místicos del Islam*, Orión, México, 1945, p. 198.

61. En su Prólogo al *Mishkat al-anwār* (*The Niche of Lights*) de Al-Ghazzalī, Royal Asiatic Society, London, 1924, p. 44.

62. *The Sheikhs of Morocco*, London, 1909, p. xxxii.

63. Cf. Laleh Bakhtiar, *Sufi. Expressions of the Mystic Quest*, Thames & Hudson, London, 1976, p. 96.

64. Exploro el tema con más detalle en mi libro *San Juan de la Cruz y el Islam*, pp. 249 ss.

65. *Op. cit.*, p. 469.

66. Garcilaso repite el lugar común literario en la Égloga II: «Queriéndome llevar do se rompiese / aquesta tela de la vida fuerte».

67. Morón Arroyo, «Texto de amor vivo»: *Ínsula* 537 (1991), p. 15. Para la traducción de Barnstone, cf. *The Poems of St. John of the Cross*, New Directions Book, New York, 1972, p. 57. La traducción de la «Llama» de Barnstone, bellísima por cierto, carga la mano, no cabe duda, en la interpretación sexualizada del texto, con el que se toma algunas libertades. Traduce, por ejemplo, «re-

cuerdas en mi seno» por «you make my breasts recall» [«haces que mis senos recuerden»]; mientras que el final «[...] ¡cuán delicadamente me enamoras!» deviene el ambiguo «[...] how tenderly you make me love» [«cuán delicadamente me haces amar»], en el que el verbo *love* puede significar «enamoramiento» pero también «hacer el amor». En todo caso, Barnstone capta la ambigüedad esencial erótico-espiritual del santo y la trasvasa persuasivamente a su idioma.

Recordemos, sin embargo, que no todos los traductores que han vertido al inglés la «Llama» ofrecen una versión erotizada del poema. Antonio T. de Nicolás, por ejemplo, se atiene exclusivamente al sentido neoplatónico de la ruptura del velo de lo fenomenológico: «Rend the veil of this sweet encounter» (*St. John of the Cross. Alchemist of the Soul*, Paragon House, New York, 1989, p. 129).

68. *Ibid.*
69. *San Juan de la Cruz. Poems*, Tamesis Books, 1975, p. 53.
70. *Op. cit.*, p. 57.
71. *Op. cit.*, p. 455. También Luis Miguel Fernández advierte esta súbita «presencia humana desconocida» de la mano que produce el «toque» delicado (*op. cit.*, p. 390).
72. A este propósito no hay sino recordar la correspondencia de santa Teresa con su amigo, confesor y confidente Jerónimo Gracián. El grado exacerbado de afecto que la monja sentía por su compañero de Reforma asombra de veras al lector moderno. Santa Teresa siente celos de las personas a quienes Gracián presta particular atención (incluso, de su madre) y le exige una reciprocidad afectiva que le resulta tan extrema a Gerald Brenan que lo lleva, bien que con los matices y precauciones necesarias, a concluir que «se enamoró de él» (*she fell in love with him*) (*St. John of the Cross: His Life and Poetry*, Cambridge University Press, Cambridge, 1973, p. 42).

Nada de ello nos debe parecer ni exagerado ni impropio. Evelyn Underhill aborda el estudio del fenómeno de esta afectividad exacerbada que caracteriza el temperamento de los más altos espirituales. De ahí que los místicos auténticos suelan encontrar su «alma gemela» en otro espiritual al que sean particularmente afines. La relación intensamente afectiva que existió entre Jerónimo Gracián y santa Teresa se repetirá en la célebre de san Francisco y santa Clara en Occidente y en la de Ŷalāluddin Rūmī y el Sol de Tabriz en Oriente. Un místico moderno como Ernesto Cardenal no tiene reparos en admitir la proclividad de su alma enamorada al amor humano. Como se sabe, cantó a las amadas de su juventud (sobre todo a Claudia) en apasionadísimos epigramas de corte clásico, y ya como contemplativo se consuela pensando que encontrará en Dios los besos que se inhibió de dar en su vida monacal de renuncia. Pero la sed de amor todavía lo atenaza en plena madurez: en la sobrecogedora Cantiga 34 del *Cántico cósmico* (Trotta, Madrid, ²1993 y Nueva Nicaragua, Managua, 1990) comparte con el lector lo que da en llamar «la aparición de Hamburgo». Se trata de una muchacha alemana que le recuerda poderosa, perturbadoramente la última amada que abandona para irse a la Trapa. Y el poeta tiene la valentía de preguntarse si ha hecho bien en renunciar al amor de las criaturas para concentrar en el amor a Dios: «[...] mi linda muchacha [...] / a la cual yo cambié por Dios, / vendí por Dios, ¿salí perdiendo? / Te cambié por tristeza» (p. 297).

73. G. Castro, *op. cit.*, p. 466.
74. Los anticlímax teológicos de muchos de estos poemas «menores» resultarían en un estudio muy fecundo: san Juan escapó en el «Cántico», la «Noche» y la «Llama» a la tentación pedagógica que gravita como fuerte defecto en buena parte del resto de su obra poética. Recordemos, por ejemplo, el estremecedor «Cantar del alma que se huelga de conocer a Dios por fe», y que comienza con aquel envidiable y certero «Qué bien sé yo la fonte que mana y corre, / aunque es de noche». Después de una concatenación apasionada de versos en los que el protagonista poemático insiste en que la «fonte» simbólica literalmente «no se puede decir», porque es inefable y trascendente, termina por caer en la explicitación teológica al sugerir el misterio de la Trinidad y aun de la Eucaristía: «Aquesta viva fuente que deseo, / en este pan de vida yo la veo, aunque es de noche». El poema, que tanto prometía por su arranque simbólico, perdió su misterio, su fecunda ambigüedad y multiplicidad significativa, y se convirtió así en uno de los poemas «menores» del santo. Otro tanto sucede con las «Coplas hechas sobre un éxtasis de harta contemplación». La inquietante opacidad del «Entréme donde no supe, / y quedéme no sabiendo, / toda ciencia trascendiendo» se pierde al final, en que el poema entrega —lamentablemente— su misterio: «Y, si lo queréis oír, / consiste esta suma ciencia / en un subido sentir / de la divinal esencia; / es obra de su clemencia / hasta quedar no entendiendo, / toda ciencia trascendiendo». El poema había sido estructurado a base de negaciones —de Dios, como del Tao de los orientales, no se puede decir nada que sea como él— y esa inefabilidad sugerida se pierde ante un final que resulta excesivamente explícito. Los versos finales traicionan, por otra parte, el mensaje fundamental del poema, que es precisamente la suprema ininteligibilidad de Dios. El santo

ha insistido tanto en ello en sus propios escritos teológicos y en sus mejores poemas que podríamos decir que es su obsesión central como poeta y como místico. Es mejor sugerir el «no se qué que quedan balbuciendo» que traicionar el «balbuceo» con una explicación literal.

Siento la tentación de pensar que en casos como estos del anticlímax poético de los poemas «menores» san Juan adecuó sus versos al sector menos sofisticado de su público lector religioso, que acaso fuera también el más exigente en materias de ortodoxia. (Una vez más, cabe pensar lo buenas lectoras que serían Ana de Jesús y Ana de Peñalosa, las destinatarias de los mejores poemas del Reformador. Quién sabe si su condición de monjas y de mujeres propició en el santo un sentido de mayor libertad creativa.)

Sea como fuere, estos poemas «menores» implican un fenómeno poético semejante al que hemos venido explorando en el caso de la «Llama». Es difícil mantener por demasiado tiempo el tono abstracto y la celebración gozosa de lo ininteligible en un poema en el que se intenta comunicar un mensaje espiritual que resulte accesible a la mayoría de los lectores.

75. Estas breves caídas poéticas de la «Llama» recuerdan aquella «Glosa» en la que san Juan cantó, con bastante poca fortuna poética, por cierto, a la transformación de su alma convertida en «llama sabrosa». Parecería que estamos ante un ensayo poético de lo que luego sería el poema final de la «Llama»: «Hace tal obra el amor / después de me conocí, / que, si hay bien o mal en mí, / todo lo hace de un sabor, / y al alma transforma en sí; / y así, en su llama sabrosa, / la cual en mí estoy sintiendo, / apriesa, sin quedar cosa, / todo me voy consumiendo».

76. *Saint Jean de la Croix et le problème de l'expérience mystique*, Librairie Félix Alcan, Paris, 1924, p. 360.

77. Somos perfectamente conscientes de lo mucho que debe san Juan al lenguaje bíblico (lo acaba de recordar minuciosamente Keith J. Egan en su ensayo «The Biblical Imagination of John of the Cross in the «Living Flame of Love»», que apareció en el citado volumen *Juan de la Cruz, espíritu de llama*, pp. 507-522). Sin embargo, debo admitir que la literatura mística musulmana es a menudo mucho más útil que estos contextos bíblicos para dilucidar el sentido de algunas de las imágenes más complejas de san Juan. Las «lámparas de fuego» es precisamente una de ellas: nuestro poeta está mucho más cerca de los sufíes que de su admirado epitalamio en la elaboración del elusivo símil. La imagen, como advertí, dejó perplejo a Baruzi, pero era nada menos que un *leit-motiv* de la literatura de los embriagados místicos del Islam.

78. Refiero al lector, una vez mas, a mi estudio *San Juan de la Cruz y el Islam*, donde me detengo más en este estudio comparatista de los símbolos sanjuanistas e islámicos (pp. 252 ss.).

79. *Apud* R. A. Nicholson, *Poetas y místicos del Islam*, versión española y estudio preliminar de Fernando Valera, Orión, México, 1945, p. 79.

80. *Apud* Henry Corbin, *L'homme de lumière...*, p. 79.

81. *Apud* M. Asín Palacios, *La espiritualidad de Algazel y su sentido cristiano*, Escuela de Estudios Árabes, Madrid-Granada, 1935, p. 371.

82. *Apud* M. Asín Palacios, *El Islam cristianizado. Estudio del «sufismo» a través de las obras de Abenarabí de Murcia*, Plutarco, Madrid, 1931, p. 423.

83. Citamos la azora coránica por la ya citada versión española de Juan Vernet del *Corán*, p. 363.

84. *Apud* J. Arberry, *Sufism. An Account of the Mystics of Islam*, George Allen & Unwin Ltd., London, 1968, p. 50.

85. Las palabras son de L. Bakhtiar, *op. cit.*, p. 20.

86. Cito el *Nicho de las luces* por Bakhtiar, *op. cit.*, p. 20.

87. M. Asín Palacios, «Šāḏiliēs...»: *Al-Andalus* XIII (1948), p. 264. (Refiero al lector a la citada edición reciente que hice en 1990 del texto póstumo de Asín para Hiperión de Madrid.)

88. Esboza el símil de los siete castillos concéntricos en términos idénticos a los de santa Teresa; insiste en el árbol que crece en las aguas de la contemplación del interior del alma; en la imagen del alma como jardín que hay que regar con aguas de manantial cuando hay contemplación infusa y con agua acarreada por arcaduces cuando la oración es dificultosa, entre muchos otros símiles. Estoy en vías de publicar la traducción al español del tratado completo de las *Maqāmāt al-qūlūb*, acompañada de un estudio preliminar. Curiosamente, este opúsculo es uno de los textos místicos musulmanes que más paralelos guarda con la espiritualidad española auriseculra.

89. *Maqāmāt al-qūlūb. Textes mystiques inédites*, Ed. Paul Nwyia, Beirut, 1968, p. 132.

90. «Levántate, amiga mía, graciosa mía, y ven, paloma, en los horadados de la piedra, en la caverna de la cerca...» (Cant 2, 13-14). San Juan cita el versículo en Ll 1, 28.

91. «Teoría y práctica...», p. 32.

92. Joaquín García Palacios advierte cómo en los comentarios a la «Llama» san Juan hace un extraño uso del sustantivo *sombra*, que termina, muy al contrario de lo que significaba el mismo lexema en la «Noche», por significar *luminosidad*. En la «Noche», el Reformador había manejado el vocablo *sombra* con el primer sentido que le da el *Diccionario de Autoridades*: «La oscuridad que se causa de oponerse a la luz o cuerpo sólido y que impide la dirección de sus rayos». Un significado luminoso negativo muy diferente al que aparece en «Llama». En este tratado el lexema se realiza según la tercera acepción del *Diccionario de Autoridades*: «Significa también la apariencia o semejanza de alguna cosa». San Juan hace a *sombra* sinónimo de *resplandor*, entendido éste como «reflejo de algo». Así, el significado de «sombra» siempre es positivo en «Llama»: «hacer sombra es tanto como amparar, favorecer y hacer mercedes», dice san Juan. «La sombra que hace al alma la lámpara de la hermosura de Dios, será otra hermosura», la de la fortaleza será otra fortaleza, la de la sabiduría será «la misma sabiduría [...] de Dios en sombra». Es evidente su significado positivo tan alejado del que tiene este lexema en «Noche» («Consideraciones sobre el símbolo de la "llama"», p. 165).

93. Me refiero, claro está, a las coplas «Tras un amoroso lance», en las que san Juan, al describir la experiencia teopática, anula las perspectivas espaciales:

«Cuanto más alto llegaba
de este lance tan subido,
tanto más bajo y rendido
y abatido me hallaba;
dije: ¡No habrá quien alcance!;
y abatíme tanto tanto
que fui tan alto, tan alto,
que le di a la caza alcance.»

94. Ya cité a Joaquín García Palacios al efecto de que ambas sensaciones —la de profundidad y la de ascenso— se dan en el fuego de la llama que se celebra en este poema: el fuego sube hacia arriba pero engolfa hacia el centro de su esfera el aire que toca (cf. *Los procesos de conocimiento...*, p. 176).

95. Por «naturalizar» Culler entiende «hacer familiar», o «asumir», apropiándoselo, un concepto o idea literaria (cf. su *Structural Poetics*, Cornell University Press, Ithaca, New York, 1975).

96. Es tan gráfica y tan convincente la pintura que el santo nos hace de esta condición inconcebible de la conciencia interior que vale la pena insistir en su comentario: «[...] es de notar que estas cavernas de las potencias, cuando no están vacías y purgadas y limpias de toda afición de criatura, no sienten el vacío grande de su profunda capacidad; porque en esta vida cualquiera cosilla que a ellas se pegue basta para tenerlas tan embarazadas y embelesadas que no sientan su daño, y echen menos sus inmensos bienes ni conozcan su capacidad. Y es cosa admirable que, con ser capaces de infinitos bienes, baste el menor de ellos a embarazarlas de manera que no los puedan recibir hasta de todo punto vaciarse, como luego diremos.

»Pero cuando están vacías y limpias, es intolerable la sed y ansia del sentido espiritual, porque, como son profundos los estómagos de estas cavernas, profundamente penan, porque el manjar que echan menos también es profundo, que, como digo, es Dios» (Ll 3, 18).

97. Oigamos directamente al santo: «Es, pues, de notar que el amor es la inclinación del alma y la fuerza y virtud que tiene para ir a Dios, porque mediante el amor se une el alma con Dios: y así, cuantos más grados de amor tuviere, tanto más profundamente entra en Dios y se concentra con él. De donde podemos decir que cuantos grados de amor de Dios el alma puede tener, tantos centros puede tener en Dios, uno más adentro que otro, porque el amor más fuerte es más unitivo...» (1, 13).

98. *Apud* Schimmel, *Mystical...*, p. 174.

99. Pongo al día la teoría de Asín Palacios acerca del origen musulmán de la imagen, y reflexiono sobre la reciente hipótesis de Catherine Swietlicki en torno a la posibilidad de elementos cabalísticos en la misma en mi citada edición de los *Šāḍilīes...* y en la versión inglesa de mis *Huellas del Islam...* (Brill, Leiden, 1992). En breve daré a la luz mi reciente hallazgo del símil de los siete castillos concéntricos en el *Gawr al-umur* de Tirniḏī al-Ḥakīm (siglo IX).

100. El verso es de la *Jamriyya* o *Elogio del vino* de Ibn al-Fāriḍ, que Juan Goytisolo homenajea, fundiéndolo afortunadamente con el de san Juan en sus *Virtudes del pájaro solitario*: «En la interior bodega de mi Amado bebí / un vino que me embriagó antes de la creación de la viña».

101. Para estas subdivisiones simbólicas concéntricas de la psique, contrapartida del universo esférico, cf. mi estudio «El símbolo de los siete castillos concéntricos del alma en Santa Teresa y en el Islam», en *Huellas del Islam...*, pp. 73-98.

102. *Die «Fawā'iḥ al-Gamāl wa Fawātiḥ al-Galāl» des Nagm Ad-din al Kubrā*, p. 17.

103. Cf. H. Corbin, *L'homme de lumière...*, pp. 156-157.

104. Cf. J. M. Cowan, *Arabic-English Dictionary*, pp. 784-785.

105. Recordemos que no es la primera vez que hemos sorprendido a san Juan manejando símiles que dependen estrechamente de los significados de raíces árabes: aquel corazón u hondón del alma del «Cántico» era capaz de reflejar como manantial o como espejo pulido los ojos del Amado, que preconizaban el proceso de transformación mística: sólo un árabe aceptaría bien las curiosas desinencias de la imagen, porque todas se encuentran en la raíz árabe *q-l-b*. Estas aparentes incursiones —o, al menos, paralelos— del santo en los distintos matices de las raíces árabes merece más estudio. Claro que estas posibilidades significativas simultáneas de las raíces trilíteras árabes le pueden haber llegado lexicalizadas y convertidas en símiles que se repiten ya sin recuerdo del juego lingüístico que les dio origen. Las coincidencias, tan estrechas, son, sin embargo, de veras sorprendentes.

106. Al-Kubrã, *op. cit.*, p. 17.

107. *Ibid.*, p. 8.

108. *L'homme de lumière...*, p. 121.

109. Para un estudio del léxico de la naturaleza en san Juan, referimos al lector al ya citado estudio de M. J. Mancho Duque, «El elemento aéreo en la obra de San Juan de la Cruz: léxico e imágenes».

110. Para un estudio más a fondo de esta sorprendente alquimia verbal sanjuanística, cf. *San Juan de la Cruz y el Islam*, pp. 76 ss.

111. El antiguo ensayo de Symons, que citamos por Underhill (*Mysticism*, p. 89), apareció en el *Contemporary Review* en abril de 1899. La estudiosa omite el título del artículo.

112. Como recordaremos, en la primera lira el protagonista poético se desdobla y habla de su «alma» como entidad aparte. Pero no vale pensar que es el «alma» femenina quien habla ahora, ya que lo que se comienza a desarrollar es una escena de amor humano, en la que es fuerza imaginar a una actante femenina y no a una abstracción espiritual.

113. La frase es de Cristóbal Cuevas, que la usa en otro contexto en su edición del «Cántico espiritual» de san Juan de la Cruz (Alhambra, México, 1985).

114. Leídos en conjunto, los poemas del santo forman un verdadero arabesco de asociaciones verbales continuas. Es muy aleccionador seguirlo de cerca. Este pasaje de la «Llama» en el que el querido «recuerda» es asociable no sólo a su contrapartida de la «Noche», en el que el amado «dormía», sino también al «Cántico». Allí la emisora de los versos suplicaba al viento «ven austro, que recuerdas los amores, / aspira por mi huerto, / y corran sus olores / y pacerá el Amado entre las flores». Ya desde el «Cántico» vemos, pues, que el amor iba anticipadamente a despertar en el huerto florido del alma de la amada. El símil del alma como huerto es muy socorrido en la literatura espiritual de Oriente y de Occidente, por lo que sería rápidamente descodificable por los primeros lectores de san Juan. No sé cuán avisados serían estos lectores, sin embargo, para advertir también que cuando san Juan habla de huertos y de flores está hablando, simultáneamente, de iluminación espiritual. El aire en movimiento o austro que despierta el Amor parecería asociable también al «aire del almena» o noticia de Dios que hace que la amada de la «Noche» salga finalmente de sí, haciéndola «despertar» a su nueva vida transformada en el Amado. No sabemos, pues, quién despierta y quién duerme; a quién acaricia el aire; si se trata de flores o de luz espiritual. O de todo ello a la vez, ya que el mensaje subliminal más importante es la acción transformante del alma en Dios.

115. El poeta insistió mucho en el «Cántico» en esta mirada transformante: «cuando tú me mirabas / tu gracia en mí tus ojos imprimían / por eso me adamabas / y en eso merecían / los míos adorar lo que en ti vían».

116. Otro tanto observó M. J. Mancho Duque en su citado ensayo «El elemento aéreo...», p. 20.

117. Vuelvo a citar su «Ibn 'Arabī's Polished Mirror: Perspective Shift and Meaning Event»: *Studia Islamica* 66 (1988), pp. 121 y 131.

118. También es de todos conocida la extrema importancia que tienen los ejercicios respiratorios en las prácticas contemplativas de todas las religiones. Desde los monjes Zen hasta los derviches sufíes hasta san Ignacio de Loyola y Juan de los Ángeles instruyen pormenorizadamente a sus dirigidos en lo concerniente a atemperar la aspiración y expiración del aire para lograr un estado relajado que propicie la contemplación profunda. Cf. al respecto G. Durand, *Les structures anthropologiques de l'imaginaire*, Bordas, Paris, 1969, y Gaston Bachelard, *L'air et les songes. Essai sur l'imagination du mouvement*, J. Corti, Paris, 1987.

119. También san Juan asocia al aire, como era de esperar, con el Espíritu Santo, «porque es *aspirado* del Padre y del Hijo» (CB 13, 11). Cf. el tantas veces citado ensayo de Mancho Duque, «El

237

elemento aéreo en la obra...», pp. 16 y 19, así como F. Pérez Embid, «El tema del aire en San Juan de la Cruz»: *Arbor* V (1946), pp. 93-98.

120.   Quiera testimoniar lo útil que me han sido en esta investigación las *Concordancias de los escritos de San Juan de la Cruz*, esmeradamente preparadas por Juan Luis Astigarraga, Agustí Borrell y F. Javier Martín de Lucas (Teresianum, Roma, 1990).

121. San Juan enumera los «primores» de este modo de unión o «absorción», y el «segundo» de ellos es «Amar a Dios en Dios» (Ll 4, 82). Peligrosamente cerca, por cierto, de aquellos otros «iluminados» (mejor, «alumbrados») del Siglo de Oro. En el célebre Edicto de Toledo leemos una idea que fue condenada por herética: «que el amor de Dios en el hombre es Dios»; «el corazón del hombre es Dios»; «todo [es] Dios y del mismo Dios». Con razón los alumbrados tenían los escritos de san Juan como libro de cabecera. Exploro esta espiritualidad, tan estremecedoramente amorosa, y, por cierto, tan afín a la de iluminados o *išraquíes* musulmanes como Abū-l-Ḥasan al-Šāḏilī en mi ensayo «Anonimia y posible filiación islámica del soneto "No me mueve, mi Dios, para quererte"», en *Huellas del Islam...*, pp. 99-117. No nos deben extrañar las coincidencias estrechas entre san Juan y los alumbrados que le fueron contemporáneos: como señala acertadamente José Luis Abellán, «Los terrenos de la ortodoxia y de la heterodoxia no estaban tan delimitados como lo estarían después de Trento» («La espiritualidad española del siglo XVI. En torno a varios libros recientes sobre Miguel Servet y los alumbrados»: *Ínsula* 325 (1974), p. 14.

122.   Los versos anteriores nos llevan a considerar que este Amado trascendido despierta dentro del seno o corazón iluminado del emisor —o emisora— de los versos, pero el verso escueto «cuán manso y amoroso / recuerdas en mi seno» podría permitir una interpretación más literal y más erótica: el Amado sencillamente vuelve a la conciencia reclinado sobre el pecho de la amada, donde había quedado dormido.

123.   San Juan subraya en las glosas al «Cántico» la equivalencia simbólica del huerto florido, que no es otra cosa que el alma en trance de iluminación espiritual. La imagen es conocida en la literatura espiritual del Siglo de Oro, y constituye, una vez más, un lugar común del sufismo. Precisamente Abū-l-Ḥasan al-Nūrī la desarrolla en sus *Maqamāt al-qūlūb* del siglo IX en términos estrictamente paralelos a los del Reformador.

124.   Incluso, la «ambición».

125.   Ya he citado su *The Kiss. Sacred and Profane*, University of California Press, Berkeley / Los Angeles, 1969, p. 5.

126.   *Esoterismo islámico*, versión castellana de Jesús García Varela, Taurus, Madrid, 1980, p. 82.

127.   *Ibid.*, p. 86.

128.   L. Bakhtiar, *op. cit.*, p. 17.

129.   N. Perella, *op. cit.*, p. 4.

130.   Perella subraya la universalidad del símbolo de este beso sagrado que intercambia el aliento o *pneuma*: «Esta teoría aplica tanto al beso de boca a boca como el beso "de nariz" (o "beso de olfato"), si se nos permite que nos refiramos a este último como beso» (*op. cit.*, p. 5).

En el primer capítulo insistí, de otra parte, en la mirada que se cruzan los amantes de la temprana lírica europea y que también conlleva el intercambio de sus almas. Tanto la mirada como el beso son capaces de este prodigio unitivo del amor, aunque hay que admitir que la poesía neoplatónica insistió más en la casta mirada que en el más conflictivo beso pasional.

131.   Mucho antes que los trovadores y *dolce stilnuovistas* europeos intercambiaran su *pneuma* a través del beso enamorado, los poetas árabes practicantes del *nasīb* o código amoroso casto cultivaron el amor cortés, con todas y cada una de las modalidades que asociamos luego a la temprana lírica neoplatonizante occidental. La exacerbada delicadeza de estos *zarīf* o «refinados» del siglo VIII los lleva a hacer suya la tradición profética atribuida a Mahoma que reza: «El que ama y permanece casto y muere, muere mártir». Esta lírica amorosa, que debe a su vez mucho a Platón, se interioriza para celebrar a una hipotética Dama perfecta —incluso, divinizada— pero distante y cruel. Los poetas —recordemos el caso de Ibn Dā'ūd, de Bassār o de al-'Abbās— sientan las bases para el verdadero martirio del amor: la recompensa suprema para un rendido amante suele ser una mirada de la amada, y el sufrimiento es tan rebuscado que el poeta no puede ni siquiera admitirse el desahogo de confesar su amor al objeto de sus deseos. Pero no todos los cortesanos árabes fueron tan despiadadamente estrictos: para varios, como Aḥmad B. Al-Tayyib al-Sarajsī, el beso provee, como más tarde para los europeos, la oportunidad de la comunión espiritual más cercana posible con el ser amado. La boca y la nariz llevan el aliento de una persona a la otra; y el aliento ha tenido contacto íntimo y reciente con el alma misma. Dejemos la palabra a Lois Anita Giffen: «Por lo tanto, el alma busca a su amado a tra-

vés de la boca, besándolo y aspirando por la boca su aliento [...] de manera tal que las dos substancias y los dos poderes se unen» (*Theory of Profane Love Among the Arabs*, University of London, 1971, p. 7).

Para el estudio de esta lírica cortés que antecedió por tanto a la europea, cf. Jean-Claude Vadet, *L'esprit courtois en Orient dans le cinq premières siècles de l'Hégire* (Ed. G.-P. Maisonneuve et Larose, Paris, 1968), así como mi citado estudio *Un Kāma-Sūtra español*.

132. N. Perella, *op. cit.*, p. 226.

133. Las citadas *Concordancias de los escritos de San Juan de la Cruz* nos corroboran el hecho de que, aun en medio de sus disquisiciones teológicas más abstractas, el santo no tiene reparos en utilizar el concepto de «enamoramiento» (cf. pp. 687 ss.). Ya tuvimos ocasión de ver que lo mismo sucedía con el símbolo del «beso», e incluso con la «desnudez», indispensable para la unión de las esencias trascendidas de Dios y el alma. No creo que sea demasiado arriesgado concluir que estamos no sólo ante el poeta más sensual del Siglo de Oro, sino incluso ante el teólogo más sensual del Carmelo.

CONCLUSIÓN

Al seguir de cerca en estas páginas el camino poético descrito por san Juan de la Cruz a lo largo de sus tres poemas más célebres —el «Cántico», la «Noche» y la «Llama»— hemos osado ser, como proponía con tanta preocupación Luis Cernuda, «acompañantes de san Juan en sus deliquios»[1]. Importantísimo sin duda el que nos hagamos cargo de esos deliquios, ya que el delirio verbal no es otra cosa que el lenguaje que se sabe insuficiente para la empresa de traducir algo que se ha experimentado a niveles suprarracionales de conciencia. Es gracias justamente al misterio volitivo de sus versos como el santo logra dejarnos sugerido algo del trance indecible que se ha animado a cantar en sus poemas: lo que no entra por la razón ni por los sentidos no puede ser explicado ni por la razón ni por los sentidos. Mejor, entonces, y aun más sabio y más práctico, el misterio.

San Juan, aunque bajo cautelosa protesta, se ha propuesto pintarnos al vivo su psique profunda en trance de transformación en el Amor infinito. «El centro del alma es Dios», dejó dicho lapidariamente el poeta-teólogo en los comentarios a la «Llama» (1, 12), por lo que no tenemos otra alternativa que aceptar la paradoja de que san Juan va a estar hablando simultáneamente de Dios y de sí mismo. No debemos perder nunca de vista este dato estremecedor, porque de él depende en buena medida el obligado misterio verbal que entrevera toda la poesía juancruciana. El santo ha compartido, pues, la Esencia divina «por participación» —también las precavidas apostillas son de sus glosas aclaratorias— pero la poesía nos dará pistas elocuentes y directas de la alquimia ininteligible del éxtasis transformante. La empresa de conllevar algo de esta realidad suprarracional es —ya lo dejé dicho repetidas veces— desleal para las liras italianizantes, que habrán de tener a su cargo la despiadada tarea comunicativa. Pero san Juan logra el prodigio de dejarnos insinuado algo del espacio sagrado —del incógnito *adónde*— en el que se dio cita con el Amor total. Y sus poemas van reescribiendo por turno, balbucientes, la zona inimaginable de ese órga-

241

no de percepción espiritual que los contemplativos, ya desde Platón, imaginaron como el ojo del alma. Ojo con el que simultáneamente veían a Dios y Dios los veía. Ojo simbólico e imposible de concebir, por cierto, desde nuestras humildes herramientas de percepción lógica, ya que tiene la capacidad de ver y de verse a sí mismo a la vez. Es el ojo, como dije, con el que vemos a Dios, y como sólo podemos ver a Dios con su propia mirada, estamos ante un ojo —o una *scintilla* del alma— compartida con la Divinidad. Imposible que la razón humana y los sentidos corporales no se disuelvan en este nivel de experiencia en el que se mueve el poeta. San Juan de la Cruz fue perfectamente consciente del símil de este ojo extático de la psique profunda, y encomienda a sus liras la expresión simbólica hermoseada —y hondísimamente intuitiva— de lo que habría de dejar explicitado una y otra vez en sus glosas aclaratorias.

Luchando con un lenguaje que amenaza con venírsele abajo a cada momento, el poeta nos habrá de dar en efecto pistas vertiginosas de este estado en el que el observador deviene lo observado. En el «Cántico», el espacio simbólico de la conciencia profunda se traduce en términos de una fuente que refleja simultáneamente una mirada que contempla la superficie de las aguas plateadas y que a la vez es contemplada desde lo hondo de la misma alfaguara. En nuestro aturdimiento de lectores nos es imposible distinguir a quién pertenecen los ojos que miran en ambas direcciones *allí* en el manantial —u ojo de agua— de semblantes plateados. Este ojo acuoso, translúcido y cambiante, reflejará entonces, como tuvimos ocasión de ver, un torrente alucinado de imágenes que compartían por igual la que veía y la que era vista. La proyección de las montañas, valles, ínsulas, noches y músicas constituye los atributos metafóricos del Amor indecible, pero se proyecta sobre la pantalla psíquica de la que ama este Amor. Son, pues, atributos compartidos inextricablemente por una misma Esencia, y contemplados por un ojo prodigioso que posee visión en ambos sentidos. En el instante unificado de esta mirada trascendida que anula los límites de la identidad parecería que se ha borrado el tiempo y aun el espacio: san Juan omite sabiamente el verbo *ser* a lo largo de las tres liras unitivas del «Cántico» (en la versión del códice A de Sanlúcar de Barrameda) que parecen dictadas en un presente perpetuo y en un espacio sin barreras fijas que lo delimiten. La sucesión caleidoscópica de imágenes oníricas nos sugiere que la manifestación del anhelante torrente visual no tiene fin previsible: el Amor que mueve el sol y las demás estrellas *es* todas estas imágenes-atributos pero no está atado a ninguna de ellas. Las vertiginosas imágenes sucesivas tienden a borrar cualquier imagen fija en la que quisiéramos congelar a Dios. Dios está a salvo de toda imagen, y a salvo también de las coordenadas espacio-temporales limitadas en las que solemos movernos. Compartir misericordiosamente su Ser es quedar inmediatamente a salvo de estos límites melancólicos de la conciencia humana. Y los versos del «Cántico» así nos lo han dejado saber.

En este recorrido aleccionador que hemos llevado a cabo de la mano del poeta, pudimos advertir, de otra parte, el diálogo fecundo que san Juan lleva a cabo consigo mismo en el conjunto de sus poemas de más aliento. No es difícil hacernos cargo de la progresiva estilización espiritual y artística a la que san Juan va sometiendo la «Noche» y la «Llama», ambos de factura posterior. (Si bien el «Cántico» se comienza a concebir hacia 1577-1578 en Toledo, la «Noche» se redacta hacia 1578-1579 y la «Llama» se completa más tardíamente, para 1584-1585.) Así, después del colorido imaginativo del «Cántico» recaemos en la oquedad nocturna de la «Noche», que se convierte a su vez en un estallido de luz incandescente en la «Llama». Es como si el santo nos hubiese apagado de súbito el torbellino de imágenes de su primer gran poema, repitiéndonos entre líneas su gran lección de que Dios está a salvo de toda imagen o de toda traducción racional que implique la atadura a imágenes corporeizadas. O a cualquier tipo de imagen, aunque sea simbólica imagen de Dios. Recordemos que estamos a las alturas de lo que Michael Sells llama «la mora de la no-morada» (*the station of no station*), es decir, en la morada del corazón en proceso transformante, que no se ata a ninguna imagen de Dios, sino que es capaz de reflejarlas todas. O de anularlas todas y sumirlas en oscuridad aniquilante, en la silenciosa «música callada» de un sapientísimo telón de fondo negro.

En la «Noche», el espacio psíquico del centro del alma se volatiliza, pues, en una oscuridad cerrada que por ello mismo carece de bulto y de límites precisos. Incluso, parecería que este hondón psíquico simbólicamente ennegrecido se encuentra a salvo también del transcurrir temporal, ya que la noche es la zona o espacio inmaterial del encuentro amoroso, pero también es un momento del calendario que se ha congelado en el instante venturoso de la unión. El tiempo se anula por la sencilla razón de que la amada *es* la noche en la que se mueve, y, a salvo del fluir temporal exterior, incorpora en sí su propio tiempo nocturno y absoluto. Que no es otro tiempo —ya lo sabemos— que el no-tiempo de su Amado.

El ojo simbólico que fue espejo cristalino y plateado en el «Cántico» y que ahora está constituido por tinieblas incorpóreas intercambia sombras y ya no imágenes en la mirada transformante del Amor. Recordaremos que los amantes de la «Noche» duermen o salen de sí: sus ojos cerrados duplican y afirman las tinieblas de la noche en la que tiene lugar la peripecia amorosa. Es más fácil, por cierto, sugerir el intercambio de identidades a través de una mirada oscurecida, ya que los cuerpos físicos que impiden la verdadera unión han quedado obnubilados y trascendidos. También parece más viable el intercambiar negras oquedades perfectamente equivalentes que imágenes vivísimas. Aun cuando éstas sean inmateriales, poseen todavía contornos físicos visualizables. Y Dios, ya lo sabemos, no se percibe ni por los sentidos ni por la razón.

Al reflexionar sobre esta paulatina volatilización del espacio místico simbólico, parecería como si nuestro poeta se hubiese graduado del intento de expresar el Todo a la más alta sabiduría de expresar la Nada. O de expresar la unificación de lo diverso (las imágenes compartidas) a expresar la unidad de lo que había devenido igual ya de antemano. (Acaso ya el alma del poeta estaba «purgada» por la noche oscura de los sentidos en el momento de redactar la «Noche», quién lo sabe.) Lo que sí parece evidente es que el «Cántico» parecería insinuarnos que los enamorados com-partían la profusión de imágenes, que lo constituían a él y que se reflejaban en ella, por lo que pertenecían a ambos. Ambos, por lo tanto, poseían de alguna manera los atributos divinos que ambos contemplaban —y que ambos *eran*—. Aquí en la «Noche», en cambio, ya no hay nada que ver ni fragmentación que sea necesario unificar: se trata de dos oscuridades abismales, inasibles, ilimitadas e infinitas que se intercambian y se con-funden en uno porque ya eran iguales y equivalentes de antemano. Como si el santo nos dijera: el alma ya estaba purgada, y su espejo metafórico pulido, y, por lo tanto, preparado para el matrimonio espiritual último.

Con su acostumbrada alquimia verbal, san Juan nos había deslizado gozosamente en la «Noche» la idea de que la oscuridad simbólica era a la vez la luz que ardía en el corazón donde ocurría la unión transformante. Con esta lumbre anticipada accedemos a la lectura de la «Llama», en la que las cavernas de la psique profunda del emisor de los versos arden ahora en fuego purísimo. El fuego, como se sabe, transforma en sí lo que toca, y su condición incandescente y blanca nos deja saber una vez más que estamos deslumbrados y, por lo tanto, a salvo de toda imagen y de toda diversidad separadora. En este poema, que ya se dicta en un instante detenido del tiempo presente, el ojo del alma intercambia luz trascendida e incorrupta con el ojo de la Divinidad: ambos son esa luz de la misma manera que otrora ambos eran noche cerrada. Si bien la amada del «Cántico» podía decir «la fuente-espejo, *c'est moi*», la amada de la «Noche» puede repetir «la noche, *c'est moi*»; mientras que el emisor o emisora de los versos de la «Llama» puede concluir a su vez, y regocijadamente, «la llama, *c'est moi*». El poeta no ha hecho otra cosa que ofrecernos versiones simbólicas alternas de un mismo espacio místico, que com-parten siempre por igual la amada y el Amado transformados en uno. Una apreciación a nivel profundo de estos tres centros del alma poetizados por san Juan nos permite concluir que en todos ellos —incluso en el primer *locus* de la fuente del «Cántico»— terminamos por quedar ciegos —es decir, invulnerables— ante las imágenes separadoras. El que ve un caleidoscopio fugaz e indeterminado no puede decir a ciencia cierta qué cosa concreta ha visto, mientras el que está sumergido en tinieblas cerradas o deslumbrado por una luz incandescente tampoco es capaz de visión pormenorizada. Con todo, salta a la vista que san Juan, en su largo recorrido poético, nos ha ido poniendo paulatinamente cada vez más a salvo de las imágenes; él, que tanto parecía amarlas.

Pero no lo puede hacer por demasiado tiempo. El enamorado instintivo que fue siempre nuestro poeta no duda en darnos pistas útiles acerca de la experiencia del Amor último a través de la vivencia más alta que puede registrar nuestro nivel de conciencia normal: el amor profano. Ambos grados de amor han resonado al unísono siempre en la gran poesía del Reformador, y el uno es completamente inseparable del otro. En el «Cántico» y en la «Noche» el trance de la transformación en el Amor que rige el universo se expresa bajo el disfraz de una aventura de amores humanos. Sólo una lectura muy atenta de los versos exentos nos permite inferir que estas caricias y halagos sensuales implican también otro nivel más alto en el orden afectivo. Los protagonistas carecían de rostro y de nombre, teniendo por ello mismo disponibilidad ontológica absoluta, y rendían su cuerpo y aun su conciencia con sospechosa facilidad: muchas pistas por cierto nos dio el poeta para que pudiéramos inferir que estos encuentros amorosos iban también por derroteros trascendidos. Y esto, sin negar nunca el nivel humano de los poemas, porque eso sería aniquilar para siempre la ardiente poesía del príncipe de los místicos.

Tan bien lo supo san Juan que vuelve a recaer en la terminología amorosa profana cuando siente que no puede mantener por más tiempo el registro abstracto y teológico con el que quiso caracterizar a la «Llama». La lengua sutil de fuego consumidor se transmuta súbitamente en el «querido» (en seguida evocamos al «Carillo» del «Cántico») que se despierta en el centro más profundo del alma de su amada. Ese simbólico ápice de la conciencia tenía que ser, necesariamente, el concretísimo lecho florido del tálamo nupcial que san Juan había celebrado en su primer poema. De repente hemos perdido los espacios quintaesenciados de la nocturnidad y de la incandescencia. No le tengamos a mal a este «aristócrata del sentir» (*aristocrat of feeling*)[2] que ha sido siempre san Juan el que haya caído en el anticlímax del amor humano en el contexto de su poema más estilizado. Es que no tiene palabras para nombrar adecuadamente *aquello*, y cuando nos lo dice con el lenguaje galante de sus contemporáneos laicos, sencillamente nos está diciendo que se ha quedado corto en el decir.

Hemos terminado nuestro recorrido por los deliquios del Reformador y *ya por aquí no hay camino*. Conmueve pensar que, pese a todas sus sabias, humildísimas protestas, el poeta logró susurrarnos algo de su secreto abisal. La apasionante senda poética que ahora toca a su fin me persuade una vez más de que no hay en nuestra lengua una poesía más sobrecogedoramente hermosa ni más cargada de secretos insospechados y de lecciones trascendentes que la de san Juan de la Cruz.

NOTAS

1. *Poesía y literatura*, Seix Barral, Barcelona, 1975, p. 14. Y digo que lo proponía con preocupación porque el poeta sevillano parecería hacer escuela con el pesimismo y el temor que sus ilustres antecesores Marcelino Menéndez Pelayo y Dámaso Alonso sintieron hacia la obra de san Juan. Lo

que Cernuda afirma es que es imposible encontrar en nuestra época a ese «acompañante de San Juan en sus deliquios». No lo creo. Considero en cambio que nuestro deber como sanjuanistas es acompañar a Juan de Yepes justamente en sus deliquios, cabe decir, en el delirio verbal con el que sus «dislates» intentan traducir —o, mejor, dejar sugerido— el éxtasis transformante. Para dejar dicho algo de lo Indecible, que resulta totalmente misterioso y opaco al entendimiento, mejor es emplear un lenguaje de deliquios que no sea fácilmente accesible a la razón. Y eso san Juan de la Cruz lo supo hacer como nadie.

2. La frase la dedica Robert Havard a Pedro Salinas en un hermosísimo ensayo titulado «Pedro Salinas and Courtly Love. The *amada* in *La voz a ti debida*: Woman, Muse and Symbol»: *Bulletin of Hispanic Studies* LVI (1979), p. 135.

APÉNDICES[1]

1. Para la transcripción de los poemas sanjuanísticos comentados en este libro utilizo la citada edición *Obras completas de San Juan de la Cruz* (Luce López-Baralt y Eulogio Pacho, eds.), 2 vols., Alianza Editorial, Madrid, 1991.

I
CÁNTICO ESPIRITUAL

(Cántico A - Manuscrito de Sanlúcar de Barrameda)

CANCIONES ENTRE EL ALMA Y EL ESPOSO

Esposa

1. ¿Adónde te escondiste,
    Amado, y me dejaste con gemido?
    Como el ciervo huiste,
    habiéndome herido;
    salí tras ti clamando, y eras ido.

2. Pastores, los que fuerdes
    allá por las majadas al otero:
    si por ventura vierdes
    aquel que yo más quiero,
    decidle que adolezco, peno y muero.

3. Buscando mis amores,
    iré por esos montes y riberas;
    ni cogeré las flores,
    ni temeré las fieras,
    y pasaré los fuertes y fronteras.

4. ¡Oh bosques y espesuras,
    plantadas por la mano del Amado!
    ¡Oh prado de verduras,
    de flores esmaltado!
    Decid si por vosotros ha pasado.

Respuesta de las criaturas

5. Mil gracias derramando

pasó por estos sotos con presura,
e, yéndolos mirando,
con sola su figura
vestidos los dejó de hermosura.

Esposa

6. ¡Ay, quién podrá sanarme!
   Acaba de entregarte ya de vero
   no quieras enviarme
   de hoy más ya mensajero,
   que no saben decirme lo que quiero.

7. Y todos cuantos vagan
   a ti me van mil gracias refiriendo,
   y todos más me llagan,
   y déjame muriendo
   un no sé qué que quedan balbuciendo.

8. Mas ¿cómo perseveras,
   ¡oh vida!, no viviendo donde vives,
   y haciendo porque mueras
   las flechas que recibes
   de lo que del Amado en ti concibes?

9. ¿Por qué, pues has llagado
   aqueste corazón, no le sanaste?
   Y, pues me le has robado,
   ¿por qué así le dejaste,
   y no tomas el robo que robaste?

10. Apaga mis enojos,
    pues que ninguno basta a deshacellos,
    y véante mis ojos,
    pues eres lumbre dellos,
    y sólo para ti quiero tenellos.

11. ¡Oh cristalina fuente,
    si en esos tus semblantes plateados
    formases de repente
    los ojos deseados
    que tengo en mis entrañas dibujados!

12. ¡Apártalos, Amado,
    que voy de vuelo!

El Esposo

> Vuélvete, paloma
> que el ciervo vulnerado
> por el otero asoma
> al aire de tu vuelo, y fresco toma.

La Esposa

13. Mi Amado, las montañas,
    los valles solitarios nemorosos,
    las ínsulas extrañas,
    los ríos sonorosos,
    el silbo de los aires amorosos.

14. La noche sosegada
    en par de los levantes de la aurora,
    la música callada,
    la soledad sonora,
    la cena que recrea y enamora.

15. Nuestro lecho florido,
    de cuevas de leones enlazado,
    en púrpura tendido,
    de paz edificado,
    de mil escudos de oro coronado.

16. A zaga de tu huella
    las jóvenes discurren al camino,
    al toque de centella,
    al adobado vino,
    emisiones de bálsamo divino.

17. En la interior bodega
    de mi Amado bebí, y cuando salía
    por toda aquesta vega,
    ya cosa no sabía;
    y el ganado perdí que antes seguía.

18. Allí me dio su pecho,
    allí me enseñó ciencia muy sabrosa,
    y yo le di de hecho
    a mí, sin dejar cosa;
    allí le prometí de ser su Esposa.

19. Mi alma se ha empleado,
    y todo mi caudal en su servicio;

ya no guardo ganado,
ni ya tengo otro oficio,
que ya sólo en amar es mi ejercicio.

20. Pues ya si en el ejido
de hoy más no fuere vista ni hallada,
diréis que me he perdido;
que, andando enamorada,
me hice perdidiza, y fui ganada.

21. De flores y esmeraldas,
en las frescas mañanas escogidas,
haremos las guirnaldas,
en tu amor florecidas
y en un cabello mío entretejidas.

22. En solo aquel cabello
que en mi cuello volar consideraste,
mirástele en mi cuello,
y en él preso quedaste,
y en uno de mis ojos te llagaste.

23. Cuando tú me mirabas
su gracia en mí tus ojos imprimían;
por eso me adamabas,
y en eso merecían
los míos adorar lo que en ti vían.

24. No quieras despreciarme,
que, si color moreno en mí hallaste,
ya bien puedes mirarme
después que me miraste,
que gracia y hermosura en mí dejaste.

25. Cogednos las raposas,
que está ya florecida nuestra viña,
en tanto que de rosas
hacemos una piña,
y no parezca nadie en la montiña.

26. Detente, cierzo muerto;
ven, austro, que recuerdas los amores,
aspira por mi huerto,
y corran sus olores,
y pacerá el Amado entre las flores.

Esposo

27. Entrando se ha la Esposa
     en el ameno huerto deseado,
     y a su sabor reposa,
     el cuello reclinado
     sobre los dulces brazos del Amado.

28. Debajo del manzano,
     allí conmigo fuiste desposada,
     allí te di la mano,
     y fuiste reparada
     donde tu madre fuera violada.

29. A las aves ligeras,
     leones, ciervos, gamos saltadores,
     montes, valles, riberas,
     aguas, aires, ardores
     y miedos de las noches veladores.

30. Por las amenas liras
     y canto de sirenas os conjuro
     que cesen vuestras iras,
     y no toquéis al muro,
     porque la Esposa duerma más seguro.

31. ¡Oh ninfas de Judea!,
     en tanto que en las flores y rosales
     el ámbar perfumea,
     morá en los arrabales,
     y no queráis tocar nuestros umbrales.

32. Escóndete, Carillo,
     y mira con tu haz a las montañas,
     y no quieras decillo;
     mas mira las compañas
     de la que va por ínsulas extrañas.

Esposo

33. La blanca palomica
     al arca con el ramo se ha tornado;
     y ya la tortolica
     al socio deseado
     en las riberas verdes ha hallado.

34. En soledad vivía,
    y en soledad ha puesto ya su nido,
    y en soledad la guía
    a solas su querido,
    también en soledad de amor herido.

Esposa

35. Gocémonos, Amado,
    y vámonos a ver en tu hermosura
    al monte o al collado,
    do mana el agua pura;
    entremos más adentro en la espesura.

36. Y luego a las subidas
    cavernas de la piedra nos iremos,
    que están bien escondidas,
    y allí nos entraremos,
    y el mosto de granadas gustaremos.

37. Allí me mostrarías
    aquello que mi alma pretendía,
    y luego me darías
    allí, tú, vida mía,
    aquello que me diste el otro día:

38. El aspirar del aire,
    el canto de la dulce filomena,
    el soto y su donaire,
    en la noche serena,
    con llama que consume y no da pena.

39. Que nadie lo miraba,
    Aminabad tampoco parecía,
    y el cerco sosegaba,
    y la caballería
    a vistas de las aguas descendía.

II
CÁNTICO ESPIRITUAL

(Cántico B - Manuscrito de Jaén)

CANCIONES ENTRE EL ALMA Y EL ESPOSO

Esposa

1. ¿Adónde te escondiste,
    Amado, y me dejaste con gemido?
    Como el ciervo huiste,
    habiéndome herido;
    salí tras ti clamando, y eras ido.

2. Pastores, los que fuerdes
    allá por las majadas al otero
    si por ventura vierdes
    aquel que yo más quiero,
    decilde que adolezco, peno y muero.

3. Buscando mis amores,
    iré por esos montes y riberas;
    ni cogeré las flores,
    ni temeré las fieras,
    y pasaré los fuertes y fronteras.

4. ¡Oh bosques y espesuras,
    plantadas por la mano del Amado!
    ¡Oh prado de verduras,
    de flores esmaltado!
    Decid si por vosotros ha pasado.

5. Mil gracias derramando
    pasó por estos sotos con presura,
    y, yéndolos mirando,

con sola su figura
vestidos los dejó de hermosura.

6. ¡Ay, quien podrá sanarme!
    Acaba de entregarte ya de vero;
    no quieras enviarme
    de hoy más ya mensajero,
    que no saben decirme lo que quiero.

7. Y todos cuantos vagan
    de ti me van mil gracias refiriendo,
    y todos más me llagan,
    y déjame muriendo
    un no sé qué que quedan balbuciendo.

8. Mas ¿cómo perseveras,
    ¡oh vida!, no viviendo donde vives,
    y haciendo porque mueras
    las flechas que recibes
    de lo que del Amado en ti concibes?

9. ¿Por qué, pues ha llagado
    aqueste corazón, no le sanaste?
    Y, pues me le has robado,
    ¿por qué así le dejaste,
    y no tomas el robo que robaste?

10. Apaga mis enojos,
    pues ninguno basta a deshacellos,
    y véante mis ojos,
    pues eres lumbre dellos,
    y sólo para ti quiero tenellos.

11. Descubre tu presencia,
    y máteme tu vista y hermosura;
    mira que la dolencia
    de amor, que no se cura
    sino con la presencia y la figura.

12. ¡Oh cristalina fuente,
    si en esos tus semblantes plateados
    formases de repente
    los ojos deseados
    que tengo en mis entrañas dibujados!

13. ¡Apártalos, Amado,
    que voy de vuelo!

Esposo

> Vuélvete, paloma
> que el ciervo vulnerado
> por el otero asoma
> al aire de tu vuelo, y fresco toma.

Esposa

14.   Mi Amado, las montañas,
los valles solitarios nemorosos,
las ínsulas extrañas,
los ríos sonorosos,
el silbo de los aires amorosos,

15.   la noche sosegada
en par de los levantes del aurora,
la música callada,
la soledad sonora,
la cena que recrea y enamora.

16.   Cazadnos las raposas,
que está ya florecida nuestra viña,
en tanto que de rosas
hacemos una piña,
y no parezca nadie en la montiña.

17.   Detente, cierzo muerto;
ven, austro, que recuerdas los amores,
aspira por mi huerto,
y corran sus olores
y pacerá el Amado entre las flores.

18.   ¡Oh ninfas de Judea!,
en tanto que en las flores y rosales
el ámbar perfumea,
morá en los arrabales,
y no queráis tocar nuestros umbrales.

19.   Escóndete, Carillo,
y mira con tu haz a las montañas,
y no quieras decillo;
mas mira las compañas
de la que va por ínsulas extrañas.

Esposo

20. A las aves ligeras,
    leones, ciervos, gamos saltadores,
    montes, valles, riberas,
    aguas, aires, ardores
    y miedos de las noches veladores.

21. Por las amenas liras
    y cuanto de sirenas os conjuro
    que cesen vuestras iras,
    y no toquéis al muro,
    porque la Esposa duerma más seguro.

22. Entrando se ha la Esposa
    en el ameno huerto deseado,
    y a su sabor reposa,
    el cuello reclinado
    sobre los dulces brazos del Amado.

23. Debajo del manzano,
    allí conmigo fuiste desposada,
    allí te di la mano,
    y fuiste reparada
    donde tu madre fuera violada.

Esposa

24. Nuestro lecho florido,
    de cuevas de leones enlazado,
    en púrpura tendido,
    de paz edificado,
    de mil escudos de oro coronado.

25. A zaga de tu huella
    las jóvenes discurren al camino,
    al toque de centella,
    al adobado vino,
    emisiones de bálsamo divino.

26. En la interior bodega
    de mi Amado bebí, y cuando salía
    por toda aquesta vega,
    ya cosa no sabía;
    y el ganado perdí que antes seguía.

27. Allí me dio su pecho,
    allí me enseñó ciencia muy sabrosa,
    y yo le di de hecho
    a mí sin dejar cosa;
    allí le prometí de ser su Esposa.

28. Mi alma se ha empleado,
    y todo mi caudal, en su servicio;
    ya no guardo ganado,
    ni ya tengo otro oficio,
    que ya sólo en amar es mi ejercicio.

29. Pues ya si en el ejido
    de hoy más no fuere vista ni hallada,
    diréis que me he perdido;
    que, andando enamorada,
    me hice perdidiza, y fui ganada.

30. De flores y esmeraldas,
    en las frescas mañanas escogidas,
    haremos las guirnaldas,
    en tu amor florecidas
    y en un cabello mío entretejidas.

31. En solo aquel cabello
    que en mi cuello volar consideraste,
    mirástele en mi cuello,
    y en él preso quedaste,
    y en uno de mis ojos te llagaste.

32. Cuando tú me mirabas,
    su gracia en mí tus ojos imprimían;
    por eso me adamabas,
    y en eso merecían
    los míos adorar lo que en ti vían.

33. No quieras despreciarme,
    que, si color moreno en mí hallaste,
    ya bien puedes mirarme
    después que me miraste,
    que gracia y hermosura en mí dejaste.

Esposo

34. La blanca palomica
    al arca con el ramo se ha tornado;
    y ya la tortolica

al socio deseado
en las riberas verdes ha hallado.

35. En soledad vivía,
    y en soledad ha puesto ya su nido;
    y en soledad la guía
    a solas su querido,
    también en soledad de amor herido.

Esposa

36. Gocémonos, Amado,
    y vámonos a ver en tu hermosura
    al monte o al collado,
    do mana el agua pura;
    entremos más adentro en la espesura.

37. Y luego a las subidas
    cavernas de la piedra nos iremos,
    que están bien escondidas,
    y allí nos entraremos,
    y el mosto de granadas gustaremos.

38. Allí me mostrarías
    aquello que mi alma pretendía,
    y luego me darías
    allí, tú, vida mía,
    aquello que me diste el otro día:

39. El aspirar del aire,
    el canto de la dulce filomena,
    el soto y su donaire,
    en la noche serena,
    con llama que consume y no da pena.

40. Que nadie lo miraba,
    Aminabad tampoco parecía,
    y el cerco sosegaba,
    y la caballería
    a vistas de las aguas descendía.

III

NOCHE OSCURA

*Canciones del alma y que se goza de haber llegado al alto
estado de la perfección, que es la unión con Dios,
por el camino de la negación espiritual.*

1. En una noche oscura,
   con ansias, en amores inflamada,
   ¡oh dichosa ventura!,
   salí sin ser notada
   estando ya mi casa sosegada.

2. A oscuras y segura,
   por la secreta escala disfrazada,
   ¡oh dichosa ventura!,
   a oscuras y en celada,
   estando ya mi casa sosegada.

3. En la noche dichosa,
   en secreto, que nadie me veía,
   ni yo miraba cosa,
   sin otra luz y guía
   sino la que en el corazón ardía.

4. Aquésta me guiaba
   más cierto que la luz del mediodía,
   adonde me esperaba
   quien yo bien me sabía,
   en parte donde nadie parecía.

5. ¡Oh noche que guiaste!
   ¡Oh noche amable más que el alborada!
   ¡Oh noche que juntaste
   Amado con amada,
   amada en el Amado transformada!

6. En mi pecho florido,
    que entero para él solo se guardaba,
    allí quedó dormido,
    y yo le regalaba,
    y el ventalle de cedros aire daba.

7. El aire de la almena,
    cuando yo sus cabellos esparcía,
    con su mano serena
    en mi cuello hería
    y todos mis sentidos suspendía.

8. Quedéme y olvidéme,
    el rostro recliné sobre el Amado,
    cesó todo y dejéme,
    dejando mi cuidado
    entre las azucenas olvidado.

IV
LLAMA DE AMOR VIVA

*Canciones del alma en la íntima comunicación
de unión de amor de Dios.*

1. ¡Oh llama de amor viva,
   que tiernamente hieres
   de mi alma en el más profundo centro!
   Pues ya no eres esquiva,
   acaba ya, si quieres;
   ¡rompe la tela de este dulce encuentro!

2. ¡Oh cauterio suave!
   ¡Oh regalada llaga!
   ¡Oh mano blanda! ¡Oh toque delicado,
   que a vida eterna sabe,
   y toda deuda paga!
   Matando, muerte en vida la has trocado.

3. ¡Oh lámparas de fuego,
   en cuyos resplandores
   las profundas cavernas del sentido,
   que estaba oscuro y ciego,
   con extraños primores
   calor y luz dan junto a su Querido!

4. ¡Cuán manso y amoroso
   recuerdas en mi seno,
   donde secretamente solo moras,
   y en tu aspirar sabroso,
   de bien y gloria lleno,
   cuán delicadamente me enamoras!

BIBLIOGRAFÍA

ABREVIATURAS

ACIS: García Simón, Agustín y Salvador Ros (eds.): *Actas del Congreso Internacional Sanjuanista*, 3 vols., Junta de Castilla y León, Valladolid, 1993.

OBRAS MANUSCRITAS

Libros de visitas a cátedras. Archivo Universitario Salmantino, núms. 940-941 y 943, 1569-1571.

OBRAS IMPRESAS

The Book of Certainty, prólogo de Abu Bakr Sirâj Ed-Dîn, Rider & Co., London, s.f.

Corán, versión española de Juan Vernet, Planeta, Barcelona, 1967.

Abellán, José Luis: «La espiritualidad española del siglo XVI. En torno a varios libros recientes sobre Miguel Servet y los alumbrados»: *Ínsula* 325 (1974), p. 14.

Aguirre, Ángel: «El "Cántico espiritual"»: *Revista Interamericana*, San Juan, Puerto Rico, VII (1977), pp. 333-344.

Agustín de Tagaste, San: *Confesiones*, BAC, Madrid, 1956.

Al-Hujwīrī, Ali B. Uṯman al-Jullābī: *Kashf al-maḥjūb of al-Hujwīrī. The Oldest Persian Treatise on Sufism*, trad. Reynold A. Nicholson, Gibb Memorial Series, vol. XVIII, London, 1976.

Al-Ghazzalī, Abū Ḥamid Muḥammad: *Mishkāt al-Anwār (The Niche of Lights)*, trad. e introducción de W. H. Gairdner, Royal Asiatic Society, London, 1924.

Al-Ghazzalī, Abū Ḥamid Muḥammad: *Iḥyā' 'ulum ad-dīn — Vivification des sciences de la foi*, G. H. Bousquets (ed.), Librairie Max Besson, Paris, 1955.

Al-Kubrā, Naŷm ad-dīn: *Die Fawāt'iḥ al-Gamal wa-Fawātiḥ al-Galāl*, des Najm ad-din al Kubrā, Fritz Meier, trad. y ed., Akademie der Wissenschaften und der Literatur, Veröffentlichungen der Orientalischen Kommission, Bd. IX, Wiesbaden, 1957.

Al-Nūrī, Abū-l-Ḥasan: *Maqamāt al-qūlūb. Textes mystiques inédites*, ed. Paul Nwyia, Imprimerie Catholique, Beirut, 1968.

Al-Sarrāj al-Tusī, Abū Nasr 'Abdallah B. 'Ali: *The Kitāb al-Luma' Fī 'l-Taṣawwuf*, E. J. Brill, Leiden, 1914.

Alatorre, Antonio: «La noche oscura de San Juan de la Cruz», en *La Gaceta del Fondo de Cultura Económica*, 1989.

Alonso, Dámaso: *La poesía de San Juan de la Cruz. Desde esta ladera*, Aguilar, Madrid, 1966. Reproducido en *Obras completas*, vol. II, Gredos, Madrid, 1968, pp. 869-1075.

Alonso, Dámaso y Cristóbal Cuevas: *San Juan de la Cruz. Cántico espiritual. Poesías*, Alhambra, México, 1985.

Alvar, Manuel: *Poesía española medieval*, Planeta, Barcelona, 1969.

Arberry, Arthur: *Sufism. An Account of the Mystics of Islam*, George Allen & Unwin Ltd., London, 1968.

Asín Palacios, Miguel: *La escatología musulmana en la Divina Comedia. Seguida de la historia y crítica de una polémica*, Instituto Hispano-Árabe de Cultura, Madrid, 1961.

Asín Palacios, Miguel: *La espiritualidad de Algazel y su sentido cristiano*, Escuela de Estudios Árabes, Madrid/Granada, 1935.

Asín Palacios, Miguel: *Ibn Masarra y su escuela*, en *Obras escogidas* I, Madrid, 1946.

Asín Palacios, Miguel: *El Islam cristianizado. Estudio del «sufismo» a través de las obras de Abenarabí de Murcia*, Plutarco, Madrid, 1931.

Asín Palacios, Miguel: *Šāḏilīes y alumbrados*, estudio introductorio de Luce López-Baralt, Hiperión, Madrid, 1990.

Asín Palacios, Miguel: «Un precursor hispano-musulmán de San Juan de la Cruz»: *Al-Andalus* I (1933), pp. 1-79.

Astigarraga, Juan Luis, Agustí Borrel y F. Javier Martín de Lucas (eds.): *Concordancias de los escritos de San Juan de la Cruz*, Teresianum, Roma, 1990.

Azorín: «Juan de Yepes», en *Los clásicos redivivos. Los clásicos futuros*, Espasa-Calpe, Madrid, 1973.

Baba, Meher: *The Awakener*, Charles Hayner (ed.), Avatar Foundations Inc., Myrtha Beech, South Carolina, 1989.

Baba, Meher: *The Everything and the Nothing*, Sherian Press, South Carolina, 1989.

Bachelard, Gaston: *L'air et les songes. Essai sur l'imagination du mouvement*, J. Corti, Paris, 1987.

Bachelard, Gaston: *L'eau et les rêves*, J. Corti, Paris, 1987.

Bachelard, Gaston: *La poétique de l'espace*, PUF, Paris, 1984.

Bailey, Raymond: *Thomas Merton on Mysticism*, Image Books, Doubleday, New York, 1987.

Bakhtiar, Laleh: *Sufi. Expressions of the Mystic Quest*, Thames & Hudson, London, 1976.

Barnstone, Willis: *The Poems of St. John of the Cross*, New Directions Book, New York, 1972.

Barthes, Roland: *El grado cero de la escritura. El grano de la voz*, México, 1983.

Baruzi, Jean: *Saint Jean de la Croix et le problème de l'expérience mystique*, Librairie Félix Alcan, Paris, 1924; trad. cast., *San Juan de la Cruz y el problema de la experiencia mística*, Junta de Castilla y León, Valladolid, 1992.

Biblia Hebraica, Rudolph Kittel y P. Kahle (eds.), American Bible Society, New York, 1952.

Bingen, Hildegard von: *Mystical Visions. Translated from the «Scivias»*, Bruce Hozeski (trad.), Bear & Co., Santa Fe, New Mexico, 1995. Ed. española *Scivias*,
trad. y ed. de Antonio Castro, Trotta, Madrid, 1998.

Bloch, Ariel y Chana Bloch (eds.): *The Songs of Songs. A New Translation with an
Introduction and Commentary*, Random House, New York, 1995.

Bobes Naves, María del Carmen: «Lecturas del «Cántico espiritual» desde la estética de la recepción», en *Simposio sobre San Juan de la Cruz*, Miján Artes Gráficas, Ávila, 1986, pp. 15-51.

Bouhdiba, Abdelwahab: «Les arabes et la couleur», en *Hommage à Roger Bastide*,
PUF, Paris, 1979, pp. 347-354.

Bousoño, Carlos: «San Juan de la Cruz, poeta "contemporáneo"», en *Teoría de la
expresión poética*, Gredos, Madrid, 1970.

Bremond, Henri: *Histoire Littéraire du Sentiment Religieux en France*, vol. IV, Paris, 1916.

Brenan, Gerald: *St. John of the Cross: His Life and Poetry*, Cambridge University
Press, Cambridge, 1973; trad. cast., *San Juan de la Cruz,* Barcelona, 1973.

Brenner, Athalya (ed.): «"Come back, come back The Shulammite" (Song of Songs
7.1-10): A Parody of the *Wasf* Genre», en *A Feminist Companion to the Song
of Songs*, Sheffield Academic Press, Sheffield, 1993, pp. 234-257.

Buber, Martin: *I and Thou*, Scribner Library, New York, 1958; trad. cast., *Yo y tú*,
Caparrós, Madrid, 1995.

Bucke, R. M.: *Cosmic Consciousness*, E. P. Dutton & Co., New York, 1970.

Burckhardt, Titus: *Esoterismo islámico*, Taurus, Madrid, 1980.

Buttrick, George Arthur *et al.* (eds.): *The Interpreter's Bible*, vol. V: *The Book of
Ecclessiastes, The Song of Songs, The Book of Isaiah, The Book of Jeremiah*,
Abingdon Press, New York/Nashville, 1956.

Camón Aznar, José: «El arte en San Juan de la Cruz»: *Boletín del Museo e Instituto
Camón Aznar* XLIV (1991), pp. 119-126.

Capmany y de Montpalau, Antonio de: *Teatro histórico crítico de la eloqüentia española*, t. 2, A. de Sancha, 1787.

Capra, Fritjob: *The Tao of Physics*, Boulder, 1957.

Caravaggi, Giovanni: «Vuelta a lo divino y "misterio técnico" en la poesía de San
Juan de la Cruz»: *Ínsula* 537 (1991), pp. 9-10.

Cardenal, Ernesto: *Cántico cósmico*, Editorial Nueva Nicaragua, Managua, 1989 y
Trotta, Madrid, ²1993.

Cardenal, Ernesto: *Vida en el amor*, Carlos Lohlé, Buenos Aires-México, 1970 y
Trotta, Madrid, 1997.

Castaño Moreno, María Purificación: «El símbolo animal en el «Cántico espiritual» de San Juan de la Cruz»: *San Juan de la Cruz* VIII (1991), pp. 235-251.

Castro, Gabriel: «"Llama de amor viva". Poema del amor, el tiempo y la muerte»:
Monte Carmelo 99/3 (1991), pp. 445-476.

Cavallo, Susana: «La voz lírica», en *La poética de José Hierro*, Taurus, Madrid,
1987.

Cernuda, Luis: *Poesía y literatura*, Seix Barral, Barcelona, 1975.

Chevalier, Jean y Alain Gheerbrandt (eds.): *Diccionario de símbolos*, Herder, Barcelona, 1981.

Chiappini, Gaetano: «El modelo general de la semántica del "deseo" en la primera
declaración de la "Llama de amor viva" (Texto B)», en *ACIS*, vol. I, pp. 234-
257.

Chittick, William: *The Sufi Path of Knowledge. Ibn 'Arabī's Metaphysics of Imagination*, State University of New York Press, Albany, 1989.

Chittick, William: *The Sufi Path of Love. The Spiritual Teachings of Rumi*, State University of New York Press, New York, 1983.

Cilveti, Ángel: *La literatura mística española*, Taurus, Madrid, 1984.

Cirlot, Juan Eduardo: *A Dictionary of Symbols*, Jack Sage (trad.), Routledge & Paul, London, 1962 (Siruela, Madrid, 1997).

Cirlot, Juan Eduardo: *A Dictionary of Symbols*, Philosophical Library, New York, 1971.

Coll y Vehí, José: *Diálogos literarios*, J. Jepús, Barcelona, 1868.

Cooper, Jean C.: *An Illustrated Encyclopedia of Traditional Symbols*, Thames and Hudson, London, 1978.

Corbin, Henry: *L'Archange empourpreé. Quinze traités et récits mystiques traduits du persan et l'arabe*, Fayard, Paris, 1976.

Corbin, Henry: *L'Imagination creátrice dans le soufisme d'Ibn 'Arabī*, Flammarion, Paris, 1975.

Corbin, Henry: *L'homme de lumière dans le soufisme iranien*, Présence, Paris, 1961.

Corbin, Henry: «Symboles choisies de la Rosarie du mystère», en *Trilogie Islamaélienne* III, Teheran/Paris, 1961.

Cowan, J. Milton: *Arabic-English Dictionary*, Spoken Languages Services, Ithaca, New York, 1976.

Cruz, Eulogio de la: *La transformación total del alma en Dios según San Juan de la Cruz*, Madrid, 1963.

Cuenca, Luis Alberto de y Antonio Alvar (eds. y trads.): *Antología de poesía latina*, Alianza, Madrid, 1981.

Cuevas, Cristóbal: «El bestiario simbólico en el "Cántico espiritual" de San Juan de la Cruz», en *Simposio sobre San Juan de la Cruz*, Miján Artes Gráficas, Ávila, 1986, pp. 181-203.

Cuevas, Cristóbal: «*Cántico espiritual*» de San Juan de la Cruz, Alhambra, México, 1985.

Cuevas, Cristóbal: «Estudio literario», en Salvador Ros et al., *Introducción a la lectura de San Juan de la Cruz*, Junta de Castilla y León, Salamanca, 1991, pp. 125-201.

Cuevas, Cristóbal: «Perspectiva retórica de la prosa de la "Llama de amor viva"»: *Ínsula* 537 (1991), pp. 23-25.

Culler, Jonathan: *Structural Poetics*, Cornell University Press, Ithaca, New York, 1975.

Davis, Elizabeth B.: «The Power of Paradox in the "Cántico Espiritual"»: *Revista de Estudios Hispánicos* XXVII (1993), pp. 203-223.

Diego, Gerardo: «Música y ritmo en la poesía de San Juan de la Cruz»: *Escorial* IX (1942).

Domingo de Santa Teresa: *Juan de Valdés (1498?-1541). Su pensamiento religioso y las corrientes espirituales de su tiempo*, Analecta Gregoriana, Roma, 1957.

Durand, Gilbert: *Les structures anthropologiques de l'imaginaire*, Bordan, Paris, 1969; trad. cast., *Las estruturas antropológicas de lo imaginario*, Taurus, Madrid, 1982.

Echavarría, Arturo: *Lengua y literatura de Borges*, Ariel, Barcelona, 1983.

Eco, Umberto: *De los espejos y otros ensayos*, Lumen, Barcelona, 1988.

Egan, Keith J.: «The Biblical Imagination of John of the Cross in The Living Flame of Love», en Otger Steggink (ed.), *Juan de la Cruz, espíritu de llama*, Institutum Carmelitarum, Roma; Kok Pharus Publishing House Kamper, The Netherlands, 1991.

Egan, Keith J.: «The Symbolism of the Heart in John of the Cross», en A. Callahan (ed.), *Spiritualities of the Heart*, New York, 1989.

Egido, Aurora: «Itinerario de la mente y del lenguaje en San Juan de la Cruz»: *Voz y letra. Revista de Filología*, Arco/Libros, S. A., II/2 (1992), pp. 59-103.

Egido, Aurora: «El silencio místico y San Juan de la Cruz», en José Ángel Valente y José Lara Garrido, *Hermenéutica y mística: San Juan de la Cruz*, Tecnos, Madrid, 1995, pp. 161-196.

Eliade, Mircea: *Traité d'Histoire des Religions*, Paris, 1975.

Eliade, Mircea: «Experiences of the Mystic Light», en *The Two and the One*, Harper Torchbooks, New York, 1969, pp. 19-77.

Ernst, Carl W.: *Words of Ecstasy in Sufism*, State University of New York Press, Albany, 1985.

Farrés Buisán, Jaime: «Testimonios de San Juan de la Cruz sobre la inefabilidad», en María Jesús Mancho Duque (ed.), *La espiritualidad española del siglo XVI. Aspectos literarios y lingüísticos*, Universidad de Salamanca, 1990, pp. 143-154.

Fernández, Miguel Luis: «El desdoblamiento en la "Llama de amor viva" (Una cala en la Canción Tercera)», en *ACIS*, vol. I, pp. 387-398.

Fernández Leborans, María Jesús: *Luz y oscuridad en la mística española*, CUPSA Editorial, Madrid, 1978.

Feustle, Joseph A.: *Poesía y mística. Rubén Darío, Juan Ramón Jiménez y Octavio Paz*, Universidad Veracruzana, Xalapa, 1978.

Ficino, Marsilio: *De amore. Comentario a «El Banquete» de Platón*, Tecnos, Madrid, 1994.

Fox, Michael V.: *The Song of Songs and the Ancient Egyptian Love Songs*, University of Wisconsin Press, Madison, 1985.

Gaitán, José Damián: «Vida y muerte en la "Noche oscura" de San Juan de la Cruz», en Otger Steggink (ed.), *Juan de la Cruz, espíritu de llama*, Institutum Carmelitarum, Roma; Kok Pharus Publishing House Kamper, The Netherlands, 1991.

García, Ciro: «Cántico Espiritual Poema nupcial»: *Monte Carmelo*, Burgos, 99/3 (1991), pp. 399-424.

García de la Concha, Víctor: «Filología y mística: San Juan de la Cruz, "Llama de amor viva"», Real Academia Española, Madrid, 1992, pp. 15-17.

García Lorca, Francisco: *De Fray Luis a San Juan: la escondida senda*, Castalia, Madrid, 1972.

García Márquez, Gabriel: *Cien años de soledad*, Suramericana, Buenos Aires, 1970.

García Palacios, Joaquín: «Consideraciones sobre el símbolo de la "llama" en San Juan de la Cruz», en María Jesús Mancho Duque (ed.), *La espiritualidad española del siglo XVI. Aspectos literarios y lingüísticos*, Universidad de Salamanca, 1990, pp. 159-166.

García Palacios, Joaquín: «Léxico de "luz" y "calor" en "Llama de amor viva"», en O. Steggink (ed.), *San Juan de la Cruz, espíritu de llama*, Institutum Carmelitorum, Roma; Kok Pharus Publishing House, The Netherlands, 1991, pp. 389-411.

García Palacios, Joaquín: *Los procesos de conocimiento en San Juan de la Cruz*, Universidad de Salamanca, 1992.

García Simón, Agustín y Ros, Salvador: *Actas del Congreso Internacional Sanjuanista, celebrado en Ávila (España) del 23 al 28 de septiembre de 1991*, 3 vols., Junta de Castilla y León, Valladolid, 1993.

García Valladares, Encarnación: «Resonancia sanjuanista en la poesía española de posguerra, con especial atención a la obra de José Ángel Valente», en *ACIS*, vol. I, pp. 465-481.

Gesenius, Wilhelm: *Gesenius' Hebrew and Chaldee Lexicon to the Old Testament Scriptorum*, B. Eerdmans Publishing Co., 1957.

Giamatti, A. Bartlett: *The Earthly Paradise and the Renaissance Epic*, Princeton University Press, Princeton, NJ, 1969.

Giffen, Lois Anita: *Theory of Profane Love Among the Arabs*, University of London, 1971.

Ginsburg, Christian: *The Songs of Songs. Translated from the Original Hebrew with a Commentary, Historical and Critical*, Longman, Brown, Green, Longmans & Roberts, London, 1857.

Goldberg, Benjamin: *The Mirror and Man*, University Press of Virginia, Charlottesville, 1985.

Gregorio de Nisa: *La vita di Mosè*, Fundazione L. Valla-Mondadori, Milano, 1984.

Grünebaum, Gustav von: *Kritik und Dichtkunst. Studien zur arabischen Literaturgeschichte*, Otto Harrassowitz, Wiesbaden, 1955.

Guillén, Jorge: «Lenguaje insuficiente. San Juan de la Cruz o lo inefable místico», en *Lenguaje y poesía*, Alianza, Madrid, 1969, pp. 73-111.

Guillén, Jorge: *Lenguaje y poesía. Algunos casos españoles*, Revista de Occidente, Madrid, 1962.

Hatzfeld, Helmut: «La prosa de San Juan de la Cruz en la "Llama de amor viva"», en *Estudios literarios sobre mística española*, Gredos, Madrid, 1968.

Hanaway, William L., Jr.: «Paradise on Earth: The Terrestrial Garden in Persian Literatures», en Elizabeth B. Macdougall y Richard Ettinghausen (eds.), *The Islamic Garden*, Dumbarton Oaks, Trustees for Harvard University, Washington, DC, 1976.

Hatzfeld, Helmut: *Estudios literarios sobre mística española*, Gredos, Madrid, 1968.

Havard, Robert: «Pedro Salinas and Courtly Love. The *amada* in *La voz a ti debida*: Woman, Muse and Symbol»: *Bulletin of Hispanic Studies* LVI (1979), pp. 122-140.

Heinrichs, Wolfhart: *Arabische Dichtung und griechische Poetik*, Beirut, 1969.

Hernández Mercedes, María del Pilar: «Bestiario alegórico en el Dilucidario del verdadero espíritu de Jerónimo Gracián de la Madre de Dios», en el *II Congreso de la AISO*, Salamanca/Valladolid, 26 de junio de 1990.

Hierro, José: *Agenda*, Prensa de la Ciudad, Madrid, 1991.

Hildegarda von Bingen: *Analecta S. Hildegardis opera, Spicilegio Solesmensi parata*, Pitra, Analecta Sacra, vol. VIII, Paris, 1882.

Holladay, W. L.: *The Root Shub in the Old Testament*, Brill, Leiden, 1958.

Ibn al-'Arabī, Muḥyi'ddin: *Tarŷumān al-ašwāq. A Collection of Mystical Odes*, versión bilingüe árabe-inglesa de Reynold A. Nicholson, Royal Asiatic Society, London, 1911.

Ibn al-'Arabī, Muḥyi'ddin: *Las contemplaciones de los misterios*. Introducción, edición, traducción y notas de Suad Hakim y Pablo Beneito, Editora Regional de Murcia, 1994.

Ibn al-Fāriḍ: *The Poem of the Way*, traducción versificada al inglés de A. J. Arberry, Emery Walker, Dublin, 1956.

Ibn al-Fāriḍ: *L'Éloge du vin (Al Khamriya). Poème mystique*, Les Éditions Véga, Paris, 1932.

Iser, Wolfgang: *The Act of Reading. A Theory of Aesthetic Response*, The Johns Hopkins University Press, Baltimore, 1978.

Izutzu, Toshihiko: «The Paradox of Light and Darkness in the Garden of Mystery of Shabastari», en Joseph P. Strella (ed.), *Anagogic Qualities of Literature*, University Park, Pennsylvania, 1971, pp. 288-307.

Jabra Jurji, Edward: *Illumination in Islamic Mysticism*, Princeton University Press, Princeton, 1938.

James, William: *The Varieties of Religious Experience. A Study in Human Nature*, The Modern Library, New York, 1925; trad. cast., *Las variedades de la experiencia religiosa*, Península, Barcelona, 1986.

Jastrow, Marcus: *A Dictionary of the Tarjumin, the Talmud Babli and the Yerushalmi, and the Midrashic Literature*, Parden Publishing House, New York, s.f.

Jastrow, Morris: *The Song of Songs. Being a Collection of Love Lyrics from Ancient Palestine*, Philadelphia & London, 1921.

Jauss, Hans Robert: *Toward an Aesthetic of Reception, Theory and History of Literature*, vol. 2, University of Minnesota Press, Minneapolis, 1982.

Jiménez, Juan Ramón: *Tiempo y espacio*, A. del Villar, editor, Madrid, 1986.

Jiménez Benítez, Adolfo E.: *El cancionero popular sefardí y la tradición hispánica*, Ediciones Zoé, San Juan, PR, 1994.

John of the Cross: *The Poems of St. John of the Cross*, New Directions Book, trad. de Willis Barnstone, New York, 1989.

Juan de la Cruz, San: *«Cántico espiritual» de San Juan de la Cruz*, Cristóbal Cuevas (ed.), Alhambra, México, 1985.

Juan de la Cruz: *Obras Completas de San Juan de la Cruz*, Luce López-Baralt y Eulogio Pacho (eds.), Alianza, Madrid, 1991.

Juan de la Cruz: *Obras del Beato Padre Juan de la Cruz*, prólogo de Francisco Pi y Maragall, t. I, BAE, Madrid, 1853.

Juan de la Cruz: *San Juan de la Cruz. Poesías Completas*, Pedro Salinas (ed.), Signo, Madrid, 1936.

Juan de la Cruz: *Vida y obras completas*, ed. de Crisógono de Jesús *et al.*, BAC, Madrid, 1964.

Juan de la Cruz: *Vida y obras de San Juan de la Cruz*, BAC, Madrid, 1978.

Jung, Carl G.: *Alchemical Studies*, Princeton University Press, Princeton, 1970.

Krynen, Jean: *Saint Jean de la Croix et l'aventure de la mystique espagnole*, Presses Universitaires du Mirail, France; Iberie Recherche, Toulouse, 1990.

Lázaro Carreter, Fernando: «Poética de San Juan de la Cruz», en *ACIS*, vol. I, pp. 25-45.

Leshan, Lawrence: *The Medium, the Mystic and the Physicist. Toward a General Theory of the Paranormal*, Ballantine Books, New York, 1982.

Lewisohn, Leonard (ed.): *Classical Persian Sufism: From its Origins to Rumi*, Khaniqahi Nimatullahi Publications, London & New York, 1993.

Lida, María Rosa: *La tradición clásica en España*, Ariel, Barcelona, 1975.

Lida, María Rosa: «Transmisión y recreación de temas grecolatinos en la poesía lírica española»: *Revista de Filología Hispánica* I (1939), pp. 20-63.

Lida, Raimundo: «Bergson, filósofo del lenguaje», en *Letras hispánicas*, FCE, México/Buenos Aires, 1958.

López-Baralt, Luce: «El "Cántico espiritual" o el júbilo de la unión transformante»: versión abreviada en *ACIS*, vol. I, pp. 163-204; versión completa en Mary Malcolm Gaylord y Francisco Márquez Villanueva (eds.), *San Juan de la Cruz and Fray Luis de León. A Commemorative International Symposium*, Juan de la Cuesta, Newark, Delaware, 1996, pp. 145-489.

López-Baralt, Luce: «Lo que había del otro lado del Zahir de Jorge Luis Borges», en *Conjurados. Anuario Borgiano*, vol. I, Centro de Estudios Jorge Luis Borges (Universidad de Alcalá)/Franco Maria Ricci, Milano, 1996, pp. 90-109.

López-Baralt, Luce: «San Juan de la Cruz, ¿poeta del amor divino o poeta del amor humano?». En prensa en las *Actas del décimo Congreso de la Asociación Internacional de Hispanistas*, Birmingham, Inglaterra, 1995.

López-Baralt, Luce: «*Melibeo soy: La voz a ti debida* de Pedro Salinas»: *La Torre* VIII (1994), pp. 145-159.

López-Baralt, Luce: «La bella de Juan Ruiz tenía ojos de hurí»: *Nueva Revista de Filología Hispánica* XL (1992), pp. 73-83.

López-Baralt, Luce: *Islam in Spanish Literature. From the Middle Ages to the Present*, Brill, Leiden, 1992.

López-Baralt, Luce: «José Hierro ante el milagro más grande del amor: la transformación de la amada en el amado»: *La Torre* VI (1992), pp. 105-173.

López-Baralt, Luce: *Un Kāma Sūtra español*, Siruela, Madrid, 1992.

López-Baralt, Luce: «Escribiendo desde las ínsulas extrañas: reflexiones de una hispano-arabista puertorriqueña»: *Historia y Fuente Oral* VII (1991), pp. 113-126.

López-Baralt, Luce: «La noche oscura del amor transformante en San Juan de la Cruz»: *Mairena* XIII (1991), pp. 5-24.

López-Baralt, Luce: *San Juan de la Cruz y el Islam*, Colegio de México/Universidad de Puerto Rico, 1985; Hiperión, Madrid, 1990.

López-Baralt, Luce: *Huellas del Islam en la literatura española. De Juan Ruiz a Juan Goytisolo*, Hiperión, Madrid, 1985/1989.

López-Baralt, Luce: «Para la génesis del pájaro solitario de San Juan de la Cruz», en *Huellas del Islam en la literatura española. De Juan Ruiz a Juan Goytisolo*, Hiperión, Madrid, 1985/1989.

López-Baralt, Luce: «Simbología mística musulmana en San Juan de la Cruz y en Santa Teresa de Jesús»: *Nueva Revista de Filología Hispánica* XXX (1981), pp. 21-91.

López-Baralt, Luce: «The *trobar clus* of the Sufis and Spanish Mysticism: a Shared Symbology». En prensa, en versión al urdu, en el *Iqbal Review* de la Iqbal Academy Pakistan, Lahore, Pakistán.

López-Baralt, Luce: «La *visio smaragdina* de San Juan de la Cruz: las esmeraldas trascendidas que encontró en el jardín de su alma iluminada», en: *Varia lingüística y literaria. 50 años del CELL*, vol. II: *Literatura. De la Edad Media al Siglo XVIII*, Martha Elena Venier (ed.), El Colegio de México, 1997, pp. 147-176.

López-Baralt, Luce y Reem Iversen: *La enseñanza del árabe en Salamanca en tiempos de San Juan de la Cruz o de cómo el maestro Cantalapiedra enseñaba el arávigo por un libro que se llama la Jurrumía*. En prensa en el Colegio de México.

López-Baralt, Luce y Francisco Márquez Villanueva (eds.): *Erotismo en las letras hispánicas. Aspectos, modos y fronteras*, El Colegio de México, México, 1996.

López-Baralt, Luce y Lorenzo Piera (eds.): *El sol a medianoche. La experencia mística: tradición y actualidad*, Trotta, Madrid, 1996.

López Castro, Armando: «La palabra experimental de San Juan de la Cruz», en *ACIS*, vol. I, pp. 279-294.

López García, María de los Ángeles: *Semántica de los líquidos en la obra de San Juan de la Cruz. Estudio léxico*, Colección Telar de Yepes, Institución Gran Duque de Alba, Diputación Provincial de Ávila, 1993.

Luis de León, Fray: *Obras completas castellanas*, 2 vols., prólogo y notas de Félix García, OSA, BAC, Madrid, 1958.

Macdougall, Elizabeth B. y Richard Ettinghaussen: *The Islamic Garden*, Dumbarton Oaks, Trustees for Harvard University, Washington, DC, 1976.

Maio, Eugene: *The Imagery of Eros*, Playor, Madrid, 1973.

Mancho Duque, María Jesús: «Antítesis dinámica de la "Noche oscura"», en *Palabras y símbolos en San Juan de la Cruz*, Fundación Universitaria Española/Universidad Pontificia de Salamanca, Madrid, 1993.

Mancho Duque, María Jesús: «Aproximación a una imagen sanjuanista: el vuelo»: *Teresianum* XLI (1990), pp. 24-35.

Mancho Duque, María Jesús: «Creación poética y componente simbólico en San Juan de la Cruz», en *Palabras y símbolos en San Juan de la Cruz*, Fundación Universitaria Española/Universidad Pontificia de Salamanca, Madrid, 1993, pp. 129-156.

Mancho Duque, María Jesús: «El elemento aéreo en la obra de San Juan de la Cruz: léxico en imágenes»: *Criticón* 52 (1991), pp. 7-24.

Mancho Duque, María Jesús: «Expresiones antitéticas en San Juan de la Cruz», en María Jesús Mancho Duque (ed.), *La espiritualidad española del siglo XVI. Aspectos literarios y lingüísticos*, Universidad de Salamanca, 1990, pp. 25-36.

Mancho Duque, María Jesús: *Palabras y símbolos en San Juan de la Cruz*, Fundación Universitaria Española/Universidad Pontificia de Salamanca, Madrid, 1993.

Mancho Duque, María Jesús: «Panorámica sobre las raíces imaginarias del símbolo de la noche en San Juan de la Cruz»: *Boletín de la Biblioteca Menéndez Pelayo* LXIII (1987), pp. 125-155.

Mancho Duque, María Jesús: *El símbolo de la «noche» en San Juan de la Cruz*, Editorial Universidad de Salamanca, 1982.

Mancho Duque, María Jesús: «Símbolos dinámicos en San Juan de la Cruz», en *Palabras y símbolos en San Juan de la Cruz*, Fundación Universitaria Española/Universidad Pontificia de Salamanca, Madrid, 1993, pp. 157-176.

Mancho Duque, María Jesús (ed.): *La espiritualidad española del siglo XVI. Aspectos literarios y lingüísticos*, Universidad de Salamanca, 1990.

Mancho Duque, María Jesús y José Antonio Pascual: «La recepción inicial del «Cántico espiritual» a través de las variantes manuscritas del texto», en *ACIS*, vol. I, pp. 107-122.

Manero Sorolla, María Pilar: «Ana de Jesús, cronista de la fundación del Carmelo de Granada»: *Filología* XXVI, *Homenaje a Marcos A. Morínigo* (1993), pp. 121-147.

Manero Sorolla, María Pilar: «Ana de Jesús y Juan de la Cruz: perfil de una relación a examen»: *Boletín de la Biblioteca Menéndez Pelayo* LXX (1994), pp. 5-53.

Márquez, Antonio: *Los alumbrados. Orígenes y filosofía*, Taurus, Madrid, 1972.

Martin, A.: *The Knowledge of Ignorance. From Genesis to Juler Verner*, Cambridge, 1989.

Martín López, Manuel Ángel: *Colección de sombras*, Gallo de Vidrio, Sevilla, 1991.

Martínez Ruiz, Juan y Joaquína Albarracín: «Farmacopea en La Celestina y en un manuscrito árabe de Ocaña», en *Actas del I Congreso Internacional sobre* La Celestina, 17-22 de junio de 1974.

Massignon, Louis: *La passion de Hallâj*, 4 vols., Gallimard, Paris, 1975.

Mays, James L.: *Harper's Bible Commentary*, Harper & Row, San Francisco, 1988.

Medici, Lorenzo de': *Tutte le opere*, II, Milano, 1958.

Meissner, W. W., S.J.: *Ignatius of Loyola. The Psychology of a Saint*, Yale University Press, New Heaven, 1992; trad. cast., *Iglacio de Loyola. Psicología de un santo*, Muchnik-Anaya, Madrid, 1995.

Menéndez Pelayo, Marcelino: *Estudios de crítica literaria*, Madrid, 1915.

Merton, Thomas: *The Ascent to Truth*, A Harvest/HBJ Book, San Diego-New York-London, 1979.

Merton, Thomas: *New Seeds of Contemplation*, A New Directions Book, New York, 1961.

Merton, Thomas: *The Way of Chuang Tzu*, New Directions, New York, 1965.

Merton, Thomas: *Entering the Silence. Becoming a Monk and Writer*, ed. por Jonathan Montaldo, HarperCollins, Harper-San Francisco, 1996.

Molina Navarrete, Ramón: «"Llama de amor viva": un poema ardiente e hiriente»: *San Juan de la Cruz* (Úbeda), 8 (1991).

Monroe, James T.: «Hispano-Arabic Poetry During the Caliphate of Córdoba», en *Arabic Poetry, Theory and Development*, Wiesbaden, 1973.

Montemayor, Jorge de: *Los siete libros de la Diana*, Espasa-Calpe, Madrid, 1967.

Moody, Raymond: *Reunions*, Ivy Books, New York, 1993.

Morales, José L.: *El «Cántico espiritual» de San Juan de la Cruz: su relación con el «Cantar de los cantares» y otras fuentes escriturísticas y literarias*, Ed. de Espiritualidad, Madrid, 1971.

Morón Arroyo, Ciriaco: «Texto de amor vivo»: *Ínsula* 537 (1991), pp. 15-17.

Murata, Sachiko: *The Tao of Islam. A Sourcebook on Gender Relationships in Islamic Thought*, State University of New York Press, New York, 1992.

Narváez, María Teresa: «"Lectura profana" de la "Noche oscura" de San Juan de la Cruz»: *Mairena* XIII (1991), pp. 61-72.

Nasr, Seyyed Hossein: *Three Muslim Sages. Avicenne, Suhrawardi, Ibn 'Arabi*, Harvard University Press, Cambridge, 1964.

Nasr, Seyyed Hossein: *Sufi Essays*, G. Allen & Unwin Ltd., London, 1972.

Nenadich, Nilsa: *El problema de las escalas místicas en el «Cántico espiritual» de San Juan de la Cruz*, Monografía inédita, Universidad de Puerto Rico, 1990.

Nicholson, Reynold Alleyne: *Poetas y místicos del Islam*, versión española y estudio preliminar de Fernando Valera, Orión, México, 1945.

Nicholson, Reynold Alleyne: *Studies in Islamic Mysticism*, Cambridge University Press, Cambridge, 1921.

Nicolás, Antonio T. de: *Power of Imagining. Ignatius of Loyola. A Philosophical Hermeneutics of Imagining Through the Collected Works of Ignatius of Loyola*, State University of New York, N.Y., 1986.

Nicolás, Antonio T. de: *St. John of the Cross. Alchemist of the Soul*, Paragon House, New York, 1989.

Nieto, José C.: *Místico, poeta, rebelde, santo: en torno a San Juan de la Cruz*, FCE, Madrid, 1982.

Nieto, José C.: *San Juan de la Cruz. Poeta del amor profano*, Editorial Torre de la Botica/Swan, Madrid, 1988.

Nurbakhsh, Javad: *The Legacy of Medieval Persian Sufism*, Khaniqahi Nimatullahi Publications, London & New York, 1992.

Nwyia, Paul: *Ibn 'Aṭā' Allāh et la naissance de la confrérie šāḏilīte*, Dar El-Machreg Éditeurs, Beirut, 1971.

Origenis. Opera omnia. Opera et studio D. D. Caroli et Caroli Vincentii Delarve; Accurante et Recognoscente J. P. Migne. *Patrologiae Graecae*, tomos 16-17, Pars Secunda, Typographi Brepols, Editores Pontificii, Turnholti, Belgium, s.f.

Pacho, Eulogio: «Contribución sanjuanista a la mística de la "luz y de la oscuridad" (Integración doctrinal y lingüística)», en María Jesús Mancho Duque (ed.), *La espiritualidad española del siglo XVI. Aspectos literarios y lingüísticos*, Universidad de Salamanca, 1990, pp. 167-184.

Pacho, Eulogio: «Noche oscura. Historia y símbolo, evocación y paradigma»: *Monte Carmelo* 99/3 (1991), pp. 425-444.

Pacho, Eulogio: «El quietismo frente al magisterio sanjuanista sobre la contemplación»: *Ephemerides Carmeliticae* (Roma) XIII (1962), pp. 353-426.

Pacho, Eulogio: «San Juan de la Cruz, reo y árbitro en la espiritualidad española», en José Vicente Rodríguez *et al.*, *Aspectos históricos de San Juan de la Cruz*, Diputación Provincial de Ávila, 1990, pp. 143-162.

Pacho, Eulogio: «Una novedad reveladora sobre el «Cántico espiritual»»: *Ínsula* 534 (1991), pp. 1-2.

Pacho, Eulogio: *Vértice de la poesía y la mística. El «Canto espiritual» de San Juan de la Cruz*, Monte Carmelo, Burgos, 1983.

Pacho, Eulogio: «Lenguaje técnico y lenguaje popular en San Juan de la Cruz», en José Ángel Valente y José Lara Garrido (eds.), *Hermenéutica y mística: San Juan de la Cruz*, Tecnos, Madrid, 1995, pp. 197-229.

Padrón, Ferdinand: «La corporeidad de los sujetos líricos en el "Cántico espiritual" de san Juan de la Cruz», inédito. Memoria presentada en el Curso graduado Literatura mística española (Universidad de Puerto Rico, 1996). Citado con permiso del autor.

Pareja, Félix: *La religiosidad musulmana*, BAC, Madrid, 1975.

Pascal, Blaise: *Les pensées*, Zacharie Tourneur (ed.), Librairie Philosophine J. Vrin, Paris, 1942.

Paz, Octavio: *Las peras del olmo*, Seix Barral, Barcelona, 1974.

Paz, Octavio: «Poesía de soledad y poesía de comunión», en *Las peras del olmo*, UNAM, México, 1957.

Peers, E. Allison: *Studies of the Spanish Mystics*, Macmillan, New York, 1951.

Perella, Nicholas: *The Kiss Sacred and Profane*, University of California Press, Berkeley / Los Angeles, 1969.

Perella, Nicholas: «Love's Greatest Miracle»: *Modern Language Notes* LXXXVI (1971), pp. 21-30.

Pérez Embid, Florentino: «El tema del aire en San Juan de la Cruz»: *Arbor* V (1946), pp. 93-98.

Pikaza, Xabier: *El «Cántico espiritual» de San Juan de la Cruz. Poesía. Biblia. Teología*, Paulinas, Madrid, 1992.

Pinta Llorente, M. de la: *Procesos inquisitoriales contra los catedráticos hebraístas de Salamanca: Gaspar de Grajal*, Monasterio de El Escorial, Madrid, 1955.

Pfandl, Ludwig: *Historia de la literatura española en la Edad de Oro*, Sucesores de J. Gili, Barcelona, 1933.

Pope, Marvin: *The Song of Songs. A New Translation with Introduction and Interpretation*, Doubleday & Co., New York, 1977.

Rexroth, Kenneth: «The Works of Rimbaud»: *Saturday Review*, January 14 (1967), pp. 32-36.

Riffard, Pierre: *Diccionario del esoterismo*, Alianza, Madrid, 1987.

Rizzuto, Ana María: *The Birth of the Living God*, University of Chicago Press, Chicago/London, 1979.

Rizzuto, Ana María: «Reflexiones psicoanalíticas acerca de la experiencia mística», en Luce López-Baralt y Lorenzo Piera (eds.), *El sol a medianoche. La experiencia mística: tradición y actualidad*, Trotta, Madrid, 1996.

Robert, A., R. Tournay y A. Fevillet: *Le Cantique des cantiques. Traduction et Commentarie*, Librairie Lecroffe, Paris, 1963.

Robledo, Laura: «El extravío del "Cántico espiritual": hacia una poética del espacio en San Juan de la Cruz». Memoria presentada en el Curso graduado Literatura del Renacimiento (Universidad de Puerto Rico, 1996). Citado con permiso de la autora.

Rodríguez, José Vicente: «La imagen del diablo en la vida y escritos de San Juan de la Cruz»: *Revista de Espiritualidad* 44 (1985), pp. 301-336.

Rodríguez-San Pedro Bezares, Luis E.: *La formación universitaria de San Juan de la Cruz*, Junta de Castilla y León, Valladolid, 1992.

Rodríguez-San Pedro Bezares, Luis E.: «La formación universitaria de San Juan de la Cruz», en *ACIS*, vol. I, pp. 221-250.

Rollán, María del Sagrario: «Poética del espacio místico en San Juan de la Cruz», en María Jesús Mancho Duque (ed.), *La espiritualidad española del siglo XVI. Aspectos literarios y lingüísticos*, Universidad de Salamanca, 1990, pp. 155-158.

Ros, Salvador *et al.*: *Introducción a la lectura de San Juan de la Cruz*, Junta de Castilla y León, Salamanca, 1991.

Rossi, Rosa: *Giovanni della Croce. Solitudine e Creatività*, Editori Riuniti, Roma, 1993; trad. española: *Juan de la Cruz. Silencio y creatividad*, Trotta, Madrid, 1996.

Rubio, David: *La fonte*, La Habana, 1946.

Ruiz de Elvira, Antonio: *Mitología clásica*, Gredos, Madrid, 1975.

Rūmī, Ŷalāluddīn: *Mathnawī-i ma'nawī*, comentado por R. A. Nicholson, London, 1925-1940.

Sagrada Biblia. Traducción directa de las lenguas originales de Eloíno Nácar Fúster y Alberto Colunga, BAC, Madrid, 1978.

Salinas, Pedro: «The Escape from Reality. Fray Luis de León and San Juan de la Cruz», en *Reality and the Poet in Spanish Poetry*, The Johns Hopkins Press, Baltimore, 1940.

Salinas, Pedro: *Poesías completas*, Barral Editores, Barcelona, 1971.

Salinas, Pedro: *La realidad y el poeta*, versión castellana y edición a cargo de Soledad Salinas de Marichal, Ariel, Barcelona, 1976.

Salinas, Pedro: *Reality and the Poet in Spanish Poetry*, The Johns Hopkins Press, Baltimore, 1940.

Sánchez Robayna, Andrés: «San Juan de la Cruz: destrucción y destino», en José Ángel Valente y José Lara Garrido (eds.), *Hermenéutica y mística: San Juan de la Cruz*, Tecnos, Madrid, 1995, pp. 153-160.

Satz, Mario: *Umbría lumbre. San Juan de la Cruz y la sabiduría secreta de la kábala y el sufismo*, Hiperión, Madrid, 1991.

Schimmel, Annemarie: *Nightingales Under the Snow*, Khaniqahi Nimatullahi Publications, London / New York, 1994.

Schimmel, Annemarie: *The Triumphal Sun. A Study of the Works of Jallaloddin Rumi*, East-West Publications, London/The Hague, 1978.

Schimmel, Annemarie: *Mystical Dimensions of Islam*, University of North Carolina Press, Chapel Hill, 1975; próxima trad. castellana, Trotta, Madrid.

Schlüter Rodés, Ana María: «San Juan de la Cruz y el Zen»: *San Juan de la Cruz* IX (1992), pp. 53-68.

Schrader, Ludwig: «Les yeux de l'âme et de l'esprit, métaphore de la littérature religieuse du siecle d'or», en *Le corps comme métaphore dans l'Espagne des XVI*e *et XVII*e *siècles*, Agustín Redondo (ed.), Éditions de la Sorbonne, Paris, 1992, pp. 203-214.

Sells, Michael: «Ibn 'Arabī's Garden Among the Flames: a Reevaluation»: *Histoy of Religions* XXXIII (1984), pp. 287-315.
Sells, Michael: «Ibn 'Arabī's Polished Mirror: Perspective Shift and Meaning Event»: *Studia Islamica* 66 (1988), pp. 121-149.
Sells, Michael: *Mystical Languages of Unsaying*, The University of Chicago Press, Chicago / London, 1994.
Serés, Guillermo: *La transformación de los amantes. Imágenes del amor de la Antigüedad al Siglo de Oro*, Crítica-Grijalbo-Mondadori, Barcelona, 1996.
Sessé, Bernard: «Estructura dramática de la "Noche oscura" (tres aspectos del poema)», en *ACIS*, vol. I, pp. 245-256.
Sessé, Bernard: «Teoría y práctica del deseo según San Juan de la Cruz»: *Ínsula* 537 (1991), pp. 31-33.
Sessé, Bernard: «La *Nuit obscure* de Saint Jean de la Croix. Structure thematique du poème»: *Arquivos do Centro Cultural Português* XXXI (1992), pp. 311-322.
Siddheswarananda, Swami: *El raja yoga de San Juan de la Cruz*, Orión, México, 1959.
Silverio de Santa Teresa: *Historia del Carmen Descalzo en España, Portugal y América*, El Monte Carmelo, Burgos, 1937.
Smith, Margaret: *The Sufi Path of Love. An Anthology of Sufism*, Luzac & Co., London, 1954.
Sohrawardî, Shihâboddîn Yahyâ: *L'Archange empourpreé. Quinze traités et récits mystiques traduits du persan et l'arabe*, Henry Corbin (ed.), Fayard, Paris, 1976.
Soto Rivera, Rubén: «El simbolismo de la fuente, el semblante y los ojos en las liras 12 y 13 de "Cántico espiritual" de San Juan de la Cruz». Trabajo inédito. Memoria presentada en el Curso graduado Literatura mística española (Universidad de Puerto Rico, 1996). Citado con permiso del autor.
Spice, Otto y Khatar, S. K. (eds. y trads.): *Three Treatises on Mysticism by Shihabuddin Suhrawardi Maqtul*, Khatak, 1935.
Spitzer, Leo: «El conceptismo literario en la poesía de Pedro Salinas»: *Revista Hispánica Moderna* VII (1941), pp. 52-71.
Steggink, Otger (ed.): *Juan de la Cruz, espíritu de llama*, Institutum Carmelitarum, Roma; Kok Pharus Publishing House Kamper, The Netherlands, 1991.
Stein, E.: *La ciencia de la cruz. Estudio sobre San Juan de la Cruz*, Dinor, San Sebastián, 1959.
Stimilli, Davide: *The Strategy of Immortality: A Study in the Physiognomical Tradition*, Tesis doctoral inédita, Yale University, 1995.
Sullivan, Lawrence: «Saint Gregory's Moralia and Saint John of the Cross»: *Ephemerides Carmeliticae* XXVIII (1977), pp. 62-63.
Swietlicki, Catherine: «Entre las culturas españolas: San Juan de la Cruz y la cábala cristiana popular», en *ACIS*, vol. I, pp. 259-267.
Swietlicki, Catharine: *Spanish Christian Cabala. The Works of Luis de León, Santa Teresa de Jesús and San Juan de la Cruz*, University of Missouri Press, Columbia, 1986.

Tavard, G.: *Saint Jean de la Croix, poète mystique*, Paris, 1987.
Teilhard de Chardin, Pierre: *El fenómeno humano*, Taurus, Madrid, 1979.
Teilhard de Chardin, Pierre: *El medio divino*, Taurus, Madrid, 1959.
Teresa de Jesús, Santa: *Obras completas*, BAC, Madrid, 1976.
Teresa de Jesús, Santa: *Libro de la vida*, BAC, Madrid, 1977.
Thomas, Northcote W.: *Crystal Gazing: Its History and Practice, with a Discussion of the Evidence of Telephatic Saying*, Dodge Publishing Co./Haeth Research, New York, 1968.

Thompson, Colin P.: «El mundo metafórico de San Juan», en *ACIS*, vol. I, pp. 74-93.
Thompson, Colin P.: *The Poet and the Mystic. A Study of the «Cántico espiritual» of San Juan de la Cruz*, Oxford University Press, London, 1977.
Torres, Concepción: *Ana de Jesús. Cartas (1590-1621). Religiosidad y vida cotidiana en la clausura femenina del Siglo de Oro*, Universidad de Salamanca, 1995.
Toüon, P.: *Le Cantiques des cantiques*, Paris, 1909.

Underhill, Evelyn: *Mysticism*, Dutton & Co., New York, 1961.

Vadet, Jean-Claude: *L'esprit courtois en Orient dans le cinq premières siècles de l'Hégire*, G.-P. Mainsonneuve et Larose, Paris, 1968.
Valente, José Ángel: «Formas de lectura y dinámica de la tradición», en José Ángel Valente y José Lara Garrido: *Hermenéutica y mística: San Juan de la Cruz*, Tecnos, Madrid, 1995, pp. 15-22.
Valente, José Ángel: «El ojo de agua», en *La piedra y el centro*, Taurus, Madrid 1982, pp. 65-71.
Valente, José Ángel: *La piedra y el centro*, Taurus, Madrid, 1982.
Valente, José Ángel: *Ensayo sobre Miguel de Molinos. «Guía Espiritual», «Defensa de la contemplación»*, Barrral Editores, Barcelona, 1974.
Valente, José Ángel: «La hermenéutica y la cortedad del decir», en *Las palabras de la tribu*, Siglo XXI, Madrid, 1971.
Valente, José Ángel y José Lara Garrido: *Hermenéutica y mística: San Juan de la Cruz*, Tecnos, Madrid, 1995.
Valéry, Paul: «Cantique spirituel», en *Oeuvres*, Gallimard, Paris, 1962, pp. 445-457.
Vélez Estrada, Jaime: «Origen y sentido existencial del carnaval»: *Revista de Estudios Generales*, Universidad de Puerto Rico, IV (1989-90), p. 304.

Watkin, E. I.: *Poets and Mystics*, Sheed and Ward, New York, 1953.
Weir, T. H.: *The Sheikhs of Morocco*, London, 1909.
Wilson, Margaret: *Saint John of the Cross. Poems*, Tamesis Books Ltd., London, 1975.
Wright, George T.: «The Poet in the Poem: The *Personae* of Elliot, Yeats, and Pound»: *Perspectives in Criticism*, University of California Press, Berkeley, IV (1960).

Ynduráin, Domingo: *Aproximación a San Juan de la Cruz. Las letras del verso*, Cátedra, Madrid, 1990.
Ynduráin, Domingo: «"Y pacerá el Amado entre las flores": el verso», en María Jesús Mancho Duque (ed.), *La espiritualidad española del siglo XVI. Aspectos literarios y lingüísticos*, Universidad de Salamanca, 1990, pp. 37-44.

Zambrano, María: «Mística y poesía», en *Obras reunidas. Primera entrega*, Madrid, 1971, pp. 150-172.
Zambrano, María: «San Juan de la Cruz. (De la "noche oscura" a la más clara mística)», en *Los intelectuales en el drama de España: Ensayos y notas (1936-1939)*, Hispamérica, Madrid, 1977 y Trotta, Madrid, 1998.